▲ 山野寻趣（1991 年）

▲ 在田野中写生（2003 年）

▲ 歌剧剧本《老舍之死》法译本封面

▲《私人照相簿》的几种版本

刘心武文存36

[1958－2010]

多品种卷

私人照相簿

刘心武◎著

江苏人民出版社

图书在版编目(CIP)数据

私人照相簿／刘心武著. —南京：江苏人民出版社，2012.11

(刘心武文存；36. 多品种卷)

ISBN 978-7-214-08651-8

Ⅰ. ①私 … Ⅱ. ①刘… Ⅲ. ①散文集-中国-当代 Ⅳ. ①I267

中国版本图书馆CIP数据核字(2012)第184636号

书　　名	私人照相簿
著　　者	刘心武
责任编辑	刘　焱
统筹编辑	李　丹
特约编辑	朱　鸿
文字校对	陈晓丹　郭慧红
装帧设计	门乃婷工作室
出版发行	凤凰出版传媒股份有限公司 江苏人民出版社
出版社地址	南京湖南路1号A楼　邮编：210009
出版社网址	http://www.book-wind.com
经　　销	凤凰出版传媒股份有限公司
印　　刷	三河市金元印装有限公司
开　　本	700毫米×1000毫米　1/16
印　　张	31.5
字　　数	384千字
彩　　插	4
版　　次	2012年11月第1版　2012年11月第1次印刷
标准书号	ISBN 978-7-214-08651-8
定　　价	72.00元

(江苏人民出版社图书凡印装错误可向本社调换)

《刘心武文存》出版说明

《刘心武文存》收录刘心武自1958年16岁至2010年68岁公开发表的文字约900万字。《文存》共40卷，按文章门类收录，计有长篇小说5卷、中篇小说4卷、短篇小说5卷、小小说1卷、儿童文学1卷、建筑评论2卷、《红楼梦》研究4卷、散文随笔11卷、杂文1卷、海外游记1卷、多品种（图文交融文本、报告文学、诗歌、剧本、足球评论、译述）1卷、创作谈1卷、理论批评1卷、早期（1958年至1976年）作品1卷、自述1卷。因跨越时间达半个世纪以上，收录定有遗漏，但其此期间的主要作品，相信均已收入。

《刘心武文存》各卷均附有《刘心武文学活动大事记》及《刘心武著作书目》，可备检索。

编辑出版《刘心武文存》的目的，意在供各方面人士阅读欣赏、分析研究、批评批判、收藏保存。

刘心武文存 36

目录

私人照相簿

报告文学

剧　本

刘心武文存 36

目录

诗 歌

足球评论

译 述

刘心武文存 36

私人照相簿

《私人照相簿》序

“你为什么要写《私人照相簿》？”

有人来信问，有人当面问。

其实，在上海《收获》杂志 1986 年第 1 期开辟《私人照相簿》这个栏目，刊出的头一篇《影子大叔》中，我对形成这么一组文章的缘由已有详尽的交代，在后面的若干篇中，也有我搞这样一种文学试验的探索意向的具体说明。我想，问我的人，不是忘记了我已写出的那些理由，而是希望我能袒露出更多的隐情。

在我内心深处，常涌动着莫可名状的情思。作为一个独特的个体，我们出生在什么时间、什么地点、什么家庭、处身于一个什么样的时代，什么样的人文环境，我们承继着什么样的遗传基因、文化遗产，都是不由自主的。我并不是一个宿命论者。惟其不是，当我想到上述情况时，就更意识到个人命运的悲壮。人们常常认为自己是不得不如此。但自己以外的人，往往又都认为你不应如此。人应当对自己对他人对社会都负起责任。人就必须常常克服自己。但一味克服自己会失去自己。为保持住自己又往往不得不失誉于自己以外。所谓人无完人，其实是世人无一样的眼光。人在世人的眼光中生活，艰辛而紧张。当人独处一室，翻动着自己的私人照相簿时，或者可以松弛下来。人在这时可以意识到其实自己是可爱的，有道理的，不必那么自怨自艾，更不必悲观失措，既然那么多路都走过来了，前面的路，总不至于走不下去的。

"你不是最主张尊重个人隐私的吗？你怎么又弄起《私人照相簿》来了呢？"有一位读者来信这样发问。

的确，我写过《我爱每一片绿叶》、《黑墙》那样的短篇小说，强烈地表达出我对个人隐私权的捍卫意识。在目前的中国，个人隐私权是最脆弱的。首先，你就难以获得一方私人空间。常常是三辈人同住一处。就是总算有个人的一间私室，亲友同仁邻居们多余的关心也常常弄得你心神难定。我祈盼中国人的私人空间得到适度的展拓，隐私权得到切实的保障。

《私人照相簿》虽然以披露一组组私家照片为其组成部分，却是以尊重隐私权为绝对的前提的。就整个社会而言，任何强制性或诱骗性地让人披露隐私都是一种罪恶，但就文学本性而言，又总是建立在一定程度甚至最高程度地自愿袒露隐私隐情之上的。《私人照相簿》中大量的私家照片出自我自己的家庭，其出于自愿固不待言，其他凡刊载出来的私家照片，都是取得其主人信任，理解与自愿，而作为对我创作的支持与对文学的钟爱出借的。当然，有一些照片上的人物已不知乃何许人也，或不知所终，但即使是这样的照片，选用时我也尽量考虑到不要产生副作用。

中国是一个盛产血泪控诉书而绝少忏悔录的国度。一方面，在社会生活中不懂得不善于尊重个人隐私；一方面，在文学艺术中又不懂得不善于袒露出个人心底最隐秘的东西。这两方面往往又颇为相辅相成，构筑成一种人文环境。《私人照相簿》产生于这样一种人文环境所造成的大苦闷之中。

"在你个人的创作中，《私人照相簿》占有着怎样的位置呢？"

一位研究中国当代文学的学者这样问我。我个人自 1977 年以来的创作，一般研究者较看重的是所谓三个阶段的代表作，如"伤痕文学"阶段的《班主任》、《醒来吧，弟弟》；写人生阶段的《我爱每一片绿叶》、《如意》、《立体交叉桥》；追求纪实性阶段的《5 · 19 长镜头》、《公共汽车咏叹调》；集三个阶段经验之大成的长篇小说《钟鼓楼》。我自己很看重的两部作品，一部发表于 1986 年年初的中篇小说（长十万字，其实也可以算长篇小说）《无尽的长廊》，另一部即由十篇文字组成的《私人照相簿》，却很少引起研究者的注意，读者自然还是有的，也有热心的支持者写来亲切的信函，但比起《5·19长镜头》、《公共汽车咏叹调》那样的东西，就简直是寂寞的状态。

人生中的许多事，往往最终取决于机遇。自己希图得到的，得不到；自己并不曾妄想的，却偏偏撞到怀中。在我已经历的人生中，热闹时也真够热闹，寂寞时也真够寂寞，现在我时时这样想：凡我得到的热闹，也许那该是属于别人的；凡我身处的寂寞，则都属于应得。

"你为什么弄了十篇，就不再弄下去了呢？"

这也是不止一个人向我发出的问题。

弄这玩意儿真难。在中国这样的人文环境中，更难。

比如，倘若有一位三十多岁的朋友，向我提供了一组非常独特的私人照片：1966年夏天，他还是个中学生，参加了"红卫兵"组织，正在贴大字报，正在"破四旧"砸烂商店的古匾，正在批斗"黑帮"，正在街头宣传"最高指示"，正在举着红旗进行"徒步长征"，正在瞻仰革命圣地韶山，正在自己构筑的工事中与武斗的另一方相峙，正在接受解放军军训，正在欢庆"革命委员会"的成立……随着一张张照片的展现，他也向我倾诉着他的心路历程，你说，我该多么激动，在我已发表的十篇《私人照相簿》中，哪一篇能比他所提供的材料所组成的一篇更具有史料性，更具有个人命运的庄严感与悲怆感？我相信会有数量很大的读者乐于看到这些照片和读到关于他和他的同伴们的心路历程，然而，我写好了文章，编排好了照片，甚至准备好了寄往上海《收获》杂志编辑部的大封套，在最后一分钟，会出现怎样的情况呢？他来找我了，他搓着双手，喘着气，痛苦地、坚决地要求我撤下这篇文章，退还他全部照片，因为，他担心这文章这照片刊载出来以后，会有人指斥他为"文化大革命"中的"打、砸、抢分子"。我怎么办呢？我深深地懂得，尽管按实际情况，他只不过是一个当年最普通的"红卫兵"，绝无个人的劣迹可言，他和他当年的伙伴爱好摄影，所以在所经历的各个环节中，都相互拍摄了一些有自己在内的照片而已，这些照片倘由他个人私藏下去，是不会给他惹来麻烦的，但一旦公开印出，则至少他周围同他嫌隙的人是不会放过这个找他麻烦的机会的。我难道能够犹豫吗？我立即退还他全部照片，并且将写好的文章也送给他，随他留作纪念或加以销毁，我并且立即另作他想，努力从备用资料中为《收获》另搞一篇文章，这样的情况不止一次。再比如，一组关于旧社会两代妓女的照片和文字，也在最后关头尊重提供者意愿而撤下……我想由此读者可以理解，为什么有几篇《私人照相簿》显得非常仓促，又为什么有的《私人照相簿》这个栏目在《收获》杂志上不得不轮空。

至少在目前的中国，完全不伤害别人，仅只是自我解剖和自我忏悔，太深入了也是难以被世人所容的。什么时候中国文学中的自剖与忏悔能达于令自己和别人都战栗得遍体清凉，什么时候中国文学就有了最关键的突破。愿《私人照相簿》是我自己通往这个境界的一个阶梯。

《收获》杂志1986年接受我这《私人照相簿》的构想，专为我开辟一个与“长篇小说”、“中篇小说”、“短篇小说”、“散文”等栏目并列的“私人照相簿”栏目，已属破格优待。众所周知，1987年初我被停止《人民文学》杂志主编职务，停职期长达二百天，处境相当尴尬，几家有我去稿的杂志，或既不刊登也不回信，或原稿退还说是为难，唯独《收获》照常来长途电话催我寄此栏目的稿件和照片；凡我寄去，照发不误。九月底，我被宣布复职，并被批准到美国访问，纽约的《华侨日报》刊载出一篇《刘心武与〈收获〉》的文章，里面说：“刘心武倒霉之时，大陆报刊发表他文章的似不多见，而《收获》却一如既往，对他来稿照发不误。这是需要主持者有点胆识的。因为政策虽然明确规定刘心武在停职检查期间并不影响他的作家活动与写作发表的权利，然而中国社会却有一种无形的习惯势力：‘门前拴着高头马，不是亲来也是亲；门前拴着讨饭棒，骨肉至亲不上门。’作家一遇磨难，他的文章就难于和读者见面了。《收获》这样热情地对待一位遇有‘麻烦’的作者，固然是编辑部风骨的表现，但同时也正说明大陆文艺政策毕竟与昔日不同了。即如刘之‘停职’与‘复职’，亦是文艺政策的反映。”《收获》对我创作的宝贵支持，可谓世人共睹。我现在所想的，是如何能将自己下面所写的最努力的作品，交给他们发表。

我还要向读者说明，香港南粤出版社出我这本书，是副总编辑潘耀明先生，在我麻烦并未过去的停职期间，来北京时当面同我敲定的，这也同样使我感动。

一是如上面所说，搞下去很难；二是我的写作兴致有所转移，所以“私人照相簿”暂且收场。许多年以后，我会不会再弄起这玩意儿来呢？难说。

人生，是在确定性与不确定性之间向前流动。不信，就请你翻翻自己的私人照相簿。

1987 年 11 月 28 日于北京绿叶居

《私人照相簿》新序

跟人有人的命运一样，书也有书的命运。2005 年，我到中央电视台 10 频道去录制了一套《揭秘〈红楼梦〉》的系列节目，又出了两部同名的书，没想到大受欢迎，两本《揭秘》全成了畅销书。我虽然从三十年前就开始出书，但这么多年来，许多书都只是常销书，而非畅销书。《揭秘》是我的书第一次畅销。

《揭秘》畅销了，我自然高兴。现在买书的人，谁能强迫他或她掏钱包呢？畅销，说明受到很多人欢迎，往往也说明有一些人在激烈地反对，畅销总伴随着争论的声音。在 2005 年的几次签名售书时，我发现，不少来买书的人非常年轻，有一些刚工作不久的白领，有很不少的学生，大学生居多，也有中学生。这些年轻人里，有的过去只模模糊糊地知道，我在上世纪七十年代末发表过一篇《班主任》，曾经引起过轰动，后来，到八十年代中期，写过一本长篇小说《钟鼓楼》，获得了茅盾文学奖，至于我还写过些什么，就不清楚了。这很正常。我这么个写作者，能有那么一两部作品，给人们留下点印象，已经是三生有幸了。

但是，确实有这样的情形出现，就是有一些因为看了《揭秘》，因而对我这个写作者产生了好奇心，想看看我《揭秘》以外的文字。一个写作者，他把作品拿来公开发表，当然希望有人看。有人说我在《揭秘》热销以后，“聪明地”把一些过去的作品拿来再版，语含讥讽。人在世上，被讥讽，乃至被“扁”，是再正常不过的事。其实，更聪明的是出版者。或者说，是市场那只无形的手。那只手，按我看，也无所谓聪明不聪明，有买方，才会有卖方，没有“聪明地”购书的消费者，我这样的写作者无论怎么聪明，也无法左右书的出版与发行。

我不放弃这样的一个时机，就是当有数量不算少的读者，想看看我除了《揭秘》究竟还写过些什么东西，那么，好，我就挑出自己觉得最值得向这样的好奇者奉献的作品，来交付出版者再版。当然，也许，还有些过去阅读过我这些作品的人士，他们喜欢过，甚至保留着旧版书，那么，他们如果心中仍保持着一份对我的善意与赞赏，看到这个新版本出现，也会替我高兴的。

这本《私人照相簿》，是我自己珍爱的心灵结晶。这些篇什，最早作为专栏文章，在1986年和1987年的《收获》杂志上连载。现在的出版物，可以说是“无书不图”，或者叫做“无图不成书”，而在1986年那个时候，像我写《私人照相簿》那样，文章里有那么多照片，而且那些照片又并非一般的“插图”，照片内容与正文叙述之间的关系，绝非“看图识字”，而是文与图、图与文互相补充，交融成一个独特精致的文本，那种做法，是非常出格的，从肯定的角度说，是一种文本创新，从否定的角度说，则是违反规范，“你这究竟算什么？小说不像小说，散文不像散文，也不像报告文学，你搞些什么名堂？”

说实在的，当时我那么写，并不是刻意要搞什么文本创新，只是在构思和创作时，觉得非采取那样的“四不像”形式，不足以挥洒出我胸中的块垒。

我从涉世以来到如今，总是遇到“资格问题”和“规范问题”。我在高中时本是一个成绩优秀的学生，但在1957年时，有一天中午在教室吃饭——那时候我从家里带中饭到学校，学校负责蒸热，中午取来，在教室里和别的带饭的同学一起边吃边聊——不知怎么个话头引起，我眉飞色舞地说起吴祖光先生编剧的《风雪夜归人》，那一年春天北京人民艺术剧院刚推出了那台戏，我看了觉得非常之好，正当我大赞那出戏时，有同学正告我：“吴祖光是大右派！”

我那时才 17 岁，根本不懂政治，当然知道“右派分子是反动派”，但不怎么相信吴先生会是“反动派”，据说——这是直到上世纪末，当年的班长才在老同学聚会时告诉我的，我自己完全没有记忆——当时我竟然对那位同学说：“要是吴祖光是右派，我也当右派！”结果，这个言论被汇报上去，并记录在了档案材料中，到高考的时候，虽然我的考分并不低，但有那份材料，而且据说操行评语上还写有“建议不予录取”的字样，就造成了那样的结果：开头，任何大学都不要，后来，师范类院校招不满，才又被北京师范专科学校录取。我此后再没有更高的学历，至今我在学历一栏填写的，仍是“大专”两个很不“硬气”的字样。《揭秘》在 CCTV-10 录制播出后，有人对我的抨击就是“师专毕业的人也有资格上《百家讲坛》吗？”

从师范专科学校毕业，自然是分配到中学教书，“他不就是个中学教员吗？”尽管社会现在强调尊敬老师，包括中学、小学和幼儿园的老师，但是，这样身份的人士如果参与更广泛的社会活动，往往还是被人质疑其“资格”。

资格？我不反对以学历、职称等来衡量一个人在某些领域里的参与资格，但是，那应该不是一种不可以逾越的标准。自从高考被人暗算栽了筋斗失却了过硬的“资格标签”，我就发誓要凭借发奋自学，挖掘发挥自己内在的潜能，闯出一条迈向社会最广阔处的通道。现在，我可以说，我实现了自我。

人是生而平等的。这是我的“资格信条”。

自学可以成材。这也是我的“资格信条”。

凭本事吃饭。这更是我的“资格信念”。

以创新的能力、感召力、吸引力，而不是地位、头衔和特权去获取社会承认。这是我永远不会更变的“资格信念”。

1988 年，香港《大公报》举行报庆活动，邀请我参加，那时我是《人民文学》杂志的主编。同时被邀请的人士中有原新华社和《人民日报》负责人吴冷西和他的夫人肖岩，而肖岩“文革”前一直担任北京师范专科学校的校长。她见到我，不禁说出了这样一句话：“鸡窝里飞出了凤凰来！”这是她对我的资格的一种评价。

我在那前后也已经与吴祖光、新凤霞两位前辈伉俪有了交往，后来吴先生听我告诉他，我曾因为激赏他的《风雪夜归人》而遭遇人生中一次坎坷，喟叹良久。

自1977年发表出短篇小说《班主任》，我的人生越来越富于戏剧性，福祸相倚，荣辱交替，有想得到的事果然发生，更有想不到的事情忽然降临。

《私人照相簿》的写作和发表过程中，1987年2月我因一场“舌苔事件”而被停职检查。这样的人的文章，还能继续发表吗？又是资格问题。《收获》却坚持接受和发表我稿件，直到我又戏剧性地复职——我又一次使用了“戏剧性”这个字眼，那的确很有“戏剧性”，我不但复职，而且还立即获准到美国访问，那是1987年秋天，我应邀到美国一系列最有名的大学演讲，其中包括哈佛、耶鲁、史坦福、哥伦比亚、伯克利、康奈尔、麻省理工……我演讲时底气很足，资格？他们邀请我，我当然有资格。

2000年，我接受英中文化协会和伦敦大学邀请，到英国讲了两场《红楼梦》。至少，英国的邀请方认为我有那样的资格。

但是，资格问题仍然会朝我袭来。我的内心是脆弱的。我深深地意识到，有时候，看起来遭遇到的是资格问题，甚至只是资料问题，技术性问题，但其实，所遭遇到，是人性，而且并非人性中的善意和宽容，乃是人性中某些最阴暗和诡谲的东西，原来觉得法国那个萨特说“他人是我的地狱”，属于“语不惊人死不休”，现在才憬悟，那表达的是“人要不死语必惊人”的生存欲望。

人要自信。要尽量不去成为他人的“地狱”。要自己给自己一座哪怕是小小的天堂。

《私人照相簿》是我为自己建造的，小小的一座天堂。这里面有温情，有宽容，有自我忏悔，有去理解其他生命的努力，却没有对其他生命的苛责与贬损。

大约是在1997年，山东画报出版社当时的负责人来我家，说到《私人照相簿》，他们想印这本书，但那时我跟另一家出版社签的约还没有到期，他们就说，他们受到我这书的启发，打算创办一种《老照片》，一辑辑地编下去。后来他们编印出版的《老照片》果然大受欢迎。

说我是把老照片和文字交融一起的文本的创新者，也许夸张了一点，但是，使图文交融的文本流行起来，我的《私人照相簿》确实起到了引领风骚的作用。

规范，我当然尊重。没有规范，人们怎么交流？但是，人文方面的规范，与科技方面的规范还有不同。更何况，任何规范，也都有一个粗成、精化、成熟、调整、筛汰、更新的过程，这过程呈螺旋形方式，始终在运动，不能僵化。

曹雪芹写《红楼梦》，符合那时候写作的规范吗？如果他去符合那些规范，还有《红楼梦》吗？《红楼梦》的写作的实质，就是一次成功的反陈腐规范的创新行为。在文学艺术的发展中，没有比自主创新更重要的了，印象派绘画不反古典绘画的规范，能产生吗？卡夫卡如果不敢超越规范，又怎么能写出《变形记》？ ……

从写《班主任》起，我就总试图超越那些我认为是束缚我思想的规范，从写《私人照相簿》前后，我就进一步去尝试不怎么规范的表达形式。我从来不是一员所谓的闯将，我在新尝试中总是小心翼翼的。现在我懂得了，不管你怎么谦虚谨慎，像我在《揭秘》里不仅没有VS或PK任何他人，而且一再地申明自己仅是一家之言，对不同的看法我引用后总要说“对此我很尊重”，但是，到头来有的人还是绝对不能容忍我上电视和受欢迎，为什么？就是我没有到他们的那个老灶上去讨生活，而试图盘出一个自己的新灶，熬一锅自己的汤，惹得那么多人来喝。

盘新灶，敖新汤，这是我生而为人的创造自由，我绝不能放弃。

您盘您的灶，您熬您的汤，您的灶火旺，熬的汤好喝，找汤喝的人自然就都到您那边去了，是不是？

如果我盘的灶居然火不灭，熬出的汤一时间大受欢迎，您可以告诉要喝汤的人，我的汤不好，别来喝，但是，您怎么能来砸我的灶，必欲掀锅毁灶而后快呢？

在人文领域，灶越多不是越好吗？汤的品种越多味道越不一样，不是越好吗？把精力放到盘好自己的灶熬好自己的汤上，不是比去掀人家锅毁别人的灶好吗？保障盘灶熬汤的自由，让想喝汤的人自由流动，自主择汤，不是一个更良好的有汤世界吗？

《私人照相簿》里，其实早有类似的诉求。希望人与人能尽量达到沟通，相互理解与谅解，宽容与谦让。谁的生存是容易的？生命都有弱点和缺点，甚至错误与罪过，只要大体是于人无害，就都应该得到尊重与怜悯。

这本书 1988 年先在香港出了一个版本，1997 年又在上海出版印了两回，但是，却没有引起我预期的反响，更谈不到畅销。而我自己觉得这是一本让大多数读过它的人都不会失望的书。这本书通过一系列个案，探讨了人的生存之谜，个体生命在与时代、社会、环境、家族、他人的互动中，遭逢革命、巨变、离乱、邂逅、大悲大喜和往往又显得颇为悠长的平淡和庸常，怎样从中寻觅出活着的意义，以及如何面对那必不可免的死亡的神秘。

也有知音。不仅国内有，国外也有。法国汉学家戴鹤白（Roger Darrobers）就非常欣赏《私人照相簿》。虽然他已经翻译了我五本别的书，一时还并没有翻译这本书的计划，但是他告诉我，每当他翻阅它时，读到某些片断，心里会涌出阵阵感动。书里有一篇《留洋姑妈》，写到我的两位姑妈上世纪二、三十年代留学法国的故事，其中有她们在巴黎卢森堡公园大台阶上拍的照片，2004 年我第四次去巴黎，戴鹤白陪我重游卢森堡公园，他事先也没告诉我，他带着一本《私人照相簿》，原来，他是建议我，到七十多年前姑妈留过影的位置，也拍张照。他翻开那书，带我寻找那个位置，找到后，给我拍了照片。空间依旧，而伊人早去，令人唏嘘不已。

由于这本书里原来使用的那些照片，借来的后来都还给了人家，自己的也未能集中保存好，现在这个版本，只能使用 1988 年的香港版里的印刷照片扫描，效果不是很好。这不是一本追求靓丽效果的当代写真集，这些老照片即使是原照，也大都陈旧模糊了，阅读这些照片，意义在于体味历史的沧桑和人生的艰辛，希望读者们理解和谅解。

一切都难以预测。这个新版的《私人照相簿》会吸引到多少读者呢？随缘吧。

2006 年 2 月 12 日　元宵节

影子大叔

我爱看旧照片。越旧越爱看。

据说世界上第一张照片是法国尼普斯兄弟拍成的，被拍的人物是丹保瓦兹主教，所用的材料是涂抹某种沥青的玻璃版，后又重制为铜版片。那是一八二二年七月间的事，距今一百五十多年。

世界上所存在的历史文物多矣。人像，自世上有人便开始出现。举凡洞穴山崖的原始壁画、陶俑、铜人、石料制成的圆雕或浮雕、砖刻或木雕的形象……到各个历史时期的绘画作品，信息量可谓浩瀚繁复，然而这些历史信息所给予我的刺激，却大都不如旧照片强烈。

照片毕竟是照片，固然照片也可以作假，更难说照片不会失真。然而照片所传递出的信息，总有一种难以言喻的权威性。

即使是一张二十年前的照片，往往也会引出我许多的联想和感慨——我这里所说的还不是我个人的照片，而是别人的照片，并且主要是指陌生人的照片，说得更精确一点，便是非名人的私家照片。

私人照相簿是一种无法计量的社会存在。持有者有权不让任何其他人窥视。然而社会上也有提供私人照相簿让客人翻阅以示友好的习俗。北方的一些人家，尤其是农村和城市中的劳动人民家庭，更喜欢用许多的镜框，将私家照片密密麻麻地陈列出来，悬挂于壁，供来客观览。到别人家作客，每当主人向我提供私人照相簿赏玩时，我总格外感激；倘是用镜框悬挂于壁，我更经常凑得很近，细细欣赏。我自然尤其注意那些年代较久远的、发黄的照片。

这是我的一种癖好。

怪癖吗？

不管别人怎么评价，我不想改变这一癖好。

我出生于一九四二年。我对一九四二年以前的照片兴趣尤浓。因为一九四二年以后的世界，我毕竟身处其中。固然我的见闻有很大的局限性，但我的一双眼睛便是不知疲倦的照相镜头，我的大脑中更有屡用不废的成像软片，我自己更常有机会被真正的照相机摄成影像，对比于还没有我存在的那个世界，这一切信息的神秘感和可贵性当然都略逊一筹。

一九八四年十一月，北京中国美术馆同时举办着几种展览，其中包括相当热门的“现代日本著名画家作品展”。那时我正忙着准备到联邦德国访问，诸事繁冗，好不容易抽个时间，大老远地赶到了那里。我所沉迷的是其中的哪一个展览呢？竟是屈置于展览馆三楼的一个规模最小的“中国早期历史照片展览”。

这展览所陈列的不过是百十来张旧照片。照片都是由美籍华人刘洪钧先生收藏的。其中最早的大约是一八五六年英法联军侵华时的照片，最晚的大约是一九一一年辛亥革命前后的照片。其中历史名人的照片和历史性场面的照片所占不多，大多数还属于那个时代的私人照片。我所久视不已的，便是那些早已不知何名何姓，其骸骨不知抛掷何处，其后人不知今在何方的普通人照片。

说是普通人，其实不普通。他们大多是当年的阔人。阔到能请人照相的地步，这大约总相当于今人阔到能雇直升飞机旅游的程度。但他们都未青史留名，无论作为正面或反面的“典型”，他们都不够格，要没有刘先生收藏他们的照片，他们早就湮灭得不剩一点点痕迹。

这些照片对我有着强有力的震撼作用。我从中获得了一种难以言传的特殊的历史感。

何谓“特殊的历史感”？

不特殊的历史感，或者说一般意义上的历史感，是被定向训练而形成的。那当然是一种必要的感受。但那感受好比只是一副骨架，还缺乏血肉。我总是渴望着认识不仅有骨架，而且有血肉的鲜活物。对历史也是这样。别人将经过梳理、筛汰、消毒、漂白、凝炼、净化的历史感传授给我，我在接受之余，总有一种淤积于心的不满足。我希望自己也能参与对原始材料——即所存全部信息——的考察，倒不是我一定要经过独立思考去得出相反的结论，更多的可能，也许是我反而从此更加坚信被告知的结论。我不过是向往具有一种更立体化、更鲜活的历史感罢了。

旧照片便最能满足我的这种追求。

不要把我的这种癖好理解成艺术欣赏。比如我去参观刘洪钧先生的藏片展览，便并非是一次审美活动。说实在的，其中大多数照片使我体验到一种难以忍受的丑恶。比如其中有这样一帧照片：三位上世纪末的中国富户妇女坐成一排，郑重其事地让人拍照。显然，她们为拍这张照片进行了细心的装扮。她们以当时审美标准的规范来使自己“典型化”。那真是骇人眼目的形象。她们的脸都像冬瓜般肥阔，脖子粗且短，这当然是她们恭履孔夫子“食不厌精，脍不厌细”八字方针的收效。她们头上的厚发看来并非头套，梳成一种羊尾式的发髻，上面戴着式样古怪的绣花帽罩，并辅之以一些贵重的簪钗绢花。她们身材粗短，宽大厚重的袍褂也绝不以衬托腰身为任，那肥得如同法国号般的短袖，以及对襟式袍褂边缘那极宽的镶边，都令我吃惊。不知为什么今天所摄制的电影、电视片中的那个时代的妇人装束，总还原不到这类照片所提供的信息上，尽管编导者肯定也参阅了这类照片。我想那心理障碍就在于不愿把自己的艺术品弄得那么丑。因为当时的真实照片所提供的形象实在不乏地地道道的丑恶。我还没有形容到她们的下部呢。裙子毫无风趣且不论，最要命的是那双故意显露无遗的小脚。小得如同最小的粽子，但套着绣饰得密密麻麻的小花鞋，下面是高高的鞋底，看上去确实令人作呕。但那个时代就是那样的时尚。展出的所有那个时代的妇人照，几乎都把一双双畸形的粽子脚当作拍摄的重点。丑恶。最深刻意义上的丑恶。但你还是想看这些照片，因为有一种“尽在不言中”的效果。你产生了一种特殊的历史感。你可以联想到晚清以后的各种工艺品，为什么不仅汉唐雄风荡然无存，甚至明代的飘逸空灵也所存无几，而呈现出一派烂熟的恶俗、精致的丑陋？仅从这一角度上考察，你也该感受到中华民族那时确已逼近了生死存亡的最后关头，衰落的文明必须予以彻底的改造，方能获得新生。

还有一张晚清刑场行刑的照片。我注意审视了每一个细节。我想这照片肯定是最早来华的洋人摄影爱好者的作品。他从猎奇的角度去拍，因此不可能真正地“客观”。我甚至怀疑他对这一场面是否进行了某种程度的导演。尽管如此，这一照片所提供的信息仍然弥足珍贵。比任何当今精心拍摄的电影场面都珍贵。当然也比任何画家绘制的图画更有权威性。照相同绘画的重大区别之一，便是不可能完全根据主观意识安排每一个细节。这张晚清刑场的照片对我的吸引力，不在总体效果上，而在那些也许是拍摄者并未特意关注的细节。从那些细节里，我获得的特殊历史感更其浓酽。

可惜我们不能将刘洪钧先生供展的照片抽选几张印在这里。比如上述的晚清刑场照片，如果刊印在这本书里，相信一定有不少读者会产生兴趣，并且可以同我交换观感，甚至引发出有意思的争论。在那次看展览时，我很渴望得到某种附有一点复制品的说明书之类的材料，但是没有。后来打听到，当年的《国际摄影》杂志第六期上有介绍刘先生收藏历史照片事迹的文章，急迫地去买来看了。文章果然有，还是该刊驻纽约记者的专稿。但奇怪的是整本刊物中并无一张刘先生藏片的图例。该刊本是以图文并茂著称的。我很纳闷。后来再细读那文章，内中引用刘先生的原话云：“我可以自称是百万富翁了，这几千张照片价值上百万美元。原来他那些藏片平时都存在美国权威银行的保温、保湿、防虫、防腐的特殊保险柜中，他只偶尔选出一部分供展，显然是不允许别人翻拍、复制的；“版权所有，翻印必究”，难怪《国际摄影》只能向读者提供第二信号系统（文字）的信息，而不能给读者以直观的信息了。

刘洪钧先生收藏中国早期历史照片一事，对我的价值观念也是一次冲击。

我是喜爱旧照片的。然而旧照片如此有价值，却是以前未曾料到的。尤其是旧的私人照片也如此有价值，颇令我惊异。

我想起了十多年前的一桩往事。

那时我是北京一所中学里的教员。时届“文化大革命”后期，我参加了一次打扫学校仓库的劳动。我们那学校当时有位管总务的老徐，他真可谓“爱财如命”，不过这里实在是称颂他的意思，因为他爱的是公共之财。他每天巡行于校园之中，随手总要抄起一点被什么人不经心丢弃的物品，然后顺便就放进仓库里保存。即使在混乱的“文革”之中，他也不改旧习。他所安排的仓库往往都较隐蔽，因此大多不被激情飞扬但粗心毛糙的“红卫兵”发觉。他甚而把“红卫兵”漫不经心抛掷的一些“抄家物资”也悄悄地拖进他那些隐蔽的仓库之中。在“文革”后期，世态至少在表面上不那么混乱了，他带领我们清理仓库。在一次清理中，我偶然地发现了一只旧皮箱，打开一看，里面全是大大小小的旧照片。

不难判断出来，那皮箱和照片全是“红卫兵”抄家的“战利品”。照片显然并非一个家庭的，当是“红卫兵”把从许多家抄出的照片集中塞到了这只旧皮箱中。

那天的清理活动不知怎的只有我一人在那仓库中，而时间又很充裕。于是我便关起门来，将那箱中照片逐一检阅了一遍。

当时的感受是震撼性的。随着时间的推移，那震撼性未曾减弱反倒增强。特别是看了刘洪钧先生藏片展览后，一种切肤的痛惜感涌上心头。

“文化大革命”该毁灭了多少旧照片！

即以我那回看到的那箱旧照片而言，其中就起码有十多张堪与刘先生藏片“媲美”的。它们的不同只不过在于刘先生所藏现存于美国银行的高级保险柜中，且为刘先生带来了万贯家财，而那箱中所藏据我所知终被当作“四旧”烧毁，并曾给它们的拥有者带来过可以想见的巨大痛苦。我记得我们那所中学的“红卫兵”在“文革”初期的“红色恐怖”中至少活活打死过三位“反动派”，那些旧照片中的哪位主人便是游魂不散的“反动派”呢？

同是旧照片，命运价值竟如此这般不同。

坐在幽暗的仓库里，惴惴然地检视那些旧照片（因为随时有可能被人发现而落下罪名），双眼贪婪地吸收那些难得的信息，脑中任联想和思绪瀑布般迭落飞溅，那是一种何等独特的人生体验！

我循着那堆照片上某些人物在不同岁月不同场景多次出现的线索，大体可以把它们分为几个不同的家庭，这里面有的或许是清朝贵族的绵延，有的或许是本世纪初为西风渐来所熏染成的所谓“新派家庭”……有古老的，尺寸极大而发黄的起码是四世同堂的“合家欢”。从作为背景的轩昂厅堂和人物的服饰上不难判断出，那还是辛亥革命前的镜头。有当年豪富家请戏曲演员来演“堂会”的全景照和近景照，那台上该是在演出《霓虹关》？“东方夫人”会不会是梅兰芳？而另一帧的背面明确写着是杨小楼在他家献艺。从照片上可以看出，老一辈死了，正在大出殡，而下一辈在结婚，当年时兴给新人送一种放在玻璃匣子里的大及西瓜的“银心”。你可以看到最早的西装、最奇特的旗袍，大约是第一批烫发的妇女和守旧到底的遗老和遗少，还有昔日的骡车、冰橇、方盒子般的汽车和蚱蜢般的自行车……

我不知道照片上那些人是否有罪，我想他们其中绝大多数确实属于没落的阶级，是剥削者、寄生虫乃至于社会渣滓，他们的悲欢离合、生死歌哭值得同情和谅解的地方也许不多，其中有的人也许理应遭到我们唾弃和痛恨，但这都不能成为毁掉他们照片的理由。他们存在过。他们的照片是历史的见证。他们那些照片的价值与他们本身的价值已经完全成为两回事。就如我们不能因为痛恨封建王朝就放火烧掉紫禁城一样。

在我上中学的时候，从五十年代编印出版的一套《中国近代史参考图片集》中，我得到过一些满足。那套图片集中有陈独秀的照片，并且并非作为“反动派”出现。这曾促使我乐于接受被灌输的有关陈独秀的最后结论。我以为我这种心理至少是社会上很大的一部分人共有的心理。为了保证某种观念被人接受，是向被灌输者提供足够的信息好呢，还是向被灌输者仅仅提供严加筛选的单一信息好？我的答案读者当能自明。但不知读者以为然否？

但我很长时间生活在一种不能直接获得大量信息的环境中，我总是被强制去接受某种单一的经过“纯化”的信息。我想这也不是我一个人的遭遇。后来连《中国近代史参考图片集》那样的印刷品也少了。对于许多明明有照片留下的“反动派”，我们似乎永无可能看到他们的“真面目”。有很长一段时间不仅照片这种直观的信息是严加控制的，就连文字性的历史材料也不允许普通人知道。比如遵义会议当年的与会者名单、开国大典时天安门城楼中央究竟都站着哪些人等等，也必须经过“筛选”、“净化”后方能让普通人知道。但这只能引出更多的好奇心乃至于胡思乱想。一幅《开国大典》的油画尚且要改过来改过去，当年的照片是否适宜公布当然更要斟酌再三了。

以上所说还只是涉及历史上重要人物、重要场面的信息，令人更加不解的是有关普通人的信息，比如过去年代的一般生活照片之类的东西，何以也很难出现在公共信息传播媒介之中？我就很长时间都不知道民国初年一般人的穿着打扮、器用玩物、婚丧嫁娶、居家状态……究竟如何。固然也有少量的小说、图画乃至于故事影片可供我了解，但我更企望一睹“原版”。我想世界上绝大多数人总是不能满足于仅止得到“转手货”的。人们大都有“原版欲”。特别是当人们一旦发现“转手货”与“原版”差距巨大时，“原版欲”便会膨胀到难以压抑的地步。

这真是一桩古怪的事。我那长期被压抑的“原版欲”，却在最可怖的社会环境——“文革”——中在那尘封的仓库里得到了一次空前的满足。

现在让我们一同来回答这样一道智力思考题：你以为世界上最甘美的、急欲一尝的果实是哪一种？

它的标准答案是——“禁果”。

其实“禁果”大多酸涩难吃，少数还确实有毒。

倘若对“禁果”取不禁，或者尽可能禁得少些的办法，人们摘尝禁果的欲望定会消失或锐减。但往往是禁得太多了，反倒使偷尝者感到那“禁果”意外的甘美。这便是在信息社会中最不应出现的政策失误。

现在我们在一切方面都变得好起来。我们坚定不移地实行开放政策。开放中极重要的一环便是信息开放。除了国防机密之类的信息需要保密、诲淫诲盗之类的信息应当杜绝而外，所有信息都应可以参加流通。

于是我想到了旧照片。刘洪钧先生的藏片在中国美术馆展出，这便是一种开放和交流。类似的事，我们也可以做。我现在想到就干。

我觉得尽管经过“文革”的浩劫，中国大地上的旧照片总量有惨痛的锐减，但被侥幸保存下来的，肯定也还是一个可观的数目。我相信许许多多的个人都还有自己的私人照相簿或照相匣，里面仍旧珍藏着无数二十年前，三十年前，四十年前，五十年前乃至更久远的“原版”。当然，许多人是不肯将它们公诸于社会的。这种权利应该得到社会的尊重和法律的保护。但也会有为数不少的人乐于或经过说服应允将一部分私人照相簿上的“原版”提供给社会，加入当今的“信息大爆炸”，以丰富和增进世人的情感和思想。

于是我在《收获》杂志上开辟“私人照相簿”专栏，并争取最后印成一本书。我自信这是一桩有意义的工作。

我家也曾藏有许多旧照片。

这里所说的“我家”，不是单指我和妻子、孩子组成的小家庭，而是指从我祖父母到父母再到兄、姐各家这样的一个大家庭。

我祖父是晚清最后一届科举考试中举的举人。当时中举的举人可以选择两条出路：当官和官费留学。我祖父选择了后者。他是中国最早官费留学日本的知识分子之一。不消说，他很早便有照片。而他在上世纪末本世纪初个人所拍或与家人、友人合拍的照片，至今还存留若干。有的我看其历史价值未必比刘洪钧先生所藏的低，比如其中就有他与中国共产党先驱人物的合影。我父亲和母亲是本世纪初最早受到高等教育的那几批人中的两位，因此他们自然也有许多照片。后来我们这个家庭的照片更以几何级数增加着。“文化大革命”当然不会放过我们这样一个世代知识分子家庭。当时父亲在一所大学任教，尽管他并无“民愤”，也还是遭到“例行”的抄家，祖父一辈和他与母亲一辈的照片被抄走不少，但总算还留下一些，“文革”后落实政策，又发还一点。现在父亲已溘然长逝，母亲尚健在，祖父那辈与父母那辈的残余旧照，都锁存于母亲床下的一只旧铁箱中。母亲每个白昼坐在那床边沉思，每个夜晚睡在那床上梦游，箱中的旧照片一定常常牵动着她的思绪和梦境。

我撰写这“私人照相簿”的专栏文章，自然不能仅止向读者提供我家的照片，抒发一己的情思。我必将努力引入更有价值的信息。但我又觉得自己承担着一种不可推卸的义务，便是从自己家族掀开这“私人照相簿”的扉页。

在母亲那收藏旧照片的大铁箱中，有一只隐秘的抽屉，里面用一只不仅发黄而且发脆的信封，装着一组长期使我感到神秘的照片。在我幼小的时候，每当我试图去翻看那组照片时，母亲便毫不留情地喝斥我“不要乱动”，直到我成年后，我才有机会看到那一堆旧照片。

那是与我大叔有关的一组照片。

母亲近两年同我的哥哥住在一起。我给母亲和哥哥写信，说明了我的想法，希望他们能将那些与大叔有关的照片寄给我。母亲毕竟是开通的。她同意了，并让哥哥给我回了信，寄来了供我选用的旧照片。

我大叔刘天泽号北强，生于一九一四年，殁于一九三八年，在这个世界上存活过二十四年。他死后四年我方落生，所以我只能从旧照片上认识他。对于我来说，他只是个影子大叔。

现在我们看到的图 1，便是我大叔的一张坐像。这张像摄于一九三二年，地点在浙江宁波。距今已半个世纪还多了。这类的照片，在“文化大革命”中是一律被视为“罪证”的。那定罪的理由非常之简单：(1) 在“万恶的旧社会”，什么人能住在那样的房屋里，并安坐在沙发之中呢？(2) 在亿万工农大众处于水深火热之中时，什么人能西服革履呢？自然只有“资产阶级反动派”才有可能。但事实是即便在“万恶的旧社会”，也有种种并不能循简单逻辑推论而作结论的社会相。马克思、恩格斯自然是住洋房、坐沙发、穿西服、着革履的，就是孙中山、廖仲恺、周树人、周恩来……也都留下过类似的“铁证”。被“红卫兵”“破四旧”浪潮所席卷的一代人，往往被训练成了一种简单化的眼光和狭隘的心理，他们经过极其痛苦的历程才终于知道，从上世纪末起，特别是本世纪二十年代以后，中国大地上出现了一批新的知识分子，他们有的虽然出生在封建官僚或封建地主家庭，但本身并未参加封建剥削，其中多数人在西方文化影响下崇尚民主和科学，和处于水深火热之中的工农大众相比，他们的生活处境固然要好得多，但在那国难深重、动荡不安的年代中，他们也有着许多的艰辛和痛苦。说到我大叔，那么他连“出身”也并非剥削者。他的父亲，即我的祖父，家里是个自耕农，中举后到日本留学，是孙中山先生所创同盟会的早期盟员，一九二五年大革命时期更从北京奔赴广州，任广州中山大学教授。北伐战争中他以军医身份随北伐军北上，一直打到武汉。在国民党发起“四·一二”“清

图 1 1932 年，刚刚考入上海同济大学的一位大学生。半个世纪后的当今大学生对他作何感想呢？

党”的血腥屠杀后，他撰写长诗《哀江南》痛斥蒋介石、汪精卫，后来流亡到上海，于一九三一年“一·二八”日本飞机轰炸上海时，牺牲在上海一家医院之中。祖父到广州参加革命后，无暇顾及子女，当时尚年幼的大叔，便由我父母负责养育。我父亲是低级职员，母亲一度当小学教师，他们一直把我大叔供养到成为上海同济大学土木工程系的大学生。这张相片便是他刚考入大学不久的留影。

图2是我的大叔和他同学的合影。除了他们穿在身上的以外，我们可以注意他们两人中间，暂时搁在台阶上的礼帽。这张照片也摄于一九三二年，比前一张大约只晚几个月。由此可知五十多年前的大学生已经是这种“全盘西化”的装束。其实当时我大叔每月只有我父亲汇去的有限的钱钞，据说当时有许多大学生同他一样，别看走出宿舍这么“派头”，其实生活上是拮据以至于穷窘的。回到宿舍，那一身“行头”便要一一掸净叠好，细心加以保护。不知右边那位

图2 1932年冬天，两位当年的大学生。我们现在所提倡的西装，半个世纪前已在知识分子中流行。我们是否会重新戴起礼帽呢？

▶**图3** 1936年的大学生在实习。前面一位想必今天还活着。他今在何处呢?

▶**图4** 1937年，同济大学师生在南撤途中。那位洋教授为什么也随中国师生南下呢?

合影者如今安在？如果活着，该有七十岁了吧？是当今国内哪所大学里土木工程专业的老教授？不至于在“反右”、“文革”一类的“运动”中已经“自绝于人民”了吧？抑或早已成了蜚声海外并频频回国观光的“外籍华人学者”？中国大地上的知识分子啊，谁让你们那么早就着洋装、念洋书？你们的命运，引出多少令人扼腕的叹息？

现在我们看到了一张发黄的照片(图3)，摄于一九三六年。是大叔和他的同学在钱塘江畔实习时所摄。当时的大学生也搞实习。他们起码不全是“精神贵族”。他们也从事直接建筑人类文明的劳动。现在仍在使用的黄河大铁桥和钱塘江大桥，就是由大叔他们那一代知识分子设计并指导施工的。但日本帝国主义对中国的猖狂侵略，使他们不能有一张安稳的书桌。于是他们同济大学开始了辗转南迁。图4这张照片是师生们在逃难中所摄。他们一边南撤，一边仍旧开课，并且进行实习。倘若细心观察，可以看到这一组人之后的地面上，摆放着一些测量器材。左边第二人是个外国人，不难判断出，那是一位洋教授。同济大学是德国人办的教会学校，该洋教授多半是位德国人。当时德国正是纳粹当权，德、日、意已开始形成所谓的“轴心国”，妄图称霸全世界。这位德籍洋教授并没有回到“祖国”去为希特勒的纳粹政权效力，也没有留在上海等候“日本盟友”的到来，以便受到优待，而是风尘仆仆地随同济大学的抗日师

▶**图 5** 1938 年，徒步千里到达昆明的上海大学生。请注意他们各不相同的表情。

生南撤，这就再一次说明了在任何一个历史阶段中，对任何一类人都不能凭简单的逻辑去下统一的结论，而应当逐个了解和确认他们的价值。

大叔他们的南撤是极为艰辛的。据说是从广西绕道越南，好不容易才到达昆明。其中绝大部分路程是靠步行走完的。图 5 是他们在接近昆明时的留影，四个人脸上分别显露出疲惫（右一那位）、欣慰（左二那位）、乐观（左一那位）和沉思（右二的大叔）。那一代人终于走完了他们认为应当走的一段路。我们在生命的途中，不也常有类似的体验吗？美国有位哲人说："应当坚信阳光之下无罕事。"是不是在某种意义上成立呢？

可是我的大叔没有与他的同辈人一起把人生的路走完。哥哥在随信寄来这些旧照片时，写了很长的一封信给我，信里披露说："在大叔悲剧性的一生中，有一段重要的，也是唯一的罗曼史，那就是同济大学医学院的护士 L 女士与他的热恋史。一贯严肃持重、沉默寡言的大叔，在偶然的机缘下与她结识，便完全被这个美丽的少女迷住了。他们的热恋持续了三年之久。一九三八年大叔与同学们及 L 女士等一起由上海经广西、越南历尽千辛万苦终于抵达昆明，经过长途跋涉，大叔那运动员般的强壮体格也垮下来了。正在这时，L 女士却又爱上了大叔的同学、知心好友 T 君。此人家里系湖南的豪富，L 女士很可能是出于经济上的考虑，竟忍心抛弃大叔而投入T君的怀抱。最后的谈判，是三个人在一个公园的角落里举行的。L女士坚决表示弃大叔而就T君。大叔以友谊为重，表示礼让。但大叔当晚就因极度痛苦而饮酒醉倒。次日有同学开玩笑，赌谁吃‘冰籽’最多（‘冰籽’是一种用植物种子浸泡出的胶质物，当年是平民最普通的一种冷饮），他竟一口气吃了十碗，获得第一名。不久他就发病了，是猩红热。这种传染病在今天不算什么了不得的病，仅用青霉素就可以制服它。可当时缺医少药的旧中国，又处于抗日战争最艰苦的阶段，哪里去搞青霉素？大叔在医院中高烧昏迷，口腔咽喉渐次溃烂，不久便惨然长逝。这便成为了我家历史上的重大悲剧之一。大叔去世，爸爸最为悲痛，甚至使爸爸在其后的年代里脾气变得暴躁、乖戾。爸爸当时已有我们四个子女，外加一个未成年的小叔（你还未出生），负担很重，但多年来倾力供大叔念书，一直念到大学，一心盼望他早日成业，没想到却突然在重庆得到从昆明传来的噩耗。爸爸与大叔极富手足之情。我犹记得在一九三五年我们全家由梧州经香港乘海轮到上海，船靠码头时，大叔在下面等我们。爸爸这个一贯以冷静内向、严肃持重而著称的硬汉子，竟也感情外露地欢笑着大呼：‘北强！北强！’一边对妈妈说：‘看到了，北强在那儿！’而一九三八年当大叔暴卒的消息传来时，爸爸回到家来，把电报往桌上一搁，只向妈妈轻声地说了声：‘北强完了！’然后进屋，碰上门，传出了一阵令人心碎的呜咽……我当时虽然只有十二岁，但却也懂人事，我所心爱的大叔、我崇拜的偶像死了。我简直难以相信，我哭泣不止，在床上翻来覆去地哭，直至干噎……快半个世纪了，你这促狭仔儿！真讨厌，来翻这老段子伤心史干吗？心灵深处记忆单元库里封存过久，已然积满老茧的伤痕似乎又被你搔破了，使我一时心里又沉起了一种惆怅……”

哥哥的信使我的感情也波动起来。其实我与大叔的命运轨迹毫无重叠交叉。多年来我被训练只能为历史上和当今的伟人和英雄模范奉献我的感情，至少也只能为优秀的文学艺术家们塑造的“典型环境中的典型性格”所感染，然而我同许许多多的凡人一样，竟常常不能在这种训练中取得好的成绩。除了对历史上和当今的伟人和英雄模范产生尊重之感，以及对某些“典型环境中的典型性格”产生或爱或憎之情，我也常常为一些极为平凡极为琐屑的人和事摇荡我的感情和心绪。从大叔这样的没有业绩的早夭者，到一张发黄的照片，一片偶然发现的夹在书中的枯叶，雪地上的一行陌生的脚印，从高处望见的城市的万家灯火……乃至一条无名小河中那缓缓游动的鱼群等等，没有办法，我的感情无法一一纳入别人的“规范”。因而我抒发感情的文字也便无法一一符合某些“原则”。

大叔是在离大学毕业仅仅还有两个月的情况下突然患病去世的。他的去世使他来不及在这个世界上留下更多的痕迹。哥哥在信中说：“在我童年的记忆里，大叔的形象是高大完美的。他的个头儿在当时够得上称为挺拔健美。戴着近视眼镜，穿一身整洁的西服。他在高中及大学念书都极为用功，成绩优秀，总是名列前茅。他爱好诗文。由于爸爸的影响，他的文学根基也是坚实的。他更爱好美术，在漫画方面小有成就，在当时上海的漫画杂志上，曾发表过几幅作品，笔名刘田则（或田则）。他是田径运动员，又打得一手好网球（曾在上海某种全市水平的比赛中获得过银牌），还是游泳的好手，练就了一副肌肉结实、强劲有力的体格。当年我最喜爱的游戏之一，就是两手攀着大叔的手臂，两脚收起，让大叔提离地面。每当他毫不费力地玩这种举重游戏时，一臂上挂着我，另一臂上就挂着你大哥。他融强毅、俊秀、儒雅于一身，真是一个难得的人才。唉！如果他还健在，且让我随想一番：就大叔的政治倾向而言，我以为他受祖父熏陶，再兼时代潮流的影响，至少是进步的。倘若他顺利地活到今天，肯定是一个高级工程师，甚至已经参加过武汉长江大桥及南京长江大桥的设计及建造……”

哥哥比我大十六岁，和我并非一代人，因此我的思路同他的思路不可能重合。他对大叔用了“高大完美”这样的形容词，这只能引出我淡淡的笑。至于大叔的生活走向，我以为即使是进步的，也很难“肯定”他“倘若活着”会怎么样。他们“西南联大”最进步的左派教授吴晗，当时没有得猩红热，“顺利地”

活到了一九六六年，但一场“文化大革命”的“红色风暴”，不就把他打成了“老牌反革命分子”，而且毫不留情地吞噬了他的性命吗？中国的知识分子啊，你们真是命途多舛，只有当整个民族终于认识到你们的宝贵价值时，你们才有可能“顺利”起来，并且“肯定”有较好的共同命运……

其实没有必要从政治倾向上去分析我那大叔。他之早夭，是一场纯属个人感情范畴的爱情悲剧。从图6上我们可以看到他与他所热恋的L女士。这张相片摄于一九三四年，到现在刚好过了半个世纪。不知L女士如今健在否？她还保存得有相同的一张照片吗？人的感情，又尤其是爱情这一种感情，是最微妙莫测的。哥哥来信中判断L女士是嫌贫爱富，所以弃大叔而就T君，我以为是根据不足的。她既然能将大叔和T君找到一起，三个人把自己的感情坦诚披露，并共商体面而妥当的处理方案，这应当说是相当文明的一种表现。我现在将她少女时期的相片公布出来，丝毫不包含谴责或讽刺她的意思。从照片上看出，她当年确实非常美丽，无论面容还是身材，乃至于气质和风度，都是值得男大学生们爱恋的。图7是她一九三七年撤离上海前的单人照，更显示出超过一般的风姿。她同那T君结合后，白头偕老了吗？在她嗣后的人生道路上，都经历了些什么样的风风雨雨？在那些雨丝风片中，她可曾偶然想起过我的大叔？她可曾愧疚？痛惜？遗憾？抱恨？……

图6 半个世纪前的一对恋人。至少有一方是悲剧的结局。另一方呢？……

图7 1937年。一位少女的青春。倘若她还活着，并见到这本书……

岁月啊，你就这样匆匆流逝。留下一些越来越旧的照片。在无数的私人照相簿中，旧照片默默地诉说着无数的人和事，凝聚着不能忘怀的情感，埋藏着难以探明的秘密……

我知道,这一切都“不典型”。然而我们这个世界上大多数人竟都是“不典型”的。塑造“典型”是一种美学追求。忠实地记录“非典型”也是一种美学追求。人们可以通过“典型”认识世界，也可以通过大量的“非典型”认识世界。也许把二者结合起来，互为映证、互为补充，便能更全面、更立体、更准确、更深刻地认识世界。

所以在这个世界的信息交流之中，既可以出现伟人、名人、有代表性的坏人以及重大历史场面的照片，也可以出现凡人、不知名的人、芸芸众生中一员以及最普通的生活场面的照片，它们实在是各有各的作用，并互为作用。

你愿把你那私人照相簿中的相片提供给我们这个专栏吗？让我们共同来创造一种新型的信息系统，或者说是一种有新意的文体吧！

一九八五年夏写于北京垂杨柳

留洋姑妈

“文化大革命”究竟摧毁了多少册私人照相簿？那是个必定巨大而又无法统计的数字。但即使是如此暴虐的“横扫”,也仍会有若干“四旧”照相幸存下来。而且，不到“文革”结束，一些人已重建了私人照相簿。

一九七三年，我到一位朋友家中做客。他把一册私人照相簿拿给我翻看。开头的若干页上，无非是些体现着“革命化”的新照片，看去只觉得平淡无奇，但突然有一页呈现在我眼前，那上面的一张六英寸大的旧照片使我本能地惊呼起来：“嗬哟，你们家以前这么阔啊……”他没预料到会招来我这般的反应，脸立即红了，不由得讪讪地从我手中卸下了照相簿。他爱人闻声过来，竟比他还惶悚，一边埋怨着他：“我跟你说过别往上头放嘛……”一边情急地把那张照片抠了下来，简直是要将它撕碎的架式。我自知失言，忙转移话题，才使他们的情绪渐次平复。一次本应给双方心灵多少引来些慰藉的会见，竟闹了个在双方心灵中留下刮痕的结果。

在我这方面来说，有一种被欺瞒了的感觉。这位朋友的出身，据我知道是城市贫民。在“文革”当中，一个好的出身该有多么重要，是众所周知的。这位朋友尽管没有利用他的红色出身去捞取好处，但至少他凭藉着这红色出身躲避了无数的凶厄，这是我一直对之羡慕不已的。在我想象之中，他家解放前即便不是面若菜色、鹑衣百结的一群，至少总与照相无缘。没想到在他的私人照相簿上，竟赫然保存着那么一张照片。

那张照片的背景，是一个西洋风味的客厅。他的父亲穿着一身西装，端坐在一把古罗马式的靠背椅上。他和他的哥哥则站立两厢，也都穿着一身西装。一瞥中留下的印象里，似乎还有带长穗子滚边的幕帐，以及西洋式的花架和下垂的藤蔓……

城市贫民?！我感到困惑。特别是坚信我的这位朋友绝不会谎报出身，我就更感到迷惘。我那被“文革”前的极左因素与“文革”中的极左浪潮所定向培养出的思维框架，竟被一张旧照片震裂。

后来我才渐渐懂得，一个抽象的概念中涵聚着极其丰富的可能性。根据同一个划分阶级成份的条文所划出的某一阶级的不同成员，他们所曾有过的生活状态不仅可能是千姿百态的，并且在很多方面会有相当幅度的差距。

近年来我抽空搜集了一些旧照片，走访了一些历史悠久的照相馆，阅读了一些有关摄影发展的书籍，才终于彻底解除了朋友那张旧照片所带给我的困惑。

原来，到本世纪三十年代以后，照相馆在中国的开设不但已经渗透到县、镇一级，而且偶尔进照相馆照一次相，至少对于某些工人和城市贫民家庭来说，也并非完全力不能及之事。照相馆知道凡来照相的人，即便是穷窘不堪的，也总希望留下一个富贵的梦影。因此照例有若干画出的豪华背景和搭配的时髦道具，有的更出租西装、旗袍、结婚礼服、戏装等等“行头”，以满足顾客在人生大舞台上感到厌倦而希图在照相馆的小舞台上假扮另一种人生的心理。那位朋友所留存的旧照片，倘细加检验，便不难发现所谓阔绰完全是照相馆的布景造成的假象，而他们父子三人所穿的西装没有一套是合身的，更说明那只是一种租借来的短暂“幸福”。

所谓“照相馆布景”，曾是文化界人士贬斥某种低下的美学趣味的用语。现在也偶尔还在袭用。其实倘若我们把每一个历史时期的照相馆布景顺次对比研究一下，我们便不会那么轻率地对它们嗤之以鼻了。那实在是非常宝贵的市民风尚的形象说明，有着不可低估的民俗学、社会学、心理学、商业史、照相史等方面的资料价值。

早在一百多年前，照相术在西方就已走向了平民。一八六一年伦敦的《摄影新闻》杂志曾发表社论说："摄影已经拆除了妨害自由的贫富之差。由于有摄影所带来的恩惠，一个勉强可以维持温饱的贫苦人家，也可以为自己的妻儿们拍摄一些很讲究的人像照。"照相馆既然认识到了自己的造梦使命，便格外注重布景的绘制。随着社会生活的演变，人们所要求的标准梦境也便不断演变。以英国照相馆的布景为例，在上个世纪六十年代，流行以栏杆、圆柱、帐幕为背景，到七十年代，便流行以独木桥、栅栏为背景了，而到八十年代，又竞相以吊床、秋千为背景，进入九十年代，则流行以棕榈树、鹦鹉、脚踏车为背景，进入二十世纪，一些大显绅士派头的俗人，便立即用汽车作背景了。

照相馆的布景，以及布景前的人，给我们留下了一串世风的刮痕。在众多的私人照相簿中，无数这样的照片默默地诉说着往往被正史所忽略的世态人心的轨迹。

照相术是随着帝国主义以洋枪洋炮入侵而传进中国的。我们所能见到的关于中国的最早的照片，百分之一百都是随着侵华军队入华的外国人拍摄的，他们有的本身就是军官，有的是传教士，也有个别的新闻记者。不是中国人自己，而恰恰是他们，拍摄下了诸如一八六〇年英法联军攻陷大沽泡台、焚毁后的圆明园、几经劫掠的北京街巷等实况照片。西方是先有大量的人物肖像照涌现，然后再出现越来越多的风景照，再后才出现有意识的新闻照片，而我们中国成批地进入照相机镜头的画面，竟首先是敌方用以显示他们赫赫战功的死尸与废墟，想起来真是百感交集。

不过照相术这一人类文明成果毕竟从二十世纪初开始在中国得到了普及。照相馆布景也依中国的世风而演变着。最早的一批布景，后面仅是一块不绘景物的绸绢，在被摄者所坐的太师椅旁，往往安放一只花机，上头或是瓷瓶菊花，或是盆栽兰草，有时更在机下椅侧另摆几盆花卉。最值得注意的是往往还有一只华丽的痰盂，也总是摆放在机下或椅侧，有时更置于被摄者腿旁。那痰盂或是鼓肚形的，或是长颈阔嘴、两重肚子的，体现着非凡的容积。为什么禁止随地吐痰直到今天仍是中国政府的一大课题，从一批旧照片上也可得到启示吧。不过辛亥革命之后，照相馆布景似乎有一次巨大的变革，以卷帘式的多种彩绘背景招徕顾客，大概自那时勃兴。在二十年代前后，最流行的是中西合璧式的客厅绘景，有古希腊和古罗马的多利安式或科林思式立柱，有显得过分夸张的壁炉，但也可能有纯粹中国式的挂落飞罩与花瓶香炉，有显得十分矫情的鹦鹉架……在三十年代前后，渐渐流行一种室外月光景，景片上画着冲破云翳的圆月，以及仿佛是别墅阳台一角的栏杆和廊檐……进入四十年代，照相馆布景有全盘西化的倾向，不管其他部分绘制得如何异趣，一架斜伸在人体后的楼梯却惊人的雷同。显然，那楼梯标志着背景上是一座起码两层的楼房，而"楼上楼下，电灯电话"，直到解放以后，也曾是富裕生活和理想境界的一种同义语。这种突出豪华楼梯的照相馆布景，一直延续到今天，无数着西装、穿纱裙的新婚夫妇以它为背景拍下了神圣的结婚照。"文革"初期的风暴，把所有照相馆的布景一扫而空。但风暴稍敛，一些画照相馆布景的人又被找来，他们绘制出了诸如北京天安门、延安宝塔山、南京长江大桥一类的布景，内容确实刷新了，却体现着同一种匠气。"文革"结束以后，在七十年代初，最时髦的布景是摆上一台真正的张开羊角天线的电视机。而到如今，进照相馆照相的人要求有布景的日渐减少，照相馆的冲印业务成倍地高过了拍照业务，人们渐渐进入了一个用自己的照相机拍摄135彩照，并用插袋式相册构成私人照相簿那么一个新阶段了。

岁月悠悠。面对着私人照相簿中的旧影，我真是思绪万千。有着值得永远自豪的古代四大发明的中华民族，近百年来不得不接二连三地引进西方的发明。更确切地说，是西方首先强行将他们的发明引入到我们中国来的。一八六四年英国商人杜南特利用北京宣武门外的旷地铺敷了约五百米的铁路，第二年试驶了小火车，结果很快被清朝官吏勒令拆毁。如果清朝官吏是基于不能允许外国商人随意在中国享用建造、经营铁路的权益这一认识而采取这一措施的话，那我们甚至值得向他们致敬，但他们当时之所以出面干预，却仅仅是因为火车那东西令“观者怪骇”，他们便是率先怪骇的人物。照相术传入中国以后，许多守旧的人物也是怪骇有加。一度盛传被拍照者会被照相机摄去精魂，因而我们在中国早期某些肖像照片上，不难看到惊惶不安或视死如归一类的多余神情。在西方的科学技术新发明面前因怪骇而产生出的拒绝心理，就是今天也仍未绝迹。但从很早开始，也就有一批先进的中国人勇于睁开眼睛看世界，他们不是被动地让西方的发明来令自己怪骇，而是主动地迎向西方，甚至跑到西方去了解、学习乃至参与他们的发明创造，其目的，是为了中华民族的振兴。这批人里，就包括着早期的中国留学生。

最早也是最有名的一位留学生，当推容闳。他在道光二十六年即一八四七年即到美国留学，一八五〇年考入了著名的耶鲁大学，后来加入了美国籍。他的留学似乎有着某种偶然性。一八七二年，清朝政府在洋务派推动下第一次派了三十个学童赴美留学。一八九六年，张之洞奏派二人赴日本留学，成为后来大批中国学生赴日之滥觞。一九〇五年，清政府初次考试出洋归国学生，授翰林院取衔及进士有差。同一年在时代潮流推动下又诏示天下停止乡会试及生童岁科考，延续一千余年的科举制度，终于宣告结束。辛亥革命后，到日本和西方留学的浪潮更加高涨。一九一二年，李石曾、吴稚晖在北京发起留法俭学会，并设留法预备学堂。同年，第一批赴法勤工俭学的学生自北京启程。一九一五年，蔡元培、吴玉章等又组织了留法勤工俭学会，明确提出了“勤于作工，俭以求学”的口号。毛泽东、蔡和森等湖南新民学会的领导人闻讯积极动员湖南青年参加。一九一八年夏秋，毛泽东为落实湖南青年赴法勤工俭学事宜，首次来到北京。到一九二〇年，赴法留学形成了一个高潮。我的一位姑妈，便是在这年随着一个勤工俭学团体奔赴巴黎的。

出于某种可以想见的原因，我手头至今仍留存着些这位我称为大姑妈的长辈的早期照片。现在让我们来看我所挑出的头一张（图 8)。

这是大姑妈到达巴黎不久，与她的中国学伴在照相馆的合影。这张照片的

图 8 左为大姑妈，右为她的学伴。注意学伴的表情与她那似乎禁不住微微颤动的双腮。伊人今何在呢？

原大恰似一张明信片。它实际上也确是一张明信片，在背面有“POSTCARD”的字样及中缝线及贴邮票处的标志。据说这种明信片式照相起源于上世纪的中叶。一八五〇年以前，拍摄人像大部分是采取银版法，用银版法以及玻璃版法、火棉胶版法拍照不仅成像程序复杂、成本高，而且每次只能制出一张照片，所以难以普及。自从有所谓安布罗式摄影术的发明，拍一次照能同时印出八张相同的照片来，人们便不仅将拍得的照片珍藏于自己家中，而且还开始分赠亲友，名片式或明信片式的照相才应运而生。到本世纪初，硝化纤维素软片的登场，使照相更加普及，等我大姑妈她们到达巴黎时，大概连最小的照相馆也可以拍摄印制这种明信片式的相片了。

时代进步得多么快啊。像我大姑妈她们赴法留学时，社会上只有一小部分先进人物理解这些漂洋过海的留学生，特别是年轻的姑娘。她们的毅然西去，往往是连她们的父母也视为不光彩的离经背道的忤逆行为，她们的精神上大都承载着相当沉重的压力。而今天，绝大多数父母都巴不得让自己的子女到国外留学，已经有亲属在国外留学的人们，当他们同交谈者提及那留学者时，几乎全都会禁不住露出自豪与欢愉的神色。倘若我们把时代氛围和社会心态的差距弄清，再来看这张照片，我们便会从中体味到更多的东西。六十五年前的两个中国姑娘，她们远离贫弱的故国，来到人地两生的异乡，她们穿着廉价的洋装，显露出她们的“天足”(那个时代的无数中国妇女仍被强制着裹出“三寸金莲”)，挺直着腰肢，在傲然中又不由得相互依偎，她们的心弦该是在怎样地颤动？她们的灵魂该是在怎样地吟哦？

大姑妈她们在巴黎站住脚据说历尽艰辛。但她们绝大多数人确实既做到了勤工，也做到了俭学。摆脱了刚到异国的生疏与拘束，通过勤工也毕竟积攒了一点法郎，大姑妈和她的学伴们似乎再不到照相馆去拍照。她们当中有的人已经拥有了自己的照相机。于是我们看到了一些“非照相馆化”的照片。我现在挑出了这样两张，一张是大姑妈站在居室的墙壁前摆出一个拉小提琴的姿式(图9)，一张是大姑妈坐在安乐椅上作沉思状(图10)。这两张六十四年前的照片同今天时兴的“生活照”相比，自然还有生硬做作的痕迹。但它至少可以使我认识到，从很早开始，中国留学生就开始自觉地接受西方的种种文明成果。看着这样的照

▶**图9** 西洋古典音乐，影响着一代又一代的中国留学生。对此是应当感到欣慰，还是应当感到困惑？

▶**图 10** 六十三年前，当大姑妈以这种装扮拍照时，无数的中国妇女还处在不准剪发，必须缠足，甚至不允许随意迈出家门的境况中。

片，你甚至无妨说他们有股子“全盘西化”的倾向。

不可否认，从最早的一批到最近的一批，所有中国留学生中，都有一些所谓“读要书”的人物，同样不可否认的，则是无论哪一茬的中国留学生，其中大多数都是怀着格外敏感的爱国心的。“洋装虽然穿在身，我心依然是中国心”，时下传唱甚炽的这首流行曲的这两句歌词，确可移来概括自容闳到最近的中国留学生的心态。当然，同样自认是爱国，所选择的报国之路却并不相同乃至大相径庭。大姑妈她们所处的那个时代尤其如此。一九二一年，大姑妈的一些学友，周恩来、赵世炎、王若飞等人，发起组织了中国社会主义青年团。他们选择了一条投身政治活动的爱国道路。当然，他们信仰的是马克思列宁主义，他们从那时开始，坚定地把自己的一切包括生命，贡献给了为中国开辟社会主义道路的宏伟事业。也有另外一些投身政治活动的热血青年，他们却完全有另外的信仰，有的人后来成为国民党的高层人士。这些政治信仰全然不同的中国留学生当时不仅能够在一起上课，也能够在一起散步，甚至也偶尔同在巴黎的街头咖啡馆小坐，或偶尔同去游览巴黎的名胜古迹和风景区。我挑出的第四幅照片(图 11)便是这种状况的一个见证。左边第一位是我的大姑妈，因为不是在照相馆拍照，全然依赖日光照明，她的脸部恰巧落满阴影，当时学友使用的照相机无闪光装置，因而难见她的“庐山真面”。但从她穿的裂肩式连衣裙和相当放松而优雅的姿式，当不难判断出她已完全适应了当地的生活。其余六位（包括面对他们拍照的一位）据说到达法国也都有三年以上。这一群中国留学生那天同游风景区时其实一直争吵不休，这永远留存下来的和谐面影只不过是短暂的一瞬。据说他们当中倾向于各种时髦主义的都有，从共产主义到安那其主义（无政府主义），从三民主义到工团主义，全都提出来了，有的一人游移于几种主义之间，有的一人竟坚信两种主义……在近代中国的思潮激荡和政治斗争之中，他们有的后来成为死敌，当其中一位在一九二七年的“清党”黑潮中惨遭枪决之时，另一位却可能并不夹带私怨地认为是“咎由自取”；而当其中又一位在一九五四年的“镇反”运动中被镇压之后，则又可能有再一次义愤填膺地判定他是“罪有应得”……历史进程无情，个人命运无定，面对着这类于短暂中呈现出亲密与和谐之一瞬的旧照片，我们的思绪当不至于紊乱，而应更趋于丰富与准确……

对于这第四张照片，我还想多说几句。请注意右侧取蹲式的那位留学生，

▶**图 11**　悠悠历史中的短暂一瞬。右边蹲着的那位是男子还是女士？

她是一位女性，但她却有意穿着中国式的男装（她穿的并非旗袍而是大褂），并留着男式的发型。在那个时代身处巴黎却取此种装扮，不消说是一种反封建与民族意识强烈的表现。此人名叫罗衡，当时是一位思想激进、热血沸扬的青年，后来追随何香凝先生，可以算是国民党左派中的一员吧。再后来她渐向右转，国民党从大陆溃退时她也去了台湾，并成为台湾政权中的一位资深位高的女性，前几年传来消息，她已病逝于那里。像她这样的人物，倘若在追随何先生时即因不测而亡，是否便会永留左派美名于世呢？由此联想开去，真是感慨万千。一九一九年六月十一日，陈独秀起草的《北京市民宣言》发表，向当时的卖国政府严正提出了取消中日密约等五项要求。同日，他还沸着一腔热血走上街头，亲自散发《宣言》的传单，并在"新世界"商场被当局逮捕入狱。那一天里，他的形象闪耀着多么壮美的光辉啊。倘若那一天他不幸被军警殴毙，历史将对他作出怎样的结论？而一九一五年八月二十三日，为袁世凯称帝鼓噪的"筹安会"粉墨登场，为首的"筹安会"理事长杨度成为国人嗤骂的丑类，在如此重大的历史事件中成为货真价实的头号反动派，该永被钉在历史的耻辱柱上了吧？但杨度并没有在那一天或袁世凯称帝的前后死去——比如说被拥护共和的昂奋青年所刺杀——他后来思想竟发生了巨大的变化，并在一九二九年秘密地加入了中国共产党，据说为党作出了许多宝贵的贡献，因此我们今天提到他时还称他为同志，甚至称他为先烈。倘若我们同时印出了当年陈独秀和杨度的照片，面对着这两位作古的人，我们的心情能不复杂吗？

话题还是回到大姑妈。在繁纷多样的主张中，大姑妈选择的是哪一种呢？像她那样的留学生其实是最多的——他们被称为"科学救国派"，他们决心踏踏实实地在科学技术先进的异国学到一种专门的学问，然后回国为中华民族效劳。对于那些热衷于政治活动而观点对立的两派学友，她同样友好，而当时的那两派学友，对她都同样宽容——没有人强迫她投身政治，也没有人批判她不问政治。我曾问过大姑妈，当年在巴黎见没见过周恩来，她说自然是见过的，握过手，说过话，对方对她很尊敬，称她为"先生"。但她实在提供不出什么有价值的材料，充其量不过是回忆出："啊，我记得他跟我握手的时候，我看见他西装袖口已经磨旧得掉下了呢毛毛……"人家忘我地投入了革命，她却忘我地扑向了科学。从第五张照片（图 12）上我们看到深秋的巴黎街头，以及已经补习完法语，准备各自转到选中的专业去正式留学的几位中国学友。

大姑妈后来考上了里昂大学生物系，开始钻研细菌学。因为同时还要在巴黎巴斯德研究所进修并在实验室"勤工"，所以她时常来往于巴黎与里昂之间。当时著名的科学家比埃尔·居里已在车祸中去世，但他的遗孀居里夫人继续在研究放射性。居里夫人的好友，也是著名科学家的郎之万正潜心于研究气体电导率。而居里夫人后来的女婿约里奥·居里，当时正在大学求学。居里夫人当时已经五十多岁，郎之万刚过五十，而约里奥才二十出头。大姑妈学的既是细菌学，化学是必修课，所以她有幸聆听过居里夫人的讲授，在实验室中她给郎之万打过下手，并同约里奥有同窗之谊。这期间她很少与本国学友聚会并拍照，相反却出现了一些外国朋友拍她和她拍外国朋友的照片。我所提供的第六张照

▶**图 12** 可以领略一下六十多年前的巴黎街景。大姑妈站在最后面目不清。当中穿浅色大衣的那位，叫张邦珍，曾一度追随何香凝先生，后来随国民党政权跑到台湾，并病死在那里。她在台湾的亲属也保留着相同的一张照片吗？

片(图13)便是一次郊游中大姑妈为法国师生们拍摄的。那里面站立当中的，会是郎之万吗？最右侧的一位，该不是约里奥吧？不管是不是，那作为背景的老式大巴士却实在是有一股子特殊的历史感。

第七张照片(图14)是法国朋友所拍的大姑妈在地中海游泳的照片。她脸上充溢着快乐，这透露出她获得了虽然迟来却万分强烈的爱情。

关于她同那位大姑爹的爱情经历，至少可以构成一部中篇小说。不过要理解他们的爱情也并不是那么容易。大姑妈出生在上一个世纪最后几年，她赴法留学时已经二十多岁，在同一级的留学生中，她的年龄是偏大的。大姑爹比她要小两三岁。直到今天，女大男小的恋爱婚姻在中国仍是被俗人忌讳与侧目的。但大姑妈和大姑爹真诚相爱，毫不在乎这一点。他们久久地相爱着，但他们并没有马上结婚。大姑爹据说是个十足的书呆子，但又是个聪慧过人的科学家。他在巴黎大学取得化学博士学位后，又到美国进哈佛大学专攻兵工化学，因为他觉得唯有富国强兵，方可拯救中华民族于帝国主义的欺侮之中，而要强兵，当时西方最先进的兵工化学专业绝对是应当拿来我用的。大姑妈为支持他的苦学，自己毕业后便滞留法国巴斯德研究所工作。她等待着他，竟一直等了十几年。到一九三六年，大姑爹在美国取得三个博士学位后，方才回到巴黎同大姑妈结

▶图13　某几个法国家庭的私人照相簿里，仍保留着同样的郊游纪念照吗？照片上这些兴致勃勃的郊游者，如今还有在世的吗？

▶图14　幸福能够在照片中长驻。幸福也能在人生中长驻吗？

▶**图 15** 大姑妈将近四十岁才当上新娘。据说他们蜜月是以对坐攻读科学书籍，不时交换满足目光的方式度过的，饿了，就喝一杯红茶，啃一只蟹形面包……

▶**图 16** 这张婚礼照片拍在巴黎，却没有一个法国人。据说新娘旁边那位女士便是画家张玉良，谁能来辨认判断呢？

婚。第八张照片是他们的结婚照（图 15)。照片生动地显示出了大姑爹的迂学者神姿和大姑妈已然逝去芳龄的面容。

第九张照片是这对新婚夫妇同前来祝贺的华侨们的合影（图 16)。

这既是一次结婚典礼，也是一次告别仪式。因为日本对中国的全面侵略迫在眉睫，而大姑爹和大姑妈的学业均已修完，为国报效的时刻终于来到了，他们心情激动，归心似箭。其实无论在哪一个时代，中国留学生都是不可能完全脱离政治的。大姑妈没有投身于政治，但她并非没有政治倾向。她的政治倾向是进步的。一九二九年，我的二姑妈也到法国留学。二姑妈不是勤工俭学的留学生，而是国民党的官费留学生。这官费留学的名额是何香凝先生为她争取到的。她从一九二六年夏天起，便追随何先生参加了北伐战争，从事战地救护工作。在一九二七年的“清党”逆流中，她没有在右派协迫下写“悔过书”，而是从武汉逃到上海，又找到了何先生。但那时蒋介石把持了党政大权，国事日糟，何先生便让她出国留学，并且告诉她自己也打算出国呆一段时间，以示绝不与蒋介石合作。果然，二姑妈在巴黎安顿下来不久，何先生便也从上海出发，

▶**图 17** 巴黎的中国姐妹花

▶**图 18** 左为何香凝先生。据二姑妈回忆，何先生身穿的大衣，还是早在日本留学时做的，到法国只不过翻改了一下。而何先生却用节省出来的钱为二姑妈买了一件蓝色的新大衣(照片上二姑妈穿的正是)。何先生自奉甚薄，待人甚厚，这也是一例。

经香港、马尼拉、碧瑶、新加坡、柔佛、吉隆坡、红海、地中海到达法国。抵达巴黎后，何先生在题赠我二姑妈的画册上写道：“民国十九年以国事紊乱寄迹巴黎，晤故人天素于法京车站，异地相逢，悲喜交集，天素留学于法，赠此以留纪念。”经二姑妈介绍，大姑妈也与何先生相熟了。现在我们来看第十张照片（图 17），两个姑妈相逢在巴黎，她们是多么高兴。

第十一张照片则是何香凝先生与我二姑妈的合影(图 18)。当时国内右派擅权，而何先生在爱子承志又被德国政府拘押于柏林，她的表情是沉郁而坚毅的，这自然也感染了我二姑妈。从照片上我们可以清楚地看出这一点。

当时她们也拍过三个人在一起的照片，可惜后来遗失了。何先生抵达巴黎后只停留休息了十天，即赶赴德国柏林探望在那里居留的孙夫人宋庆龄，并设法营救她钟爱的儿子。一个月后，何先生从柏林给巴黎的二姑妈来信，嘱代租房屋，并决定与我的两位姑妈同住。她虽然以前并不认识我大姑妈，但认为大姑妈一心苦读，稳重可靠，表示三人同住当更为方便。于是两位姑妈租定了处于清静地段的一所公寓里租金较廉的一套房间。何先生自柏林经瑞士回到巴黎后，她们便住在了一起。那套房子在二楼，一共三间，何先生住最里面的一间，我两位姑妈住最外靠楼梯的一间，中间一间仅摆长桌一张，普通椅子四把，那便成为了何先生的画室，她那有名的《红叶雪景》、《红梅菊花》、《月虎》、《雪虎》等作品，便都是在那间小画室中完成的。她自然也画了些专为两位女伴而作的小品，可惜大姑妈的一份全都流失了。不过大姑妈所保留的一帧何先生赠她的小照，现在仍在，我将这小照作为这篇文章所插入的一打照片的压轴照奉献出来，让我们共瞻何先生当年的风采（图19）。这位有着波澜壮阔的一生，在旧民主主义革命、新民主主义革命和社会主义革命的每一个阶段中都站在正确立场上的伟大女性，她的光辉形象将永远铭刻在我们心中。

大姑妈的进步倾向，不消说是大大得益于何先生的熏陶。在国内形势一天天紧迫的一九三六年，大姑妈和大姑爹不等度完蜜月，便订下回国的船票。但当他们从巴黎来到马赛港等候上船时，悲剧发生了。大姑爹突然便血，几天内病情急剧恶化，医院诊断的结论是直肠癌，唯有立即动手术切除病变部分方有得救的希望，大姑爹说服大姑妈接受医生的建议，微笑着被推进了手术室，但他却偏偏死在了手术台上！

据说大姑妈一夜之间瘦得不成人样，并白了整绺的头发。船票到期了，一

▶**图19** 何香凝先生像。此像当早于1930年。

些朋友劝大姑妈留在法国，毕竟她已经在法国学习、工作了十六年，完全适应了那里的一切，那里也有现成的工作岗位等着她去就职，她早已取得生物学博士学位，待遇上不会太低。但她却毅然地登上了回国的海轮。她觉得自己肩膀上承载着双倍的责任。无论祖国那边有着多么难以想象的艰辛，她决定以双倍的勇气去承受。于是她回到了祖国。回国不久便爆发了抗日战争。大姑妈先在云南和四川教大学，后来到四川一个叫隆昌的小县里的蚕种改良场工作，因为她觉得那工作更实际一些，或许能够使自己的汗水更直接有效地浇灌于民族解放事业之花……据说在那个小县城里她从未抱怨过物资的匮乏与生活的不便，完全看不出她是一个在巴黎和里昂生活过十六年的洋学生。

不过大姑妈实在只是一名极平凡的中国知识分子，她后来的命运同大多数最一般的中国知识分子相同，经受了无数的误解、闲置、限制、波折，在坎坷和遗憾中度过了许多的光阴……

自一九七六年十月之后，我们又有一批接一批的留学生奔赴海外，累计起来大概达到了容闳以来的最高数字。这些留学生取得博士学位以后，会怎样安排他们的前程呢？他们与大姑妈那一代的留学生之间，有哪些继承性，又有哪些变异性呢？他们大概多数都有私人照相簿吧？那里面有怎样的心态？蕴含着怎样的动向？

愿那不是永远的秘密。

一九八五年十二月二十九日

写于北京劲松东街

伶人传奇

一九七三年初秋的一天，台北刚下过一场雨。住在板桥大观路一号的梁秀娟女士忙碌了一天，精神有些疲惫。她坐在前厅的沙发椅上，等着丈夫白莲丞先生到前院取报纸回来。

小小的院落里，雨水把花木冲洗得更加翠绿明艳。白先生不经意地走向栅栏门后的信箱，顺手把报纸抽了出来。忽然，一低头之间，他发现地上斜躺着一封信。信封已被地上的雨水浸湿了。他赶忙弯腰拾起了那封信。信是他抽报纸时掉下的呢，还是邮差没有对准信箱口，粗心所致呢？他也顾不得细想，便回到了屋中。

那封信寄自香港，是写给梁秀娟女士的。梁女士不经意地接过信，不经意地撕开了封口，从信封里掉出了一张相片，还有窄窄的一个纸条。梁女士刚朝那相片瞥上一眼，便禁不住全身一震。正在一旁翻报纸的白先生忽然听到一阵悲喜交集的呜咽声，他抬眼一看，夫人已然泪流满面，举着相片的手不住微微抖动。

现在我们将这张相片 (图 20) 公布出来。大陆上的读者们对这类“前排坐、后排站”的“公式化”相片可谓司空见惯。但就是这张相片，引出了海峡那边的满掬热泪与苦苦思念。这张照片也成为一个契机，导致了一个伶人家庭的奇特遇合。

▶图 20　一个姥姥和四个外孙。中间那辈呢？姥姥名叫梁花依。三个外孙是白其麟（后右）、白其龙（后中）、白其平（后左）；前左是外孙女白泽玲。

照片上的老太太叫梁花依。她父亲是晚清在庆乐剧场拉“官中胡琴”的穷艺人。后来潦倒得只能到前台去当个茶房。有一回剧场掌柜的当众奚落他“穷得叮当响”，他便直起腰，自豪地说：“我家有三男二女，赛过无价之宝！”掌柜的是个“绝户”，顿时语塞。梁花依其实并非这位穷琴师亲生，她是老爷子从瓦砾堆里捡回家中来的。后来，梁家的三个男孩都送往富连成科班学戏，两个女孩都送到了崇雅坤社。梁花依刚入科时学老旦，后又改丑行。她比较拿手的剧目有旗装戏《送亲演礼》（戴眼镜和“仔儿表”）、《探亲家》、《盗魂铃》、《五花洞》等。

在照相术传入中国以后，京剧艺人是最早接受这一新鲜事物的。“同光十三绝”之一的谭鑫培不仅照了大量的便装照和戏装照，他还挺身成为了中国最早的电影演员——一九〇五年琉璃厂丰泰照相馆为他拍摄了《定军山》中的舞刀动作，后来这部“活动照相”还曾在当年大观楼戏院公映过。现在也已进入晚年的名净袁世海在他的回忆录《艺海无涯》中特别提到：“我常去的照相馆是大李纱帽胡同容丽照相馆和廊房头条的荣丰照相馆……我每逢年假，都去将演过的角色照下来作为纪念，将一些喜欢而又没演过的角色也勾上脸，穿好衣服，随心所欲的摆个姿势拍下来。我感到这其中有着无限乐趣。”什么乐趣？他没有细说。其实拍照和玩赏照片，特别是化妆拍照和对着梦境般的照片遐想，这里面很有值得挖掘的社会学、心理学的内容。

梁花侬所专攻的女丑一行，成功者寥寥。与她同时代有个艺名“一斗丑”的女丑，算是最叫得响的了，但时过境迁，并未能如“四大名旦”、“四大须生”那样获得永久的声誉。因此梁花侬很早便将心血倾注到子女身上，尤其是倾注到女儿梁秀娟身上。她在从小培养梁秀娟成为一个优秀的青衣兼花旦的同时，也就不断地领她去拍照。

现在我们看到的第二张照片便是梁花侬领着梁秀娟到当年北京前门外观音寺红中摄影社所摄的便装照（图 21）。那大约是民国十九年，秀娟刚刚十一岁。她已由李玉龙老师开蒙，学会了青衣戏《朱砂痣》、《奇双会》；又由张彩林老师开蒙，学会了花旦戏《鸿鸾禧》、《铁弓缘》；该年农历五月十八关圣爷诞辰，她在关帝庙容纳千人的大礼堂中，酬神演出了《朱砂痣》，这是她生平头一回登台演出。不消说这张照片对她有着重大的纪念意义。不知如今台北大观路住宅中她的私人照相簿，还有没有这张能唤起她无限回忆的照片？

在《私人照相簿》的头篇《影子大叔》发表后，我便接到读者来信，建议今后这个栏目里尽量多登照片，减少文字，“因为一组连续性的照片，只要编排得宜，足能勾勒出令人品味的人生，并富于文学意味”。我是极乐于接受并履行他的建议的。但落实起来的确难乎其难。前些天我儿子整天唉声叹气，急得团团转。为什么？因为他还没有搞到今年发行的“虎票”。自一九八〇年起，邮电部开始逐年发行“生肖票”，自该年的“庚申猴”起，到如今已发行了“辛酉鸡”、“壬戌狗”、“癸亥猪”、“甲子鼠”、“乙丑牛”和“丙寅虎”。要坚持攒到一九九一年，历经十二年，方能将一套“生肖票”攒全。难度真够大的。没有耐性，兴趣转移，固然不可能攒全这套邮票；就是有心搜集而一时错过机会，也很可能不成系列。集邮如此，集照片也是如此。多少父母立下誓愿，每年生日一定要为自己的宝宝拍下一张纪念照，但能坚持到十五六岁的实在不多，因为即使是在最太平的年月里，人事也常有不可捉摸之处，最善良的愿望也可能烟消于匆促忙乱之中。更不消说还有战乱和社会动荡，使人们对本已积攒成系列的照片实行自我淘汰，或被外力全数毁灭。

言归正传。上述梁秀娟在红中摄影社所摄的相片，大体上还是“梁家有女初养成，养在深闺人未识”的味道，后来的相片，却都浸透着另外的人生滋味了。这里展示给读者的第三张照片，大约是梁秀娟十三岁时饰演《拾玉镯》中之孙玉姣的戏装照（图 22)。

请注意她脚下踩着跷。所谓“跷”就是假的小脚（“硬跷”用木头制成，“软跷”用布纳成），当年科班里训练花旦、武旦、刀马旦，踩跷是重要的一课。梅兰

▶图 21　当今的少女们，对半个世纪以前的这种青春，会是怎么个感想呢？

▶图 22　她的身材怎么这般高？请注意下面的细节，由此可以判断这是一张几十年前的戏装照。

芳先生在《舞台生活四十年》一书中回忆说:“我记得幼年练功……冬天在冰地里，踩着跷，打把子，跑圆场，起先一不留神，就摔跤。可是踩着跷在冰上跑惯，不踩跷到了台上，就觉得轻松容易，凡事必须先难后易，方能苦尽甘来。”踩跷作为一种基本功的训练方式似乎好处颇多，但随着时代审美趣味的变化，女人的小脚不仅不成其为美，反成了惹人恶心的丑之最，踩跷在舞台演出中也便日趋减少。梅先生告诉我们:“我家从先祖起就首倡花旦不踩跷，改穿彩鞋。我父亲演花旦戏，也不踩跷。到了我这一辈，虽然练习过有二三年的跷功，我在台上可始终没有踩跷表演过的。”但踩跷在舞台上的完全绝迹，那已是五十年代后期的事。梁秀娟当年学戏和登台时都还要踩跷。如果今年已经六十七岁的梁秀娟能看到我们印在这里的半个多世纪前她自己的戏装照，想必无数的往事会涌回她的心头。她也许会为自己那永驻于红氍毹上的烂漫青春而无限神往；但同时她也可能不禁为加诸一个十三岁女孩身上的近乎残酷的训练而扼腕叹息。当年母亲让她在泼水成冰的院子里踩跷，一踩就是一整天！而母亲所请来的名武旦“九阵风”阎岚秋，把手教她时也是容不得她丝毫懈怠的，为掌握《梁红玉》中的击鼓技巧，阎老师硬是天天让她来回来去地击鼓，直敲得她手腕子肿得通红，敲出半年开外，这才点头承认她敲得上谱。

一九三三年，梁花侬自组了梁剧团，成员有五十多人，秀娟是旦角台柱。梁剧团首演于华乐戏院，秀娟贴出《盘丝洞》和全本《金山寺》。在保留至今的一张《盘丝洞》戏装照(图23)上，我们可以看出这位仅只十四五岁的女伶面容上已失去了天真和稚气，在“一赶二”乃至“一赶三”的走马灯式的职业演出生涯中，她已开始尝到人生那更艰辛更复杂的滋味。

一九三四年，梁秀娟十五岁时为“四大名旦”之一的尚小云先生正式收为徒弟，我们从第五张戏装照上看到了尚派名剧《汉明妃》中的王昭君形象(图24)。

秀娟的这张留影，是否颇得尚先生之神韵呢？这以后的三年是梁秀娟舞台生涯的黄金时期。她戏路很广。除演旦角外，她还随丁永利学会了昆曲武生戏《林冲夜奔》，据说她饰演的林冲不仅英气逼人、嗓音嘹亮，而且其中的飞脚、片腿、大卧鱼三个身段能够一气呵成，引得台下戏迷们连连喝彩。一九三五年她以十六岁的芳龄在上海黄金大戏院作新春公演，从正月初一开始，连演两个月，名老生麒麟童（周信芳）竟甘心挂二牌陪她同台演出。但梁秀娟在舞台上的黄金时期是短暂的。世上绝大多数人在事业上的黄金时期都是短暂的。一九三八年她十九岁时嫁给了一家洋行的经理白莲丞。婚前她在长安大戏院贴演了《汉明妃》和全本《玉堂春》，观众哪里知道，这实际上便是她的告别演出。

▶图 23 "蜘蛛精"会这般疲惫与忧郁吗？从小舞台上透露出了人生大舞台的消息。

人在一生中总有自己的秘密。而个人秘密之中，往往也融解着所处时代、所处地域的政治、经济、文化、道德、法律、习尚等等复杂因素的影响。

一九八三年，六十四岁的梁秀娟在台北编写出版了印制十分精美的《手眼身法步——国剧旦角基本动作》一书，书中有一千余幅清晰生动的相片和数目大体相同的示意图，售价昂至每册四十美元。像如此详尽、精美的京剧基本功分解记录的科研、教学资料，大陆上尚未见出版。该书并附有她本人的《戏剧生活年表》，该年表称："民国廿八年，二十岁，白先生从事地下抗日工作，秀娟一度受累，和婆婆被抓进北平宪兵机关，在牢里禁闭讯问了四个多月。获释后，为转移日方对秀娟行踪的注意，梁母花依二度重组梁剧团，先在北平哈尔飞戏

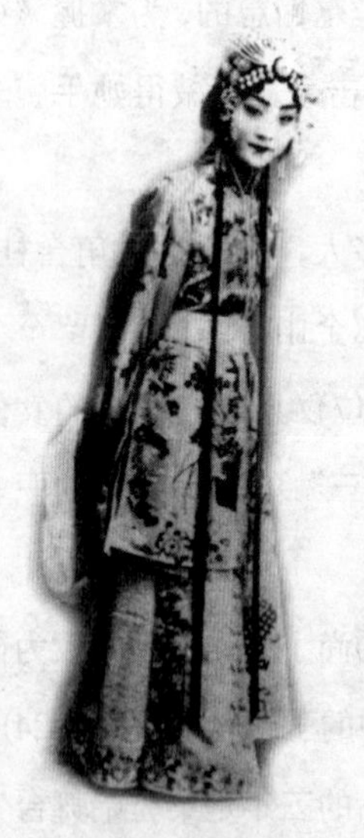
▶图 24 是不是尚小云？京剧艺术的流派继承和流派发展为我们提供了些什么启示？

院作复出公演，旋用赴河南演出为由，在剧团掩护下，避开日人监视，中途在徐州下车，由两位包头师傅护送，起早回到后方夫家，才算脱险。民国廿九年，二十一岁，长子其麟出生于太原市。民国卅年，二十二岁，秋天，白先生一位李姓同志因公殉难，留下弱妻幼子孤苦无依，秀娟在西安特别为其义演三天，贴出的剧目有《大劈棺》、《花田八错》、《春香闹学》、《梁红玉》，都是重做工的戏，是因这时秀娟已久惯家居生活，突然要唱，才发现嗓子已经没了……”以下的年表中再无营业性演出的记载。从年表中我们继续得知，梁秀娟于一九四五年抗战胜利才从西安回到北平，一九四八年十一月“在东四牌楼前临时辟的飞机跑道，只身登上飞往南京的军机”，一九四九年先从南京到上海，然后又从上海飞抵台湾“与白先生相聚，定居台北”，后在一九五六年（当时她已三十七岁）到“国立艺专”开始了戏曲教学生涯，两年后任该校国剧科主任，一九六二年后又应聘于“中国文化学院”，一九七二年五十三岁时收如今已蜚声台岛的郭小庄为徒，一九七五年后应华冈艺术学校之聘，担任国剧科主任至今。

但是，我们在一册出版于一九四二年的《立言画刊》中，却可以看到如下的报导：

梁秀娟三部曲：嫁人离婚唱戏

重拾歌衫始末记

坤伶群中又添一支生力军！

·神算子·

念良人不禁黯然

……花侬还是那么有丈夫气，不过头发已经有些白了！

……秀娟虽然她是曾经沧桑的少妇，可是她还像以往那么美……“离婚”这是一件多么怕人的事，何况他们夫妇之间，已有一个爱的结晶，提起往事，她有些黯然失色，昔日的良人，如今二人天各一方，势同陌路，这是人间惨事，她一定感觉到往事难重述的滋味了。

她时常泪沾衣襟

秀娟的那个孩子小名“狗小”，今年已经三岁，轮廓长得特别像他娘，花侬对于她这个外孙较比疼自己的姑娘还疼爱，她有话，这是秀娟的命根子，秀娟二次唱戏为谁？不是为她这个孩子吗？……“狗小”已经很伶俐的能说会道了！他时常问秀娟：“娘，我爸爸上哪去了？！我找他！”这是一句多么让秀娟难过的话！……为孩子问这话，秀娟勾起往事，她时常泪沾衣襟呢！

将与吴、童一争短长

贾家胡同路东一座红门里，时常能听见鼓板齐奏，引吭高歌：“二八的小佳人懒梳妆……”一类圆润的声调，那是秀娟在溜嗓子呢！由秀娟此点见来，她未来是有唱《戏迷传》、《溪皇庄》一类戏的可能了，秀娟此戏一出，理想中一定会高于吴素秋、童芷苓两位“棉花姑娘”的。梁家母女娘几个这么在戏班找出路，自是中兴可望了！

无聊记者披露的这些仅供当年看客消遣消闲的情况，在梁秀娟晚年自撰的《戏剧生活年表》中竟避讳得不见丝毫痕迹。当然也不能“天衣无缝”，《年表》中从“民国卅年”一条（前面已引）直接跳到了“民国卅三年，二十五岁，次子其龙出世于西安”，其间明显地留下了空白。之所以避讳，恐怕主要还不是有一段婚变史，而是因为在敌伪治下的北平登了台。其实作为唱戏糊口的普通伶人，这也实在算不上什么问题。同一期的《立言画刊》上，便有马连良《借东风》的剧照，尚小云亲自编导《一粒金丹》的消息，以及“侯玉兰首演别姬”、“谭元寿改文武老生”之类的“花絮”。最近我读了袁世海的《艺海无涯》，更深知当年一般伶人在铁蹄下谋生的酸辛。在国难中，梅兰芳先生“蓄发明志”，程砚秋先生“躬耕农圃”，固然是他们高风亮节的体现，但他们的名望和积蓄达到了一定程度，恐怕也是功德得以圆满的保障之一。梁秀娟女士这样编撰自己的《年表》是完全可以理解的。即如我自己，在为出版社之类的部门撰写自己的“小传”时，不是也常将我在“文革”后期发表过作品（自然是打上当时政治烙印的）这一点，加以避讳吗?

这是中国人独有的心理，还是整个人类都有的弱点?——总是在事过之后避讳自己的缺点与错误，隐匿或销毁自己以往的某些照片、日记与信件，即使是晚年写自传,也尽可能不仅“为贤者讳”还为自己讳,甚而在明知是错了之后，还要想方设法证明自己是对的，一直发展到强行改变是非标准，以满足自己“一贯正确”的心理欲望。我隐约感到这便是世上许多罪恶的根源之一。我想到这里才突然意识到，卢梭撰写《忏悔录》是为人类开创了多么伟大的一个先例!

扯得远了。现在还是让我们来看另外的两张照片。第六张照片是梁秀娟六十岁时的便装照（图 25)。

届时她尚能登台与徒弟郭小庄同台合演《小放牛》，反串牧童。第二年她所著《国剧表演艺术论》一书出版。又过了两年，她编著的《手眼身法步》问世。她为该书拍摄了若干张正式的戏装照（书中大量插图系只穿练功服的动作表情示范照），现在我们印出的第七张照片（图 26) 即其中之一，这是刀马旦的形象，如《擂鼓战金山》中的梁红玉、《穆柯寨》中的穆桂英等，都可做这样的扮相。把这两张相片同她半个世纪以前的相片相比，我们该觉得人生真是步履匆匆，同时又不免会觉得人生中总有某种东西是恒定的吧?

同女儿梁秀娟相比，母亲梁花侬的经历更富于戏剧性。这大约也同梁花侬的性格有关。从某种意义上说，性格即命运。从本文所附的头一张相片上即可看出，梁花侬生就一副男相，她也确实有鲁男子之风。她敢于把只知道抽大烟的檀姓丈夫扫地出门。她很早便挑起了维持一大家子人生计的重担。她的钱来得快也花得快。在经营梁剧团并获得成功的时期，有一天她家的黄狗对着房上吠个不停，她觉察出房顶上躲着个贼，但她不动声色。傍晚时她在贼下房的必

▶图25　请将此照片与前面的少女照细加对比。人生是最杰出的雕塑家。

▶图26　这与大陆京剧舞台上的形象有什么区别？同一种文化怎能长久分裂？

经之地支起了两块瓦，在支成三角形的空隙中搁了五十个“袁大头”。第二天天亮，那五十个“袁大头”不见了，狗也不叫了。两年后，忽然有一位“口外客”来访，挑了许多的口蘑、猴头等土产来，原来那便是当年隐匿房上的贼人，他自称用那笔钱作本钱，走正道做生意，发小财了，特来拜谢。梁花侬豪爽地向他一抱拳：“君子施恩不图报！”坚决不收他带来的东西。她积极参加“梨园公谊会”的赈济同行活动，每当来募捐时，她总是问：“梅老板（梅兰芳）捐多少？”人家说多少，她就掏多少。唱老生的石惠宝晚年没嗓子了，哪个戏班也不要他，梁花侬便把他接到家里来白住着，石惠宝没事便画兰花解闷，一时间梁家到处挂满了墨兰。因为搞剧园演堂会，她自然也认识了一些达官贵人。她多次利用这种关系为关进牢里的人说情。解放前夕，她把一名共产党死刑犯从警备司令部保出来，用汽车将他和他妻子送出了西直门，再由地下党用大车接往了西山。她只是觉得自己应当扶危济困，见义勇为，其实并无什么政治意识。抗战胜利后东北流亡学生对国民党政策不满，砸了北平市参议会，遭到军警镇压。梁花侬闻讯自动跑到医院去看望挨打受伤的学生，为他们包下医药费，后来又让他们按组织到家里领钱买粮食买衣服，并为十二三个住在城根窝棚里的东北青年提供了路费，供他们去投靠八路军。其中也不乏有借机来占便宜的品质恶劣的本地青年，但即使发现了，梁花侬也只是一笑了之。这件事做下来，她经济上捅了个大窟窿，不得不卖掉一处房产，但她依旧风风火火地东奔西走，到处去大管闲事。解放初她依然还很富裕，一天她跑进国营皮货商店去买皮衣，忽然有人招呼她，她扭头一看，那人好生面熟，但想不出究竟在哪里见过。经那人自述，她才认出原来便是由她保释出来的那位“死刑犯”，人家已然当上北京市第一任皮毛公司的经理了。经理要自己掏腰包送她一件皮衣，她乐呵呵地拒绝了。她为自己行了善而高兴，却并不懂得为共产党保存了一名干部的重要意义。

对从旧社会过来的一大批戏曲艺人，究竟应当怎样对待？这是共产党在接管政权后遇到的问题之一。一九四八年，当时北平尚未解放，但贺龙、王震两位将军已经找到了梁花侬，请她为西北野战军培养京剧演员。当时许多共产党领导干部对具有独立人格的旧艺人都很尊重，并着意吸引他们来为新的观众服务，特别是为急需慰劳的人民解放军服务，至于演出的剧目，他们并不那么苛求，刘少奇同志一进城就发表意见说：不要急于改造旧戏，一出《四郎探母》唱了那么多年，没有什么了不起，不是唱出一个新中国来了吗？梅兰芳先生一九五〇年到朝鲜前线为志愿军演出《贵妃醉酒》，谁也不以为怪，更无人指责他是用“四旧”腐蚀官兵。

梁花侬应承了贺、王两位将军的托付后，兴高采烈地经营起“西北戏校”来，校址就在北长街她自己的房产中，当院搭了个大席棚，有篮球场那么大，供学员们练功排戏使用。她自任校长，聘请著名的红生李洪春任副校长。教员请到了刘砚芳、陈丽芳、孙盛文、贾多才等人，先后招进了一百多学员，其中不少学员是第二回坐科。

虽说当时的北京城还是国民党的天下，但梁花侬这么明火执仗地为共产党解放军办戏校，倒也没怎么遭到干扰。一九四九年一月底北平宣告和平解放。解放军入城后，“西北戏校”正式编入了部队。现在我们来看一张饶有趣味的相片(图 27)——梁花侬与她的同事穿上了中国人民解放军的军服，梁花侬胸前还别着一枚具有时代特色的纪念章，她的脸上，呈现着既自豪又矜持的那么一种微妙神色。

一九五〇年，“西北戏校”的第一批学员，包括梁花侬的儿子梁先庆(梁秀娟之兄)、外孙子白其麟(梁秀娟之长子，即“狗小”)，随贺龙的部队去了重庆。第二批学员，则由梁花侬亲自带队，奔赴了王震部队所在的新疆。临行前梁花侬变买了自己所有的房产和财物，一路上她毫不吝惜，随走随花。当时火车不通，长途汽车也得分段乘坐，有时还必须搭乘马车或列队步行。越往西北走越感觉寒冷。梁花侬走到半路便给每个学生添置被褥，来接他们的人员对她说：“供给制里可没这一份啊！”她甩着大嗓门宣布：“我包了！不能让孩子们白冻着！”好不容易走拢乌鲁木齐，当时部队文工团处于初创阶段，经费不足，梁花侬就拿出自己的钱给团里买了三轮车和发电机。

但是随后便爆发了梁花侬和一位领导之间的矛盾。矛盾还日趋尖锐。

那位领导看不惯梁花侬。确实也难以看惯。梁花侬依旧是往昔那种班主作风。十几二十岁的学员们闹上了想家的相思病，一个传染一个，团里的政委给他们训话，批评他们不能全心全意地干革命，梁花侬却粗鲁地说：“你讲这些个有什么用？只要咱们像亲爹亲妈一样照看好他们，就能让他们不想家！”她自

▶图 27　一种新旧交错的独特景象。人物的表情中有着无尽的意味。什么时候我们才能对人的表情进行定量和定性分析呢？

作主张在文工团剧场的门口搞了个小卖部，自制煮果冻出售，赚来的钱用以补贴学员们的伙食；作为团长，财务干部向她请示时，她就用手指头上戴的一只有玉石刻花戒面的金戒指代替印章，在印泥上一戳再往单据上一盖。诸如此类的行为作风，那位领导听到耳里，看到眼里，怎能不由反感而义愤，由义愤而生出与之斗争之心呢?

梁花侬也看不上那位领导，她想贺将军、王将军咱们都是见过的，是他们把“孩子们”托付给自己照看教导的，他们搁下话便放心地让我去干，哪里像这位首长这么蝎蝎螫螫、小肚鸡肠?嘿，你来这一套老娘还真个地不尿你！有了这些个想法，她和那位领导之间的冲撞自然更其频繁。

“三反”、“五反”运动来了。政治运动的得以开展，除了其本身固有的理论上的推动力外，某些人物想借此机会将自己厌恶的东西搞倒，也是助推力之一。梁花侬被宣布为“老虎”，喝令她交待。她一气之下喝了一大缸红汞水，但并未能结束生命，反闹下了个“抗拒运动”的罪名，罪上加罪，她的前途变得空前的黯淡。

但是事态并未按照某些惯常的模式朝下发展。梁花侬的“贪污罪”定不下来。她这人你说她达观开朗也行，说她没心没肺也行，反正一结束隔离状态，她便又在学员们面前手舞足蹈地教起戏来。那位领导你说他心胸狭隘也行，说他心眼太实也行，一九五六年毛泽东同志在最高国务会议上提出了“百花齐放、百家争鸣”的方针，他怎么也理解不了，于是他与别人联名写文章公开发表，以苦谏的用心希望别搞“双百”。结果，他却在复杂的情况下，自杀身亡了。

那位领导的自杀身亡，给了梁花侬一个强刺激。以她的政治头脑和分析能力，很难弄清这究竟是怎么一回事。不过当各种座谈会向她发出邀请，当各种不同的人根据不同的想法怂恿她发言时，她却一反常态地沉默了下来。因为在那一时期的任何发言记录上也找不到她的片言只语，所以尽管有的人以为她是个天生的“右派”，却终究没有在反右运动中给她戴上“右派”帽子。

梁花侬的沦落是在一九五九年。“反右倾”时当地部队若干据说与彭德怀有关系的干部挨了批，梁花侬也稍带着算为一个“右倾分子”，排于最末。她被判处“两年机关管制”，降下两级工资。这时梁花侬的积蓄已所存无几。国家进入三年困难时期，她与团里的其他教员、学员一样，每人都足足瘦下了一圈。她女儿梁秀娟和女婿白莲丞住在台北的事越来越成为一团阴影，罩在了她的头上。她被认定为“特嫌”。但她依旧兴致勃勃地教着戏。直到一九六三年，她才退休回到北京。一九五〇年她离京时将北长街三十号的二十八间房子全部卖掉了，因此十三年后回到北京时只好先同三女儿一家合住于一间十二平米的小屋中，后来又搬去与外孙白其麟合住，白其麟当时已经从部队复员回到北京，在一个区级京剧团里当丑角演员。

不久便爆发了“文化大革命”，连梅兰芳的遗孀和子女都受到了凌辱，梁花侬及其亲属的处境可想而知。在粉房琉璃街的小小住房中，梁花侬与外孙白其麟相依为命。每到晚上，在幽暗的灯光下，梁花侬便娓娓地对着外孙忆旧。她的记忆仿佛是一面筛子，专筛出那些足以唤起自尊和快乐的事物。她不止一次重复地讲到关于那两盆宝石花的故事。白其麟依稀还记得，小时候家里的大条案上，与掸瓶、帽筒同样对称地摆着两盆宝石花，在珊瑚做成的枝干上，用翡翠宝石镶出了若干花朵，那很可能是从皇宫或王府里流散出来的摆设。梁花侬告诉外孙，两盆宝石花实际上是两条人命。四十多年前她带戏班到沈阳演出，两个死刑犯的家属跑来跪着求她，让她到大帅府找少帅（张学良）求情。于是她抻抻衣襟，跺跺脚，便去闯了大帅府，居然说动了张学良，放出了那两个死刑犯。得救的家庭给她送来了这两盆宝石花。她开头死活不收，后来人家说:“好歹是两条命，你留着当个吉利。”她才收下了。这故事的前半段，她讲的时候声量比较小，措辞上也常犹豫，但讲到下半段，她的声量就放大了，节奏也加快，流利而生动。她说解放后她将那两盆宝石花带到了新疆，摆在她的办公室里，王震司令员待她很好，在办公室看见了那两盆宝石花，还夸赞过。后来苏联来了个代表团，她强调是“斯大林派来的”，王震司令员亲自主持接待，她也参加了。双方十分友好。临分手的时候，王震司令员觉得原来准备的礼物不怎么丰厚，她便主动提出来，将她那两盆宝石花，作为王震司令员所辖部队的礼物，送给苏联朋友。王震司令员一听觉得很好，于是那两盆宝石花便被搬到了苏联人面前。那群苏联人一见，眼睁得滴溜溜圆，嘴张得茶杯般大，末了团长搓搓手，咽咽气，激动万分地说：“这礼物太珍贵了！我们这个代表团无权保留，带回去我们就转交给博物馆……”

这类美好的回忆，使梁花侬每晚入睡前能达到心理平衡。但一到白天，其麟去单位参加“斗、批、改”了，她一个人留在家中时，便烦躁忧闷不堪。一九七二年以后，她便利用白天的时间写申诉材料，这些申诉材料有的后来并没有投寄出去，但铺开纸写下些自己想说的话，同样也是求得心理平衡的一种手段。她总是在其麟回家以前将纸笔收藏起来。同其麟吃过晚饭以后，她又变得乐观而活泼。她的心理状态就这样在一天里经历着一冬和一春。其麟在好几年以后才看到了她写下的一厚摞材料，其中许多段落很能说明她的心态，并且颇具政治心理学及社会心理学的参考价值，如：

> ……我是（一九四九年）一月参加工作，西北办事处在我家成立，我有问题能这样做吗？后王司令员也来我家叫我办剧团，我用自己的名子（字）招教职员，办剧团经费不够，就把我的房子、家具卖了办剧团，共卖两万三千多元，给新江（疆）买戏箱，三轮车，电料，招生，路费，从此我北京连家都没有了！请问谁，参加工作带着全部财产？三反时斗争我说我贪于（污）了一万元，把我送到军法处，七个月，请想：我的两万多元在团里，反说贪污了一万元，这是什么账啊？王司令员不在，就搞我，后来还有二年机关管制，说我是反动派管制我，我照样培养学生，排戏……说我特间（嫌），因为我姑爷是国民党，说我认识金必（璧）辉，是因为，姑爷打死一日本大左（佐），现（宪）兵队抓他，每天来我家要人，后经李砚秀的母亲介绍，托金给解决此事，办完了，我便不去了，后来她出事，没我事，也给我扣上了。我女儿梁秀娟在

我家请公安局局长，那是为救姓施的一家，施是共产党，如今他死了，儿子侄子还在哪，能给我作证，我不认识那公安局局长去，怎么救人哪？……我在兵团十多年，军及（籍）三年多，差两个月不够十五年，现在算我七年工令（龄），连退休都没资阁（格）办了，我受多少苦也没离开过组织呀……

像梁花侬这样的伶人，细分析她一生的经历遭际，便能看出不管外界环境发生着多么剧烈的变化，他们的意识中总有着一种超越性的比较稳定的东西，那大概便是通过学戏、演戏而无形中凝聚出的一套观念和信念。中国的戏曲，特别是京剧，其中究竟沉淀着儒、道、释及其他文化的哪些因素？倘若我们不用简单地只分为“精华”和“糟粕”两种成分的方法，而用更新颖更精微的分析方法加以透视，大概能有新的发现与领悟吧？我们将不但能据此更理解中国的戏曲和伶人，并且也将能据此理解一大批受传统戏曲影响的观众的心理习惯。

梁花侬进入晚年了。她忽然产生了一个固执的想法，就是她应在结束生命之前见到她的女儿梁秀娟。这仿佛是她为人生应尽的一项义务。白其麟作为梁秀娟的长子当时反倒没有那样一种冲动，因为他觉得姥姥的想法太不现实。但最后白其麟还是秉承姥姥的意志，执笔给国务院办公厅写了封信，万没想到，三个月后有关部门寄回了这样一封信：

梁花侬同志：

你七二年十二月二十三日来信收悉。据悉你女儿梁秀娟现住台北板桥大观路一号。

如你要和她联系，请你直接与其通信。

一九七三年三月二十六日

祖孙二人真是喜出望外。他们托人从香港给梁秀娟试探性地寄去了头一封信，里面只有一张照片，和写着“我们都好”及一行地址的纸条。于是便发生了文章开始时描写的那一幕。

海峡两边的亲人开始了谨慎的通信。粉碎“四人帮”以后，白其麟恢复了演出，他给母亲寄去了自己的剧照，现在我们印出了其中的一帧——是《荀灌娘》中频频惹人捧腹的荀常一角（图 28）。要论国剧（京剧）正宗，自当还在大陆。梁秀娟看见儿子不仅身体健康，而且事业上大有发展，心中十分快慰。

一九八〇年秋天，梁花侬获准去台湾与女儿团聚。白其麟的弟弟白其龙背着已近风瘫的姥姥上了飞机，于十月十八日抵达香港。十天后梁花侬抵达台北桃园机场，梁秀娟一头扑进母亲怀中，尾随的新闻记者们你挤我拱地抢拍下了这一镜头。

据说台湾当局迄今为止只批准过两位持中华人民共和国护照的老太太进入台湾。梁花侬的抵达台北自然是一桩引人注目的事。立即召开了记者招待会。有人期待着梁老太太一把鼻涕一把眼泪地控诉“匪暴”，老太太却只是乐乐呵

▶**图 28** 在公开印刷物中，这只不过是一张普通的剧照而已。在私人照相簿中呢？……我们应当学会珍惜“普通”。

呵地说她很高兴见着了秀娟，“出落得更有气派了”。有记者郑重其事地问她：“您觉得最近大陆那边气候怎样么？”她不假思索地大声回答说：“我觉着两边气候一个样儿！”记者问的是政治气候，却得到了这么一个朴素的家常式的回答，在场的一些人不禁给逗笑了。她还大声地说她要大陆的那份护照，“我得存着。那是我的证件儿。”她的这种态度一直保持到第二年病逝。她抵达台北和溘然而逝都是十月二十八日，不多不少恰是一年，她的寿数整整是八十。

现在我们来看摄于台北的两张相片。一张是梁秀娟和她的女儿梁小娟（定居美国）依偎在梁花依身旁（图 29）。另一张是目前台湾最红的旦角郭小庄尊敬地搂扶着梁花依的肩膀（图 30）。这两张相片里都有某种超越性的东西，足堪我们玩味。

一九八二年，白其麟去了香港。母亲、妹妹小娟、父亲相继去港与他相见。梁秀娟一把拉过走近自己身边的儿子，上下端详着他，感慨地说：“一见你这模样，就有种安全感！”我们可以从相片上看出母子间的无限深情（图 31、32）。世上原有恁是万丈深峡也切割不断的东西！

北京有人说：白其麟怕是不会回来了。他母亲还不得把他带回台湾去吗？

▶图 29　祖孙三代。天伦之乐。应当有更多被海峡隔开的亲人相依相偎。

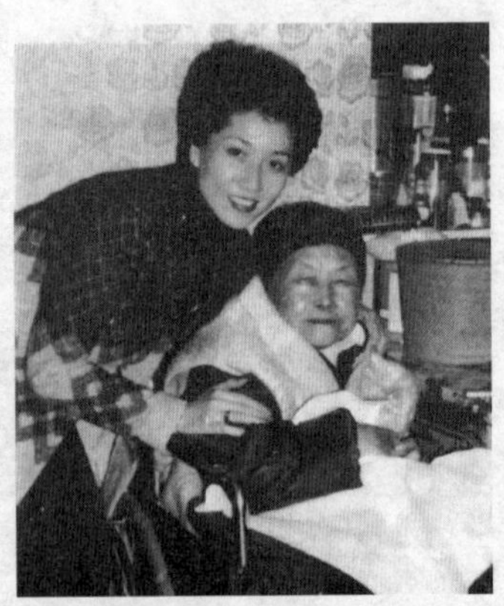

▶图 30　京剧作为中华民族的特有文化是不会消亡的。右为梁花依，左为台湾京剧舞台上的明星郭小庄。

但白其麟会见完亲人后按期回到了北京，回到了剧团。他已经长大成人。他家在北京。他的事业也在北京。分住在海峡两边的这个京剧世家的故事并没有结束。但愿有一天，这个故事能出现这样一个高潮：梁秀娟和白其麟母子同台演出，北京和台北的电视台在同一时间向观众播放他们的演出实况。应邀参加演出的还有谁呢？或许有叶少兰，还有郭小庄……

一九八六年二月二十六日

写于北京绿叶居

图 31 请注意母亲的站姿与儿子的微笑，这里面积淀着中国民族的特有文化。

图 32 母与子——永恒的主题

附记：

文章校样排出后，又得到一张照片（图 33）。现附于此。在梁秀娟的艺术生涯中，拜丁永利为师学会了昆曲武生戏《林冲夜奔》，是特别令母亲梁花侬和她自己自豪的一页。

注：本章内的照片均系白其麟先生提供。

图 33 不可或缺的一张剧照：1935 年，梁秀娟演出昆曲武生戏《林冲夜奔》。十五岁的窈窕淑女，装扮成壮士居然英气逼人。

名门之后

一个细雨霏霏的傍晚，来了个文静的姑娘访我。她自称是攻读计算机软件专业的大学生，正在准备毕业考试。

“我能给你一点什么帮助呢？”

我望着她。她坐在沙发上，姿态优雅而不做作，服饰新潮而不扎眼。我心想有关计算机软件一类的事本人可是一窍不通、爱莫能助。

“也许我能给您一点帮助呢！”

她浅浅地微笑着，让我吃了一惊。

原来，她是读了《收获》上的《私人照相簿》，觉得可以给我提供一些照片，供我写一篇新的文章。我自然非常感激。“不过，我搞这么个专栏，究竟有没有价值，还很难说……”嘴里这么说着，心里却在揣测她的动机。

“我完全不想从您的创作里得到什么好处。而且直到现在我也还没有跟家里的人说。说不定您的文章出来对我们还有坏处。不过我模模糊糊地从您已经发表出来的东西里感觉到，您的尝试是值得支持的……您写的不是小说，也算不上报告文学，也不像标准的散文……”

我感动了。一个搞电子技术的人使用“模模糊糊”这个语汇可非同一般。据说模糊数学实质上是最精确的数学，又据说模糊数学是电子计算机技术的基础理论之一。确认事物的模糊性恰恰是精微界定事物性质的前提。

▶图 34 “旧时王谢堂前燕，飞入寻常百姓家。”一位攻读计算机软件专业的大学生。直到拍这张照片时，她还没有查阅过《辞海》1086 页。

“您能给我提供些什么照片呢？”

她呷了一口茶，依旧浅浅地微笑着。她没有正面回答我的问题，只是闲闲引出地说：“您知道张之洞吗？”

张之洞？我怎么会不知道！中国近代史上赫赫有名的“洋务运动”的代表人物。

“八年前，我十五岁的时候，才知道我是他的第五代传人。”

我望着她发愣。我实在难以把眼前这位焕发着时代朝气的计算机学士（图 34）与顶戴花翎、朝服袍褂的张之洞联系到一起。我记得在一本历史图片集里看到过张之洞正襟危坐的照片。

“你家还有张之洞的照片吗？”

“可以找一找。不过连我自己也觉得很滑稽。人真是个怪东西，他身上总流着一份祖宗的血。其实那个名叫张之洞的人和我有什么相干？我大学学的是理工，连写得有他名字的中国近代史也没有去看。”

“《辞海》上有他专门一条。你没查过吗？”

这位身上循环着张之洞（图 35）十六分之一血脉的姑娘歪歪嘴角，“没查过。早该查查，对吗？可是太忙，有太多的事要干，太多的东西要读，就没有查。”

▶**图 35** “功名富贵若长在，汉水亦应西北流。”这帧张之洞像复制自《中国近代史参考图片集》。他的哪位后人的私人照相簿里还存有他的照片呢？当他面对照相机时，心里在想什么呢？

我为她遗憾。不知道为什么，我觉得她应当立即补上这一课。我从书架上搬下《辞海》合订本，查到 1086 页，与她共读：

张之洞（1837—1909）清末洋务派首领。字孝达，号香涛，直隶南皮（今属河北）人。同治进士。曾任翰林院侍讲学士，内阁学士等职。一八八四年（光绪十年）中法战争时，由山西巡抚升两广总督，起用冯子材，在广西边境击败法军。一八八九年调湖广总督。开办汉阳铁厂和湖北枪炮厂，设立织布、纺纱、缫丝、制麻四局，并筹办庐汉铁路，与李鸿章争夺权势。一八九八年发表《劝学篇》，提出“旧学为体，新学为用”，以维护封建伦理纲常，反对戊戌变法。一九〇〇年八国联军进攻北京时，在帝国主义策划下，参与东南互保，镇压两湖反洋教斗争和唐才常自立军起事。一九〇七年调任军机大臣，掌管学部，有《张文襄公全集》。

读完以后我感到颇难消化。这位在世七十二年的人物自中年以后可谓轰轰烈烈、炙手可热。我脑海中卷涌的意识流里出现了前些天一位刚刚离休的老干

▶**图 36** “大有高门锁宽宅，主人到老不曾归。”张之洞在湖广总督任上究竟有宽宅几许？这是其中哪一座？

部的面影，并响起了他用痰音发出的宣称：“我这就开始写一篇大文章，为‘洋务派’们翻案！”又浮现出某一本油墨尚香的杂志里同一页上跳出的字眼：“中体中用”，“西体西用”，“西体中用”……并且忽然冒出来王蒙诡秘的微笑，这是怎么搞的？！啊，对了，王蒙也是河北南皮县人氏……

我望望来访的姑娘，她只是耸耸肩膀，面部表情依然沉静。(图 36)

今人不见古时月，
今月曾经照古人。

一个月光如水的夜晚，她又来找我，带来了一厚摞陈旧的照相簿。

她没能在她家找到张之洞的照片。她的曾祖父不是张之洞的长子，从张之洞那里继承下来的东西本来不会太多，更何况历史潮流的冲刷筛汰是那样地猛烈，因而她家的旧照片所存有限。她也没找到家谱，并且她家起码在几十年前就散失了《张文襄公全集》，也没有后来铅印出版的《劝学篇》或《书目答问》。她刚刚知道经常被人们提到的“中学为体，西学为用”的著名主张是由她家高祖提出的。

然而“百足之虫，死而不僵”。从她所带来的私人照相簿里，我们还是能看到一部中国近代史和现代史的连续性痕迹。

现在我们来看一张与世纪同龄的照片(图37)。照片上是张之洞的一位儿媳同他的两个孙子。张之洞的儿媳数目当然大大超过儿子的数目，照片上的这位媳妇据说是他儿子张焌的原配。照片上的三双眼睛都紧张地盯着镜头，这说明虽是在主张“西学为用”的张之洞家里，拍照片这类“奇技淫巧”也还属罕见。值得注意的是照片右上角呈现出墙上条幅中最后一个字：“禅”。在那个西方文化开始粗暴地撞击中国固有文化的岁月里，几乎所有的官僚和文士都在迷惘惶悚中更紧紧地拥抱着所谓“禅理”，以求得内心的平衡。有趣的是当西方文化本身渐次陷入危机时，不少西方人士却又惊喜交加地从中国禅宗的“见性开悟”

▶图37 “人事有代谢，往来成古今。”一张与世纪同龄的照片。张之洞的一位儿媳与他的两个孙子。

中找到了“西方的黎明”。张之洞以后的时代，便是中西方文化“双向逆流”方兴未艾的时代。不过，中国长期是“入超状态”。

一九〇八年十月二十一日光绪皇帝“殡天”，患恶性痢疾的慈禧太后在前两天已安排好只有两岁的溥仪登基继位，在得知光绪确实死于自己之前这一信息后，才咽下了她最后一口气。张之洞本是可以在溥仪一朝继续擅权的，但一九〇九年他也一病而亡。“树倒猢狲散”，张之洞的钟鸣鼎食之家瓦解了。现在我们得到的私人照相簿属于他众多儿子中张焌这一支。把张焌的遗像（图 38）同张之洞的遗像对照，我们可以看出父子两人面貌酷肖。但张焌的洋装与张之洞的官服却划分出了两个截然不同的时代。

据说张焌也曾厕身官场。这多半是张之洞的苦心安排。张焌一度当过山东监运使，又当过湖南税务局局长，都是美差。但同许多名门世家的子弟一样，他却渐渐生出一种强烈的厌恶政治、鄙弃官场的心理。凭藉着张之洞在世时所提供的当时最好的学习条件，他“中学”、“西学”均有较高水平，于是他后来

图 38 “宁为宇宙闲吟客，怕作乾坤窃禄人。”张之洞的儿子张焌同许多名宦的后代一样，在厌倦官场之后跻身学界。半个世纪前，他成为复旦大学教授。

成为了复旦大学的教授。

这是不是一种规律性的现象？政治家的后代中倒是厌倦乃至厌恶政治的子女更多一些。

官初罢后归来夜，
天欲明前睡觉时。
起坐思量更无事，
身心安乐复谁知？

真能产生这类心境吗？

高卧深居不见人，
功名抖擞似灰尘。
惟留一部清商乐，
月下风前伴老身。

怕也说得过了头。但人的感情、心绪确实是复杂的，比如溥仪之父、统揽大权的摄政王载沣，也曾把“有书真富贵，无事小神仙”悬挂于壁，表露出内心中厌倦政治和权力的一面。

虽然当了教授，张焌的生活比起当官时可是清苦多了。抗战时期，他在西南联大往湖南写信，字里行间流泻着他对孙子的关怀和期望，我们无妨读读遗留至今的三封“示孙书”：

其一

运道孙儿知悉：

前接汝七月七日来禀，知汝放假回家，正深欣慰。因昆市连遭空袭，故未即覆。昨接汝父来信知汝不慎肺部受伤颇剧，令我忧灼。不知现状如何？以后如在外遇有不幸之事，回家应立即明白禀告父母，不可稍有隐瞒，至要！刻下不必读书，可在家中休养一年半载。寒假时可请长鸣妹到家为汝稍加补习功课，她文字俱佳，备受艰苦，立志向上，汝能爱戴她，于汝必有益。小妹高小考第一，免试保送联大初中，尚未开学，并告。

祖父字

八月二十五日夜

其二

运孙知悉：

十二夜来信，我已阅悉。汝考入修业小学，我甚喜欢。曾祖母必定更喜欢。汝在家要听大人教训，在校要听师长教训。对于同学要亲爱要和气，不要打架，不要吵嘴。早起早睡，饮茶吃饭，穿衣走路，要有规矩。要爱洁净。不要乱说话。不要乱闹。先生教的功课要把它做好。汝都知道吗？

祖父字

九月二十三日

其三

道孙：

汝身体好吗？二学期功课成绩好吗？我每月为汝储蓄五元钱，因物价激涨，同人要求停止继续箱理，自三月起已一律提出来，兹交中央钱行汇去五十元，汝可收存应用。我自到云南来，晃晃已有四年了，劳心焦思，精神日渐衰颓。二姑在成都齐鲁大学，因系教会私立学校领不到贷金，三姑在联大，以我在此地身份也不能领取贷金。我与祖母外还要供给四个人的教育费、膳宿费、衣服书籍费。每个人的伙食费，就在二百元以上。我的薪金及米代金等，不过千元以上。我每顿饭不过一样蒸鸡蛋，一样小菜，一碗淡盐汤。汝祖母在乡下，自己烧饭吃，生活过得如此之苦，总是支持不来。你们想不至如此之苦。可是银行待遇较佳，一般行员，守本份者少，只知吃喝嫖赌，所以犯法被控告、被开除、被看管的，日有所闻。汝是一个天真可爱的小孩，我本不愿向汝说这些话，但是环境如此不好，风气如此之坏，又不能把汝带在我面前，只好叫汝心内明白，立意为人不要学坏样。附去报纸内面的物价表，汝看比邵阳还是高还是低呢？不说了。

祖父字

八月十一日

从第二封信里可以看出，彼时张焌的儿孙一大家子大约仍住在湖南祖宅中，而张之洞的一位夫人（信中提及的“曾祖母”）尚健在。从第三封信里我们可以看出他对儿子已然失望，因此对孙子的期望便变得格外殷切。

张焌至今仍有许多洋装照留在后人的私人照相簿中。几乎每张洋装照上都有他墨笔自题的上下款，发散出一种中西文化合璧的气氛。

据说张焌未到抗日战争胜利便溘然长逝。下面我们要勾勒出他的长子——张之洞的第三代——的另一种色彩的命运。

我们看到了一张发黄的定亲照（图39）。在一盆象征长寿与富贵的万年青两边，分站着貌合神离的一对青年男女。那第三代的张公子大概并不满意他的第一次婚姻。他在这张合影中显得如此矜持，但我们在另一张篮球运动员打扮的单人照（图40）上，一眼便能看出他的活泼与热情。当然，在半个多世纪之前，身为银行的高级职员，有着如此的“全盘西化”派头，确实也标志着他的“高等华人”身份，并显示着“人生得意须尽欢”的心态。

在这里我们还要插入一张他的妹妹当年参加大学女子排球队的照片（图41）。

▶**图 39** “来如春梦几多时，去似朝云无觅处。”这位张之洞的孙子也曾想度过有意义的一生。但富贵的家庭、险恶的社会加上他耽于享乐的性格，使他很早便碌碌无为，最后默默而殁。

▶**图 40** “世事茫茫难自料，春愁黯黯独成眠。”谁能料到，拍这张照片的三十年后，他成了北京街头看管自行车的老头儿。当他春夜独酌时，是否还记得这张照片呢？

▶**图 41** 合影照片摄于半个世纪之前：后排左二为张之洞的一个孙女（右下角照片为十八年前她的形象）。这说明女子排球运动在中国已有很长的历史。

这些亭亭如莲的女排球手们，后来星散何处？尚有几人在世？我们除了感叹“浮世本来多聚散，红蕖何时亦离披？”是不是也可以从中悟出一点：毕竟是晚清的“洋务派”们，把包括西洋体育在内的泛西方文化率先引进了中国。一八九四年（光绪十九年）湖广总督任上的张之洞在武昌创办了“自强学堂”，最初雄心勃勃，开设了方言（即外国语）、算学、格致（即物理和化学）、商务四科。草创这类“洋学堂”自然困难重重，不久格致、商务两科便被迫停办，仅致力于方言一科，分英文、法文、俄文、德文四门，故学堂本身后来也便被称为“方言学堂”了。当时的学堂已引进了西洋式的体操，足、篮、排等球类竞技于何时引进，准确的时间说不准，但它们是首先在“洋学堂”里普及开的，则无可怀疑。

如果这位张之洞的孙子仅止是喜欢球队运动，他的命运也许倒不至于那么样地富于戏剧性。但他对快乐的追求实在是太多样化了：宴席、郊游、影剧、清谈……而最不能遏制的，便是情欲的满足。从他留下的一幅“游春图”（图 42）中我们可以看到他尽情享乐时的排场，但同时也可以看出纵欲所造成的虚弱与疲惫。

张焌的追求和命运，在名门之后中具有一定的代表性，他们由对政治的厌

▶图42 “锦衣红寺彩霞明，侵晓春游向野庭。”半个世纪前的一幅富家“游春图”。张之洞的孙子(右一)同他的太太、姑奶奶、女仆及儿子排列成尊卑有序的一串（女仆排右四是为了给一老一少打遮阳伞）。

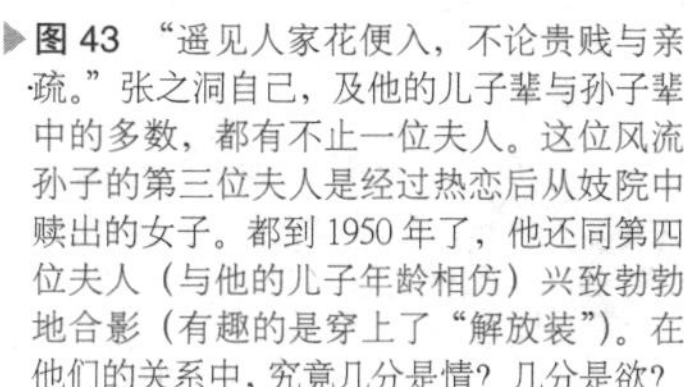

▶图 43 “遥见人家花便入，不论贵贱与亲疏。”张之洞自已，及他的儿子辈与孙子辈中的多数，都有不止一位夫人。这位风流孙子的第三位夫人是经过热恋后从妓院中赎出的女子。都到 1950 年了，他还同第四位夫人（与他的儿子年龄相仿）兴致勃勃地合影（有趣的是穿上了“解放装”）。在他们的关系中，究竟几分是情？几分是欲？

倦而走向隐退和恬淡。

张焌的这位长子的追求和命运，在名门之后中不消说也具有一定的代表性。由于长辈把他们的一切都安排好了，他们可以坐享其成，因此他们对政治不是厌倦而是无知，他们在世态翻覆中不是明哲保身而是及时行乐。他们的命运往往是始于喜剧，终于悲剧。

把人和事分成类而加以分析，往往不能洞见人性的复杂和世态的深髓。面对着私人照相簿上的一张张面孔和一个个场面，呈现于我们面前的信息是那么具体，那么生动，我们得向人生和命运的深处探秘。我们会因此而觉得文学虚构的多余与展开渲染的幼稚。

我们看到了一张大约拍摄于抗战胜利后的夫妻合影 (图 43)。男方还是前面的那一位，女方却已然是另一人。

单以面相而言，这位新夫人不仅绝不妩媚，也不够喜幸。甚至可以从对比中作出这样的判断：女方的年龄要高于男方。

然而这幅照片却是真正的爱情的见证。

人到中年以后，张之洞的这位孙子在情欲追求中也趋向于成熟——他更多地看重情，他觉得该把自己一颗骚动的心，驶进一个温暖而安谧的港湾了。

他是在妓院中认识她的。她地位低下，处境窘迫，算不上美人，还有几分村气。然而他从她身上发现了一种说不清道不明，却又非常值得珍惜的东西。这种东西是他几十年锦衣玉食的生活中所欠缺的。他用重金赎出了她，并娶了她。

一年过又一年春，
百岁曾无百岁人。
能向花中几回醉？
十千沽酒莫辞频！

他原本就是个享乐主义者，现在从物欲中发现了真情，自然更觉得鱼游春水般畅快。

像他这样的名门之后，长期置身于时代潮流之外，对政治一窍不通，因此，当时代的潮流汹涌澎湃，席卷到每一个角落，冲激到每一个社会成员，并使整个社会发生巨变时，他是毫无精神准备的。一九四九年，中华人民共和国诞生了。他对新中国性质的无知达到了令人发噱的地步，恰恰在这个时候，他觉得自己对情欲的追求可以更加无拘无束。于是，他换上了“解放装”，学会了新名词，爱上了一位年龄同他儿子相仿的姑娘，他也让她穿上当时最时髦的女式“解放装”（当时称为“列宁装”），并戴上当时最时髦的“解放帽”，他纳她为妾，并同她拍出了全然“新派”的照片（图 44）。

▶**图 44** 他还将这照片寄给已经成年的儿女们，请他们称他的新夫人为“亲爱的瑞姨”。他觉得“解放”真好，他也“解放”了，他不是比以前更浪漫，更大方，更摩登了吗？

真是只有名门之后才能闹出这样的笑话!

解放了的时代很快便给了他一记重重的耳光。《婚姻法》宣布了他纳妾的非法，接收后的银行认为他并不能胜任新时代的工作，而儿女们一经投身革命洪流之后，也都对他以往的寄生、半寄生式生活明白地表示出鄙夷与批判，直到他终于明白自己在新社会中全然是一枚废物时,他才遍体清凉下来。真是“节物风光不相待，桑田碧海须臾改”。新社会必须消化掉他，他必须适应新社会，于是他成了百货商场门口自行车存车处的看车人。

真正伴随他直到他临终咽气的，还是那位从风尘中出来的妇女。她究竟是爱他，还是起初感激他，后来怜惜他？谁说得清呢？当他沦落到存车处以后，他才真正懂得了她那颗饱经蹂躏的心的善良与宝贵。他一度纳那小姑娘为妾，也是对她的心的蹂躏。可是她终于还是原谅了他。她并不觉得生活水平的降低有什么了不起。她挑起了生活的担子，不仅为他，也为他的后代——她做饭、洗衣、采买、拾掇，还把两个孙女儿从小拉扯到大。

他们两口子光凭看守自行车和儿女给予补贴还是过不下去的。他们就陆陆续续地卖家里的东西。从解放初一直卖到一九六六年夏天以前。这也是名门之后的一条典型的谋生之路。先是卖首饰、古玩、字画，然后卖估衣、家具和零碎物器。张之洞当年精心收敛的传到他们手中的东西，便这样渐次地星散各方。

张之洞的这位第三代传人于一九六九年默默无闻地因病死去。街道上并没有人知道他是张之洞的孙子，他早已沦落为绝不引人注目的自行车存车处看守，因此无论是“红卫兵”还是街道上的“革命积极分子”都没有过多地找他的麻烦，比起一些当年革张之洞所效忠的清王朝命的烈士们的后代来，新的“革命”对他相当客气，而有的那样的烈士后代，却惨死暴殄于“文革”之中。

这位张之洞的孙子本是极爱照相的，但当他沦落以后，他却几乎不再照相。这倒不是他丧失了照相的经济能力。他是丧失了照相的乐趣。但他并没有丧失以往所有的乐趣。比如吃香的喝辣的这一乐趣，他就简直没有放弃过。每当手里有了一点钱，他便兴致勃勃地去到知名的饭馆，非常内行地点上几个名菜，美美地享受一番。这也是许多名门之后的共同特点。而且这恐怕也是汉文化在这类准知识分子心灵中最坚实的积淀。我们可以从王蒙的长篇小说《活动变人形》中看到关于这种心态的淋漓尽致的描绘与剖析。

他的儿子——张之洞的第四代——却使这个家族发生了一次质变。这种变化不是偶然的。我们可以看到张之洞这位重孙的一张童年的照片(图 45)。他装扮成空军驾驶员的模样，坐在照相馆的一架飞机模型里。毕竟他是成长在抗日战争的时代气氛之中。这种同仇敌忾、抵御外侮的时代气氛，不可能不在他幼小的心灵中播下健康向上的种子。我们又可以看到一张他与小学中的“童子军”友伴的合影(图 46)。那时他才七岁．可是已经成为了“热心募集慰劳抗敌将士物器的学生”。

他的父亲，前面说过，基本上是个不问政治的享乐主义者。但这位享乐主义者却并没有卖国求荣的倾向。从根本上说，张之洞尽管反对清时的革命党，并与入侵中国的帝国主义势力时有互相勾结互相利用的表现，但他恐怕还不能算是一个卖国贼。过去我们比较多地强调“洋务派”对抗维新派和革命党的一面，其实“洋务派”何尝没有对抗外国强权的一面。张之洞明确表明,他的“中体西用”说，目的便是“御夷图存”。

在整个民族为生存而奋斗的气氛中成长的这位名门的第四代，当他长到十九岁时，他对自己的生活道路作了一次严肃而坚定的抉择。

▶图 45 “日居月诸，渐免于孩。”第四代开始了人生的途程。这张照片也已存在半个世纪之久了。

▶图 46 “人生何处不离群？世路干戈惜暂分。”“七七”事变爆发三个多月后的这群“童子军”，今天都还健在吗？他们都经历了怎样的人生旅程？后排右二是张之洞的重孙。

下面是保存至今的一封家信：

爹爹：

继着小叔的路我也走了。一个星期来，我曾多方面考虑过这个问题，我觉得我中学总算告了一个段落，下期想跟着就升学一定不是一个很简单的事；同时我这样闲着待下去，的确不是一个办法，我愧对那许多已经流了自己的血去换取革命果实的革命先烈。虽然我现在生活得很舒服，但内心却很痛苦，我不应该再在这享乐舒适的小圈子里混下去了，我应该去跟那些广大可爱的受苦的人民在一起，这次的走对我也许是一个考验。

您爱我，因为我是您的儿子，但希望您把这爱推及广大受苦的人们，现在革命事业正急需要我们贡献一份力量，我们不能再袖手旁观，应该为美丽的祖国及后代而奋斗。您也许不会了解我这些话，更可能嘲笑我是傻，但现在社会正需多要一些我们这样的“傻瓜”。

那里有我们很多伙伴，生活也许会很苦，不过只要我们是有目的而带着真理去的话，也许能熬得过的。一切请您放心。如果没有为真理及革命事业而牺牲的话，也许还能再见，那时我们一同共庆胜利。书不尽意，祝好并问候奶奶，珍婶，瑞姨，表伯，干爹、妈，潘伯父、母，惠姐，刘主任，四姐，夏妈及能了解我们的——表伯奶奶。

您的儿子叩上于走的即日

一九四九年六月二十八日

从最后需要问候的一大串名单，我们可以深切地感受到这位名门之后迈出这一步的不易，牵制着他的家庭力量是强大的，然而他毅然地离家出走，投奔中国人民解放军去了。

“虽然我现在生活得很舒服，但内心却很痛苦。”这是许许多多名门之后的共同心绪。这种心绪反映出个人处境同时代精神之间的巨大矛盾。但一个又一个的名门之后像这位张公子一样，毅然地迈步投向“受苦的人民”。这说明循环在人们体内的血液出自什么血统实在不值得深究，不是血统造就着人，而是社会环境造就着人，时代精神更改造着人。

上面我们看到了这位年轻的解放军战士飒爽英姿的单人照(图47)和喷溢着勃勃朝气的与战友合影(图48)。在后一张照片中我们可以注意一下他的特殊身姿神态，一方面他的拢袖偏头显示出以往少爷生活的残余习惯，另一方面他那欣慰与严肃交融的表情也显示出他已平服了往昔的内心痛苦。

呵，青春，像鲜花怒放般的青春！我们现在看到了他二十七岁时的照片(图49)。这时他已是一个部队文工团的歌剧演员。他是幸福的，因为他在青春期里能将自己的聪明才智比较充分地发挥在自己所选择的事业里。我们看到了他在新歌剧和黄梅戏中扮演完全异趣的角色的剧照(图50)。

在他家私人照相簿里残留至今的舞台照中，《甲午海战》谢幕时所摄的一张(图51)自然是最珍贵的，因为那上面有周总理和陈老总。《甲午海战》这出戏里的李鸿章是个十足的反派角色。“洋务运动”在这出戏里自然是被全盘否定的。张之洞出山晚于李鸿章，作为“洋务运动”中的“后起之秀”，他与李鸿章是有矛盾的。不知如果将李鸿章与张之洞的灵魂唤来观看这出戏，两个“洋务灵魂”会作何感想？上演这出戏和拍摄根据这出戏改编的电影《甲午风云》已经是二十多年前的事了。在今天这样一个空前开放的时代气氛中，如果重新创作这一题材的作品，是不是会有完全异趣的面貌呢？

一个时代有一个时代的文学艺术，有它的代表作，一九四九年至一九六六年最能传达出其时代精神和美学时尚的代表作便是首演于一九六四年国庆十五周年的大型歌舞《东方红》。

张之洞的这位重孙在《东方红》中也扮演了一个角色。他扮演的是抗日战争中的流亡教授(图52)。不知当他扮演这个角色时他是否联想起过他的祖父张拢。更多的可能性是他根本没有往自己的家族上去产生哪怕是一星半点的联想。

▶**图 47** “溪涧岂能留得住，终归大海作波涛。”在浒浒向前的时代潮流中，第四代中的这位十九岁的热血青年毅然参加了中国人民解放军。

▶**图 48** “请君莫奏前朝曲，听唱新翻《杨柳枝》。”新的时代。新的人群。新的生活。新的曲调。名门的第四代（前排左一）走上了他曾祖父想象不到的那么一条道路。

▶**图 49** “劝君莫惜金缕衣，劝君惜取少年时。”二十七岁。最烂漫的青春。他怎能预料到十年后的坎坷?

▶**图 50** “枕上片时春梦中，行尽江南数千里。”二十六年前，部队文工团的歌剧队到江南学演黄梅戏。这是《打豆腐》中的一个场面。右一的剧中人王小六由名门的第四代扮演。但几年以后这类剧目便被宣布为“四旧”破掉，教他们演唱的严凤英等演员惨遭迫害。时至今日，学黄梅戏的场景仍时时在当事人的梦中显现。

▶**图 51** 一张二十五年前的接见照。这类照片被许多新中国的文艺工作者珍藏至今，并引为骄傲。在话剧《甲午海战》中饰有角色的照片保存者在这张照片中位于左侧。他的曾祖父所参与的“洋务运动”在《甲午海战》这出戏中被严厉批判。

▶**图 52** “天地大舞台，舞台小天地。”1964 年拍摄的大型歌舞影片《东方红》中的一个场面。正中的老教授由张之洞的重孙扮演。

因为恰恰也是从那个时候起，狭隘到极点的“阶级论”即“血统论”开始甚嚣尘上。他还是尽量忘掉自己的出身为好。

“文化大革命”来了。这场革文化命的运动自然也没有放过部队的文工团。一向秩序井然的文工团陷于极度的混乱。一向平和相处的战友分裂为不共戴天的两派。这位怀着美好愿望和战斗激情的名门之后不可能不卷入两派斗争的漩涡。但是，他却不幸“站错了队”。正确的位置据说应是站到支持黄永胜、吴法宪、李作鹏、邱会作的这派一边，实际上也就是站到林彪和叶群一边。倘若他“站对了队”，也许不会有人来追究他的出身，然而一旦“站错了队”，他的出身当然只能是使他罪加一等，于是他很快便被排挤出了文工团，甚至一度勒令他回到原籍——因为张之洞曾任湖广总督，坐镇长沙，所以要他带着全家回到长沙。

十年一觉“文革”梦。梦醒之后，文工团对立的两派中的多数重新遇合时，真是欲悲无言，欲悔无辞。究竟谁站错了队？怎么谁也没从“文革”中得到真正的好处？“站对”和“站错”的双方都丧失了最好的年华，中断了原有的艺术生命，留下的只有无尽的怅惘和痛苦的反思。

我们看到了一张刚洗印出来不久的剧照（图 53)。这张剧照后面有这样的题辞：“一九六二年排演歌剧《三世仇》，饰演李老汉，赴福建前线演出。一九八六年五月十九日文工团建团三十五周年纪念日团聚时，何茂田同志洗赠留念。”这短短的题辞中，包涵着多么丰富的人生滋味！

昔日的照片可以重印。青春呢？年华呢？率真的心境和纯朴的人际关系呢？

现在张之洞的这位第四代人物也已逼近了老年。他的两个女儿，张之洞的第五代，开始走上了与他又不相同的生活道路。昔日名门的风习在她们身上不存一点余迹，她们既不为自己祖先进入现代史和《辞海》感到自豪，也不为此感到屈辱。

“他是他，我是我。”来找我的那位姑娘睁着明亮的眼睛，沉静地对我说：“我知道现在史学界有一些争论，有的人主张对‘洋务运动’和‘洋务派’采取比较肯定的态度，对‘中学为体，西学为用’的口号也主张不要一棍子打死，对张之洞这个人也主张多考察一下他在历史上的积极作用。可是对于我来说，无论这场争论朝什么方向发展，都同讨论陈独秀或者凯撒大帝的功过一样，没有什么更能吸引我的，也不可能牵动我的感情。您别忘了，我是搞电子计算机软件的。也许有关美国加州‘硅谷’的争论对我更重要一些,更有吸引力一些……”

“可是你还是热心地来给我提供了这么多你家的私人照片……”

“因为我朦朦胧胧地觉得旧照片也是一种文化，应当让它们获得流布和被剖析的机会……”

是的，旧照片是一种极其重要的文化，或者换句话说，旧照片是往昔人类文化的最明确的见证。照片所提供给我们的并不是一般意义上的真实，而是准

▶图 53 “渡尽劫波兄弟在，相逢一笑泯恩仇。”在因“站错队”而被排除于外之后的第十七个年头，照片上老头的扮演者重归部队文工团，参加团庆活动，留团的一位同志将这张二十六年前的剧照洗印给他。他即是张之洞的重孙之一。考究谁“站错队”在今天还有什么意义呢？

确意义上的逼真。

现在我们看到了一帧张之洞这个名门在抗日战争胜利后的家族合影（图54）。他们当年拍照时眼睛都望着镜头，现在等于是都望着我们。对于他们，我们能知道些什么？我们能理解他们、宽宥他们吗？

他们的命运并不相同。

前排左一，是张之洞的一位孙女，解放后她是一位中学历史教师。当她在课堂上讲到“洋务运动”，提到张之洞时，她内心里漾着怎样的波澜？究竟什么是历史？那些循环在我们血液中的东西，积淀在我们心灵中的良知与善恶，是不是历史？我们裁判着祖先，审定着过去，可是我们难道不该也审一审我们自己？……

前排左二即前面提到的那位从风尘中来的善良妇女。她的丈夫就站在后排正中间。她成为这个名门大族中的一员，实在是偶然的因素居多。她不知道自

图 54 “鸟来鸟去山色里，人歌人哭水声中。”在本世纪来的山色水声中，张之洞后代经历着并不相同的命运。前排左起：（按与张之洞的关系算）孙女儿、孙媳、媳妇（怀抱曾孙）、媳妇之陪嫁丫头、重外孙女，后排左起：曾孙、孙女婿、孙子、孙女婿、孙子。请特别注意他们不尽相同的服装和表情。

己的父母是谁，她记忆中的亲人只有一个哥哥，哥哥是个鞋匠，染上了吸鸦片烟的嗜好，骨瘦如柴，性情粗暴，正是这个哥哥，将她卖入了烟花阵中！我们可以参看另一张她当年的单人照（图 55），她的脊背腰肢明显地有些畸形，她过早地便承受着人世的罪恶与苦难。

但是她在这个名门大族中生存过来了。她没有沾多少光，却献出了自己所有的血和汗。给我送照片来的姑娘讲到她的这位奶奶时，沉静的神情一变而为激动，她说："在我们这个家族中，我最爱的就是奶奶。其实她身上没有一滴张家的血，并且她自己也不曾生育。她把我和姐姐从小带大，她给我们讲过许多许多的故事，这些故事的内容我大都忘记了，可她讲故事的神情，她的一双眼睛，却好像刻在了我心上一样……她教会我同情别人，尊重自己，并且在任何坏运气面前保持镇静。我记得，那已经是'文化大革命'快收场的时候了，忽然邮递员给我们家送来一封信，是写给奶奶的，奶奶一看就哭了。原来，那是她哥哥寄来的。三四十年来，这个哥哥终于打听到了她的下落，给她写了信。

▶**图 55** "斜拨玉钗灯影畔，剔开红焰救飞蛾。"命运把她卷入了这个名门，她并没有享受到什么好处，却贡献出了她全部的良善、隐忍与辛勤。

她哥哥在信里忏悔了过去，说自己身体彻底垮了，快死了，要在咽气以前请她原谅……我和姐姐弄清楚她的身世以后，都恨她的哥哥，都不让她原谅，可是她还是原谅了他，原谅了那个打过她掐过她卖过她的哥哥，奶奶教会了我们原谅人，原谅那些有罪可是知罪忏悔的人……”照片上前排当中的老太太是张焌的夫人，但却又并非她身后那位的生母。她怀抱着张之洞的一个曾孙。她直到一九七一年才谢世。

前排左四的妇女被这个家族的人员统称为“秋姨”，她是这个名门第三代一位夫人的陪嫁丫头。这不免令人想起《红楼梦》中的平儿,以及“周瑞家的”、“赖大家的”乃至于“林之孝家的”和“王善保家的”。只有名门中才会出现这类身份的人物。据说解放前夕张家人给了她一笔养老费,她定居南京,嫁人生子,可谓“桃花流水窅然去”。如今不知所终。

前排右一是张之洞的一位重外孙女，当时还在上学。时过境迁，这张照片的保存者也说不清她后来的命运轨迹了。在我们的私人照相簿里，常有这样的影像，他或她同我们有过这样或那样的关系，因此他或她永远在我们观览照相簿时对着我们沉思或微笑，但是我们早已不知他们的去向，甚至难以说清他们的姓名。私人照相簿啊，你里面包含着多么丰富的人生之谜!

照片上后排左一是张之洞的一位曾孙，他后来的命运也搞不清楚。左二是张之洞的一位孙婿,是一位高级会计师,一九五七年被打成了“右派”,历经坎坷,近年来退休后又被聘到大学任教。左三是我们已经熟悉的张之洞的孙子，左四是另一位孙婿，他一直在教育界工作，“文革”中被捕入狱两年。令人感慨的是他之遭受迫害倒并非是受张之洞这样一种家族背景的牵连,而是因为他同“现行反革命分子”严慰冰即陆定一夫人曾经同学。后排右一是张之洞的另一孙子,他毕业于美国西点军校，拍照时是国民党空军的军官。他在“文革”中因自己的“反动历史”被关了七年监狱。

我们在这里不想也无权对照片里的这些名门之后加以褒贬臧否，但是我们不能不想到“时代·社会·人”这样一个严肃而沉重的命题。

我们从哪里来？

我们到哪里去？

有没有命运这个东西？

人是命运的主人，还是命运的奴隶？

人怎样把握自己的命运？

还要请大家来看这个家族中一员的照片（图 56)。这个眼神严肃得过分的少年，是张之洞众多孙子中最小的一个。他的年龄甚至同后来成为部队文工团演员的那位曾孙相近。从前面所引的一封信可以知道，他是这个家族中最早一个投奔到革命队伍中来的。他心中一定激荡着更强烈的追求真理和与“穷苦人”认同的情绪。没有人强迫他，他是绝对自愿地参加中国人民解放军的。据说他还参加过解放南部中国的战斗。

但是一九五七年以后，他突然沉沦了，他被送到东北兴凯湖劳改。是他经受不住革命的考验，自甘堕落，还是当时的革命发生了偏差，不能包容和消化他这样的人物？或者两方面的因素都有，抑或还有其他的种种因素？也许有人会认为这是一部中篇乃至长篇小说的题材，但是离开了翔实可靠的材料，难道仅仅通过想象和虚构，就能完成对这样一条生命的探索？

▶**图 56** “花发多风雨，人生足别离。”四十年前的少年人——张之洞的孙子之一——后来不知所终。

▶图 57 “登高壮观天地间，大江茫茫去不还。”在历史潮流中找到自己恰当位置的名门之后。他们希望有一个持续的和平与建设的生活环境。难道这不也是我们大家的心愿吗？

他曾是年龄上属于同一代的那个侄儿的引路人，他的这张照片便是在离家出走前留给他的侄儿的，他那在文工团当演员的侄儿在他沉沦以后到底不能忘怀他，于是在经过一番思想斗争以后，终于写信到劳改部门去询问他的具体下落，想取得联系，以便在他小叔陷于人生中最痛苦的境地时，尽自己最大的努力给他以心灵的慰藉和再生的勇气。

不是没有得到回音，而是得到了劳改部门的正式、明确的答复：查无此人。

北风日日吹过兴凯湖宽阔的湖面，湖波涌荡着。也许兴凯湖知道？也许湖波知底？这一切毕竟都已过去。最后我们展示出一张最新的照片（图57）。除了第四代的父母和第五代的姊妹花，还有一位老奶奶，她不是张之洞家族中的成员，她的老伴曾是“紫竹林”湖南饭庄跑堂的，后来同前面提到的那位张之洞孙儿——晚年在自行车存车处当看守的，结为了莫逆之交。现在两个老头都已去世，她还常到张家，并且俨然成了他们的一位过往最密的亲戚。

人们就这样地重新组合着自己的关系。人们归根结底并不属于生理学上的血统，人们属于社会，属于时代，并且属于他自己。

人们到处生活。人们拍摄生活照。人们设置私人照相簿。人们在一天天地变得开明，变得聪慧，变得善良吗？

但愿如此！

注：本章内的照片除张之洞像外，均系张露同志提供。

一九八六年七月十四日

写于北京劲松东街

江山不老

她很生气，甚至于说："要是你不公开纠正错误，消除不良影响，我就要到法院去起诉！"

我倾听了她的意见。

在杂志上所发出的《私人照相簿》第三篇《伶人传奇》中，我以无比同情的笔触写到了京剧艺人梁花侬的遭遇，其中涉及到梁花侬一九五〇年到新疆后，与一位领导之间的矛盾。她指出我文中有三处写得不确。

倾听了她的诉说后，我承认我行文不准确。尤其最后一点，全凭听来的说法，没有核实，便写到文章里去。我就此向她表示歉意。她要求我公开更正。她给我看了一本由新疆人民出版社出版的名为《写在天山上的碑文》的厚书，那本书里收录的全是悼念在新疆工作过的革命烈士的文章，她让我注意以下的小传：

马寒冰同志，福建省海澄县人，一九一六年八月生于缅甸华侨家庭。一九二八年回国就学，一九三六年于上海沪江大学毕业后，重返缅甸，就职于仰光新闻界。一九三七年回国到延安参加革命，一九三八年一月加入中国共产党。历任军委总卫生部政治处干事，印度援华医疗队翻译……三五九旅司令部秘书……一兵团政治部宣传部副部长。建国以后，随一兵团进军新疆，历任新疆军区宣传部副部长。一九五三年调任总政治部文化部编审出版处处长兼文艺处处长。一九五七年六月二十八日逝世于北京，终年四十岁。

书中所收的悼念马寒冰的文章不长，关于他的死，只用了一个句子："寒冰同志是一九五七年夏天因为对免去参加世界青年联欢节文艺代表团团长的职务思想不通而自杀身死的。"

她是马寒冰的未亡人。她来找我，责我更正，可以理解。

一九五七年时我十五岁，还在中学读书，对世事所知甚少。我去问了一位那时已是青年，并确实被错划为"右派"的同志，当我口中刚刚吶出"马寒冰"三个字，那位同志便连珠炮般地说："他？你问他干什么？你想写他么？……"似乎很不以为然。

我不好再说什么。但我愿听取各种各样的对同一个人的评价，只要都立足于事实。

在同马寒冰未亡人的交谈中，我了解到一个令我惊奇的情况：马寒冰虽是自杀而死，但死后却在周总理的亲自过问下，被葬进了八宝山烈士公墓；虽葬进了烈士公墓，墓碑上也嵌上了他的烧瓷像，却只镌刻着"马寒冰之墓"五个字——姓名后面不称"同志"，并且墓碑背面是空白，按常例那背面是必刻上"盖棺论定"的小传的；直到他去世的二十八年之后，一九八五年，由于遗属的一再努力，才终于改置了"马寒冰同志之墓"的七字墓碑。背面也有了碑文，想来即是那本书中所载的基本由一系列递升的职务所构成的小传。

马寒冰之死，以及死后墓葬的待遇，都是很特别的。他的未亡人展示给我的几篇悼念他的文字，撰写人都对他赞颂有加，读来感情真挚；但至今也还有如上面提到的那样的同辈人不能谅解他，其情绪也相当坦诚。

由此我深感人世与人事的复杂。人的命运中交织着难以逆料的种种祸福，而对人的秉性的评价中更交织着难以勾稽的人际关系因素。我该怎样来看待这样一位与我并无干系的作古者呢？我感到不论是用一张"右派""左派"的筛子，或者是用善与恶的筛子，“整人”与“被整”的筛子，都很难筛出人生的奥秘与人际关系的真髓。

马寒冰的未亡人本是来同我论理，并准备与我“法庭上见”的，但我并未如她所设想的那般倨傲，我并且向她表示：我很愿意纠正自己只听一面之辞便形成看法的缺点。我听到的梁花侬及其梁秀娟的命运，诚然是值得勾勒与咏叹的，但不应当在一旦对她们生出了油然的同情之后，便将在她们命运轨迹中与之撞击的其他的人和事，依同她们的亲疏恩怨简单地加以褒扬贬抑。

我想，梁家自有梁家的私人照相簿，她也自有她的私人照相簿。每一家、每个人的私人照相簿，都是这一家、这个人在世界上生存和发展的天然辩护书。这世界原不是为一家人、一个人而存在的。

通过交谈，她气消了，并且还从她的私人照相簿里，取来一些照片给我看。我从那些照片里，感受到了一种与梁家歌哭迥然不同的另一种人生滋味。

我本来也想通过一组照片，透视一下马寒冰生前死后的遭际，但他的同辈

▶**图 58**　一张珍贵的照片。1948 年。延安。你认识三面锦旗上的字样了吗？倘若你用近期《大众电影》(见衬环)上中心插页的照片略作对比，你会得到一些什么呢？

人之间对他的情感有那么大的反差，而一些微妙的环节又只可意会不便言传，我自愧缺乏足够的穿透力与辨析力，便只好放弃这一打算，而祝祷他那终于获称同志的亡灵得到深深的安息。但是在经眼的照片中，有一张摄于延安边区招待所大院的(图58)，我觉得实在值得向读者们展示。当时贺龙同志组织了九个剧团在延安汇演，这是汇演后的合影。读者或许看不清这张刊出的照片中那一张张的面孔，但他们那一律化的棉衣棉裤棉帽，构成着具有特殊意味的群体，当能给我们的视觉一种有力的冲击，而这一队人所展示的三面锦旗，则更饱含着那一时代的气氛，我们可以从照片左侧的锦旗上看到这样八个字：

群众形式阶级内容

将近四十年过去了。我们的文艺进入了新的历史时期。在最近的文学期刊上，我们可以看到这一类的标题，如同当年那面锦旗上的句子一般明快而热烈：

意识流文学的东方化过程

从一体到多元

当代文学中的文化寻根意识

诸如此类，不一而足。我们可以由此联想到很多很多。也许这种联想有助于使我们更加理解眼下种种观念冲突的深层缘由，并且可以预见到今后很长一个历史时期内这种冲突的难以平息。

我只取用了她所提供的这样一张照片，而没有为马寒冰，也没有为她专门来写一篇“私人照相簿”，除了前面议及的原因外，也实在是因为我搞这个专栏，并非是要一篇篇地搞人物传记。

我接到了为数不多的读者来信，其中却有近一半是责怪我“滥用材料”的，他们都劝我用所掌握的照片及材料，去写中篇或长篇小说。有的来信还具体而深刻地指导我说，不要回避所涉及到的几方面人物的各类情愫，以及他们之间那永不能相互原谅的超出一般恩怨的人性差异，并且还应当在揭示出这撕裂人心的一切之后，偏又去证明他们双方存在于世的各有道理。

我感谢这些关注我写作的朋友。

中篇和长篇小说，我或许还会写的吧。然而我感到深深的寂寞，寂寞于似乎很少有人能真正理解我写这《私人照相簿》的内心驱动力。

有的朋友读了《私人照相簿》头两篇，以为我是想“抖搂家底儿”，也走入了为自己以及自己家族立传的“自传体文学”行列。有的读者读了《伶人传奇》和《名门之后》两篇，又以为我不过是想搞一点名人望族的文史资料。这也难怪，我的尝试才刚刚开始。

最近一个时期，我内心里涌动着比以往更多的苦闷与痛苦。我深深地意识到自己对社会·生活·人的理解其实都还远远不够，而且对文学本身的理解和把握也亟需再一次加以调整。我想知道一切方面的真象。我想超越一般的真实而达于逼真。并且我还企图把许多原本似乎是该由作者用文字去做的事——比如构架一个完整的故事，提供饶有兴味的细节，营造意象或刻意含蓄，等等——都转让读者去用想象力顺势完成。我提供满满当当的信息，第二信号系统（文字）的与第一信号系统（直观照片）的信息交汇在一起，构成一种似小说非小说，似报告文学非报告文学，似散文非散文，似杂谈非杂谈的东西。我很感谢《收获》的编者，他们竟肯于牺牲宝贵的篇幅，来容纳我所生出的这一“怪胎”。

我觉得私人照相簿真是一个富矿。

正如我热爱每一片绿叶一样，我尊重每一位公民的私人照相簿。

在我开辟这个专栏以后，有为数不多的读者给我送来或请我去翻阅了他们的私人照相簿。我从他们的私人照相簿中不仅看到了独特的人生，也看到了比人生更恢宏的世道，乃至比世道更幽远的天道。

可以从各种各样的角度来考察私人照相簿里的照片。比如说，在人们的私人照相簿中，常留存着主人业已忘却姓名的不知所终的远亲疏友的旧照。这些照片象征着人与人命运的多层次网络式交叉。这就可以构成一个独特的考察角度。再比如，当人们在公众场合留影时，摄得的照片上常有拍照者绝不想让其留存，却又无法在现场排除的陌生人的种种面影和身姿，有的还成组地出现，并由于拍照者构图技巧的欠缺与把握时机的不慎，那些多余的人还占据着相当重要的位置，这就无形中为我们提供了那一时代那一时期那一场合那一茬人的社会生态资料，也很值得专门研究。

现在我们来看一批从私人照相簿中发现的不以表现人物为主或干脆不表现人物的旧照片。

在世界摄影发展史上，从人像摄影发展到自觉的风光摄影，经历了大约三十年的时间。世界上公认的头一位风光摄影家是英国人怀特，他从一八五〇年左右开始有意识地把照相机镜头从人物对象身上摆脱开，而去对准他认为是有意味的风光。

直到今天，至少在中国，私人照相簿拥有者大都还不怎么舍得拍摄空镜头的风光，因此在绝大多数的私人照相簿中，常常充斥着由人物塞满画面的构图雷同的照片。但毕竟也还有，一些私人照相簿拥有者或偶然或有意地拍摄了若干突出风光景物的照片，并一直珍藏在了他们的私人照相簿中，这实际构成了社会的一笔潜在的文化财富，其价值与成像的早晚、时间的流逝恰成正比。

首先，我们来看这样一张照片(图59)：照片上的两位绅士连照片收藏者也不知系何许人也。但这张摄于一九三一年的照片却使我们真切地了解到了那时候浙江奉化县溪口长途汽车站的面貌。另一张摄于同一年代的照片(图60)从另一角度展示了一个更完全的场景。照片上的那一家人后来在人生的长途汽车上遭际如何，同样不为照片收藏者所知。

这两张半个世纪前的长途公共汽车站的照片，当年拍摄者或许仅出于对具体场景的偶然兴致，在今天看来，却已具有研究中国公共交通史、汽车发展史以及社会学等方面的参考价值，并且可以作为影视艺术重现当年历史风貌的一个参考。

▶图 59　另一种人。另一种生活。另一种场景。

▶图 60　你能估算出五十五年前这种长途汽车的载客量吗?

▶图 61　“鸡公车”上的太太努力地保持着平衡。但这样的社会能不失衡吗?

▶图 62　“鸡公车”上的这两个孩子，如今该已六十开外了吧? 倘若他们看到这本杂志，会写封信来吗?

下面我们再提供两张从私人照相簿中借来的照片（图 61、62)。时间也在半个多世纪之前，地点是四川成都平原上的驿路。照片上所出现的人力推动的独轮车，由于行进时不断发出叽咕叽咕的刺耳噪音，被称作“鸡公车”。推车的汉子固然不知姓名，安坐于上的太太和少爷究系何人，后来的命运如何，照片收藏者亦一概不知。拥有指南针、火药、造纸、印刷术四大发明并引以自豪的中华民族，在进入二十世纪很久以后，尚不懂得、不能够在轮子上装配滚珠轴承，这一事实确实令人鼻酸。在上述照片出现的年代里，就四川省而言，长途公共汽车还极其寥寥，即便是中产阶级的人物，来往于两地之间也常常是乘坐这种一路叽咕不停的“鸡公车”。

人们一旦从“照相机是用来给人照相的”这一观念中解放出来，便会一步步拍下这样一些照片：人物与场景并重的；场景为主的；静态场景变为了动态场景；小场景变为了大场景……

下面我们所展示的三张照片（图 63、64、65) 都展示着一九三四年端午节广西梧州西江中龙舟竞渡的场景。照片出借者告知我，拍摄这些场景的是他的先父，只是一般的摄影爱好者，而非摄影艺术家，所以照片完全缺乏艺术性。但在我看来，这些旧照片却散发着一种难以言传的魅力。

关于山城梧州西江七里洲一带的风光，古书中早有记载：绿树挺秀，江树辉映，岛下流水冲溅，波像银珠，浪似雪花，船只如梭。我没有去过梧州，但

▶**图 63**　半个世纪前。梧州西江中的龙舟。你会如同惊叹“世界真小”一样，惊叹“时间真快（慢）！”吗？

▶**图 64、图 65**　五十二年前端午节夺魁的龙舟。划龙舟的小伙子们如今都已儿孙满堂了吧？他们的青春，就这样流落在了别人的私人照相簿中。人生其实常常如此。

我能从这几张照片中感受到那里如画的风景、如酒的人情。近年来有青年作家发问:“灿烂的楚文化流到哪里去了?”从延续至今的端午龙舟竞渡，我们可以答曰:流到中华民族的血管中去了。今天真能读懂屈夫子《离骚》的老百姓没有几个，但他那“长太息以掩涕兮，哀民生之多艰”的人道精神，却依旧激动着千千万万普通农夫的心。“风光晴和人意好，夕阳箫鼓几船归。”人民在龙舟竞渡中如果不能享受到太平盛世，那么他们也总是在这一场合尤其强烈地祈盼着太平盛世。

也许会有读者对这几张龙舟竞渡的照片发出这样的感叹:这与近年来的同样场景何其相似乃尔!事隔半个多世纪之久，当中又有着“文化大革命”“破四旧”那样的大断裂带，为什么一旦划起龙舟，拍下的照片竟看不出多么明显的时代差别?中华民族的文化传统何以如此之强悍?这究竟是好事呢还是坏事?

下面我们看到的是一组旧北京的照片(图66、67、68)，拍摄时间都在一九三一年—一九三二年之间。照相机的持有者显然是有意识地在拍摄空镜头，但他的技术实在拙劣，构图上的缺陷尤其明显。但即使是这样，这些旧照片仍能引出我们无限的情思。如果说照片上的天安门确实能使我们感受到另一个时代的萧索气氛，那么，照片上的故宫午门和北海琼岛以及白塔，却仿佛就拍摄

▶**图66** 天安门，中国近五百年历史的见证人。此像摄于1931年。

▶**图67** 1932年北海琼岛与白塔。多少回月上柳梢头，有多少人曾相约在黄昏后?

▶**图68** “推出午门斩首”的森严气氛，半个世纪前业已荡然无存。

在昨天。在人类社会的某些大的文明积淀面前——无论是“活”的龙舟竞渡还是“死”的建筑物，我们常常不免感动惊诧：有过那么多信仰和纲领相冲突的历史人物，他们带动或驱使过那么多情绪激昂的民众，在这片大地上演出过那么多威武雄壮或凄厉昏暗的历史场面，但到头来竞渡的龙舟还是那么一种模样，而午门和白塔的剪影也还是那般地冰冷无言。

类似这样的旧照片，我们还可以举出几张。一张是二十年代末济南火车站的场景（图69），一张是三十年代宁波甬江招商局“新江天”客轮在破浪前进（图70），这两张照片会使我们痛切地感受到我们这个民族的物质文明在半个多世纪里推进得实在不能说是尽如人意；还有两张都摄于一九三一年夏天，一张是浙江舟山普陀寺盘陀岩石刻之一角（图71），另一张则是普陀山下千步沙之海潮一瞥（图72），这两张照片却又会使我们痛楚地意识到要对我们这个民族的精神文明加以改造，该是多么地艰难。但如果仔细注意千步沙海潮的照片，我们又能辨认出海潮中几个弄潮儿的身影，这身影虽是微小的、模糊的，但却能使我们在这些旧照片所引发出的过分沉重的思绪中，渗入一种绝非盲目的乐观与坚韧的自信。

私人照相簿里不仅浓缩着人生，浓缩社会，

▶**图69** 这是半个世纪前的济南火车站。我们是不是该把我们每个城市的火车站都修造得更气派一点，以使这张照快些引出“哎呀，真古老”的感慨呢？

▶**图70** 我没有去过这个地方。我相信这条江里有了更多更好的轮船，并且大家都有了乘坐它们的机会……

▶**图71** 看到这张半个世纪前的照片，我想到许多中国人“以不变应万变”的心态，心情非常复杂。你呢？

▶**图72** 你看出了几个搏击于海浪中的弄潮儿？无妨用放大镜细赏一下中间一位的雄姿。赞美，并追随时代浪潮中的搏击者吧！

▶图 73　巫峡内的孔明洞。摄于1936 年。

▶图 74　巫峡风光。摄于 1936 年。

▶图 75　船过宜昌后，大江日夜流。摄于 1935 年。

▶图 76　牛肝马肺峡风光。摄于 1936 年。

浓缩历史，也浓缩着大自然——下面便是一组恰好在半个世纪前摄成的长江三峡照片（图 73、74、75、76），它使我们的思绪超越出人事，而感叹于造物的伟大。脑际里不禁升起了孟浩然的诗句：

人事有代谢，往来成古今。
江山留胜迹，我辈复登临。
水落鱼梁浅，天寒梦泽深。
羊公碑尚在，读罢泪沾襟。

这诗抒发的是登岘山的感慨。羊公指的是西晋的羊祜，他曾在岘山上发议论说："自有宇宙，便有此山。由来贤达胜士，登此远望，如我与卿者多矣，皆湮灭无闻，使人悲伤。"

在博大的宇宙面前不仅感到个人的渺小，人生的不足狂傲，而且领悟到人类的幼稚，以及完善人类社会所需要的不仅是一辈人、几辈人的坚韧不懈的努力，这种情怀，该是每一个有修养的人所应具有的吧，这或许也是越有修养的人，其私人照相簿中便越可能藏有较多大自然的空镜头照片的缘故吧。

人在出生、成长、衰老、死亡，事在发生、发展、突变、衍化，唯有巍巍高山，滔滔江水，在人生的镜头中依然故我……

然而将前面写的文字重读一遍，并仔细端详了三峡的照片，一个念头却又不禁浮上心头：不是已经拟议在三峡修建水电站了吗？那巨大的水电站建成后，整个三峡的景观不也就会发生巨大的变化吗？那时候人们再从轮船上拍摄周遭的风景，照片上所呈现的江山将会是另一番面貌了吧？

心中不禁怦怦然。

由此我又想到了马寒冰。他生前死后都是一个既有人激赏也有人訾议的人物。说他“左”的人，大概很少去考究他的身世。在一篇悼念他的文章中，有这样一句简单的交代:“寒冰同志曾向我谈到，因为他的出身和经历，在延安‘抢救运动’中曾被定为‘派遣特务’，受了不少苦。”那场“抢救运动”对人身心的摧残，近来时有些文章叙及，比如今年第四期的《读书》杂志，其中洪禹同志的文章中有如下的回忆：

……在以康生那本小册子《抢救失足者》为信号的抢救运动中……万万没有想到，一些搞“抢救”的同志，居然对自己的同志搞突然袭击，搞车轮战，搞逼供信。在数九寒天，深更半夜他们把我从被窝里揪起来，冷得我直打颤，但他们说:“你没有问题，为什么吓得发抖？”……一位参与“抢救”的知名作家，竟一把揪住我的头发，在窑洞里拖过来推过去，并且用他的文明棍极不文明的狠打我的脑袋……

被这样狠整过的人，极有可能朝两种方向发展他的心灵，一种是发誓不“左”,一种是宁“左”勿右。然而在难以准确预测和把握的政治风云中,不“左”固然常被视为右倾。宁“左”勿右却也很可能成为早“左”成右。洪禹文章中所提及的那位“左”得对被审查者揪发击头的“知名作家”，后来就恰恰被划成了“右派”。这里面包含着一种超出个人荣辱悲欢的社会悲剧与深刻教训。当马寒冰正踌躇满志、整装待发，并且电台已播出了他将率团出国的消息之后，突然得到免除他团长职务、留下整风的通知时，他那波动而至紊乱而至狂乱的心潮，将他的灵魂逼出了躯壳，当是可以理解的事。斯人已逝，我主张宽容与谅解。无论是对付“右”,还是“左”,当我们面对的是一个活人时，都务请慎重。人不是一种工具。大自然也不是。“我们的任务是向大自然索取”这句格言大可质疑。我们既要学会更好地和“异己”的人相处，也要学会更好地和“异己”

的大自然相处。

我们当然不赞同在组织的哪怕是过偏过粗的处置下便赌气自杀的行为，但无论是人，是大自然，都呼唤着我们对他们更加尊重，更加爱惜，更加理解也更加谅解。

学会顺乎人情，学会顺应自然。即使是闲暇时翻看私人照相簿，我们也可以领悟到许许多多的哲理，不是吗？

一九八六年九月二十八日

于北京劲松东街

后事如何

挚友再复对我说："你想过吗？陀思妥也夫斯基为什么能写出那么震撼人心灵的作品？因为他死过——被判处了绞刑，带到了绞刑架下，直到最后一分钟，才改判为流放……他有过死的体验，所以他能超越许多东西，有很难企及的大悲悯……"

静静的冬夜里，翻检着私人照相簿里的相片，关于死的种种思绪浮上心头。

人死了，究竟算怎么一回事儿？

一般的无神论者，大体上认为肉体机能一终结，则人的灵魂也便终结。

一般的有神论者，或者还谈不上有什么"论"也成不了"者"的俗人，则总以为肉体与灵魂可分可合，肉体坏了，灵魂却还在，至于那飘离肉身的灵魂究竟是一种实体还是一种虚无缥缈的东西；究竟是使我们视而不见地与我们共享着地球上的空间，还是升到了"天堂"或降到了"地狱"，或者窜到了什么别的非常神秘的地方；那脱离肉身的灵魂究竟是永恒的，还是也有另一种死亡，抑或还可转化为、依附上别的肉身？……则众说纷纭，绝无能使所有人信服的答案。

宗教回答着关于生死的问题。但中国真正信奉宗教的人并不多。土生的道教早已衰微。其他宗教都是从外国传进来的。中国实际并无信仰覆盖面很大的宗教。中国有的只是迷信。不仅是背着黄布香袋的老太婆，就是某些妇人壮汉、少男少女，也往往进佛堂拜佛，进道观拜“三清”，进了风俗神庙便拜那风俗神，乃至于拜“关帝”，拜“树精”，拜“圣山”，总之，一切估计能给自己带来福气的事物，统统肯拜，“异教”、“异教徒”的观念，是没有的。直到如今，二十世纪末叶，迷信在中国老百姓中的覆盖面，还是大得惊人。

在富裕起来以后，农村里的阳宅和阴宅都在崛起，报纸上已经登出了温州地区山坡上一组组水泥坟墓的照片，大好的树木被砍掉了，从坡上到坡下，一个家族的坟墓，由二而四，由四而八，辈份炯然，蔚为壮观。又有关于江苏盐城乡镇农贸市场上陪葬品大量上市的报导，除了以往传下来的各色品种以外，则又增添着结扎纸糊的彩色电视、冰箱、洗衣机……现代化的设备，考虑到“天堂”里大概“高处不胜寒”，红外线取暖器一类东西也是该有的，再往下发展，需得结扎糊制与实体同大的丰田皇冠牌轿车了……

城里人怎么样呢？彻底的无神论者究竟占多大比例，那数字恐怕未必乐观。在共产党员当中，流行着“不知哪天去见马克思”的套语，乍听仿佛只是玩笑，说得多听得多了，则不能不深思，这种语言的深层心理因素究竟是什么？如果说农村人为死者办丧事——往往也说成后事——可能更多地还是为死者在另一境界中的幸福着想，那么，有些城里人却主要并非为死者着想，而是借尸要挟，他们可以任凭尸体在火葬场冰柜里“魂无归所”，而旷日持久地对悼词逐段逐句逐词讨价还价，对抚恤条件“狮子大开口”，闹得个乌烟瘴气，其境界比扎糊一台二十英寸的“日立宝宝”送到灵前烧掉还低。

十多岁的时候，我已随父母到了北京。当时住在东四牌楼一带。记得那时东四牌楼十字路口东南，有一家私人电影公司，仿佛不是拍摄故事影片的大公司，而是可以“随时外叫”，拍摄记录片的公司。那已是中华人民共和国成立以后。那家公司在我发现它不久便倒闭了。不知是由于它自身经营不善，还是由于国家不再允许私人经营拍电影。我记得那家公司倒闭之前，它的创始人——也就是那一家的老爷子——死了，于是，出现了一个令我一饱眼福的大出殡场面。出殡的长队，由租来的缓缓行驶的汽车和前后簇拥的清朝服装的执事仪仗组成，前后总有近百米长。出殡队伍是从东四牌楼往北移动。我想大概是去北城厂桥一带的嘉兴寺。那是当年专门办理殡仪的一所寺庙。特别令我惊异的，是在出殡队伍之中，有若干手持电影摄影机随队拍摄的中年人和青年人，据说都是该公司的摄影技师，也都是死者的子侄。三十多年前的一幕，至今已然模糊。不知当时拍制成的拷贝后来下落如何。真想有人把它放映出来看看，那是新中国初期新旧交错的怪异场景之一。

自照相机发明之后，将婚礼和殡葬场面拍摄下来，便成为普遍的风气。“文革”的“破四旧”台风，大概从私人照相簿中率先扫荡掉的就是各类殡葬场面的相片。“活着干，死了算”，“文革”的“后事观”确实是越简单越好——烧掉了事。

我没经历过多么大的灾难。死的威胁，也算逼近过吧，但其实多半只是我自己脆弱，由恐惧而心造出的情境。跟真经历过大劫难的人相比，是不值一提的。无非是“文革”当中，我被指斥为“疯狂反对革命样板戏，恶毒攻击江青”，将被施之以“群众专政”。尽管当时有个“无产阶级专政即群众专政”的“道理”，但我倒宁愿被“无产阶级专政”，因为那意味着被正式“逮捕法办”，除非被判处死刑，否则，总还有苟活的希望。而“群众专政”，是由当时最激进的“革命群众组织”选择最最最革命的“小将”所组成的“群众专政小组”来实行的，他们已经实行过的对“反革命分子”的专政我就不去形容了，只在这里说一说他们那办公室的景象：最初，那里是学校的总务处，桌椅板凳橱柜用器一应俱全，经他们“进驻”不足一月，所有物品竟然悉数砸毁，他们已经狂热到无人可折磨时便砸烂自己办公室物品的地步，可见用“兽性”已无法涵盖他们当时的某种心绪，因为据我所知，野兽起码是不会毁坏自己巢穴里的东西的。打倒的标词已然贴出，揪斗的告示已然公布，仅仅是因为又出来一个什么新的“两报一刊”社论，“造反派”带领“革命群众”倾巢而出，游行欢呼去了，给了我一个喘息的机会，而在这一喘息之中，进驻学校的“军宣队”的“区指挥部”来了一个建议：我还不够“现行反革命”，可免予“群众专政”，这才使我躲过一劫。

我算是临近过死亡威胁吗？这样说到底还是牵强。但我却不能忘记在那样一种境况下给过我生之温暖的几个人。

其中一个叫高洪。他是高三的学生，我并没有教过他。但不知怎么的他在那样一种情况下还能到我的宿舍里来看我，正常地同我交谈。他都同我谈了些什么，全忘记了。不能忘记的是他那种丝毫不把我看成“异类”的态度和表情。

后来情况松了一些。我的一位大学同学来看我，在我宿舍里碰见了高洪。高洪讲了许多小道消息，都很尖端。那位大学同学听得津津有味。高洪走后，那位大学同学问我：“他是高干子弟吧？”

我如实地告诉他：“不是。他的出身是资本家。”

那位大学同学竟自然而然地流露出失望与鄙夷的神色：“你怎么跟他来往？我以为他不是个高干子弟也是个一般的干部子弟呢……”

这位大学同学当时随口这么一说，他大概早就忘了，实在也不值得记忆，也简直算不上什么问题，但对我心灵的刺痛，不知为什么至今不能平复。而最关键的，是高洪已经死了。高洪死得很奇怪。在我的私人照相簿里，至今留存着一张我与高洪在无锡鼋头渚合拍的照片（图 77），是请营业性摄影师拍的，那时候我还没有成名，生活很清苦，自己是不可能拥有照相机的。

▶**图 77** 对你来说是一张乏味的照片。对我来说却不然。我旁边（图左）那个看去比我年轻比我健壮的朋友已不在人世。你的私人照相簿中也有这类照片。愿你不要嫌弃。

没有想到，那一回游完无锡的分手，便是我们的永诀。

高洪比我年轻得多。我那时也才三十出头。我们都对未来充满憧憬。记得他给我的信上，写到他在黄浦江边，看到飞翔在江面上的沙鸥，于是想到了杜甫的诗句："白鸥没浩荡，万里谁能驯？"

高洪的家在上海城西，是一幢陈旧的小洋楼。粉碎"四人帮"以后，根据政策，整幢小洋楼可以归还给他家。但一时别的家还搬不出去，高洪就住在顶楼上。顶楼是尖拱性的，底面积很大，但能够站直身子的空间，并没有多少。那顶楼里有一张古旧的大床，我去上海时，与高洪在那上面抵足而眠，通宵畅谈过。高洪想编一套旅游丛书，在当时来说那是一个非常新潮的想法。我也许给他讲过一些后来构成《如意》那篇东西的一些素材，一些灵感。

正当我那《如意》发出来不久,并且收到一封高洪冷静地加以赞同的短信后，突然得到了他的噩耗。

据说家里人忽然想起好几天没见着他了，便上顶楼去找他。他常常独来独往，并不一定天天到楼下他家那两间住屋里露面的。结果发现顶楼的门并没有上锁，但又推不开，是从里面别上了。找人来撞开门以后，发现他歪坐在床上，脑袋耷拉着。去叫他，摇他，才发现他早已僵硬、冰冷。他竟死了！

高洪究竟是怎么死的？为什么死？他的亲人之间也有不同的猜测。是心脏病猝发而死，还是自杀？持自杀说的，提供出一些蛛丝马迹，证明他是出于失恋。然而自杀的手段是什么？触电？服毒？又都不像……其间有解剖尸体的动议，但最后被高洪的母亲所否决。他的后事据说办得相当草率。

高洪就这样消失了。

高洪的一个姐姐，极爱她这个弟弟，给我写来了哀痛不已的长信，并寄来了高洪的一部遗稿《草原》。我读了不止一遍《草原》。那是高洪在"文革"期间跑到内蒙古草原上去"串联"时的一组札记。我清醒地认识到他的这个遗著未达到在公开的文学杂志上发表的水平。但我是个特殊的读者。我读着他的遗墨，便不由得想到在我几乎就要被"群众专政"的时候，他还若无其事地来同我交谈，甚至没有同情的话语，没有特意提供给我的微笑，他明明看见了大标语，也看见了揪斗我的通知，但他来我的宿舍，坐在我的床上，平静地同我交谈。我现在出名了，俨然成了个作家。他呢，他一点点名也没出，并且永无出名的可能了。他姐姐来信求我：“你写写弟弟吧，他本是很有才能的啊！”但从《草原》里我看不出多少文学的才能。并且，我们的报纸和杂志，是按死人的地位和知名度来安排悼念他们的文章的，高洪绝对不够格。我给他姐姐回过信：“也许，我以后会有机会写到他……”

现在就是一个机会。这个专栏是献给“非典型”的普通人的。我写了高洪。我不知道高洪的灵魂在哪里，会作何感想。但我自己的灵魂，却因这些粗陋的文字，而感受到一种异样的宽松……

我的长篇小说《钟鼓楼》，里面有个修鞋匠荀师傅，那是有原型的，在我的私人照相簿里，他的相片将永远留存。

我一九七九年搬到了北京广渠门外的新居民区，叫劲松的地方。因为“暮色苍茫看劲松”的诗句不免使人产生扫兴的联想，所以人们一听说我住“北京劲松”总要抖抖嘴角。其实这地方原来有个很好的名字，叫架松，但定地名时偏把架松改成了劲松。在架松地区，在三环路两边，至今还存在着一大片密密匝匝的平房区，那是光华木材厂的宿舍，小地名叫农光里。三十年前，那排列得整整齐齐的平房大概还构成着一种蛮有气派的景观，如今，由于住在里面的工人家庭人口早已膨胀，而工厂长期并不能给膨胀的家庭提供新的住房，因此，家家户户自力更生，往前、后乃至左、右接出了高低不一、胖瘦各异、质量反差极大的小房子。当然，许多家庭里面“软件”还是相当体面的，但那一片乱七八糟的“硬件”，的的确确可以用“贫民窟”三个字来形容。

在那一片乱糟糟的小房子中，在一个公共厕所的边上，住着我的朋友郄广兴，我叫他郄大哥。现在我把有关他的相片公布在这里(图78、79)。

我认为他的形象是美好的，相片上的他充分显示出阳刚之气。他的品格，坦率地说，我只能仰望。我把他的形象，与另一工人师傅糅合，移进了《钟鼓楼》

▶**图 78** 他为我们这个政权的建立拼过刺刀。他承担过我们这个政权一系列政策失误所带来的物质匮乏之苦。他默默贡献，默默承受，默默隐去。把他的像印在这里，你见怪吗？

▶**图 79** 我和郄大哥。在这个充满功名利禄的世界上，他从未把我放到秤上去约。在《钟鼓楼》里，我把他化为荀师傅。

中。我在小说中给他搬了家。其实现在他家的环境也远不如钟鼓楼一带。他也并没有一个荀磊那样的儿子，那是从另外一个工人师傅家庭里采取来的素材。但《钟鼓楼》中的荀师傅基本上就是他。

郄大哥无论冬夏寒暑，总在我们居民区的劲松百货商场或劲松饭庄门口摆摊修鞋，日出而作，日没而归。他被阳光晒成酱黑色，但他一说话，露出雪白的牙齿，显示出他不但健康，而且很爱干净。而我认为更健康更干净的是他那敦厚的灵魂。

我在这篇文章里几次提到我的出名。这确也是事实。但我极其冷静地意识到这主要是一种机遇。我是不配这样出名的。一九八四年冬天我到联邦德国去访问，一位德国女大学生问我："作为一个在中国出名的作家，你有什么感觉？"我不加思索地回答她："痛苦。"

是的，那是一种深沉的痛苦。它很难被别人所理解，所以也是一种寂寞的痛苦。我也曾试着向某些亲友吐露过这种心境，但他们不是恭维我谦逊，便是嘲笑我"烧包"，有的更认为我是做作。

我最怕人们这样把我介绍给别人："他就是写过……的，得过……的，出过……的……"我又怕在某些场合被人认出来，被迫回答"又写什么呢"一类的问题。当然更怕的是一转身，背后就又有"其实他……，别看他……"一类的议论。"名"这个东西把人搞得很累，很尴尬，很可怜。我深知自己绝非"江郎"，所以我允许自己随时“才尽”。但能有多少人能这样宽宏地对待我呢？当我失败的时候，露怯的时候，走下坡路的时候，落伍的时候，倒霉的时候，坍台的时候？

郄大哥却完全不把我的“名”当作一回事儿。不是他不懂。他是见过世面的。他有相当的见识。但他从来不那样把我介绍给询问他的人，只是说：“我的兄弟。”他没问过我：“又写什么呢？”倒是常说：“别总那么坐着写，你也该活动活动。晚巴晌上我那儿吃饺子去。”我去了他家，我们有说不尽的话题，他给我讲当年当八路军在战场上拚刺刀的情况，讲他进城以后当搬运工扛“大个儿”的情景，讲如何到窑坑里捞鱼，如何在他们那居处附近的乱土岗子里逮黄鼠狼；我给他讲到外地旅游的见闻，讲童年在重庆住过的吊脚楼，讲在中学教书时遇上的个别学生……那时我就完全忘记了什么文坛呀，约稿呀，笔会呀，批评文章呀，评奖呀，我觉得自已仿佛是鱼缸里的鱼儿进了河，畅游在一江春水之中。

去年春天我去了广州。从广州回到家里，爱人就告诉我郄大哥病了，是半夜里发作的，全身痉挛，他老伴和儿子即刻去叫来了急救车，送进了医院，据诊断是消化道的问题，大概是急性肠炎，目前仍在医院中调养。我抽出空来立刻跑到医院去看他，他脸色不好，但身板看去还是那么健壮，我跟他说说笑笑，完全没有意识到有一把利剑正在斩断我们之间的联系！

《钟鼓楼》里的荀师傅仍然健康地活着，而如今郄大哥已经不在人世。我不愿回忆那悲惨的过程。他入院一个月后被怀疑为结肠癌，三个月后被确诊，半年后他干瘦瘪缩为一个我认不出来的人形，九个月后他溘然而逝。写到这里眼泪涌上了我的眼眶。我百思不得其解。难道真有命运这东西？它为何这样地不公正？

郄大哥的后事办得如何？他去世时我正在南京。躲在一个地方写中篇小说《无尽的长廊》。一天晚上，已经十一点多了，忽然电话铃响，是北京来的长途，我爱人吞吞吐吐地对我说：“我觉得还是告诉你一下好……郄大哥走了……你看我们怎么表示一下？”我忘记了我的回答，单记得我忽然觉得从我的心脏到周围的空气都凝固住了。我久久不能再持笔为文。我跑到几乎空无一人的街道上，在飘落的梧桐叶片中疾走。在这个充满着功名利禄的世界上，我需要郄大哥，他不问我的浮沉升迁，他允许我“才尽”与“落伍”，他给予我的是难以言喻的宽容与温情……回到北京，爱人给我讲述了郄大哥的后事场面：作为一个普通的退休工人，自然没有人给他开追悼会，但那天集结到医院太平间外的人不算少，家属给他擦净了身体，穿上了一套从寿衣店买来的寿衣，枕上了寿枕，我爱人则献上了一大束从崇文门花店预订的鲜花，然后大家把郄大哥的遗体送上了火葬场来的运尸车，家属哭着随车而去，送行的人们望着那汽车一溜烟地开跑了，拐弯消失了，也便唏嘘着离开。非亲属的送葬者除我爱人外，还有郄大哥所属工厂的工会干部，他老伴所属工厂的一些干部和师傅，以及一些邻居，和他鞋摊上结识的一些朋友。我原来从不注意卖寿衣的地方，自从郄大哥走后，路过比如说天桥那里的卖寿衣的商店时，总禁不住驻步观看。我很惊异在二十世纪末叶的中国首都，还有人卖和有人买这种寿衣，那式样不像是清朝的，大概是明朝的吧，或者只不过是京剧服装的变种，那寿枕大体上是元宝形的，黄色的枕面上还有草叶形的图案。我不敢想象已经变了形的郄大哥穿着这种寿衣枕着这种寿枕的模样。他的家属何以一定要这样装扮他安置他送他上路？我一直没有问。也许这样做是根据他的遗愿？

中国尽管自古就有许多对“死”达观的话，如“人固有一死”、“生者必有死”、“寿命不齐兮，人道之常”等等，但从出土的墓葬看来，对死者尸体的看法却极其地不达观。掘墓鞭尸，被看作是比生而杀之更高的报复。对死后定罪的人宣判戮尸，常被郑重其事地施行。比如长沙马王堆汉墓中的那位轪侯夫人，她的突然死亡，一定引出过对仆役的严厉追查，如果发挥想象力，是很可以写出一部惊心动魄的小说的。但她的尸体直到两千多年以后，才由我们这一代人实行医学解剖，结果从她胃里，取出来尚未消化的若干甜瓜籽，确诊出她的真实死因是消化系统方面的急症。

把人的身体看成是自然界中的一种东西，视为科学研究的对象，去探秘，求解释，这在西方自文艺复兴运动以后，经历过五百多年的发展，早已成为常识和常情。但直到今天的中国，许许多多的中国人在这一点上仍然想不通。据说医学院很难得到供教学和科研用的尸体，只有死刑犯的尸体可供使用。这一现象很值得深思。

但是，自从中国进入了近代，自从西方的科学与民主（“赛先生”与“德先生”）撞入了中国的国门，先进的中国人便前仆后继地四面出击，打破旧传统的桎梏，标新立异，惊世骇俗，其中也包括对人的重新认识，自然也包括了对活人的身体和死人的尸体的全新的态度。

我从家中残存的旧照片里，发现了一张我祖母出殡的照片。我这“私人照相簿”的头一篇是《影子大叔》，我的祖父和祖母对我来说更是两个模糊的影子。我祖母去世于一九二一年，只活了四十一岁。我祖父去世于一九三二年，我在他逝后十年才落生。他们对我来说都是神秘的。祖父尤其神秘。在本世纪初，我祖父是个绝对的新潮人物。在“五四”运动的浪潮中，他甚至是个激烈分子。我的父亲他取名叫“天演”，姑妈她取名叫“天素”，大叔他取名叫“天择”。由此可以看出，他是赫胥黎《天演论》的狂热拥护者。他常常作出在那个时代被一般人视为匪夷所思、荒诞不经的事来。

一九二一年，我祖母因病逝世，祖父不仅将她的尸体献给当时的“北京国立医学专门学校”供解剖使用，而且在事前事后大作宣传。据说他的想法是偏要冲击一下世俗对死者尸体的传统态度。从照片（图 80）上我们可以看到，他真够大张旗鼓的。祖母的家族中的顽固分子如何阻拦与詈骂，其他亲朋中的守旧分子如何劝告与摇头，以及邻里、同事中的白眼与訾议，如今都无从考稽，

▶**图 80**　一张希望你仔细观看的照片，请注意六十五年前的这一幕的不寻常之处。右侧第一人是我的祖父。围观在祖母灵柩后面的并不完全是亲友，有许多是看热闹的。把亡妻的尸体送给医学院“开膛”——直到今天，怕也会有人咋舌吧？

但却可以生动地想见。祖父当时这样做，不仅需要过人的勇气。更需要坚定的唯物主义信念，令我钦佩不已。

照片上竖立在人群后面的大字灵幡，究竟都写着些什么？非常幸运的是我找到了一张祖母的遗照（图81），后面有祖父的亲笔题辞，母亲告诉我，那便是当天灵幡上的文字。我现照录于下：

▶**图 81** 这张祖母遗像“文革”中被撕毁。你可辨认出拼合的痕迹。其实她是辛亥革命前便倡导天足，辛亥革命后首批剪发，并同意死后献身于科学的先进妇女。“文革”的“破四旧”见旧照片就破，毫无道理。

蒋文婺贞辉女史遗像

女史于亡清癸卯即提倡妇女天足，民国元年复现身提倡妇女剪发，本年十月初病时即遗嘱死后必实行尸体解剖以供医学研究，并为社会破除无知惯习。十七日午前八时因病身故，十九日午后一时由北京国立医学专门学校实行内脏全部病理解剖，结果各脏等病情：小肠全体溃疡，确系肠窒扶斯毙命。冤哉，女史体素强，生子女七，蜀产四，京产三，享年四十一，四川安岳人。

民国十年二十日

献体夫刘正雅亲述

我把这相片和题辞公布在这里，确实并非想光宗耀祖。我是觉得它们实在有资料价值，并且也应当能引出读者的种种感慨。

▶**图 82** 神秘的祖父。这是用半个多世纪前的旧底片洗印出来的照片。你和我都看不清他的面目，但你应能同我一样感受到命运的难以捉摸。

我钦佩祖父的这一类行为，但我并不真正了解他（图82）。据也已故去的父亲告诉我，祖父是不怎么管子女的。子女一成年，他便让子女自己到社会上去谋生。讲到这一点时,父亲是爱怨交加的。一九二四年祖父只身到广州参加革命,任国立中山第一、第二两所大学的教授，据说讲授的是“人类学”。被他撇在北京的不仅有我父亲，还有他续弦的妻子及好几个幼小的子女。他不仅很少来信,甚至也不能坚持寄钱。这给我父亲及我的后祖母的生活带来很大的困难。一九二五年，祖父以军医身份随北伐军北进。他究竟是共产党人还是国民党人？连父亲也始终弄不清。但他的激进达到浪漫的地步。他蔑视一切礼教和俗德。一九二七年发生了众所周知的国共大裂变。祖父很快写出了一首长诗《哀江南》，大骂蒋介石，但似乎也并不完全理解陈独秀和毛泽东。当时祖父在武汉，他同一位农村里来的妇女同居了。据说那位妇女本是湖南农民运动中的积极分子,会双手开枪并百发百中的。在湖南的“马日事变”后她逃到了武汉。不知她是在什么时候什么地方认识祖父的，也许以前并不认识，是有人介绍她去祖父那里躲藏的。总之，她到了祖父那里，他们公开同居了。不久祖父和她双双流亡到上海。我的一个姑妈，就是《留洋姑妈》中提到的曾跟随何香凝先生参加大革命的那个姑妈，在武汉被国民党右派拘留，逼她写“悔过书”，她不写，趁看守不备寻机逃出了虎口，也流亡到了上海，她找到了她的父亲，也就是我的祖父，她大吃一惊，因为祖父不是一个人生活，他有一位同居的伴侣，他坦然地将那伴侣介绍给我姑妈，据姑妈回忆说，那位与祖父同居的女性当时也就二十多岁,几乎与姑妈同龄,一望而知是个农村来的妇女,一脸英气，却又怀抱着一个吃奶的婴儿，姑妈忍不住指着那婴儿问祖父:“这孩子是谁的？”

祖父傲然地回答说:“我们的。这是你的小弟弟。”

姑妈已是一个革命青年，在那个时代里算是够新潮的了，却也受不了这个刺激。她同祖父大吵起来，最后竟痛哭流涕。但据说祖父始终很冷静。他良心上没有任何愧疚。他选择了他自认为是最正当最合理最幸福的生活方式。

这就是我的祖父。他的一生对我都是神秘的。他的死也很神秘。据说祖父后来在“上海公学”任教，并写成了大部头著作《人类命运论》，书稿拟由商务印书馆发排出版。但就在书稿送出不久，他突然中风了，被送入了医院。入院后那位伴侣一直在病榻前照顾他。他却即使是不能说话了，也要新潮到底。他认为她不必像世俗道德所要求的那样对他尽所谓的“妇道”，据说他在纸片上哆哆嗦嗦写下了请她另寻人生之路的句子。她也居然新派到底。她最后果然把他托付给了医生和护士，抱着他们的那个孩子，消失在了茫茫人海之中。掐指算来，她抱走的那个孩子如今该有六十多岁了。那是一个我可以叫做叔叔的人。按血缘算他就是我的亲叔叔。他和他的母亲还在世吗？如果在世，他们读得到我这篇文章吗？他们会有什么感想呢？会采取什么行动呢？

就在祖父的那位年轻的伴侣走后不久，一九三二年一月二十八日夜里，日本侵略军在上海发动了对守军的进攻，并动用了飞机，掷下了炸弹。这就是历史上著名的“一·二八事变”。十九路军在这次事变中进行了坚决抵抗，成为传诵至今的美谈。就在那天夜里，一颗日本炸弹落到了祖父所在的医院。祖父是清末到日本留学的举人之一。正是在日本，他受到了西方人文主义思想的洗礼。他所倾心的《天演论》，大概头一遍读的便是日译本。但他却偏偏葬身于日本飞机掷下的炸弹。同夜，又有炸弹落到商务印书馆，祖父的那部《人类命运论》也被炸毁。事后我姑妈到医院和书馆去哭肿眼睛哭哑喉咙翻查过，在那日寇炸出的废墟中，既没有找到祖父的尸骨，也没有找到祖父的遗稿。

一定又有人为我惋惜：“你在浪费素材。”我谨致以深深的谢意。你们读了以上的文字，认为我把材料用得太致密了，形成了浪费，这说明你们远比我会创作，你们看了这些文字，便可立即意识到这些材料都可展开，都可渲染，甚至于在你们的意识流深处，已浮现出种种你们认为是远比我这样处理材料更好的方案，乃至于某些场面，某些细节，某些色彩和氛围，某些句子和词，我真是深深地感谢你们。但我要告诉你们，我故意要这么写。我提供信息，你们去想象，去组织、去筛汰，去评价——实际上也就是用你们的阅读进行远比我高明的创作，这正是我的目的。

我写的不但不是小说，而且是反小说。不但不是报告文学，而且是反报告文学。不但不是散文，而且是反散文。我也不知道我这样写究竟算什么。但我毕竟按我的意愿这样写了。我忍不住要再次感谢《收获》杂志。他们竟容纳我这怪草在他们的田圃中生长，并使我现在得以成书，这需要多么宽厚的心肠啊。

我的祖父和祖母既然对“后事”有着那么开明的思想和行动，不消说，对我的父亲和母亲的世界观和人生观有着极大的影响。关于父亲我也许将另写文章详说。这里只想说说他和我的一种默契。这种精神上的默契使我们之间永远不存在着生死的界限。同祖父在父亲成年后即甩手不管，任他到社会上自谋出路一样，父亲在我上高中以后即不再过问我的学业，尽管我当时仍在家中住，每晚同他睡在同一个屋顶下。记得有一回学校班主任老师来作家庭访问，父亲当老师落座以后，竟这样问他：

“你们是哪个中学？我孩子上到几年级了？”

班主任老师目瞪口呆。

亏得母亲过来圆场。母亲自然清楚我的各方面情况，但她也是任我去自由发展的。

▶图83　我问父亲：“考上个倒霉的师专，也要去上么？”
父亲说：“早一点倒霉对你有好处。”
我又问：“学校就在城里，我也得住校去么？”
父亲说：“你带口大点的箱子去。”
那一年我十七岁。从此我走向人生。

父亲和母亲从来没有要求我们子女报答他们什么。父亲在去世以前，也从未立过什么遗嘱，他的后事该如何办？在他“文革”中遭到迫害，由一所被“砸烂”的军事院校轰到干校，又由干校硬给“退休”到原籍安岳县后，我们见他身体日渐衰弱时，曾偶尔提及，他说:“连追悼会也不用开。”大有“赤条条来赤条条去”的气概。他不信鬼神，不信灵魂可以离开肉体而单独存在，他同他的父亲一样是个彻底的唯物主义者。我感到我同我父亲也是一样的。我有许多的缺点和弱点，但我成人以后即不怕鬼。因为我根本不相信有鬼。我的这种超常的冷静和胆量使我的妻子和一些朋友吃惊。我记不住父亲什么格言警句似的话语，但我感觉到他灌输给了我一种人格力量，就是靠自己的本事和能力去到社会上谋取一个正当的位置。我只要这样做了，便是对得起他。他完全不在乎在他死后我是否积极奔丧，是否披麻戴孝，或是积极为他张罗一个风风光光的追悼会。

父亲是一九七八年夏天因脑溢血而去世的。从发作到断气不过几个小时。我接到报告这个噩耗的电报后悲痛欲绝。但是我没有赶回家乡奔丧。当时正是我事业上的一个关键时刻。我的《班主任》虽已发表,并在读者中获得强烈反响,评论界也开始叫好,但某些主张“歌德”反对“缺德”的人士却企图压下以《班主任》始作俑的“伤痕文学”的势头；此外，我参与的《十月》丛书(后来演变为《十月》双月刊)的筹备工作正处于大忙之中，我另两篇在当时也引起强烈反响的小说《爱情的位置》与《醒来吧,弟弟》正涌向笔尖,欲止不能,于是,我把料理父亲后事的担子完全交付给了两个哥哥。在家乡，不少亲戚把我视为不肖之子。然而后来的事态证明，我没有回去，没有在丧事的大悲痛中像两个哥哥那样弄得身心交瘁，以至很长一段时间不能恢复，而是抓紧时机写完该写的东西,还是对的。我不相信真有什么父亲的“在天之灵”,但我良心上过得去,我知道我这样去奔事业是对得起他的。这便是我同父亲的精神默契。我希望我的儿子今后也能这样去想这样去做。他一旦长大成人，他就属于他自己，并且属于社会。他不必希图从我这里得到什么特殊的好处，我也不希图从他那里得到什么特殊的回报。我们的父子之爱，应像我祖父和我父亲，以及我父亲和我那样，超越权利与义务，而达于更高的层次。依我揣想，祖父那本被日本炸弹轰毁的《人类命运论》，也许便是论证这一更高层次的著述。

父亲去世的那一夜，家乡的亲友们乱成一团，他们最担心的是我母亲，怕她想不开，怕她过度悲伤而垮掉，然而母亲却在午夜来临前揩干眼泪，冷静地对陪伴她的亲友说：“都去睡吧。我也要休息一下。他走了，我还要好好地活。”

母亲至今仍健康地生活着。她是一九一九年五月四日那天，穿着月白短衫和玄色短裙，举着竖长形的标语小旗，参加过爱国游行的人。她对社会、人生、命运和后事都有着相当达观的看法。她毫不忌讳我将家里的旧照片拿来发表。她说：“世上所有照片上的人，最后都会死的。”她说这话时非常安详，面带微笑。我感到她的唯物主义世界观和无神论思想比我还要彻底。我亲爱的母亲，你给了我多么宝贵的精神滋养！

在这夜深人静的冬夜里，窗外飘着零星的雪花，我翻阅着我家的私人照相簿。

人生到处知何似？
应似飞鸿踏雪泥。
泥上偶然留指爪，
鸿飞那复计东西。

一张张的相片，便是那雪泥上的爪痕。随着相片的陈旧化，那上面的人物也在相继作古。

最令人感慨万端的是这样的旧照片，上头的人物有的已然去世，有的依然健在，有的不知所终。下面是一些我从中取下的照片。先看两张二十年代摄于法国的照片（图84、85)。一张男性合影除当中一位是法国人外，均系中国侨民；另一张女性合影除左侧一位是中国留学生外，均系法国师生，真可谓相映成趣。半个多世纪过去了，他们都走过怎样的人生之路？命运待他们如何？谁已经合上了人生的书页？谁正在卷尾上增添着什么？谁又任由最后的篇页空白，只等着命运之神将书页关合？谁思念着谁？谁怀恨着谁？……

▶**图 84** 谁还能认出他们来?
人在像中。像在梦中。梦在魂中。魂归何处?

▶**图 85** 半个世纪前她们欢聚一堂，半个世纪后她们天各一方。人生匆促，如何把握?

再来看一张半个世纪前的少妇们合影（图86)，其中衣着最朴素的是我的母亲。她们当时遭逢一处，后来却星散各方。“世事波上舟，沿洄安得住？”欲问母亲以外的五位后事如何，真是“下回”也无从“分解”。然而母亲却特意指出一张与她们同龄的另一种少妇的照片（图87)，建议我一并刊出。那是父亲当年在海关当职员时，一次郊游时为一位农妇所拍的照片，那位农妇姓甚名谁，当时既不了然，后来更毫无信息，但她的这张照片，却几十年收藏在了我家的私人照相簿中。想来她的生命力是顽强的，如今该仍在世吧？她的命运轨迹，当与我母亲那样的知识妇女完全不同。她对“后事”的想法，会是怎样的呢？

原来我以为，随着社会经济的发达，生活的富裕，教育的普及，人们对待后事会更加理智，更加开通，更加洒脱，但当我今年春天去了香港，目睹到一些办后事的迷信场面时，我的这个想法瓦解了。请看两张我在香港青松观拍下

▶**图86** 六十年前，海关小职员的夫人们。右侧是我的母亲。十六岁时，我第一回拿到稿费。我买了一个凉水瓶送给母亲。“不要送我什么。”母亲说，“我只要你认真做人。”凉水瓶早就碎了。母亲的话永远不碎。

▶**图87** 六十年过去了。她也许从未离开过这个地方。她应当已儿孙满堂。对于“后事”，她有何设想？

▶**图 88** 1986 年春。香港青松观道士们正在作法。侧墙上是无数祈求冥福的人像。人们生前熙熙，难道死后还要攘攘？

▶**图 89** 1986 年春。香港青松观。一套送终的扎制品。请注意：扎制的并非小轿车和司机，而是轿子和轿夫。

的照片（图 88、89）。我不想讥笑什么，也不想否定什么。我只是更冷静更深刻地意识到，不仅我们这个民族，而且整个人类，自然囊括着你、我、他，都还处在相当幼稚的状态。有神论者很难感化无神论者。无神论者很难说服有神论者。因为归根结底人们关于生和死，都还缺乏深入的探究。

挚友再复在散文《死之梦》中说："死是容易的，生却很艰难，一切壮观都产生于生中，连死的壮观也是生时所设计的。"对于我来说，无论是生与死，恐怕都难于达到壮观。但我清醒地认识到，我是一个独立的个体，我又是一个必须与群体协调的个体，我必须在独立性和协调性的交叉点上确立我生之价值。至于死，至于后事，我现在不去想它。

一九八六年十一月十六日

于北京绿叶居

珍惜生命

在北京郊区那些望去互相雷同的单元楼里，一个个单元里的住户们，他们的命运也雷同吗？

我常常觉得，也是雷同的。

确实。雷同的方面实在太多。带穿衣镜的大衣柜样式雷同。沙发的样式雷同。电视机、电冰箱和洗衣机的牌号大体雷同。新添置的组合柜以及柜上多宝格中的唐三彩马也雷同。连家中的争吵和牢骚也是雷同的。

必须从这种眼光里解脱出来。

应当探微发隐，从而知道每一家每一位实际上都相当地独特。

我首先注意到的是那个三角架。是用几根铁条焊的。上面只有一个小小的平面。平面上铺一块小小的印花布，上面摆着一只最平常的花瓶，插着最平常的塑料花。用最节俭的办法追求着不打算降格的美。这是一种生活态度。

活着很不容易。对每一个人来说都是如此。但并不是每一个活着的人都懂得珍惜。珍惜时间。珍惜安宁。珍惜机会。珍惜感情。归根结底，是珍惜生命。

珍惜旧照片吗？

他望着我，没有马上回答。他的眼睛流泻出非语言所能表达的情绪。

原来我是专门搜集旧照片的。

他拿出不下三十本照相簿。大部分是插袋式，都插满了时下流行规格的彩色扩印相。而我翻动得那么样地匆促。我的兴趣与相片的新旧度成反比例。

难道我有权利遗憾？难道他有义务惭愧？

港澳同胞。

海外华侨。

外籍华人。

这是三种概念。层层递进地尊贵吗？至少，眼下在北京，三种人还有着三种不尽相同的价码。但都比本乡本土的中国人高。

他，吴达文，之所以能住进这个新居民区的新楼的新单元里，全赖侨务部门的关照，他该算是个“老港胞”。

他父母是二十年代从广东中山县翠微乡北山岭去香港定居的。除了香港本地的土著，那该是最早的香港居民。他三十年代一度去港，后来回云南昆明上西南联大，毕业后又去香港。一九五一年，他三十二岁，同许多向往新中国，决心为祖国的建设事业出一把力的香港知识分子一样，他从香港回到内地，到达北京，进入清华大学，担任一位名教授的助教。

从香港回来，他只拎了一只小小的皮箱。他舍弃了在香港的一切。包括相当丰富的私人照相簿。他觉得最牵动他情怀的不是留在照相簿里的那些东西，而是可以陆续拍摄下来的未来。

然而，后来的很多年里，他始终没有建立起像样的私人照相簿。

他用那双被细琐皱纹包围着的眼睛望着我。他在反问我吗？

旧照片。保存它们需要耐心，需要眷念之情，需要安全感，需要恰宜的人文环境。

他只留下几张。他觉得那已耗去了他许多的勇气。

一张是他在香港告别母亲时拍摄的（图 90）。另外几张是他妹妹的（图 91、92、93、94）。这些都是他返回内地后，亲人给他寄来的。也曾在某一个时候想撕毁，想烧掉，后来终究还是留存下来了。

▶**图 90** 1951 年，离港回内地前与慈母合影。此照片保存下来殊不容易。

▶**图 91** 四十年代中。妹妹已成为引人瞩目的美丽女郎。有人劝她参加香港的选美活动，她严辞拒绝。她是职业妇女，自尊是她的主要品质。

▶**图 92** 他的私人照相簿中，最老的一张照片。胞妹摄于二十年代末。

▶**图 93** 妹妹现定居美国。今年将回国探视胞兄。多少往事，多少今情，从何说起！

▶**图 94** 妹妹出嫁了。从此兄妹分离，天各一方。

难道，我只对这样的相片感兴趣？难道，只因为另一些照片还都没有超过半个世纪，我就有权利加以漠视？

所有的照片都应是平等的。因为它们都是人类生存状态的见证。

港澳同胞。

海外华侨。

外籍华人。

他回来定居了。但他同这三种人有着千丝万缕的联系。十多年前，他不与他们通信，尽量抑制自己不去想念他们。但他们是一种客观存在。

过去这种存在比如今还多。随着自然规律的推进，老一辈的逐渐减少着，而最新的一辈彻底归化于出生地的社会，他们又并不“寻根”，所以渐渐与他不生干系。

如今香港还有舅舅、表弟一家。美国有哥哥一家、妹妹一家，年迈的舅母（图95）、叔伯嫂子、外婆、姨（图96）、侄儿侄女一大堆。墨西哥有表舅。马来西亚有姐夫。外甥女在澳大利亚，外甥在英国。

“海外关系复杂”。

在“以阶级斗争为纲”的岁月里，这一条使他吃尽了苦头。

他被认为有着某种确凿的嫌疑。

那一天他觉得实在活不下去了。

临界值。在生死之间。

▶**图95** 定居于美国加州的舅母，名建筑师，已逾八十六岁。请注意陈列于右侧的祖先画像（圣诞树边，清朝诰命正襟危坐）。中国的根真是太粗了，无需索寻。

▶**图96** 十三姨一家。也在美国。后排右三即张学良的弟弟张学智，亦即十三姨父。

专案组正在开会。他破门而入。狂叫："我到底有什么罪？你们还要把我整多久？整到什么份儿上才算完？"

所有的头都转向他。一双双眼睛瞪圆了盯住他。都没想到。"死老虎"竟一下子如此之猖狂。

他继续狂喊："世界上最深的海沟也有底，深一万一千零三十四米。世界上最高的山也有顶，高八千八百四十八米。我的罪怎么定不出个底儿呀！"

一九四五年他毕业于西南联大理学院地质地理气象学系。山高有顶海深有底，他的嫌疑却深不可测无边无沿。

他没有得到所企望的回答，却遭到了更惨重的批斗。

……他登上了楼顶。头顶上星光惨淡。楼下面阴影交叠。他想到了自由落体运动。重力加速度。$g = 980$ 厘米／秒^2。

……然而他也想到了他的妻子，以及他的两个女儿。(图 97、98)

他没有跳下去。

他在楼顶的边缘止了步。

他不想细说这些个事情。

他微笑着，请我注意他睡的床。一眼望去同楼里许多家庭的床没什么区别。他告诉我那只是表象。表象的确雷同。同一类的纤绒床罩。但他那床板却与众

▶图 97

▶图 98　私人照相簿中最常见的收藏。是的，这里只有最常见的悲欢、除了当事人，谁会珍视它呢？

不同，完全是碎木头拼接的，并且到处都是缝隙。有几处已经断裂，用铅丝勉强加以联缀。

如今他一人住在这两室一厅的单元里。他不想换床。他与他的妻子，还有两个女儿，曾同在这张床上睡过。

妻子是个很平常的中学教师。教授外语。既能教英语也能教俄语。

妻子随他下放。随他流动。这张床随着他们。每晚托着他们入梦，或彻夜难眠。

“海外关系复杂”。

是的。这的确是个问题。但这只应该是为父的问题呀。但却株连到女儿。

大女儿中学毕业了。分配不上工作。只希求分到百货商店当个售货员。她身材高高的，像她的父亲。很懂事，懂礼貌。她站柜台，服务态度一定是好的。她只求当个售货员。父母只求她当个售货员。妹妹只求姐姐当上个售货员。

但是人家“择优录取”。

要看政治条件。

她的政治条件：劣。

她落选了。

当母亲的不死心。托人再去求情。

好心的中间人啊，你不该说出实情来！

那好心人握住母亲的手，絮絮地对她说：“不光是嫌她爸海外关系复杂哩，也有你的关系呢……”

“我？”母亲疑惑了：“我有什么问题呀？”

“说你历史上也有问题哩，你给美国人当过翻译哩……”

母亲从那好心人手中抽出了自己的手，久久地发愣。

她是给美国人当过翻译。那美国人是韩丁。韩丁是从解放前就跟着中国共产党的。解放后一直留在共产党中国。甚至当“红海洋”翻卷时他也仍是受欢迎的“国际友人”。

……可是在某些人眼中，凡在解放前给美国人当过翻译的人就有那个嫌疑。他们只知道白求恩。他们不知道什么韩丁。他们不去调查。调查什么呢？你有嫌疑，这就够了。你的女儿连到商店卖东西也没有资格。

……他发现妻子只是发愣。他问她，搬她的肩膀，她仍旧只是发愣。

后来她就久久地冷笑着，久久地喃喃自语；“怎么不找我问问？怎么不去查查？就这么嫌了我疑了我这么多年？……”

……查出了癌，她默默地死去了。留下几张遗像。留下她同他合睡过的这张床，留下辗转反侧时压坏的木条，留下许多没有诉出的心曲。

他知道有些人不爱听这些个事。他尽量不说。

他给水仙花淋上水。他还活着。他继续活动去。珍惜生活。珍惜生命。世上既然还有水仙花，那就还该为他而开。

一颗破碎的心，还能黏合吗？

也许。

我翻看着他那一大摞私人照相簿。

都是柯达、富士、樱花、柯尼卡的 135 型胶片照出的彩扩像。

他在西南联大原址寻访旧梦。他在清华园中与校友们欢聚。他退休后的处处屐痕，印在山麓，印在海滨，印在通幽的曲径，印在洞开的旷地。亲戚们的欢聚。祖孙之乐。他几乎是执拗地享受着生活的乐趣。但所有的像片上都没有一丝一毫的狂欢，一丝一缕的纵欲，一切都那么从容，那么宁静，那么小心翼翼，那么凝重深沉。流泻出一种总体情绪，只能概括为两个字：珍惜。

他回避着我。我也回避着他。

而屋子里有一张最大的像片，立在案上，痴痴地望着我们。终于不能回避。我问了，他说了。一个人间不该有的故事。

落实政策。他终于回到了北京，并且分到了这样一个单元。妻子去世了。大女儿即将出阁。他提出将小女儿吴小芳调回北京，照顾他的生活。

小芳独自一人在烟台。在一家工厂当工人。经侨务部门的努力，小芳调京之事有门了。小芳请假来到北京。那该是他从香港回到内地以来最幸福的一段岁月。小芳像一朵绽开的花苞，美丽、芬芳、温柔、聪慧。得经过怎样的细胞分裂，才能构成如此的宁馨儿？需什么样的遗传基因，才能具有如此可贵的素质？她搂住姐姐，姐姐热泪盈眶。为了让姐姐出阁时有像样的家具摆设，她递给姐姐一个手绢包，姐姐打开手绢包，里面是一大摞钞票，一共七百元。她在烟台，天天在食堂只打丙菜吃，一分钱不乱花，苦苦地攒呀，攒呀，就为了姐姐打开手绢包时的这一声“啊”！她捶打着父亲的背，这个脊背，多少年来只受过专案组审讯的推搡，何曾有过这充满爱心的抚击？而不管父亲和姐姐眼里如何闪出泪光，她只是爽朗地笑！她在厂里白天做工，晚上和星期天攻读日语。她相信时代，相信生活，并且相信自己。她睡觉从不失眠。她没有亏欠过这个世界什么，这个世界原该给予她许多许多呵！

……是在无意之中，她透露出了厂里一些小伙子对她的纠缠；别的还都不过是一般的追求，但其中的一个，紧钉住她不放……他托他的小姑子把一封信交给了她，她读了那封信，只觉得那是不可能的事，她没有给他回信，只是让那小姑子转告他，她还小，她现在还不考虑这样的事，况且，她今后也不可能跟他……

姐姐耸起了眉毛。父亲也绷紧了心弦。都嘱她一定小心。就是调回了北京，也不要一个人走夜路。她应当及时把这一类的事情告诉他们。盛开的花朵本身便意味着危险。而这种危险往往为花朵本身所忽略。

有关部门给她办着手续。照例是慢的。她觉得就这么闲等着多不合适。她提出来还是回烟台，边干活边等调令吧。父亲和姐姐都说不必，都劝她就在北京催办。等办成了再去烟台过手续搬行李。但她还是执意回烟台了。

烟台海滨的海浪，日日翻卷，见过多少奇人异事，可也未必闻见过如此残暴而悲惨的情景——

那一天她走进车间，脸上挂着惯常的微笑，坐到她的工作台前，开始了她的工作。

她的位置，与车间里其他工人相反。她的背，对着许多别人的背。

开工十来分钟，忽然有个人出现在她背后，用利斧猛砍她的头部。一连砍了三斧。她即刻倒下，鲜血喷溅一地。

车间里被惊动的工人们本能地站起来往车间外跑，车间外的楼梯上，正好走来的厂长还以为是发生了地震。

砍倒她的人，去摸电匣，企图触电自杀，不知是电压不足，还是触不得法，只是发出尖嗥，烧焦了手指，而并未死成……

砍她的人，就是那个求爱被拒的小伙子。他强求不成，便来戕害。

砍人的人，人性黑暗到了什么程度。强占欲化作杀害欲，为什么竟如此之迅速？

多么芳馨的一朵鲜花。香消玉殒时，才二十二岁。

多么鲜活的一条生命。有着那么多的计划，那么多的憧憬。

父亲的私人照相簿中，至今还有她许多的遗照（图99、100、101、102、103、104、105）。当她呀呀学语时，当她呢喃燕吟时，她那成长着的肉体和心灵，难道就是为了迎接这三下斧刃的砍击吗？当她在白塔下沉思，在故宫的铁

▶图99　带露的花蕾。每一朵花苞的存在都是一个奇迹的开端。然而，并不是每一个奇迹，都能充分地展现。

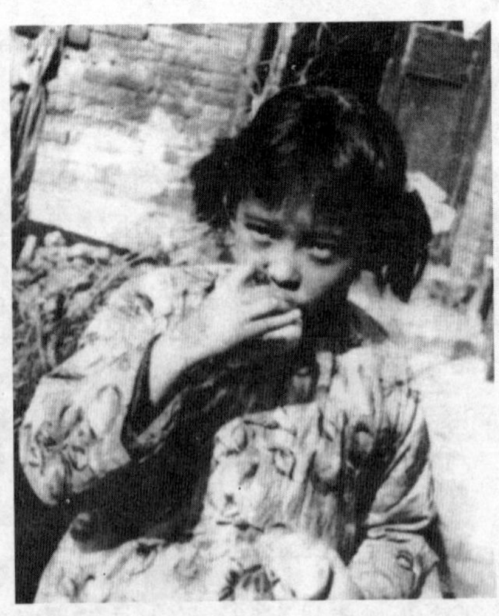

▶图100　即使在艰难困苦中，花儿也依然在默默地开放。

狮前嬉笑，难道就是为了准备让那残暴的魔爪，来把她砍碎吗？在海滩上，她玉体横陈，多么活泼的生命多么纯真的灵魂，为什么她就不能有她那姑妈的命运，为什么这个世界不容她这根延续生命的线成熟，便残忍地将其斩断？

她被砍杀的那一天，恰恰是那一天，调她回北京的批准书，抵达她父亲手中。

我们相对而坐。久久的沉默。

冬阳从玻璃窗斜射进来，照得水仙花好让人怜。

良久，他才缓缓地抬手指点着，沉沉地说："你看，谁家会这样呢，独我这儿，

▶**图 101、图 102**　花儿开放了。芬芳四溢的花儿啊，你的开放便是你的危险。

▶**图 103**　花儿为什么这样艳？天真的花啊，你怎知残暴的手要将你蹂躏？

▶**图 104**　花儿在开。花朵还没有绽圆。为什么要把她毁掉？怎么可以把她戕害？……人性中有多么黑暗的一面啊，占有欲竟化作了杀机……

▶**图 105**　私人照相簿中最不忍翻开的一页。失去如此美丽聪慧的爱女，活下去该有怎样的勇气？

我就这样……那里头，是小芳的骨灰盒。”

他指的，是一张极普通的书桌。他那食指的延长线，正对着“一头沉”的沉重处。

他与亡灵同在。然而他不甘成为亡灵。

香港哥连臣角火葬场。静悄悄。旷无一人。他的脚步声引出很大的回响。

他在灵龛壁前站住了。密密麻麻的大龛牌中，有一尺见方的一块，是他母亲的(图106)。

由海外亲友们付了数量不小的一笔钱，这灵龛得以在这块墙壁上长存。他静静地站在那块大理石牌面前。那块牌子与上下左右的牌子何其雷同，但对于他来说，上下左右那些牌子都并不意味着什么，唯有他母亲的那一块……

三十三年前，他从她身边走开。

三十三年后，他来告慰她的亡灵。

他不后悔。

他的余年，更具有以往无可比拟的价值。他仍在工作。这回是在人家完全信赖你，不嫌也不疑的目光下工作。工作之余他便云游四方。他尽情地，却又不慌不忙地享受生活。(图107、108、109)

他回到了她身边。虽然她只是一块大理石牌。

……火葬场的看守问他：“先生，这样的时候，您怎么敢一个人来？”

是的。只有在清明节时候，这里才有大批的人来。平时几乎整天不见一人。这里很荒僻。经常发生抢劫案。

他来了。他不怕抢。他没有什么好抢的。他沉思着走出火葬场。夕阳西下，把他的影子拖得很长。他失去的东西太多了，都是最宝贵的。然而他不颓丧。他仍要活下去。并且要活得比以往好。他屋子里竖立着许多的贺年卡。五颜六色。来自几大洲。

如今他用相当一部分时间与海外的亲友通信。他们一致认为他的信写得活泼生动，妙趣横生。他为什么如此快活？他们常常觉得不可理解。因为他们各

▶图 106　1985 年，重返香港。慈母安在？哥连臣角火葬场。慈母在灵龛壁上占有一尺见方的位置。人们就这样生生相继。

▶图 107　八十年代。重返香港。岁月荏苒，感慨万端。

▶图 108　重逢在清华园里。交谈得并不多。最诚挚的交流往往是“尽在不言中”。

▶图 109　思念青春。人不能没有思念。人常能从思念中获得往前生活的能力。

自有那么多的烦恼。他们觉得挣脱烦恼非常之不易，而他竟能挣脱不仅是烦恼简直是惨剧的羁绊，这真不可思议。

他不信宗教。他也不同我谈信仰。他信什么呢？信生活？他坐在那里，所取的姿势相当地舒适。他所坐的那张椅子并不是张舒适的椅子。可是他能在那样一把椅子上坐得那么舒适。

灯下检阅着从吴达文先生那里挑回的照片，心中无端地浮起了友人刘湛秋的诗句：

松香和三叶草的夜
他把那条手绢寄还你
海在远方，远方是月影
狐狸穿过幽黑的草地
坐在帆布椅上的人走了
院子里只剩下空空的帆布椅
森林里有雪，雪没有影子
寂静中飘下一片树叶

湛秋比我会享受生活。我很羡慕他，以及一切与他相近的人。我是否太死心眼呢？我心中的帆布椅上为什么总坐着人？总走不开？我心中的雪花为什么总如干粉般散射，并琤琤有声？

我不想触痛更不想伤害任何人。我只不过是追踪真实。然而我越来越感觉到很难。

一切都远比我写出的复杂。一切。

吴达文先生的外祖父是蔡绍基，清朝最早的赴美留学生之一。光绪朝曾任海关道台，又曾任驻高丽总领事，是北洋大学（后改为天津大学）创始人之一。原北洋大学校门口曾立过他的铜像。五十年代初，该铜像被推倒销毁了。然而吴达文至今提及他这位外祖父，口气中还充满尊重之情，并说不仅他这位外祖父是贫下中农出身，当年与他外祖父一道漂洋过海的那些早期留学生，大多数也是贫寒出身……

是我的一位老同学带我去见吴达文先生的，中间又经这位老同学的一位朋友介绍，他的这位朋友是位娴静的中学女教师，而这位女教师的母亲便是吴达文的妻子，但吴达文又绝非她的继父，因为她有自己的父亲，她的母亲是与她的父亲离异后才嫁给吴达文的，相反的，她另有继母……

关于吴小芳之死，还有许多值得探究辨析慨叹深思的细节，比如说，当吴达文赶到烟台以后，有人开头暗示，后来简直是赤裸裸地提出来，能不能给他一笔钱，大事化小，小事化了？多少钱？七百元！七百元呀！怎么恰恰也是这个数字？！小芳的那个手绢包里所包的，不就是这个数字吗？姐姐接过那手绢包，激动地打开，展现在眼前，经过清点的，不就是这个数字吗？难道她这样一朵盛开的鲜花，这样一个活泼聪慧的生命，仅仅值这样一个数字？然而有人提出来了，他们就是那样地看待生命，看待清白、善良、美好的生命，而目的，却是包庇，延缓一个墨一般黑的沉沦的灵魂……

小芳的姐姐小兰，后来还是当上了百货店的售货员，因为那店里的经理见到了她，一眼就看中了她的规矩与勤快，他拍着胸脯说："我们店要了！什么政审不合格！我们店没有国际机密！"她又哭又笑地去了。但她母亲却笑不出也哭不出。那位好心人要是不把那关于她的"历史污点"的事告诉她，该有多好？然而好心人往往起这样的作用，他们热心地帮忙，帮不上，却反而坏了事，但谁又能责备他们的热心肠呢？……小兰是幸运的，不仅幸运，简直是幸福，如今她和她丈夫都在日本留学，那里的学业是沉重的，而为了补助生活，课余揽的零活更是耗人精力的，他们给父亲的来信，总是短得那么令他既甜蜜又痛苦，他们寄回来许多的相片，他都一一珍存着，但他细心地将这些相片与小芳的遗像分开，小芳的大幅遗像永远雄踞在柜子上，静静地观望着这个越来越安宁、越来越幸福的家……不过他不忍看那样的相片：小兰夫妇和他们的朋友在举杯畅饮，喧闹着，嬉笑着，而他们身后，却显现出小芳忧郁而凝思的面容（图 110、111、112）……

"你为什么从香港回来？"这是他最熟悉的一个问题。有各式各样的问法：询问、质问、审问、拷问、困惑之问、好奇之问……乃至于代他遗憾之问。他问过自己吗？问过。也并不止一种问法。他本是想回来在自己的专业上大显身手的。他就一点身手也没显出来吗？他自己不这样认为。不。在最困难的岁月里，他已下放到山东一个位于半山腰的小村落里，那里甚至有人还穿着清朝式的长袍，头上还留着焦黄的长辫，他也并没有否定自我的价值。果然，后来派他去搞一个小册子：《泰山名胜与地质指南》，中英文对照，他兴奋不已，像绣

▶图 110　姐姐小兰。留学日本，前途似锦。在异国古迹前站立，等待快门按下的一瞬间，你可曾想起不幸的妹妹？

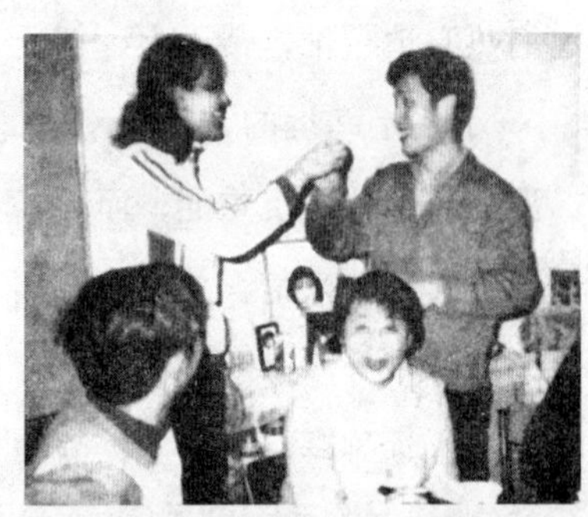
▶图 111　幸福地活着的人们。在不幸死去的姑娘的遗像前。

▶图 112　享受生活。在这个世界上，我们的权利是生，所以我们大声呼叫和平。

花一样绣出了那样一部稿子，现在他家里还存有这部手稿，同他的私人照相簿存放在同一个柜膛里。现在看来，当然是好笑的。这算什么东西？学术不是学术，科普不是科普，散文不是散文……但那里头寄托着他的报效之心，融汇着对“你为什么从香港回来”的回答……再过十年，整个香港都要回来了。那时候他还在世吗？应当还在世。不过他并不觉得他跟香港有多少关系了，他该算是一个地地道道的内地人……

吴达文先生总爱戴顶法兰西院士帽，见到他的人都认为他是专家、学者、教授……然而他并未获得那样的头衔，也无望获得那样的头衔了。他不喜欢听“给耽误了”这一类的话。他细心地给水仙淋水，因为他觉得最要紧的莫过于不要误了眼前。该开放的花儿都要让它开放。

我原以为他性格沉稳。确有这一面。但他一旦打破沉默以后，却大有滔滔不绝之势，甚至很难打断他那些“车轱辘话”。

确实：一切都远比我写出的复杂。一切。

吴达文先生的妹妹即将回国探亲。

她曾经很是犹豫。她的存在，曾是构成他“海外关系复杂”的最主要的因素。

而她本身，按我们的眼光，也确属“经历复杂”。她对我们这个社会是无害的吗？她会遭逢意外的不愉快吗？她走后，她的哥哥不会有新的麻烦吗？

她其实不必犹豫。请按期回国。

吴达文先生请人给单元的墙壁糊上了色泽纹路雅致的壁纸。正在挑选合适的软床，以备亲人享用。只是卫生间的问题不好解决。单元里只有一个小厕所，是亚洲式蹲坑，这还在其次，问题是绝无澡盆，安一个热水器，搞淋浴吧，又并无蹲坑以外的泄水地漏，因此恐怕只好请过惯了美国中产阶级生活的妹妹实行原始的盆浴，为此，他已为她准备好了市面上所能买到的最大的洋铁皮澡盆。他想，也许妹妹不会嫌弃，因为半个世纪以前，她在家中冲凉时，所用的那个盆子要小得多了，而当时他们兄妹互相撩水嬉戏的情景，想必仍可回映于她的脑海之中……

他期待着她。心中涌动着许多琐碎的人生乐趣。

是的。琐碎的人生乐趣。世上最普通的，人生最琐屑的，那样的一些乐趣。（图113、114、115、116）

他珍惜。

又是湛秋的诗：

▶图113 外孙小照。

▶图114 活下去，并捕捉住生活中一切美好的东西。在北戴河雁寨湖。类似的照片已逾百张，背景还有长江三峡、苏州园林、云南石林、泰山玉皇顶……

▶**图 115** 向往。生活中的向往。向往生活。最朴素的向往，应得到最宽容的回应。

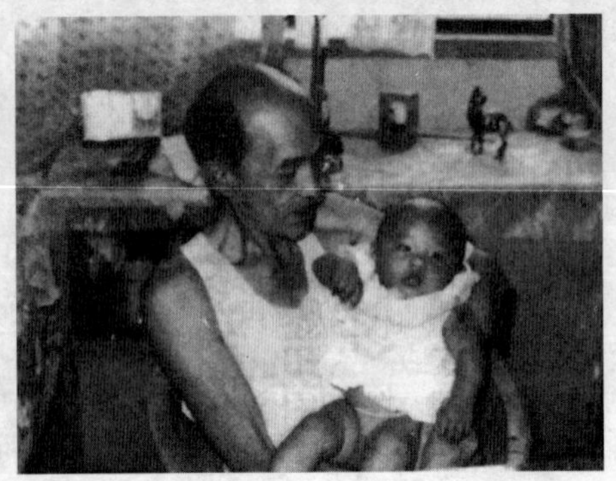

▶**图 116** 活下去，并让我们的后代活得比我们更好。

春天又贴着老式的邮票飞来
海鸥和残雪镜面的蔚蓝
雏鸡睁着紫檀的眼珠
世界在绿色中膨胀
爱恬和渴求的虹吸管
在吮着叶脉的汁液
裹着的肌肤想摆脱黑暗
空气是无法抗拒的嘴唇
为什么又一次感到晕眩
老树的皮像老人的皱褶
可老树的新叶
竟和幼树的一样……

是的。老树的新叶，的确同幼树上的毫无二致。珍惜每一片新叶吧。请珍惜。

一九八七年元月

写于绿叶居

不得其详

去年初冬，在北京会到美国作家荷汀丝·卡莉榭尔和她的丈夫卡尔蒂司·哈纳克。卡莉榭尔女士因为入选为美国文学艺术学会及全国文学艺术学院成员，声名在哈纳克之上，所以成为我方接待的主宾。其实哈纳克先生也是一位创作丰富的作家。见面时，二位都惠赠了他们的大作。哈纳克所赠的一本，倒更引出了我浓厚的兴趣。因为据他自己说明，这本小说集中的六篇小说，都是由一组私家所藏的旧照片触发出灵感的，小说集的封面设计，以及书名本身，鲜明地体现出了这一点(图 117)。我便趁兴告诉他，我正在《收获》杂志上搞一种名为“私人照相簿”的文学试验，这就又引起了他的兴趣，可惜我们之间不能直接对话，而我们所谈及的具体方面翻译起来又很麻烦，所以未能深入交谈。这么匆匆地见过一面，坦率地说，我对他的创作和为人可谓不得其详，他对我想必更是印象朦胧，不过我们这样两个社会背景差别巨大的作家不约而同地对旧照片发生了兴趣，却总还是一桩值得回味的事。旧照片总能引出我丰富而翻卷的思绪，这使得我的一位朋友深觉诧异，他对我说：“作为摄影艺术以外的私家照片，其特点便是一览无余的确定性，你对它们何来那么多的感受呢？”诚然，摄影艺术以外的私家照片，往往刻板而单调，举凡群像，更有“排排坐，吃果果”的幼稚之弊，乍看上去，确实一览无余，难提兴味。但倘是一张年代稍远的旧照，于仔细端详之中，便不禁会发现上面总隐现着两个惊心动魄的角色：一个叫历

▶图117　美国当代作家卡尔蒂司·哈纳克的小说集。灵感全部来自私人照相簿中的旧照片。书名或可意译为《似水流年》。

史，一个叫命运。于是，在照相表面所呈现的单调中，也便弥散出了难以言喻的丰饶，这就难怪我的思绪要升腾翻卷了。

去年年底接到从德国邮来的一个大纸匣，那邮资是相当之贵的，拆开一看，原来是一本厚重的德文书，经请教懂德文的朋友，告知我是一册关于德国人骆博凯上世纪末在中国南京任清朝江南陆师学堂总教习始末的历史书，此书的成因，是骆博凯于一八九五年至一九〇〇年间，在南京拍下了不少照片，这些照片后来他带回了德国，成为他家“私人照相簿”中的藏品，到一九八二年，这些旧照片引出了他家后人及后人朋友的兴趣，遂由一位“好事者”将这些旧照片以及骆博凯留下的日记、札记、书信等材料，编成了这样一部书。这部书的立意、价值究竟如何，需得有谙熟德文和中国近代史的同志加以翻译、分析后方可确定，我只能是翻阅一通其中的旧照片，但不管编书者的意图如何，这些旧照片所给予我的刺激，是强烈而痛楚的。

这本书是德国波鸿大学汉学系主任马汉茂教授寄赠我的。不知道什么原因，书到几天以后，他的信才到。他说他从《收获》杂志上看到了我搞的“私人照相簿”，觉得很有意思，他鼓励我继续搞下去，寄这本书给我，是供我参考，自然也是有使我觉得“吾道不孤”，增强自信的意思。其实我搞的这个“私人照相簿”，与得到的上述美国小说集和这本德国文献书都很不相同，我是并不拘泥于一个家族、一个地方、一个事件、一个历史阶段的。我固然有横的纬，也有竖的经，我最大的乐趣便是经纬交错地织出可以充分驰骋想象力的锦缎，换句话说，便是在历史与命运的交叉点上去领悟一些什么，而我所诚恳期望于读者的，也便是从这个角度去共同完成一种文学创造。

现在我们来看一张骆博凯在差不多一百年前所拍的南京明孝陵神道上的石刻群的照片(图118)。那个时候中国的国势衰微到了什么程度,从照片可以一目了然。但细看便有不得其详的刺目之处——石刻巨象背上堆满了碎石，把这些碎石搁到

图 118 1889 年的南京明孝陵神道上的石刻群。大地荒芜到棵树全无的程度，而使地平线一览无余。但请注意：石刻巨象背上竟堆满碎石块，显然是人为所致。不去挖坑种树，而费力地做这种事，该界定为怎样的一种“深层文化心理结构”？

象背上去，而且一直搁到不能再搁的程度，该不是由一个人完成的事，那么，是谁，是些什么人，出于什么目的，以怎样的一种心情，做成了这么一桩怪事呢？

恰好前年深秋我去了南京，并且在同一处地方拍了照片（图 119)，把两张照片作一对比后，我想除了思路格外古怪的人，总能感受到历史的推进、时代的进步和文明的发展吧？当然，我又忍不住回忆起，前年深秋南京的另一处名胜地，不知是谁，是些什么人，出于什么目的，以怎样的一种心情，偏把吃剩下的西瓜皮，耐心而技巧地套在一溜石栏的柱顶上，并随意抛置在很难捞取的一个水池中。在为我们社会主义中国的进步而自豪的同时，我又深刻地意识到，我们这个民族还存在着多么艰巨的心灵建设的任务，这该能被读者们所理解吧？

下面我们再来看一张当年骆博凯与他的中国随从们的合影（图 120)。骑在高头大马上的骆博凯真是名副其实地耀武扬威，雁翅般排列在他两旁的，是毕恭毕敬的中国人。最左边的一位或许是他的管家，年纪似乎已近七十，脸上的神色大可用“狐假虎威”四个字概括；左二是位中年人，弄不清他手里拿着个什么东西，似乎是一支雪茄烟，这大概是骆博凯特意导演过的姿势，以说明有专门的中国仆从伺候他的起居饮食乃至于斟酒递烟；左三是位年轻的壮汉，惟独他不完全撇着八字脚。很像是练过武功的拳师，或许便是骆博凯的保镖吧？

▶**图 119** 1985 年的南京明孝陵神道上的石刻群。茂密的树木使人不可能望见地平线。石刻巨象依旧忠诚地站立在那里，如果它能讲话，该有多少感慨向我们倾诉？

▶**图 120** 1889 年，南京。江南陆师学堂总教习德国都司骆博凯与他的中国随从们。请特别注意各人有所差异的表情。

左四面带惶恐之色的高个子不消说是骆博凯的收发员，他的姿势更暴露出生硬导演过的痕迹；骆博凯右边紧靠马头的一眼可以判断出是个马弁，他穿得比其余人都差，姿势也最不规范，眼神里流露出一种潜在的不安，或者竟是愤懑；另一骑在马上的穿的应是戎装，或许是骆博凯的一个副官；最右边的一位我想该是个看门的。不消说这该是骆博凯从中国带回德国去的最得意的留影之一。

中德两个民族在近百年来的历史发展中，有着许多不愉快的事，这是毋庸讳言的，但近三十多年来，中国和民主德国、联邦德国都有着较好的关系，两个民族之间的民间往来更是有增无减。一九八四年冬天，我也到联邦德国进行了一次短期访问，现在我选出一张在维尔茨堡大学图书馆前拍下的照片（图121），同当年骆博凯的旧照片作一对比。我并不是一个怀有狭隘民族情绪的人，因此我无意于进行机械的对比，比如，以九十五年后的某一天，一个中国人站在了德国土地上，拍照时居于中间，两边倒是德国人，以此而得到一种廉价的心理满足，不，我是从两张照片的对比中，去努力领悟一种不以个人意志为转移的，虽经曲折，虽有朦胧乃至混乱乃至一时倒退，却终究能显露出来的客观规律。我相信人类历史是由这种规律确定其走向的。

历史如此，个人命运呢？个人命运似乎要微妙得多。也就是说，为偶发性

▶**图 121** 1984 年，西德维尔茨堡，大学图书馆前。右二为汉学系学生葛伊莎，左一位汉学系教师波尔。背景上的现代派雕塑象征着智慧。从骆博凯那时以来，中、德两个民族的发展轨迹有着多么巨大的差异啊，但应当说都增添了自己的智慧……

因素而逸出原来的轨道，甚至发生自己和别人都未曾逆料的转捩，都是并不少见的。历史是长寿的，因此它总可以纠正错误，并且证明出客观规律的威严，而个人的命运就大受局限，因此历史往往悲壮，而个人命运则往往悲怆。

记得在德国维尔茨堡，我曾同一位女士讨论过这个问题。

我是从科隆乘火车抵达维尔茨堡的，下了火车，一位金发碧眼的女郎迎上前来，用很不错的中国普通话问我："您是刘先生吗？"我笑着回答说："我想我应当是。因为这列火车上只有我一个是中国人。"我们握手以后，她自我介绍说："我们维尔茨堡汉学系派我来接您。您将住在波尔先生家里。我的名字叫葛伊莎。"我知道她说的是特意为自己取的汉名，一般学汉学的都要给自己取一个汉名，一般又都用谐音的方式，比如马汉茂，便来源于赫尔穆特·马丁，于是我问她："您用的是哪几个字呢？"她微笑着告诉我："诸葛亮的葛，秋水伊人的伊，莎士比亚的莎。"难为她说出"秋水伊人"这四个字来，光凭能说出这四个字，她的汉学也并非入门水平了。

当天傍晚，她陪我在市区里散步，走过有着许多比真人还高大的雕像的主教桥，我们进入一家临河的咖啡馆。那家咖啡馆里只有两种色调，一种木质的深棕色，一种由藤蔓类大叶片植物构成的深绿色，光线都由遮蔽处泻出，柔和而暗淡，看不出的音箱中送出似有若无的浪漫曲旋律。我们选了一个高达一米五以上的小圆桌，在两旁高达一米的小圆凳上坐下，把脚搁在圆凳下部的箍圈上。葛伊莎叫了一杯不带奶不带糖的浓咖啡，我叫了一杯日本绿茶。饮料送来以后，葛伊莎莞尔一笑，问我说："我抽支烟，你不介意吧？"我颇觉惊讶，并劝告她说："我倒并不介意。不过，抽烟不是对你的身体没有好处吗？"她点燃一支细长的女用烟，似玩笑非玩笑地说："我的命不好，所以要抽烟。"

我们的讨论就从那支香烟开始。

我问她："你的命何以不好呢？你何以认定你的命不好呢？"

她玩弄着手中的一个金属扁盒，那是装烟的，打开，又合上，合上，又打开，然后又合上，沉吟地对我说："每支烟总是要被抽掉的。但每一回轮到哪一支？

我取烟总是随便一摸，没有固定次序的。这就是烟的命运。”

隔了一会儿，她又说：“烟的使命，是让人抽。不过我这支烟，总没让人取出。”

对于葛伊莎，至今我不得其详。不过在同她短短几天的接触中，我大略地知道，她已经学了好几年的汉学了。德国的大学制度，我也不得其详。似乎有的学生可以一直在学校里呆着，参加过几年级的考试，通过了，便算是几年级以上的学生，不去考，或没通过，也便那么继续上着。有的已经通过最后一年级的考试，算毕业了，却又可以再读别的专业。当然，有的是去考硕士、博士前、博士。

在西方，学汉学的大学毕业生找职业并不那么容易，随着中国和西方的交往特别是贸易交往增多，就业的机会自然增加了，但学汉学的人数也在“中国热”中激增，这样，谋求有关职业的竞争也便激烈了。

我对葛伊莎说：“我要是香烟，我就主动滚到最有利的位置上，让人家一摸就把我摸到。”

她笑了，她说：“就是这样。我们迎向命运，命运也迎向我们。”

我接过去说：“我们选择命运，命运也选择我们。”

自然，我同这位德国女郎有着不同的追求，也就是有着不同的选择，我们之间的差异是巨大的，但我们都在确认客观规律的前提下，对个人命运中可能遭逢的偶然性及无可奈何的一面保持着高度的清醒。

还是再看照片吧。下面是一张最不忍目睹的照片(图122)。也是一八九八年骆博凯在南京所摄。拍的是当年六个蜷缩在墙角的乞丐。乞丐是真实的，但场景是否经过骆博凯导演，颇令人狐疑。六个乞丐都并不孱弱，有的身体似乎还颇强壮，令人心悸的是他们的精神状态。当中的两位分明在吸食鸦片，左边第二位似乎手中也握着烟枪。这鸦片和烟具是他们乞讨来的吗？我怀疑是骆博凯在诱惑他们拍照时临时给予的。当然这也不能武断地判定。不是直到今天的中国大地上，也还有乞讨起家的万元户吗？

不管怎么说，这张照片使我们看到了近代中国的一个方面：骇人听闻的贫穷和落后。

再看一张与之对比的旧照片。这是一张一八六〇年由外国人拍摄的北京满清权贵的消闲图(图123)。这大约是该权贵宅邸花园中的一角。两层楼的建筑上置有“云中之阁”的匾阁。楼只两层,而奢言“云中”,并且措词直露,远没有“秋爽斋”、“天香楼”一类名目雅气,可以推测出这或许是个暴发户之家。主人端坐在楼下前廊中,穿的是便服,但下面露出厚底子的官靴,想必是刚从衙门里回来。身旁站着个男仆,拘谨之态可掬。楼上有九个人,至少有三至四位是他的妻妾。其中抱着孩子的一位面有得色。那是完全可以理解的。特别是不难辨认出所抱的是一个男孩。这张照片所显示出的豪华与奢糜在那个时代实在还远非大家气象,但如与前面的一张相片对照,也就不难想到,那样的一个中国,实在是不能不爆发革命的。而在革命的进程中,激昂情绪的狂飚式发泄,也便成为不可避免的现象。

下面的几张照片,除最后一张外,都采自我家的私人照相簿。这都属于最不得其详的一类照片。比如那张黄花岗七十二烈士墓的照片(图124),系何人所摄?何以夹放在我家照相簿中如许多年?照片左侧那位留下背影的女士何许人也?现

▶**图122** 1889年。南京。骆博凯摄。他命名为“花子图”。令人痛心的还不是贫困与脏乱的景象。请注意当中两位侧卧者——他们在吸食鸦片。

在都找不到答案。但中国大地上在出现了前面所刊出的荒凉的明孝陵神道、趾高气扬的洋人与垂手伺立的华仆、贫困潦倒不堪的乞丐、骄淫奢侈的权贵一类景象以后，是一定会出现另一类景象的，并且反映那景象的照片，也会出现在一些私家的照相簿中。另一张照片(图125)也同样搞不清是怎么跑到我家照相簿中来的，

▶**图 123** 这是“私人照相簿”专栏中拍摄得最早的一张照片。摄于1860年。距今已一百二十七年矣！坐在“云中之阁”楼下前廊中的男子是当年北京的一个权贵。请仔细辨认照片，并试着猜测一下，楼上楼下的另外十个人分别是什么身份？

▶**图 124** 这张摄于1925年左右的照片虽然技术拙劣，但所显示的广州黄花岗七十二烈士墓却能唤起一种严肃的思考。把前面的“花子图”和“权贵消闲图”再仔细对比一下，我们当能更深刻地认识到，中国近百年来的历史走向有着悲壮的必然。

▶**图 125** 这张褪色的照片约摄于1930年。一些中国人和外国人，站在一条中国当时新修成的铁路旁。照片上一共有二十个人。他们站在那里的时候，想法都一样吗？

背景很荒凉，光秃秃的山谷中还有尚未消融的积雪，但照片的前景却显示着近代文明的标志——铁路。奇怪的是照片上清楚地显露出了铁轨，却无论如何看不出枕木来。介乎山谷与铁轨之间的一群人，绝大多数是中国人，只有左边第三、四个仿佛是洋人。实在是不得其详——这是中国人聘请外国工程师设计指导敷设的铁路呢，还是外国人雇佣中国工程师和行政人员敷设的铁路呢？考虑到此照片大约摄于本世纪三十年代，而且从立于人群正中间的中国人——长袍礼帽，挺胸凸肚，仿佛是其中最有身份的人——的姿态神情去判断，应以前一种可能性最大。不管这张照片有着多么多的不得其详的因素，它毕竟反映出了中国近代史中的一个侧面。望着这张照片，联系前面的照片，我想到了中国近代史的艰难历程，对于一些最朴素的真理，比如为什么中国出现了共产党，为什么中国在本世纪中走上了社会主义道路，为什么只有在这以后，中国的铁路建设才有了一个飞跃的发展，等等，似乎都有了更深入的领悟。

再下面的一张军人像片（图 126），是我祖父的学生和朋友，在抗日战争初期，

图 126 1939 年的一位抗日军人。周围的五个“化”是当年他自己题上去的。近百年来的中国历史洪流，把多少热血儿女涌到了为民族生存和发展而奋斗的前列。

寄赠我父亲的。我只知道他实际早就是个共产党员，现在该近九十岁了。他一生的经历曲折坎坷。但也仅只是知道这么一点，还是不得其详。这张照片我从小就在家中的照相簿中看见过。使我感到兴味无穷的还不是像中人，而是那题在像片四围的口号，而那“五化”的口号中，“工作科学化，成绩艺术化”两句尤其令我吃惊。工作如何才能科学化呢？而成绩竟然要艺术化，这真亏他想得出来，也真有趣。这“五化”的口号据说并不是当年哪个方面统一提出的口号，而是他本着一腔男儿热血，自己题下，用以自勉，也用以励人的。因此，这张照片，似乎便具有了一种文物价值，从中至少可以透露出那个时代的一种精神，一种风采，一种趣味。相信再过几十年，那时的人们再看到这张照片，将会有更新鲜的感受吧。

再下面的一张照片（图 127），展现着另一种人生图景，另一种情调和趣味。照片上那位打着遮阳伞的女士系何许人也？她的照片何以会出现在我家照相簿中？我仍健在的母亲，也想不起来了。人在一生中，常常难免和这样那样的人

图 127 却也有另一种人生景象。此像约摄于 1940 年。猛一看是一派悠闲与安适，细细分析她的表情，似乎又能窥出内心的躁动与不安。

发生短暂的交叉关系，而在这种交往中，常常会互换照片，这些照片也便不经意地留存在各自的私人照相簿中。我现在把这张照片穿插在这里，绝无用它或照片上的女士，来同前面“前线归来”的军人照片作生硬对比的意思，我深深地懂得，历史是多么曲折，人生是多么微妙，焉知这张照片上的女士当时不是个革命者呢？即便不是，又焉知她后来是不是走上了革命道路呢？也有那么一种可能，她是个普普通通的中国小资产阶级分子，在很长的历史阶段中，她既不处于革命阵营也不处于反革命阵营，而在人民共和国建立以后，她已改造成为了一位投入社会主义建设的公民，又或许她后来去了台湾、香港、海外的什么地方，成了一个很难评价的人物……不得其详，不得其详！而在这不得其详之中，我们又可以想到许许多多的事情和哲理……波澜壮阔的历史长河中的一星飞沫，难以预料的命运烟云中的悠闲一瞬，“私人照相簿”中那些不得其详的不经意留存下来的“多余”照片，原来也可以挖掘出如许丰富的价值！

再一张照片是借用的，摄于一九四八年，在刚刚得到解放的土地上，来自延安的文艺战士正在为部队和群众演出歌剧《刘胡兰》(图128)。布景是简陋的，剧照是拙朴的，但所展现的一瞬，却相当生动，八路军伤员与刘胡兰之间的感情交流，完全不像是做戏，而显得那么自然和真挚。这是那个时代的代表

▶**图128** 歌剧《刘胡兰》中的一景。摄于1948年。张玉兰饰刘胡兰。这样的人物，这样的戏剧，这样的照片，都有着必然要出现的历史缘由。把前面的照片顺序看下来，当更能领悟。

性艺术。当我们今天的文学艺术有了令人眼花缭乱的发展之后，回过头来看这张剧照，并且同前面的一系列照片合起来加以体味，我以为也能悟出一点什么。至少在我，是更深切地意识到，处在时代中的我，是不可能脱离开这个时代的，要在历史进展和个人命运的交叉点上，去寻找一种既能充分发挥自己聪敏才智，又能使比较多的读者和观众共鸣的那样一种创美路数。

写到这里，恰好接到香港林真先生寄来的精印学术资料《香港文学研究的过去式、现在式、未来式》，里面首先刊印着林真先生在第三届全国台港及海外华文文学学术讨论会上的发言。林先生在发言中说："一般人都生活在两种心理时间领域之中的。你可以自行选择要生活在无可挽回的过去之中，或是生活在满怀希望与憧憬的美好未来之中。你所做的抉择，将会进一步影响到你的人格、你的生活，以及你的每一种情况。""从心理学的观点看来，根本没有'纯粹的现在'可说的；因为时间本身是一项不停推移的尺度；不是过去，就一定是未来，没有什么现在的。"我体会他的意思，也是主张在创美活动中，将过去和未来串为一体，而这种选择过程，也即是在历史与命运的交叉点上去爆出耀眼的火花。在他编印的这本资料中，还影印着他本人收藏的部分香港文学家、艺术家的旧照片，期刊和书籍的彩色书影。现将其中的一张照片翻印在这里（图129)。其中我们比较熟悉的首推黄永玉，还有就是严庆澍。严庆澍这个名字我们乍看见也许会感到陌生，但一说他用过的笔名有唐人、阮朗，便不免会"啊"的一声，前几年，我们有多家出版社，以很高的印数，出版过他许多的长、中、短篇小说，其中自然又以《金陵春梦》最为流行，据说他已于几年前病逝于北京友谊医院。我将这张照片穿插在这里，并不是要研究香港的文学艺术发展史，我实在也没有那个资格，引动我兴趣的，倒是林真先生在照片上所加注的说明。十三个人物中，前面的一男，后面的一女，虽以林真先生的研究水平，也还是不能判断出系何许人也，只好姑称为"某先生"，"某女士"，也即是不得其详的意思。这倒使我悟出，文学艺术的群体，实在也是一池活水，有始终留在其中的，也不乏匆匆的过客，来当然都是趁兴而来，去呢？有兴尽而去的，也有

▶图129　采自林真先生所著的《香港文学研究的过去式、现在式、未来式》。图中后排左起：黄茅、郑可、叶灵凤、高朗、严庆澍、某女士、查良镛、杨范如；前排左起：陈迹、李流丹、某先生、黄永玉、刘 如。其中的“某女士”和“某先生”今何在呢？在“不得其详”的遗憾中，却也包孕着无尽的感受。

兴未尽而不得不去的，而不得不去的人物之中，有江郎才尽或自身不检的，也有因客观原因而去的，这进出留去之间，也便构成了文学艺术发展史，同时也包孕着无数的文学家艺术家的个人命运。

林真先生在他的文章中，引用了一位西方社会学家麦克·黑尔的话：

过去之未来是在未来中

现在之未来是在过去中

未来之未来是在现在中

这说法至少是有趣吧。或许可以当作一个聊备一格的参照系，来重新观看我这专栏中的种种采自私人照相簿的照片。

一九八七年三月二十七日

写于北京绿叶居

渴望沟通

图 130　这回为什么要以这张照片打头？这张相片中的主角是谁？读下去自然明白。

几年前，我骑自行车到远郊去散心，当我骑累了，在公路边歇息时，无意中在草丛中发现了一块小碑。严格来说，那还算不上是一块碑，它只不过是一块不甚规则的长方形石片，碑面体积同一本三十二开的书相仿，上头用焦油歪歪扭扭地写着:“筑路工王进福牺牲在此。一九七八年五月二十日。”我蹲到它的面前，拨开杂草，望了它好久，反复地读着上头的字。我估计这是与王进福相好的工人立的。这碑下不会有王进福的遗体。它只不过指明着王进福终止他一生的地点和时间。我试了试那小碑的稳固性，发现它只不过是插在并不磁实的土中，使劲一拔，肯定就能把它拔出来。然而它竟并没有被人拔去，甚至除了我也还没有别的路人发现过它。我让拨开的杂草恢复自然状态，于是杂草便又几乎掩没了它。要不是我恰好在那个地方歇脚，并且我起初坐下的地方恰好能望见它的一角，再加上偏我眼尖，它也是不会让我发现的。

骑车离开那个地方以后，我一直在想:这条平原上的公路，修造的过程中该是不会有多少危险的，何以也有筑路工牺牲?那给他立碑的人，仅只是为了寄托对他的哀思，还是有意留下这么一个标志，使我这样的偶然发现者，在惊动中有所领悟呢?

回来以后，我把这事说给亲友们听，有的不相信，认为是我编造的雅趣，有的虽然相信，即以为无甚意义，更有一位判断为是筑路工人互开玩笑的产物，我却始终为这一发现动情，后来还曾约了两位朋友根据记忆去沿路寻找，谁知怎么也找不到了，为此至今我心里还怅然不止。

“世上本没有路，走的人多了，也便成了路。”这是寓意深邃的哲理语言。其实人生在世，大凡都走着已经开出的路。世上三百六十行中，有一行是专为别的人开路的。在世上所有的路中，大概公路是最多，也最与人们相关的了。我家阳台下面，便是公路，但我站在阳台上时，所注目的，所欣赏，所慨叹的，往往只是对面的塔楼、远处的树叶、穿梭的车辆、人行道上的垂柳和花坛，公路本身，往往被忽略。路，实在是太平凡，太单调了。在发现王进福小碑之后，我才开始注意起路来。以往每当路过正在铺沥青修路的场所，我总本能地掩着鼻子，快步或快蹬而过，心里还不免埋怨他们污染空气。后来我就能驻足或停车注视上一阵了。修路的工人即使在烈日当空的正午，也穿着厚厚的石棉服，头上戴着脑后有遮罩的石棉帽，在那里铺敷沥青，也有的离化油锅远些，则赤膊上阵，块块肌肉都臌胀着，将所积蓄的力，无保留地倾注到路上。我便想到了王进福。最平常的一段公路上，其实也凝聚着王进福式人物的精血。而其实一条路的筑成，还需有人踏勘，有人设计，有人组织施工，有人在造成后管理和保养。路的生命，是由无数人的生命组合而成的。

也曾发过奇想，到有关筑路的部门，去查阅花名册，找到王进福所曾在的班组，找到他的亲属，并征集到有关他的相片。但确实太麻烦了，并且即使找到，相信在相片方面也不会有多么大的收获。奇想往往只是过眼烟云，联想就不然了。联想是奇妙的曲线，执拗地联想下去，常可有意外的切实的收获。由王进福的碑，我一路联想下去，便想到了一位把一生都献给了公路事业的老工程师。而想到他，中间的链节之一，是一位编辑。

前两天还收到一家杂志的约稿信，请我为《我和编辑》栏写篇文章。那是很有得可写的。我之走上写作道路，端赖编辑帮助，并且我自己也当过编辑。

记得是一个傍晚，下着小雨，有人敲我家的门，打开门，门外站着一个瘦瘦的青年，两只眼睛很大，衣着很朴素，他打着一把桐油雨伞，雨丝在伞顶上敲出淅沥的声音，屋内的灯光，照出那伞的暗红色，伞发出一种不大好闻的桐油味道，我望着他，他望着我，双方都很惊异。

那是一九五九年的夏天，二十八年前了。

来人称是广播电台的编辑，使我受宠若惊。

我那一年十七岁，还在上中学。来人大约原以为我会大一些，至少已是个在职干部。他是看了我在报纸上发表的两首小诗，而专程来约我为他们的节目编广播剧的。

那是我有生以来头一回同一位编辑接触。

在他的帮助下，我编了几个小小的广播剧，都被采用播出了。当时临近中学毕业，我投考北大中文系的呼声很高。我已在报纸上发表过一点文章，又有广播剧在电台播出，人们都以为我进入北大不成问题。但我最后竟未能考取北大，是北京师范专科学校录取了我。我虽说去报了到，心里很别扭。我躲着亲友熟人，也不想再搞什么业余创作。

也是一个傍晚，夕阳金红，那位编辑到学校找我来了，他见到我就说："我原来的志愿，就是上师范，当老师哩。"一句话提起了我的神来。我答应继续给他们搞广播剧。

就这样，我们一直保持着联系。后来他也不一定是来约稿，我也不一定是为了编广播剧，时不时地来往一下，再后来我们之间简直没有什么稿件关系可言，我们的交往或许算得上是朋友吧。但我深知要以严格意义的朋友而言，我其实还算不上他的朋友，充其量不过是个熟人而已。他的真正的朋友，都不是我这种入了名利场的俗物。

他的真朋友之一，便是一位比他差不多大三十岁的公路专家。他们的友谊，始于五十年代。一九五六年春天，召开过一次全国先进生产者代表会议，当时先进生产者的概念，是非常宽泛的，不仅包括工农兵，也包括知识分子和党政干部，我找到了一份当年全国先进生产者代表会议主席团名单，名单里这样一些名字最令人无比感慨：吴晗、林枫、张之霖、舒舍予。在开过那次盛会的十多年后，他们惨死于"文革"之中。"十年风水流年转"，难道真有那么个规律？而名单中也有命运相对稳定的人，比如我要写的这位齐树椿。他一九〇九年出生于河北蠡县，一九二七年毕业于天津国立北洋工学院土木系，从此他就开始了筑路生涯，即使在"文革"中，他也只靠边了不算长的时间。一九七二年，齐总（这是自一九六四年他就任交通部第一公路设计院总工程师后，人们对他的赞称）才退到二线，任设计院顾问和院史编审委员会主任委员。一九八六年他已七十七岁，这年夏天他退休并将院史工作移交完毕。从此他开始利用自己和别人修好的路各处旅游。

找到了一本一九五六年第九期的《新观察》杂志。封面是一幅油画。画的是一位正在冰川峡谷进行公路勘测的工程师形象（图131)。作画者是已故的名画家董希文。画上所画的人物，正是齐树椿。董希文后来的遭际很不妙。他那幅《开国大典》的油画最早是根据一九四九年十月一日的实际情况画的，但后来不得不

图 131　三十年前的杂志封面。“亮相”式的人物造型是那一时代流行的审美趣味。希望读者不必从美术欣赏的角度，而从把握一个历史阶段的社会气氛的角度来观看这个封面。

一会儿涂掉这一位，改成那一位，一会儿又涂掉那一位，改成再一位，最后又恢复上不该涂掉的。世上画家，被折腾得厉害的恐怕以他为最。据齐树椿回忆，为及时配合《新观察》的头条通讯《雪山冰川上的探路人——记全国交通先进生产者齐树椿工程师》，董希文特意访问了他，并当场为他画像，本来搞幅钢笔或水粉画也就行了，但董希文还是画成了一幅油画，并及时提供给了《新观察》杂志。《新观察》上的通讯写得很长，文笔相当活泼，却只谦逊地署着“本刊记者”字样。当时的时代气氛，确实是对与会的先进人物充满了由衷的敬佩。

电台的那位编辑，便是在那时候结识齐树椿工程师的。齐树椿当时已经四十七岁，而那位编辑还不到二十岁。其实后者当时还并不是编辑，只是个高中毕业生。他去听了齐树椿的一次报告。据他现在回忆，齐总并没有什么口才，讲得很平实，会场气氛也并不热烈活跃，但不知怎么的，在几个他所听过的报告中，偏齐总的报告给他留下的印象最深。怎么个深？报告的内容早已忘光，留下的齐总的神态，至今仿佛还可触摸——那是一个踏踏实实做事情的人，一个渴望着与别人沟通的人。

后来团市委又组织了个小型座谈会，崇敬齐树椿的年轻人又去了。散会后，他走过去同齐总交谈，谈的什么也早已忘光，但齐总那种绝非敷衍应付的认真的神情，又一次给他心灵以冲击。于是他就去齐总家里进行了拜访。

那是一个很普通的家庭，粗粗一看绝无特色。不过，眼细心细的年轻人很快便发现了屋角的一套东西：胶鞋、卷尺、长过一尺的大型手电筒、草帽、行军壶……齐总的爱人告诉他："就不让收起来，说是随时准备着上路。"

他进屋时，发现齐总正一个人坐在床边，玩一种独自消遣的扑克牌游戏——经过多年交往以后，他知道那是齐总唯一的娱乐方式。

他们随便交谈起来。年轻人问齐总："您说我考大学，报什么专业好呢？"齐总直率地说："你也来修路吧。有关的专业不算少哩。"年轻人便告诉他，自己选择的是文科。"那你就报师范。"齐总热情地鼓励他说："当老师，也是修路。给下一代修心里头的路。"

于是年轻人在报考大学时填下了一溜师范专业的志愿。有的老师和同学对他很不理解，为之叹息，因为他们觉得他功课非常之好，实力雄厚，报考师范未免屈才。

但年轻人在报纸上发表的一篇电影评论文章，在一次评奖活动中获了奖，引起了电影学院的注意。他们来找他，发现他艺术感觉很好，于是动员他去报考电影学院导演系，他去应考，竟考取了。记得上表演课头一回做小品，同学吴贻弓拉他搭档，吴扮演一位记者，请他扮演一位被采访的先进生产者，他毫不费力的进入了角色，因为他心中有个现成的齐总。

他去报告齐总自己竟上了电影学院时，齐总淡淡地说："啊。那也好嘛。"他想，齐总看来同电影这一行非常隔膜。也许齐总从此会对自己冷淡下去的吧？

不久，他家中发生了重大变故。产生了经济危机。他后悔当时没有婉拒电影学院，而去上师范大学（他一定能考取的），师大吃饭不要钱，比较容易渡过难关。可是上电影学院导演系——学生不仅应当自己购买许多参考书，甚至最好应当有自己的乐器、照相机、收音机和留声机……

他去齐总家，齐总一眼看出他心态异常。简单地一问，他简单地一答之后，齐总不紧不慢地说："不要紧。我来供你上大学。"并立即让爱人从柜子里取出来五十块钱，交到他手中。当时的五十块钱，在人们眼中是很大的一笔财富。他捏着那五十块钱，泪水涌上了眼眶。

但他又遇到了更大的变故。他病倒了，只能休学。康复以后，电影学院两年未招新的导演专业学生，无班可随。于是他由电影学院推荐到了广播电台，当了电台的编辑。一当就差不多快三十年了。在这三十来年里，周围的生活发生了很大变化，他也发生了很大变化，但他与齐总的忘年之谊，却始终不渝。

我们的报刊宣传报导过无数的先进人物。有的人物本身后来起了变化；有的时过境迁，失去了原有的光泽；有的仅仅是因为这世界的信息量太大，而被渐次淹没。我翻阅着一大叠当年关于齐树椿先进事迹的通讯报导。仅仅是这样一些段落，已使我感佩不已：

（为了勘测康藏公路）他常独自一人奔跑在滂沱大雨里，晚上找不到住处，就躲在石洞下面，生起一堆篝火，用来惊吓野兽，一面烤烤湿透冻硬了的衣服。在很长的一个时期里，因为粮食接济不上，仅有的一点粮食也霉了，他就和同志们一道吃霉米，霉米吃完，就摘野果挖雪猪来充饥。有一次，他从昌都返回马尼干戈的途中，途遇大雨，十一天十一夜，衣服一直没有干过……

以齐树椿为首的探冰队伍到了鸪（地名）。这里距离冰川仅两三公里。他们顺着冰川活动的方向，爬上一座山。从山上可以清楚地看到，六公里长、三公里宽的冰川，像一面大水银镜子斜躺在前面的山谷里……第二天……向着冰川冲刷的深沟前进，走进沟里的一共三人，有齐树椿、技术员李国珍、警卫员王保山。……沟，很深很陡，中间是急流，两旁是七八十公尺高的峭壁，根本没有路，齐树椿只好像只壁虎似地紧贴在陡壁上，用手扒着石缝，一点点地往下挪……有些地方连放脚的地方都找不到，只好腾出一只手用刀子挖一个脚窝……他们终于下到沟底。到了沟底就得蹚水了，先有膝盖深、后来齐腰深，最后只有脑袋露出水面……勘测完了，归路上，大伙拿着“平板仪”看了一下冰川裂纹，裂纹有二百五十公尺厚，和八十层楼一样高！

……

但到了今天，齐树椿的这些英雄业绩，已没有报刊再予提起，当年那些被有关通讯报导感动过的人，仍能记住他的名字和他这些行为的，恐怕也不多，甚至寥寥了。而那位当年年轻而如今已经不年轻的编辑，却仍旧记得，并常常在自己想象的银幕上，放映出这一切来。电台的编辑转来了齐总的一些照片（图 132、133、134、135）。我很失望，一张工作照也没有。我所渴望的不寻常的东西，这些照片里一点也寻找不出来。但我还是以齐总为主体来写这篇《私人照相簿》。因为我想到了王进福的小碑。想到了那为王进福立碑的他的同伴。我想到了路，无数平原上的路和高原上的路，想到了齐总参与修筑的大西北的那些盘山公路，那些雪线上的路、跨越冰川的路。我更想到了穿越三十年的友谊。世上确有用汗水凝结出的业绩，确有厚实纯正的灵魂，以及洁净美好的人际关系。

齐总所在的交通部第一公路设计院在“大跃进”后的三年困难时期迁往了

▶图 132　齐树椿总工程师参与修建的康藏公路一景。这类相片只有我们把路当作一种生命现象来关照时，才会感到意味无穷。

▶图 133　注意高处的雪峰。近景中盘旋于高山上的公路，实实在在地体现着沟通的欲望。

西安。齐总带头去了西安，从此长期定居在那里。他毕生的筑路事业是和祖国大西北的公路开拓联系在一起的。他自然常常出差来北京，绝大多数是来开有关的会议。电台编辑每次都去招待所看他。一九七九年，那时齐总已经退到二线，但因当时上面考虑修筑京津唐之间的高速公路，所以又把他这匹老马唤来了。那回他在北京，电台编辑把我拉去同他见了一次。我以为我会见到一位被我们的许多电影和话剧规格化了的那样一种气度轩昂、文质彬彬的高级知识分子形象，结果我见了一惊，站在我面前的齐总太像一位烧锅炉的老工人，他不戴眼镜，一身朴素的褪色的中山装，一双半旧的布鞋，头发全白了，剪得短短的，根根都竖立着，脸膛红红的，皱纹不多，但每条都很深。我不记得那回我们都聊了些什么，印象之中，大多是我和电台编辑在说话，他是寡言的，唯有真诚的微笑，始终挂在他的脸上。

后来，我问过编辑朋友："你和齐总两个人见面时，都聊些什么呢？"

他淡淡地说："也并不一定聊什么。有时候就那么面对面坐着，坐到他或我有事必须离开。"

这真古怪。最真挚的友谊，往往就是这么超越常态。

▶图 134、图 135　齐树椿私人照相簿中唯有的两张他参与修筑过的公路和桥梁的照片。前者为康藏公路马尼干戈段。后者为青藏公路上的停望桥。真正干事业的人，往往并不注意为自己奋斗过程和成绩拍照。

直到最近，因为我通过编辑朋友问他借用照片（图 136、137），并希望他把那回勘测冰川的事迹再丰富一些细节，齐总他才写了一封长信来，他的一些经历，编辑朋友也才第一回知道。他在信上说：“自一九三四年大学毕业参加工作起至一九八六年退休止，共工作了五十二年，都是从事公路建设，并未中断，且在高原、边疆工作了较长时间。……我毕业时的照片，原是为同学录而照的，在我们同年毕业的同学中，只有两人穿便服，一个是欧阳宝铭，穿的是绸长衫。一个是我，穿的蓝布长衫。解放前我常穿黑斜布制服，解放后则常穿蓝咔叽中山装。直到现在，有的人说：解放前的工程师大多是笔挺的西装，光亮的皮鞋，像你这样的穿着的确不多。一院的老书记甚至开玩笑说我穿得像叫花子。有的说是朴素。其实，好服装我也有，就是不想穿，不爱穿。吃的也是这样，但食量已多年未变，好吃的，绝不过量，不好吃的也一定吃够。这可能和我多年的野外作业生活有关。”对于一九五六年把他作为全国先进生产者大加宣扬的勘

▶图 136　1927 年的齐树椿。此像为北洋工学院土木系那一届的毕业同学录而摄。没有穿别人那样的学士装。你在青年时代也有过他那种饱蓄着渴望的目光吗？

▶图 137　四十年代的齐树椿。目光和神情与大学毕业时已有不同。渴望变得更深沉，而表情略显忧郁。你在人生的中途，目光和神情与青年时代相比，又有着怎样的变化呢？

测冰川一事，他并未在信中补充什么细节，反倒对一九四六年三月至八月任青新公路踏勘队队长时的经历，有详尽的叙述：“青新公路自青海湖边起至新疆蜡羌，长约一千二百公里，中经柴达木盆地，柴达木盆地被从苏联流亡出来的哈萨克人所占据，头人为胡斯曼和胡赛音（解放后被镇压），他们不但将蒙古族同胞惨杀赶走，还时常向外骚扰，安西的一个公路道班就被他们全部杀死，所以那里被视为畏途，无人去，情况也鲜为人知……但我后来还是领着踏勘队朝那里去了。那里蚊子成群，我们每人发了一只牦牛尾，以便打蚊子。进入盆地不过二三天，蚊子就很多了，只得将衬衣缝好套在头上，留口、眼三个洞，用牛尾不停的打，蚊子还是不住地向口、眼中碰，每到一站，骆驼、马身上爬满蚊子，白马变赤马，实非夸张！支锅作饭时，锅边上都爬满了蚊子，幸而都是无毒的，且早晚气温低时，蚊子不活动。有的地方，还有一种苍蝇，从眼前飞过时，即向眼内产子，不久即成蛆，弄不好眼就瞎了，我曾有两回遭此害，幸用药棉将眼中的蛆擦出……但更大的威协是占据那一片地方的胡赛音……，来了个胡的人，说王爷（指胡赛音）要我去他的住处，我说，我不去，有事可以在我们住地和他的住处当中的地方谈，后来他们答应了，但我们这方面谁也不愿意去跟他们谈判，我只好自己去了，走到谈判地点，就看见胡的人在沙丘上架好了机枪。胡带着十几个人，气势汹汹逼近了，我这边只带着两个人，他们当中的一个大汉突然袭击了我这边的一个办事员，把他从马上揪了下来，我便跳下马，高声喊：‘你们要干什么？要想打吗？’这时胡赛音就近前声色俱厉地问我：‘你们是干什么的？’我说：‘我们是修路的，这里有野兽，有土匪，所以我们带着枪，为的是警卫。’他态度稍有缓和，我也便缓和，他见我缓和，就又强硬起来，他强硬我也强硬，这样反复几次，约一个钟头，最后他表示愿意让开我们所需经过的路……”

读完这信，我颇为困惑，因为齐总在信上所详细讲述的，竟是解放前国民党治下的勘测经历。我问编辑朋友：“齐总为什么偏挑这一段来回忆，而且一回忆又这么详尽呢？”他安详地说：“他渴望着沟通。他一生就是为了沟通而耗尽心力。大地上的路，是把这个地方同另一个地方沟通。有时候沟通很不容易，要冒很大的危险，但一旦沟通了，那快乐是难以形容的。人际关系中，有各种各样的沟通，但齐总所追求的，是一种超越功利的纯洁的沟通，也就是你们作家常说的理解。‘文革’当中，相对而言，他受的苦头不算太厉害，但那时大概就有人追究他，为什么在国民党治下也要卖力地去勘测，去修路？实际上这样的问题后来也不断地提到他面前来：为什么在‘刘少奇修正主义路线’下，还那么卖力地修路？为什么在‘四人帮’猖獗时期，也还修路？为什么在‘洋跃进’的错误方针下，也参与修路？在这类问题面前，齐总内心一定是很痛苦的。他不是一个脱离政治的知识分子。他一九五五年就加入了中国共产党。但他的埋头修路，实在是不该谴责，不应质问的。解放前，他只是怀着为沟通中国穷乡僻壤的朴素想法，解放后，他是为了社会主义建设事业，为广大的人民群众。他那渴求并实践沟通的一生，实在值得我们尊重与敬佩。”齐总送来的照片（图 138、139、140），竟大多是供工作证之类所用的“一寸免冠正面照”，我不禁问电台编辑：“难道他那些野外作业的照片，‘文革’中全被销毁了吗？”他告诉我：“以前我也没见过齐总有什么野外工作照。记得也问过齐总，为什么不拍点那样的照片？齐总说了我才知道，早年搞公路勘测的用具非常简陋，用不起照相机；后来有了照相机，也都用来拍地貌资料，想不起给自己拍什么纪念照；再说，深入到荒野冰川一类地方以后，

▶**图 138** 两张“一寸免冠正面照”。左边一张摄于 1956 年，是为全国先进生产者证书而照。右边一张摄于 1970 年，是为从“走资派”、“反动权威”的处境中解脱出来，领取新的工作证而照。人的一生，实际上也就是不断被“免冠正面”审视的一个长过程。

会遭遇上种种意料不到的灾难，有时整个行囊都会丧失，连一盘卷尺都剩不下，可那也得凭经验获取一些必要的资料和数据。齐总走路，无论何时总保持那么一种速度，步幅总那么大，开头跟他一起散步或逛公园，我总觉得他未免古板，为什么不可以高兴时快些，步子大些，沉思时慢些，步子小些呢？后为才搞明白，他在以往的勘测中，常靠默记步数来估算距离，因为他长期注意控制步幅，使其均匀化标准化，所以得出的数据，常与后来用仪器量出的大致吻合。”我本来也想在这文章里穿插几张齐总与电台编辑的合影，但我得到了同样令我惊奇的回答：他们相交多年，竟没有想到在一起拍一张照！

齐总的相片既然不够精彩，我便又翻检起手头的相片来，看有没有可以配用的。我想不少人同我一样，都有一些“留之无趣、弃之可惜”的相片，大都是因为拍摄时光圈不对、焦距不准、取景不当、双手抖动等缘故而照坏的，也有的属于家里传下来而与自己并不怎么相干的，更有的简直就想不起来是怎么跑到自己手里来的。这样的一些相片，往往上不了“台盘”，即入不了私人照相簿，而被杂乱地搁置在纸匣或其他容器中。我就有一只大纸匣，专放这类“簿外相片”。因为齐总的事，使我浮想联翩，所以这纸匣中若干平时勾不起我任何想

▶**图 139**　很平常的“全家福”。坐于父母当中的小儿子目前已长大成人，并继承了父业。人类需要世世代代往前沟通。

▶**图 140**　退休后的齐树椿。他在山海关留影大概仅仅是纪念“到此一游”而已。万里长城的长度并不使他激动。他一生踏勘公路路线的行程起码两倍于长城的长度。

法的相片，却突然在我眼中具有了原未料到的意义。

首先是一张去年摄于香港的相片。记得那天路过那个地方时，我并未打算拍照。但手里捏着照相机，快门没有锁住，不知怎么无意中一碰，快门“咔嚓”一声响，便拍下了这么一个“空镜头”。以往我始终认为这是一张撕掉也不可惜的相片。现在仔细一看，忽然悟到它并非“空镜头”，不仅有好大的集装箱卡车，有小货车和小轿车，而且，还有最容易被忽略而实在不该被忽略的公路路面——那实在是凝聚着许多筑路人心血的一种值得我们动情的事物啊！

路把世界上所有的地方沟通了起来。相片呢？相片也在沟通。把过去和现在沟通，也将把现在和今后沟通。并且，相片还沟通着人与人之间的感情和思维。但无论是修一条路来沟通两地，架一座桥来沟通两岸，还是建立一种有效的渠道来沟通两方面的心灵，都需以辛劳与坚韧为基本代价。

齐总和电台编辑之间那貌似寻常而又很不寻常的友谊，使我想到了许多许多。我在自己的“簿外相片”中发现了一张半个多世纪前父亲的一位朋友送给他的已然发黄的相片（图 141）。从相片两侧的题辞可以看出，当时他们的友谊

▶图 141　不知所踪的一对夫妻。这张相片所受到的冷落，充分说明沟通的不易。你渴望着长存的爱情和友谊吗？

该是深厚的。但自我懂事以后，父亲从未同我提起过相片上的这位朋友，母亲目前还健在，她也想不起父亲的这位朋友究系何人。友谊比爱情更难持久。除了政治的、时代的、际遇的因素之外，我们该悟到人与人心灵的真正而持久的沟通洵非易事。以往我从未仔细观察过这张相片。现在凝视着这张相片，我的思绪像长疯了的灌木，枝叶纷披。相片上该是一对夫妻。据周锡保所著《中国古代服饰史》所附“辛亥革命后妇女的上衣下裙的变化”考据，相片中那位太太的旗袍和发型恰是一九二六年最流行的样式。相片上的夫妻双双戴着眼镜，镜框是浑圆的，有趣的是，据说今年海外镜框的流行款式又复归于正圆；而且相片上丈夫手中的那种草帽和妻子手中的那种方盒形手提包，也已在海外复苏；人类的穿戴看来无非就那么十八年八十年为周期地来回时髦着，人类的情感呢？爱情与友谊呢？难道也总是时髦一阵便罢？难道也总是转着圈儿时兴？

我又从“簿外相片”中发现了一张发黄的相片（图 142)，这回我能认出其中的一位，那后排站立着的左数第二人是胡兰畦。此人曾同我家有过来往。记

▶**图 142** 左数第二人如今已是皤然老妪。她时有回忆性文章在报刊发表。她所经受的长时性的不公正对待，在别人身上还会重演吗？

得解放初，我已随父母来到北京，住在钱粮胡同的一所宿舍大院中，有一天有位阿姨来访，穿着一身列宁装，戴着一顶八角帽，当时只有母亲在家，她见了母亲，招呼之后，竟上去吻了母亲脸颊一下，使我觉得非常滑稽。后来长大了些，看了些外国电影，才知道那是洋人的习俗。后来她又来过几次。但一九五四年后即不见她再来。长大后，也曾问过父母，那位胡孃孃怎么不再来了？父母神色都相当严肃，记忆中，是他们告诉我，那位名叫胡兰畦的孃孃，出了事情。从此我也就把这个人忘记了。但最近几年，在杂志上读到了她署名的一些文章，知道她原来参加过苏联第一次作家代表大会，见过高尔基，并且在此之前还见过老马克思主义者蔡特金，还加入过德国共产党，坐过德国法西斯的女牢。前些时又发现有一册《胡兰畦回忆录》出版，买来通读了，进一步了解到她一生的经历既丰富曲折又坎坷多舛。她最大的悲剧在于革命队伍内一些同志对她的长期误解和不公正对待。现在望着这张偶然留存在我手中的，她在上头微笑着

图 143 本书作者在青藏公路边上，傻乎乎地被人拍照。时为 1981 年度。那时还没有如许关于路的联想。在读者的关怀下，作者会变得成熟与通达吗？但愿……

的，显然摄于半个多世纪前的欧洲的旧相片，我痛切地意识到：即使在革命阵营内部，同志间的沟通也谈何容易。

我想读者当不至于埋怨我扯得太远。读者实在不妨随我作关于路的种种遐想。从齐总其人，从齐总同电台编辑的友谊，从大地上的路，我们应当很自然地联想到人生的路，事业的路，情感的路，人际关系的路，从而产生出一种最强烈的沟通的渴望（图 143)。

尽管实在没有把握，但我很想趁着最近颇有自由支配的时间，体力也还可支，骑车去到远郊，寻找那块为筑路工王进福所立的小碑。

我一定要去。

一九八七年五月二十六日

写于北京绿叶居

生死相依

《私人照相簿》之五《名门之后》发表不久，就有一位张姓的同志找到我家。开头他挺激动，他说："你写的那一家，怎么会是张之洞的后代呢？我家才是，我家有家谱，而且我的姑奶奶还活着，如今九十岁了。她用放大镜把你那文章里印的照片看了又看，不住地唠叨：'这都是谁呀？我怎么一个也不认得呀？'我也想不通，抗日战争的时候，我也记事了，我家也在昆明，倘若你写的那个张焌是我们的近亲，怎么从不记得我家跟他家有来往？就是不走动，也该听说过呀……"

我不怀疑他的真诚。他肯定是张之洞的后代之一。但我提醒他，张之洞一生经历复杂，妻妾众多，而且每迁驻一地，保不定还娶有并未刊入家谱的女子，所以他们张族的后代，一定是众多的。分支既繁，互不相知的情况肯定是有的。我所写的张焌这一支，也许的确远非他家那般的嫡系，但我拿出刊物，请他再看一下所印张之洞和张焌的照片，两人的面像是那么相近，明显地有着遗传的印迹。我又对他说："我这《私人照相簿》专栏内的文章，都不是考据性的东西，不过是采取非虚构的方式，揭示一点世态人情，抒发一点命运之感。在我看来，张焌即使并非张之洞嫡子，或者竟是他的后人误记了家谱，都并不动摇我在《名门之后》这个题目下所发的感慨……"他平静下来，微微颔首说："这个张焌即使不是我们一族的，他家几代人的经历遭际，倒也同我们家族相近，对于你文章中所抒发的感慨，我们也并没有什么意见，只是我们还是希望你能在出书的时候，将我们这方面的意见也记载一下。”我自然极愿遵命。临别的时候，他又说：“其实，这些年来，特别是‘文革’当中，我家对祖上是张之洞这一点，本是讳莫如深的；就是今天，争到一个张之洞的嫡派血统，又有什么实际意义呢？实在只不过是读了你的文章，本能地要来辩白罢了！”我望着他满头的白发，满脸刀刻般的皱纹，心中不知为什么升腾起阵阵惆怅……

过了几天，我接到张露的电话。张露就是《名门之后》一开头提到的那位大学生，我把她算作张之洞的第五代，她在电话里说：“我知道有人提出疑问了，我倒没有什么，可我家里怪我孟浪。我父亲让我告诉您，其实我们家并没有什么家谱，我祖爷爷张焌究竟是不是张之洞家的，很难说，也许是听岔了……您最好登一个更正，对于我们家来说，不跟张之洞的名字挂上钩会更好一些。我就更不想跟任何名门名人挂上钩，我不是早跟您说过了吗，我就是我自己……”

现在我就在这里更正：《名门之后》里所写的张焌及其后代，可能与张之洞并无血缘关系。但他们的命运遭际，依然可资体味，所以我仍旧将这篇文章收入了这本书中。

说实在的，如果我真有充裕的时间和条件，我是很愿按迹寻踪，彻底弄清这个名门的谱系的。但一位阅历比我深的朋友劝诫我说：“那不但绝非一个小说家所应做的事，而且，你想想，在长期‘以阶级斗争为纲’的社会环境中，谁愿把自己的出身同张之洞这样一个封建大官僚挂上钩呢？设若是当年费了很大气力才脱了钩，谁又愿意在如今再去挂钩呢？如果一旦重新‘以阶级斗争为纲’，那不麻烦了吗？”我听后沉默不语，心中的惆怅更加浓郁。

《私人照相簿》陆续在《收获》上面世后，也颇有一些同行给予鼓励，也有一些读者来信交流感慨，更有主动来同我挂钩，表示愿意提供照片，助我成文的。但总的来说，搞这么一种文学实验是费力不讨好。搜集和选用照片，往往备极艰辛。读者或者会嫌我过多地刊用了自己家族的照片，中国人是最以自谦为美德的，不仅“家丑不可外扬”，就是“家荣”，也以为还是由别人来说更好，所以我的这种做法，实在已相当“出格”，但形成这种局面其实原非我愿。

别人的照片，借来用谈何容易。我是尽量想多用别人家照片的，但私家照片，有时借人翻阅尚且不愿，又能碰上几多慨然愿被刊印的豪爽之士呢？一位读者，先头兴冲冲地主动给我拿来几十张“文革”中拍摄的照片，都极精彩，如接受检阅的激动面容、徒步长征的豪迈身影、刷写大标语的一瞬、表演“抬头望见北斗星”的一景、与贫下中农同开批判会的场面……等等。加上他的娓娓回忆，足可构成一篇冷静而丰富的《十年心迹》，我也确实开了笔。但他突然又反悔了，不愿再提供那样一些照片，而且他的理由是非常正当的：“这些照片上的我，客观地看上去都是狂热病患者的面容，印出来不等于示众吗？倘若大家都不怕当众忏悔，倒也罢了，可如今谁见着过有这类东西印出呢？我还是别当‘傻帽’吧！”我当然是尊重他，奉还全部照片，并感谢他最初的好意。

一位同行对我说：“没想到你有那么多‘家底儿’可以抖搂。”“家底儿”指的是我家的旧照片。其实，我抖搂出来的，只是其中的一小部分，有一些旧照片，很有刊印的价值，但因为其中有的人物，不是我这样的晚辈所能妄议的，所以我很犹豫。一位到我家看过这样一些照片的朋友，多次怂恿我将有先烈孙炳文及其亲属的照片发表出来，并写成一篇介绍他们壮烈事迹的文章，我也屡有冲动，因为在中国共产党的壮丽事业中，孙家是个典型的革命家庭。孙炳文牺牲在一九二七年国民党“清党”的大屠杀中，他的爱人和同志任锐继承他的遗志，一九三六年带着长子孙泱、女儿孙维世奔向了延安，为革命鞠躬尽瘁，死而后已。一九四九年四月十一日，没等看到新中国正式诞生便溘然长逝于天津，而孙泱和孙维世，竟又相继惨死于“文化大革命”当中，一家而捐躯四口，该是多么悲壮。但他们都是党史上的人物，亲属、同志健在的还有不少，我只不过是在自家的私人照相簿中，因种种复杂的原因，仍保存着他们一些面影的照片收藏者而已，实在是没有资格为他们立传，更没有资格对他们评议的。但每当望着这些照片，这样一种感慨总是油然而生：革命，确实是需要付出牺牲的啊！而最惨痛的牺牲，不是遭到公开的敌人的杀戮，却是被混进革命阵营的坏人以“革命的名义”将你当作“反革命”害死！孙泱和孙维世这一对兄妹在“文革”

中的悲剧，便足令人长叹不已。我祖父固然同孙炳文是好友，我父亲也还同孙家保持着一些联系，到我自己，则已与孙家不甚相干，但手里提着一些有关的照片，心里总不禁怦怦然，真怕时间流逝之中，这一家四口捐躯的可歌可泣之事，渐渐地湮灭无闻。想来他们的亲属、同志，以及专门研究党史和表彰英烈的人们，会有一天专为他们写一本书的吧。

读过我这《私人照相簿》前面各篇的读者，大概会产生这种想法：你怎么写来写去，净写些知识分子？我收到好几封读者来信，都建议我“不要光写一类或相类的人与事，为什么不写写老八路、新四军？”我想大多数读者都能体谅到，因为我这文学实验是要以照片与文字相辅相成，而以往有可能照许多相，以及有可能留下较多旧照片的，总以富裕阶层和知识分子居多。不过，我确也花了不少气力去访寻能提供较多照片的老革命。而且，鉴于知名的老革命属于列入正史的人物，我不能妄加描绘，所以我希望能找到普通的老革命，倒不是对普通的老革命便可随意描绘，我的意思，是相对而言，总比较容易下笔，并可使其内容与其余各篇配套，因为我这“私人照相簿”，总的构想，是透过最普通的，乃至不够“典型”和一般是被人忽略乃至遗忘的人和事，来唤起对历史和命运的幽幽情思。

现在我便暂且放下具有文物价值的关于孙炳文一家的照片，而先将一对很普通的老革命的照片，连同他们那生死相依的经历，奉献给亲爱的读者。

在北京东郊一家大工厂里，仍保留着一片平房宿舍区，那红砖的排房已经相当陈旧，各家又在屋前房后接出了高矮、质量不一的小屋，好在各自都拦出了一块小小的院落，向日葵盛开着，瓜棚豆架织出片片绿荫，又有缤纷的草花点缀其间，望去倒也颇为悦目。

在其中一个小院里，我拜访了一对老革命。我没有想到，他们能提供给我这么些很有意思的照片。

这老两口，女方叫张素琴。她一眼望去，便是个江浙人。开口说话，更显露着上海口音。她还保存着她平生头一回进照相馆所照的相(图 144)。那时候，她已是上海日资公大纱厂的工人，一月有一斗米的收入，时年二十岁整。她出生于上海宝山县月浦镇，原来姓钱，家有十个孩子，父母实在无力抚养这许多孩子，她便于落生三个月后送给了张家，这张家夫妇也是穷人，抱她过去没几年竟先后逝世。于是她便由也是抱来的一个哥哥带到上海，开始了艰难的挣扎。她在小菜场拣过菜帮，在工厂后墙拾过煤渣，给阔人家当过丫头，吃过的苦头一言难尽。后来好不容易才进了纱厂当了工人，但哥哥偏这时候又劳累而死，她就用那一斗米的工钱，养活自己、嫂子和侄儿侄女四个人。她下了很大决心，才在二十岁生日那天，进照相馆照下了她人生中的头一个留影。她穿上了自己最好的衣裤，那条裤子相当肥大，但能从旧货摊上用比较低廉的价钱买到，她已经非常高兴了，更何况裤子上不仅没有补钉，倒有一点装饰性的裤袋包边和纽扣，穿上它真有点飘飘欲仙哩！至于脚上的那一双鞋，记得是向同车间的一位阿姐借穿的，酽酽姊妹情，至今难忘！

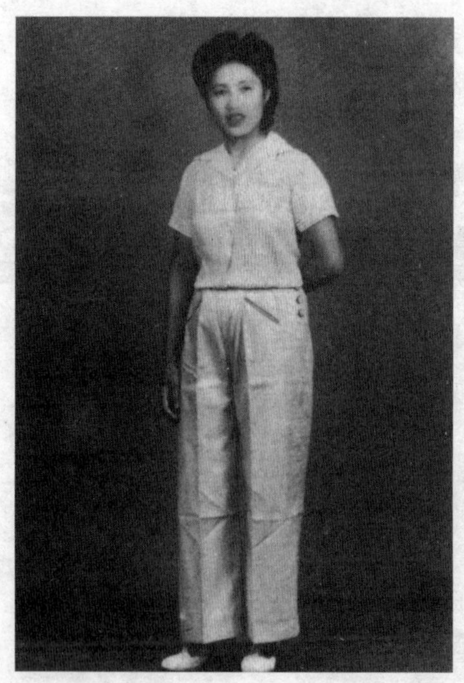

▶**图 144** 四十多年前的一位上海女工。她已经尽最大的努力打扮了自己。如今的上海女工们会怎样评价这幅倩影呢？

在曹家渡蚊蝇成阵的破烂住屋中，她头一回接触到给她讲革命道理的人，那是一位灯泡厂的工人，他个子不高，一双眼睛也小，但讲起将来那没有剥削和压迫的美好社会来时，两只眼睛便灯泡般闪亮了……在他的启发鼓励下，她参加了一个由织绸厂、灯泡厂、纱厂工人和商号店员组成的学习小组，在这个小组里，她注意到一个山东大汉。

这位山东大汉便是后来同她结成终身伴侣的王殿文。我们可以从一张十多年前他们长大成人的孩子拍下的照片上，看到上海的一种典型景象（图 145)。至少在这个镜头之中，那三层的楼房还保持着半个多世纪前的旧貌。那时候那里是诚新昌商号。那类商号当年上海很多，带有旅店性质，各路商人可在那里留宿并进行交易，后面有仓库可代客存货并代理经销。王殿文从山东家乡到这家商号当练习生时，还不到二十岁。在普遍的抗日救亡气氛中，他和许多热血青年一样，觉得不能只是谋一个饭碗，而应当用业余时间学到一些实际的救亡

▶图 145　历史？现实？仅仅拍在十多年前。

本领，当时的热门是学习俄语和参加宣传，于是他去投考了一家中国艺术学院，先学表演，后学编导，他向往成为一个用戏剧宣传抗日救亡的志士。现在我们看到了他当年的“上课证”（图 146)。从所附的照片上看，他也许确实不适合走演员的路，他的眼睛偏小，不过著名的表演艺术家于是之的眼睛也并不大，但于是之的台词功夫是难以匹敌的，而直到如今，王殿文说话还带着明显的胶东口音。在这个“上课证”的背后，开列着当时各项课程及其教师的名目，如“戏剧概论——穆尼”、“化装术——周起”、“创作方法论——鲁思”、“舞台装置——朱清”、“艺术社会学——刘汝沣”、“欧美戏剧史——罗明”……，不知这些教师后来遭际如何，亦不知如今是否仍健在，但王殿文总还是感激他们的——毕竟是他们给他开阔了眼界，使他不至于以练习生——店员的生活道路而了其一生。当时该艺术学院的学生们很有一部分愿意走向社会、走向实际，王殿文便是在这种潮流下参加了工人、店员们业余组成的学习小组的。这种学习小组实

中國藝術學院
上課證
姓名 王殿文
第二期
編導科
戲劇系
022

▶**图 146** 珍藏至今的“上课证”。你的私人照相簿中还藏有以往的学生证、准考证或别的什么证吗？

际上是共产党领导下的党的外围组织。

张素琴与王殿文相爱了。现在回忆起来，他们依旧沉溺在甜蜜之中。都是受苦出身，联系双方的纯粹都是感情，并无任何物质的、功利的因素掺杂其中，所以他们不羞赧，不作态，坦然相爱于众目睽睽之下。可惜的是那一阶段中他们竟没有共同去拍过一张照片。

一九四四年，他们随地下党组织的小分队由上海迤逦进入了胶东抗日根据地。那里是王殿文的老家，他参加了根据地的文化工作，立即如鱼儿畅游于春水之中，但张素琴却很经受了一番锻炼，才过了两关——一是语言关；一是水土关。不久，他们在根据地结婚了。但他们并不能在一起生活，因为王殿文不断地在文化战线上流动，而张素琴身背盒子枪，人称“假小子”，更为频繁地随着县长和武装部长到各处去开辟新区，建立政权，发动群众，她的主要任务是建立、发展并推进妇救会的工作。至今王殿文还保存着张素琴当年写给他的一封信：

殿文：

你连来三封信都收到了。收到你的来信以后，我也没写回信给你，因为自己连写字的纸都没有了，所以拖到现在也没有写信，请你原谅我吧！

我被钢雷炸了。是在昨天晚上的时候，南边发生情况，我们就往外转移了，爆炸队的同志便到里边下上地雷，而我也不晓得，所以，到第二天早上的时候，我回去看仲西林同志，一进门口里边，便踩上了地雷，到那时候，地雷往上轰隆一响，自己吓得不知道了，房子里边到处冒着烟，人也看不见了，这时耳朵聋得什么也听不见了，等了几分钟，仲同志在外边喊着，我才觉着醒过来了。但是，醒过来的时候往身上一看，身上的夹袄后边炸得没有了，走到外边来一看，别的地方没有伤，只是两腿上伤了一点，手上伤了一点，别的地方没有什么，现在已经好了，希望你不要挂念，安心地工作吧！

现在民站的同志都调动工作了，只有光棍司令我一个，到以后也许变动，因为以后的民站，要由地方上的干部来建立，外来的干部一律调动，但是我的工作还没有决定，决定以后再说吧！

素琴上

（一九四四年）六月五日

信中所说的挨地雷炸而大难不死一事，发生在竹庭县黑林村。在那个生死存亡的年代，这类的事情实在多不胜数。无论是写小说还是拍电影，这样的情节都只能归于雷同与平淡，但在当事人的记忆中，在他们夫妻的生死相依的生命历程中，却永远能激起感情的波澜，永远不能忘怀。那发黄变脆的信纸和早已褪色的墨迹，永远比最优秀的小说和最杰出的影片更使他们心荡神驰。这就是非虚构的特殊力量。在条件成熟时，我是否也该进行一种搜集、爬梳、阐释“私人通信录”的文学试验呢？

还是来看照片。这已经是一九四八年的照片了。当时张素琴和战友们随军南下，路过泰安时，同战友赵秀芳跑进一家照相馆照了这样一张相（图 147)。特别有意思的是她们二人在镜头前摆出了一种正在迈步前行的姿势，这是她们激昂心情的表露，也是大军南下的时代气氛的见证。

一九四九年九月，张素琴随军到达郑州，转到郑州市总工会，分管烟厂方面的群众工作。郑州当时有几十家大小烟厂，她常带领烟厂工人代表与资本家谈判，保障工人权益。这一时期的照片上她常坐在中间，并有工人姐妹亲昵地扶住或搂住她的肩膀，并非偶然。（图 148)

中华人民共和国成立了，王殿文当时到了武汉，在中南行政区新闻出版局工作（图 149)，张素琴终于也到了武汉，与王殿文汇合，这时候他们才站在一起拍了一张算是填补空白的结婚纪念照（图 150)。除了头上的八角帽外，男方脚上笨重的皮鞋和女方腰束的宽皮带，都具有那一时代的特色。只是那照相馆

▶**图 147** 人体的姿势往往构成一种强有力的象征。仅仅放大一半，却恰恰减少了一半的魅力。所以还是全刊印出来的好。

▶**图 148** 刚刚获得解放的工人代表和南下的市总工会干部。人物的排列和姿势自然而然地表达出他们之间的感情关系。

▶**图 149** 解放初。机关干部。平淡的镜头中却散发出一股勃勃生气。

▶**图 150** 并非新婚夫妇，却多少有点新婚燕尔的味道。布景与服装的不协调，正说明那是一个大转换的时代。

的背景图画，还软绵绵地没有跟上时代的趟儿。

开列他们这对夫妻的履历是没有必要的，履历往往并不能精确地反映出人的命运。总之，后来他们调到了北京，又同时到了这家工厂，分别担任了不同的行政领导职务，现在他们又都已离休。我从他们后来的大量照片中，挑选出了几张刊印在这里（图 151、152、153、154）。我没有深问他们，但已知道他们也有坎坷的一面。我指的还并不是读者可以猜出的“文革”初期所受的冲击。有一些属于革命者，属于老革命的辛酸，是反而更难以也不必要公开描述的。

这一对老夫妻是充满情趣的。没有情趣的革命者往往把人吓走，因此到头来也革不好命。革命本应使人们生活得更加有趣，而不是相反。

当我翻检了一通他们的大量照片，正赞叹他们的大方时——我举出同他们相反的例子，某些人家就很不乐意拿出他们所有的私人照相簿供我任意翻阅——张素琴诡秘地笑了，冲老伴睒睒眼，又冲我努努嘴，然后说：“我倒大方，可他呢？他呢？他有的宝贝，可舍不得拿出来给人看哩！”

王殿文像孩子般地急促摇头，连连地说：“人家刘同志要看的是这个簿，不是那个簿嘛！”

我这才想起来，介绍我来访问他们的同志，告诉过我：“老王不但有私人照

▶**图 151**　王殿文当记者时拍的新闻照片之一。抗日战争中，山东农村支前的“小车队”。

▶**图 152**　王殿文当记者时拍的新闻照片之二。解放战争中，向前方提供燃料的宜洛煤矿的一个直井口及其肃立的矿工们。

▶**图 153** “文革”中期。“全家红”。男主人在极度严肃中透露出内心的疲惫。

▶**图 154** 最近。全家福。年轻的一代对老一辈走过的生活道路感兴趣吗?

相簿，还有私人集邮簿，而且他还藏有一枚全国乃至世界上有名的解放区邮票！”

我心里很想一睹那张名票的面目，面子上却不好意思得陇望蜀，便讪讪地说：“这回让我看了这么多照片，已经很满足了！”

王殿文立即呵呵地笑着说：“是呀，是呀，不要看得太累了啊！”

张素琴便用眼睐着他，抿着缺牙的嘴笑，笑完了说：“累不累倒没有什么，只怕看呀看呀吸到眼珠子里头去了，把你急死了！”

我至今还没有能看到王殿文那张独家藏票——“县办报刊专用”邮票。不过他的朋友提供了一个有关的首日封，现在我也把它刊印在这里，作为一组照片的补充（图155）。这张“县办报刊专用”邮票是他一九四六年得到的。他曾在《集邮》杂志上撰文说：“那时，我在山东解放区文协负责秘书处工作，机关的驻地在临沂城内，后转移到莒南县马棚官庄。是年春天，上级下达个通知，说是在华的美国友好人士要信销过的解放区邮票，然后由他们带回美国；一枚解放区邮票可换美金一元，所得款项用来支援解放区的建设。上级要求各单位的秘书部门，把各解放区往来信件上的邮票一律搜集起来，听候上缴……在不

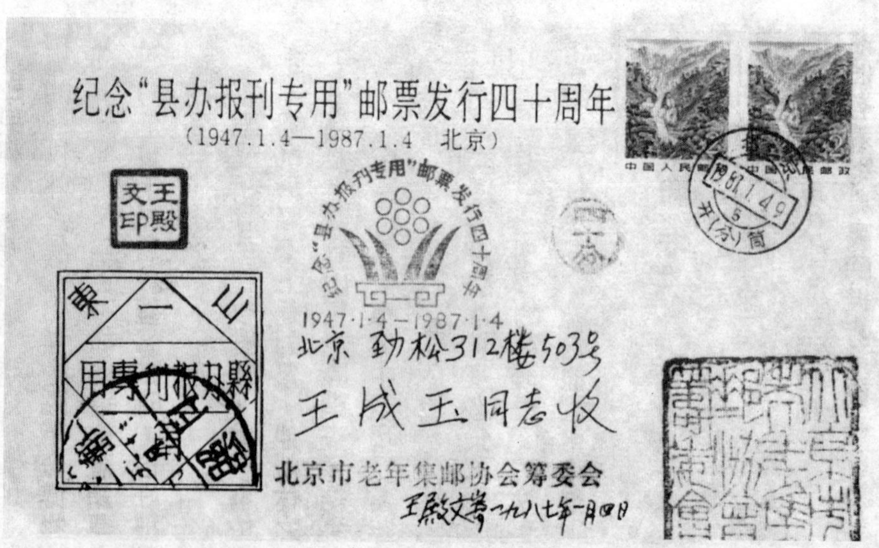

▶图155　这仅仅是个纪念封。左下角的这张“县办报刊专用”邮票的原件是珍贵的文物，现存王殿文处。“邮迷”同“邮盲”之间的互不理解，乃至互相鄙夷，是有趣的社会心理现象。

到一年的时间里，我就收集到数千枚邮票。但后来由于国民党向解放区展开了全面进攻，上级迟迟没有派人收取这些邮票……一九四七年五月的一天，我从日照县邮寄油印小报的信封上，见到一枚盖有日照县邮局戳记的红色‘县办报刊专用’邮票后，很是喜爱，便小心翼翼地将它剪下来，夹在我的采访本里。很可惜，那时我还不懂得收集实寄封。”后来，在艰苦的战争岁月里，他被迫丢掉了数千枚邮票，只保存了几十枚石印或油印的邮票，其中就有这最珍贵的一枚，除他所藏的一枚外，现国内仅中国革命博物馆还存有两枚，但都是新票，不如他这枚盖销票出色，而最妙的是当年邮递员盖邮戳时，恰好把“日照”这个地名盖了上去。

王殿文所存的这枚邮票，曾被有的权威人士否定，认为那算不上是邮票，他离休之后，头一桩大事便是自费到山东老区调查，结果竟从日照县邮电局留存的历史档案中发现了当年发行此票的正式通知和所附“专用邮票样式”，铁证如山，专家们不得不首肯了这张邮票的价值。

这一对生死相依的革命夫妻的晚年是幸福而充实的，光是集邮就能给他们带来无比的乐趣。

一些人出生，一些人活着，一些人死去，一代又一代人再一代人交叠地互相覆盖着、脱离着，结果留下一些文字的记录，一些画像，一些照片，近、现代则又有录音和影像，一小部分人还占有着辞典里的几行、几十行乃至半页的篇幅，想起来既热闹，却也寂寞。

在一个雨天，在乘客不多的电车上，我听见一个大约三四岁的小女孩，奶声奶气地问她的母亲：“妈妈，谁是刘少奇呀？”

又在一个赤日炎炎的下午，邻居家的一个读夜大的小伙子，在楼梯口遇上我，懊恼地说：“……今儿个考砸了，那个填空该填郁达什么夫，我愣想不起来……”

“永远不要忘记！”这提醒本身就说明，人们是多么容易忘记。

孙炳文，中国共产党早期的杰出人物之一，今天有多少年轻人知道他呢？就是我，除了知道个大概外，也简直讲不出个所以然来。但我家一直藏有几

▶图156　三位作古者。左：李贞白。中：刘云门。右边：孙炳文。

▶图157　约七十年前的背景中山公园来今雨轩门前。婚礼后新郎孙炳文。新娘任锐。后排左边系证婚人刘云门。最右侧的魁梧者衣着、风度、神态都很特别，他是谁呢？

▶图158　母亲。私人照相簿中不可或缺的藏品。凝望着这位饱经沧桑的母亲的眼睛，你想到些什么？

张关于他的照片。有一张是他与我祖父和一位叫李贞白的先生的合影（图156）。大约摄于一九一九年之前。我祖父站在当中，右边身材比较魁梧、身着中式装束的，便是孙炳文。那时他们三位是非常要好的朋友。我祖父大约年龄居长，所以站在当中。再一张是孙炳文和任锐的结婚照（图157）。新婚夫妻的装束颇为奇特，新娘的裙袄和披巾尤为别致。我祖父站在第三排左边，当天他是证婚人。地点据说是在北京的中山公园。照片上的另外几个人是谁，如今已无从考稽。这张照片的时间或许还比前一张略早。因为据一篇文章介绍，一九一九年，孙炳文便赴德国勤工俭学，寻求救国救民的真理去了，而任锐则留在北京，一面抚养孩子，一面继续读书。所以这张结婚照或许摄于一九一七年或一九一八年。第二排两位女宾的高领卡袄，也恰是那一时期的常见样式。

孙炳文于一九二七年“四一二”事变中被害，据说蒋介石亲自下密令一定要把他杀死，听我父亲说，他是被拦腰截为两段的。

我母亲（图158）对孙炳文和任锐更熟悉一些，因为她曾寄住在他们家中。那大约是一九二六年，我祖父已跑到广州参加大革命，我父亲则在外地谋生，只剩下我母亲随我祖父的后妻过活。我那后婆婆对我母亲很不好，动不动甩脸子乃至于打骂，严寒的冬天，也不给母亲住的小偏屋升火，母亲的双手冻成了胡萝卜样，又在母亲住屋门口放了一只泔水缸，天气稍暖，屋里不那么冻得慌了，却又让阵阵馊味熏得难过。正当母亲挨不下去的时候，有一天她从屋门口泔水缸中发现了一封撕成两半的信，那显然是后婆婆撕的，但又故意不撕得粉碎，意在让她拣出来拼看。母亲拣出来拼看后，才知道正是孙炳文（她称他为“孙叔”，但她又称任锐为“孙婆婆”，不知何以这样地称呼）写给她的信，大意是说已知她的处境，让她立即离开后婆婆，到他们家去。母亲激动得不行，便卷了一个小小的行李包，毅然离开了那个只给她留下屈辱与痛苦的小院，投奔了孙家。孙炳文一生的业绩轰轰烈烈，这样一桩小事，就他一生而言不过是小小的插曲，然而我母亲，我们这些子女，对这桩小事却永志不忘。对于朋友的一个儿媳妇能这样地关心、这样慷慨地收容，在今天，也并不是多数干部和知识分子能够做到的。

据母亲回忆，从那时候她的眼光看去，孙家是有点特别，母亲看惯了当时社会上妻子尊从丈夫的家庭模式，而在孙家，孙叔和孙婆婆之间则极为平等。孙婆婆经常主动同孙叔争论，争论得非常之激烈，争论的内容，母亲是听不懂的，但绝非家庭中油盐柴米一类的琐事，都是些重大的社会题目，尤其令母亲吃惊的，是孙婆婆往往占着上风，最后竟是孙叔向她点头称是。她还记得孙泱那时候已经上到中学，迷恋上了《红楼梦》，常常躲在帐子里躺着读《红楼梦》，还不惜把自己所有的零花钱，都拿去购买各式各样的续书，但续书没有一本令他满意，最后床下扔了一地的劣质续书。

在母亲的记忆里，孙婆婆的形象镌刻得更深一些，一九四九年任锐病逝后，母亲把《人民日报》上刊登的一篇悼念文章读给我们听，文章中有一个细节，说在行军的途中，她骑在马上，大声地唱歌，鼓舞战士们的斗志。读到这里，母亲停下来，点点头说：“对，孙婆婆就是这样，她很豪气的。我能想出来，她唱歌的神气是什么样。那真是别人都难比的。”

在我搜集到的另外两张照片中，我们可以再睹这位不寻常的革命女性的风采。那都大约摄于一九一七年左右。一张单人照，不仅端庄美丽，而且神态中透露出一种自信与激情(图159)。

另一张四人照虽然摄于照相馆中，但完全打破了照相馆拍照的惯常模式(图160)，孙炳文与她竟各自若有所思地反坐在当中，姿态奇特，最令人惊诧的是地下扯来一些稻草，很不规整地铺放着，把后面甜腻腻的布景所构成的情调加以改变，这种出格的布置是否蕴含着一种对现实的反叛情绪？

万没有想到，“文化大革命”当中，革命烈士的儿女——而且本身也是多年参加革命的好干部孙泱和孙维世，竟惨遭“四人帮”迫害致死。孙泱是人民大学的党委书记，在被残酷地批斗后，据说有一天发现他竟被绳子勒死在关押他的房间的暖气上。而中央实验话剧院的著名导演孙维世被蛮横地逮捕后，据说一直被反铐着双手，牺牲后的景象惨不忍睹。这里刊印出两帧孙维世早年的照片。其中一帧是她与瞿秋白女儿瞿独伊在苏联的合影，背面有她的亲笔题字(图161、162)：“亲爱的妈妈：在我旁边的这个姑娘叫独伊，是烈士瞿秋白同志的女儿，她会唱歌会跳舞，比我小一岁，现在可以同我们讲中国话。妈妈：把我们的快乐带给你！你的兰儿。二月十二日。”哪一年的二月十二日呢？不得其详，大约是苏联卫国战争年代吧。另一帧单人照或许时间还要稍早一点(图163)。孙维世同她的母亲任锐，多么地相像啊！在延安抗大，她们母女同为学员，一时传为佳话，大家都亲昵地称任锐为“妈妈同志”。当孙维世到了苏联，寄回照片以后，“妈妈同志”看到这照片时，该是多么快乐啊！然而谁能想到，若干年以后，“妈妈同志”的儿子和女儿，却被当作“黑帮”，当作“反革命”、“特务”，死得同他们的父亲一般惨！

是的，革命总要有牺牲，死人的事，是经常可能发生的，但像孙泱、孙维世这样的惨死，难道是我们于心可忍的吗？难道这一类的牺牲，今后还可任其出现吗？把明明是无可怀疑的革命同志，硬诬陷为敌人，置之死地而后快，都是披着“左”的外衣的人干的，以“左”反“右”，总是不仅落在实处，落在具体的人身上，而且往往造成流血，造成灵魂的酷刑，但当我们以正确反“左”时，

▶**图 159** 任锐。约摄于 1917 年。

▶**图 160** 左、右二人不知何人。中左：孙炳文，中右：任锐。谁构思出这样的坐姿？地上散乱地铺着稻草。照相馆中哪来的稻草呢？何以要铺于地上呢？这至少说明他们心中洋溢着一种突破和创新的精神。

▶**图 161** 孙维世。约摄于四十年代初。我们一定要从她的命运中汲取应有的教训。

▶**图 162** 右：孙维世。左：瞿独伊。如今四十来岁以上的一代人，大凡都知道孙维世，许多人看过她导演的《小白兔》、《钦差大臣》、《万尼亚舅舅》、《初升的太阳》。不应当忘记她。

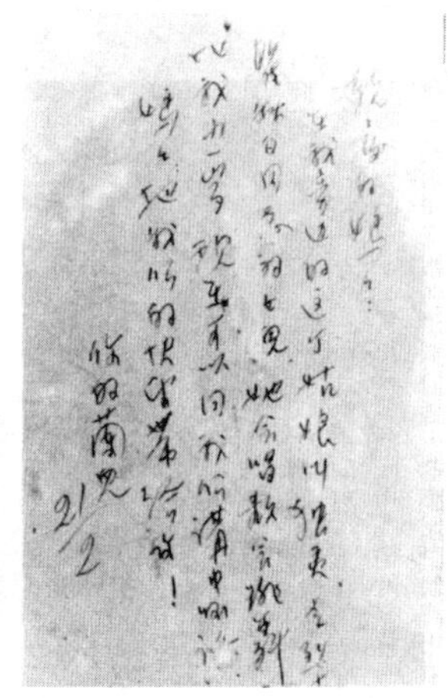

▶**图 163** 照片背面。孙维世手迹。当她沉浸在欢乐中时，怎料得到等待着她的竟是那般残酷的结局？

为什么往往就不落实呢？反“左”往往停留在抽象的批评上，而并不触及搞“左”的人，结果是一旦有机可乘，“左”便重新抬头，我们的党，我们的国家，吃了“左”多少苦头啊！甚至让“左”吞噬掉了孙炳文和任锐这样的双烈士的一双儿女！在如此惊心动魄的惨事面前，我们难道还不该猛省吗？这毕竟只是一册“私人照相簿”，它担负不起“时代缩影”或警世诫人的作用，它或许只能勾惹出一些联想，一些情绪，一些疑问，一些求索。现在我阖上这一册“私人照相簿”了。同你一样，每当我们观看、摩挲了一番私人照相簿，把它终于阖上以后，我们便又投入了眼前的生活。毕竟我们活着并不是为了照相，而照相是为了更好地活着。

一九八七年七月十八日

写于北京劲松东街绿叶居

刘心武文存

36

报告文学

飞吧，祖国
——记工程热物理学家吴仲华

从走马灯到冯如

《红楼梦》第五十回，写到“暖香坞雅制春灯谜”，“潇湘妃子”林黛玉吟出的诗谜是：

騄駬何劳缚紫绳？驰城逐堑势狰狞。
主人指示风云动，鳌背三山独立名。

聪明的读者不难猜出作者未交代的谜底：走马灯。早在一千三百年前的唐代，就有影灯的记载；到一千年前的北宋，利用灯中蜡烛点燃时产生的上升气流，推动装有叶片的轮子转动的走马灯，已大量出现在都城开封；至于欧洲，直到公元1550年才有类似器物的记载，是用在火炉上烤肉的，从时间上说，比我国落后了七百多年。

走马灯似乎只是一种简单的玩物，和现代科学技术风马牛不相及。其实不然。请看在天上飞动的现代化飞机，它们和走马灯就很有那么点亲缘关系。却是为何？听我细细道来：

最早的飞机是滑翔机。一种说法是，1857年，法国人制成了滑翔机；另一种说法是，1891年德国人奥托·李林达最早制成了一架双翼滑翔机。这种飞机全凭势差从高处向低处滑翔，据说奥托在1894年从五十米高的山上，向下滑翔了三百五十米远，轰动一时。到1900年，美国莱特兄弟制出了更好的滑翔机，飘飞高度达二百米；1911年，他们完成了一次停空九分四十五秒的飘飞。滑翔机至今仍在发展，成为训练飞行人员的一种工具，1963年单座直线滑翔最高纪录已达到八百七十五点九八七公里，往返滑翔最高纪录已达到六百七十八点九公里。

滑翔机是没有发动机的飞机。1882年俄罗斯海军军官莫扎依斯基制成了一架用蒸汽机作发动机的飞机，但是这种笨熊般的飞机没有发展起来。1903年，前面提到的莱特兄弟把汽车用的内燃机安到他们发明的飞机上，做了二百六十米的短距离飞行。到第一次世界大战时，各种以内燃机为发动机的军用飞机开始出现：侦察机、轰炸机、战斗机……到第二次世界大战时，以活塞式发动机为动力的飞机发展到了顶峰，轻、中型轰炸机时速已达六百公里，最大航程已达两千到两千四百公里，升限已达十一公里。

活塞式飞机在发展过程中暴露出了自己的弱点：它燃烧靠氧，而越往高飞越缺氧；它靠螺旋桨产生推力，但飞得越快螺旋桨效率便越低。在这种情况下，喷气式飞机应运而生。离心压气机式的喷气发动机是早期使用较普遍的一种喷气发动机，后来又出现了轴流压式的喷气发动机、燃气轮风扇发动机、燃气轮螺旋桨发动机……这类发动机，总称燃气轮喷气发动机，它的工作原理与走马灯相似：从外部吸入空气，经压气机压缩，达到十几到二十几个大气压左右，然后通过燃烧室，喷入燃料燃烧使温度达到900℃～1300℃左右，这高温高压的气体再通过后面的燃气轮膨胀，带动轮子转动。同时向后喷出高速燃气，产生推力。

读者们可能会兴叹：我们中华民族虽有历史上显赫的四大发明，而且连燃气轮机的雏形——走马灯——也最早出现在我国，可是翻开近代史一看，科学技术远远落后于西方，即以飞机为例，似乎当莱特兄弟等驰骋空中时，我们却还在使用骡车大轿，有的只是屈辱落伍的记载，而无引以自豪的领先篇章。其实细加考究，也并非如此。且看下列场面：

三角彩旗在遮阳棚的檐下飘扬，男宾们戴着尺把高的长筒礼帽，颈系蝴蝶领结，身着燕尾外套，腋下夹着文明棍儿，不断鼓掌欢呼；女士们举着带穗的蘑菇形阳伞，身着五彩缤纷的落地长裙，掀开堆花插羽的大檐帽上的面网，用薄纱手套裹着的纤手举起望远镜，朝空中望着，不时发出未免矫揉造作的惊呼——这是1910年，美国西海岸圣弗兰西斯柯城（今称旧金山）举行世界飞行家驾机比赛的盛况。这次比赛规定，竞赛者需驾本人独立设计的飞机当众飞行。只见一架双翼机飞到空中，在蓝天白云的背景上越升越高，最后达到二百米，以时速一百公里的速度，翩然远去；一会儿传来飞行距离的成绩：约三十公里！全场掌声雷动，一些礼帽、手帕、花束抛到了空中，男宾女士互相对望，咋舌，询问：这位成绩为全场之冠的飞机设计师系何国人氏？待该飞机设计师归来领取国际飞行协会的优等证书时，大家看清他仅有二十七八岁，乃一英俊青年，满头黑发，黄肤棕眼，原来他是中国人，姓冯名如，广东恩平县人，他驾驶的正是自己设计制造的以内燃机为动力的飞机。

冯如取得的成就，充分说明中华民族的创造能力不但在古代蓬勃雄健，就是在近代、现代也丝毫不比世界上其他民族低劣。可恨的是直到1949年以前，中国一直是封建的和半封建半殖民地的社会制度，反动、落后的社会制度扼杀、束缚着中华民族的创造能力。冯如生不逢时，他1911年回国，壮志满怀，神采飞扬，打算把全部本事献给祖国，开创中国航空事业，但满途荆棘、势单力孤，1912年9月25日，他为在中国普及航空知识，在广州燕塘举行飞行表演，不幸失事牺牲，时年仅二十八岁。嗣后的军阀混战、国民党反动统治，竟用滚滚黑浪，把航空英杰冯如的名字和事迹淹没得几乎不留痕迹。

在现代技术科学中占据重要地位的航空科学，难道我们中华民族就从此不能占据一席领先地位吗？

惊雷飞闪，掀翻了压在中华民族身上的三座大山；旭日艳霞，照亮了中华民族自立于世界民族之林的灿烂前程。

于是，开始出现了新一代航空技术科学家的动人故事……

移民局休息日

1954 年 8 月 1 日的纽约机场，候机室里人不太多，这是个星期日，因公乘机外出的人不必牺牲休假日，而急欲利用休假日飞往外地一游的旅客，也早在星期六搭机启程，难怪美国联邦移民局也把星期日定为休息日——说实在的，如无特殊原因，哪个外籍侨民会选择这样的日子离开美国呢？

从大西洋上吹来的暖风，卷动着机场大楼上的星条旗。曲掌形的雷达天线在塔楼上不住地旋转着，一架即将横越大西洋飞往伦敦的客机，已稳稳地停放在跑道起点，在骄艳的夏阳下闪烁着银光。

候机室里的播音器，传出了服务小姐娇滴滴的通知：搭乘这架飞机去往伦敦的旅客，请抓紧时间上机。

这时候，可以看见一对年轻的夫妇，带着两个男孩（大的十岁半，小的才九岁），掩饰着内心的激动，朝检票口走来。移民局职员既然休息，就只由航空公司职员登记一下护照号码。当他们终于登上飞机的舷梯时，不禁相视一笑，内心里激荡着难以譬喻的感情。

倘若移民局这天并不休息，并严格检验他们的护照，便肯定会对他们进行刁难。他们是谁？为何利用移民局休息日乘机赴欧？

现在他们已经带着孩子坐到了机舱内的座位上，“飞行小姐”正在嘱咐他们扣好保险带……舷窗外的景物已开始迅速后退、下降、好，即使移民局发现也难制止飞机上天了，我们现以可以细细观察一下，这是怎样的一对夫妇。

原来他们都是中国人。男的名叫吴仲华，额头宽阔，虽戴着近视镜，双眼饱蓄的聪慧气质却四溢于外；女的名叫李敏华，秀气爽朗，脸上总挂着和蔼的微笑。

吴仲华出生于 1917 年，祖籍苏州，十六岁以前在上海度过了童年，十六岁以后到南京金陵大学附中读高中，高中毕业后考取清华大学机械工程系，是个高材生。在清华大学里，吴仲华认识并爱上了同年级的同学李敏华，在“水木清华”的匾额下，在朱自清描绘过的荷塘边，沐晨霞、踏月光，他们结为终生伴侣。毕业后，他们都留校当助教，后随校迁往昆明，1943年在昆明考取了留学生，1944年春节赴美，是经印度、澳大利亚搭船到达美国的，历时四十来天，虽饱览了热带风光、大洋奇景，却也不禁感叹：轮船虽能远渡万里，其速度却未免太逊于飞机。

吴仲华和李敏华同到麻省理工学院学习了三四年。吴仲华攻的是以研究飞机发动机为主的工程热物理学，李敏华攻的是以研究飞机结构为主的固体力学，最后双双获得博士学位。吴仲华的成绩尤其惊人，每学期都有五六门专业课，而他一律都是最优。

毕业后，由系主任推荐，他们进入了美国航空咨询委员会的发动机研究所搞研究工作。当时在航空咨询委员会的三个研究所内只有四个外国人，除吴氏夫妇外，尚有一西德人一意大利人。吴仲华夫妇刚到所里安顿下来，联邦政府移民局便寄来了入籍申请表，他们未予理睬；但移民局一而再地将表寄来……吴仲华和李敏华的信念是坚定不移的；我们过去、现在、将来都只能是一个国籍：中国。

当时的中国，正发生着怎样的巨变啊！吴仲华和李敏华从来不是埋头读书、不问政治的人，早在“一二·九”学生运动时，他们就是浩荡的游行队伍中的成员。出国前，吴仲华认识了地下党的同志，他知道有几个很好的朋友，比如学汽车发动机的程华明，说是北上回乡，其实是奔赴了延安……当1949年10月，传来中华人民共和国成立的消息时，他们是何等欢欣；当美国在朝鲜燃起战火，威胁着新中国的安全时，他们是何等愤慨；当中华人民共和国政府的代表到达联合国，参加联合国安理会关于朝鲜问题的辩论时，吴仲华一早就到联合国大厦，坐到旁听席最前排中间的位置，倾听着祖国亲人义正辞严的发言，心潮翻滚，热泪盈眶……

当时的美国航空咨询委员会拥有最完整的航空技术资料，有最先进的研究设备，包括拥有使计算科学发生重大变革的第一代电子计算机，因此对发展飞机发动机的理论，提供了最有利的研究条件。吴仲华经过三年多的研究，在1950年冬天美国机械工程学会的讲台上，朗声宣读了他的论文《叶轮机械三元流动理论》，论文一宣读完，便等于宣布了旧有的按两元即平面范畴求近似值的理论时代结束，而开始了按三元空间精确地分析燃气轮机中气流变化规律的新阶段。今天我们能够从国外航空科学研究者口中，听到“三元流动理论之创始人吴仲华”的美称，其对燃气轮机的理论贡献，是堪留史册而无疑义的。

美国侵略朝鲜的战争爆发后，为美国航空咨询委员会作出重大贡献的吴仲华决定调离工作。倘若留在委员会所属的研究所中继续工作，那么在专业上无疑是发展的，在生活上，无疑是舒适的，然而，他和李敏华却到处写信联系新的工作，甚至表示愿到加拿大乃至于印度的大学去任教。经他们一再努力，终于双双辞去了某些人艳羡不已的“美差”，而迁到了美国布鲁克林理工学院教书和做研究工作。

原来吴仲华、李敏华自有他们的打算。“中国人搞出的理论，首先要为中国人服务！”这话在吴仲华心底盘桓，这话在他们夫妇之间多次激起了一种昂扬、高尚的情感。但是当时的美国政府居然把在美国学习理、工、医三科的中国留学生也当成“禁运”的“战略物资”，千方百计阻挠他们返回中华人民共和国。在美国航空咨询委员会里工作，当然绝无返回祖国的希望，所以吴仲华夫妇要辞职另觅一种“自由职业”；但到了布鲁克林理工学院，形势依然不利，如公开申请离美赴中，移民局肯定会刁难阻挠。怎么办？多亏与他们心心相印的朋友指点，他们得悉纽约机场的移民局办事处每星期日休息，大可趁此时机，先买飞机票飞到欧洲，到了伦敦再想别的办法。于是，一到暑假，他们便扬言要携子到欧洲游览一番，回国之事且不提起，买好了飞机票，他们星期六将大件行李提前托存，星期日上机时只随手提一小箱，俨然短期旅游的模样……

就这样，吴仲华和李敏华带着孩子，怀着游子扑向慈母怀抱的浓情，绕过大半个地球，朝祖国奔来了……

“你们还很年轻！”

要问回国的历程中，最难忘的场面是什么，似乎颇难回答。几个月里，他们的行动轨迹从英国伸向比利时、荷兰、西德，然后在瑞士作了较长时间的滞留，因为那里有我们中华人民共和国的大使馆，挂上钩以后，在等待祖国亲人作出安排之前，他们又到法国、意大利转了一圈，最后他们根据大使馆制定的路线，取道奥地利——捷克——苏联，回到了祖国怀抱。

雾伦敦那泰晤士河畔的威斯特敏斯特古寺，巴黎那凯旋门内的香榭丽榭林荫道，罗马那令人惊叹的科洛西奥大斗兽场，威尼斯水城那千姿百态的一百一十八岛和四百零一座桥梁，自然生动地印入了他们脑中，成为终生难忘的瑰丽画面，然而最壮美、最牵动感情丝缕的景物，却是坐落在瑞士伯尔尼城郊的、环绕着绿树和草坪的那座别墅式建筑，因为它的大门上高悬着带五星和天安门图案的国徽，一望见这闪光的国徽，吴仲华夫妇的眼睛便被泪水蒙住了，欢欣和豪气撞击着他们的心头，从此，他们和新中国的伟大事业，息息相关，不可分离了。

米兰的斯卡拉歌舞剧院里的华美旋律和洪亮歌喉，日内瓦莱蒙湖畔高达一百五十米的人工喷泉在玉鸣珠响，莫斯科克里姆林宫斯巴斯基城楼的悠悠钟声，自然生动地永留在他们耳中，然而最优美、最亲切、最动听的，却是他们乘坐的火车从苏联驶入满洲里时，充盈满耳的同胞话语。当时吴仲华在车上患了肠炎，李敏华陪他到满洲里医院住院，满眼亲人，充耳乡音，他们竟激动得对望无言，只是各自报以对方一个饱含着丰富感情的甜笑……

到了北京，他被安排到清华大学任教。顾不上到“水木清华”匾下缅怀旧迹，想不到去朱自清描绘过的荷塘边重温旧情，他们要做的事正多：吴仲华担任了动力机械系副主任，开了新中国第一个燃气轮机专业，兼任该专业的教研究室主任。李敏华到中国科学院工作。

新中国在突飞猛进。像奇迹一般，在清华园以南的荒地上，同时矗立起了一座座高大的楼房，出现了著名的“八大学院”；中关村不再是个只有泥屋和瓜园的村子，中国科学院在这里建筑起一排排楼房，中心大道两旁，植上了笔直的白杨树，白杨树把根须扎下去，争先恐后地吮吸着大地的乳汁，抽出了一片片艳绿的肥叶……

中国科学院决定筹建动力研究室，聘请吴仲华担任主任。

“向科学进军”的响亮口号，激动着获得解放的亿万人民。

1956年春天，丁香花开得正盛，吴仲华和李敏华双双获得了国家科学奖金。一天下午，汽车把他们送到了北京饭店，原来是敬爱的周总理，在百忙中专门抽工夫会见从国外回来的科学家们。

吴仲华和李敏华心潮翻滚，多少往事袭上心头。六年前吴仲华在纽约艾斯托利尔饭店的礼堂里，宣读完关于“三元流动理论”的论文时，几百与会者的掌声虽然热烈，心中的幸福感虽然浓郁，但那毕竟是“为他人作嫁衣裳”，自己是中国人，提出的理论却不能直接为中国服务……如今自己已是新中国的工程热物理学工作者，“三元流动理论”可以在自己的祖国开花、结果了，而英明的领袖毛主席，又委托敬爱的周总理，把党的关怀、人民的期望，直接告诉给我们，这是多么难忘的时刻！这时的幸福感，是以往生活中从未有过的啊……

正想着，突然，眼前一片灿烂的光芒，原来总理特意来到了他们身边，摄影记者高举着水银灯，忙着抢镜头。

“这是吴仲华，工程热物理学家。”

“这是李敏华，固体力学家。他们夫妇是从美国回来的。”

周总理身边的茅以升同志向周总理介绍着。

“我知道的。”周总理同他们用力地握手，亲切地对他们微笑着——这是举世闻名的微笑，这是永留史册的微笑，在1956年，一个丁香花盛开的下午，周总理曾经把这感染过无数心灵的微笑，也感染了他们！

该有多少的心里话，要向周总理倾吐啊！但是吴仲华和李敏华，喉咙那儿仿佛被千言万语哽住了，一时却什么也没说出来。

周总理慈祥地端详着他们，大声地对他们说：“你们还很年轻啊！”

“你们还很年轻，你们可以为国家做出很多贡献！”这句话带着周总理那特有的口音，带着一个伟人、智者所赋予的特有魅力，深深地刻在吴仲华和李敏华的心上。

是的，韶光流逝，二十多年过去了，周总理竟也永远地离开了我们，白发已经出现在吴仲华和李敏华的鬓角。但是，周总理的这句话永远响在他们耳边，他们永远是年轻的，他们一直在努力地想为祖国做出贡献。

长长的林荫道

1964 年的一个夏日傍晚，在中关村那条东西向的长长林荫道上，一个中年人推着自行车，沉思着徐徐前行。

这就是中国科学院力学研究所的副所长吴仲华。

从周总理接见的那次盛会算起，八年过去了。吴仲华在向科学进军的征途上，留下了不可磨灭的足迹。这不但见于《中国科学》、《机械工程学报》、《力学学报》上的一系列高质量的科学论文，也体现在几种科学出版社出版的专著中，他编著的《燃气的热力性质表》，除了中文版外还出版了英文版，被许多国家普遍参考使用。

但此时此刻的吴仲华，心情却是沉郁的。

在他兜里揣着一张坐标图——这是一张十分简单、却又几乎没有人能看懂的直角坐标图。横坐标上是年份，特意注出的是 1956 年、1958 年、1961 年、1963 年和 1964 年；纵坐标上是人数，最少是一个、两个……最多达到三百、五百；坐标之间的曲线，令人联想起一具不够匀称的马鞍。

这张坐标图记录着直到那之前，我们新中国工程热物理学的兴衰。

1958 年，中国科学院举办了科学成果展览会，吴仲华曾在毛主席视察科学院成果展览会时，见到了毛主席；吴仲华在毛主席参观动力研究室部分时，亲自接待解说，毛主席听得很高兴，紧紧地和吴仲华握了手，一股电火般的暖流，从吴仲华的手指传到了心窝。那时候，1956 年开始筹建的中国科学院动力研究室，已经发展成有五百人编制的动力研究所，规划已经制定，拨款已经领到，中型发动机实验室等设备已经开始着手建设。

但是，国际上吹起了一股冷风。带头吹风的是尼基塔·赫鲁晓夫。此人被处于领先地位的美国核武器吓破了胆，他一方面责令苏联军队大力发展、扩充核武器，一方面大肆散布“导弹决定论”，根据这种“理论”，使用战术飞机的“航空时代”已经结束，由战略导弹主宰一切的“航天时代”已经开始。

历史上各种力量的搏击、消长就是这样犬牙交错一方面，我们的党已经在一系列原则问题上同赫鲁晓夫修正主义展开了斗争；另一方面，我们在某些领域里仍然盲目地追随苏联，关于对待航空技术科学的做法，便是一例——由于某些领导同志相信了“航天时代”必然取代“航空时代”的说法，简单地认为“解决了导弹上天问题，自然也就解决了飞机上天的问题”，于是，作出了一个令人痛苦的决定：取消了即将正式成立的动力研究所，将吴仲华所负责的这一摊人马，并入了科学院力学研究所，而且，陆续抽调出大批搞航空发动机的科技人员，去搞导弹发动机的科研工作。

但是，导弹发动机和飞机发动机并不是一回事；集中精锐力量突破导弹发动机的研究是必要的，不过不应当只用一条腿走路，另一条腿——飞机发动机的研究，本来是完全可以与之并进的。

赫鲁晓夫的丑恶嘴脸越来越暴露无遗，当他脱下皮鞋敲击联合国大会的讲台时，他的“名誉”只剩下一种用场——就是当作笤帚扫地。在赫鲁晓夫那条路线下，苏联资本主义复辟了；国际共产主义运动中各种思潮相激相荡；社会主义阵营在崭新的国际形势下渐渐分化……伟大领袖毛主席，领导我们的党，领导我们的人民，展开了伟大的反修斗争，赫鲁晓夫恼羞成怒，中断援助，撤走专家，而偏偏在这时，严重的自然灾害又持续了整整三年，在这困难时期，吴仲华所主持的工程热物理学研究工作被压缩到了最小范围。当有一天，他最得力的助手吴文权来向他告别，告诉他终于也被抽调到别的项目上去时，吴仲华没有惊讶，没有挽留，没有怨言，也没有牢骚，他只是静静地望了这个自己亲手培养出来的、羽毛已经丰满的年轻人一阵，缓缓地说："剩下我一个人，我也要把三元流动理论继续发展下去，因为国家需要。"

吴文权离开了老师的办公室，慢慢地在力学所那水磨石的楼道上移动着步子。回顾这些年来在吴老师身边度过的日子，他感到所获得的不仅是科学上的真谛，而且还有对祖国的深沉的爱。他想，待到条件好转时，他一定还可以回到吴老师身边，帮助吴老师完成关于三元流动理论的计算机计算程序编制工作。

一个正确的认识，往往要经历几次反复才能巩固下来。这不仅是因为有错误乃至于荒谬的东西干扰，而且也因为我们的事业处于初创阶段，大家都缺乏必要的经验。到了1963年，国际上，包括苏联本身，对航空技术科学的研究都不但没有停滞，而且还有了较大发展，吴仲华的三元流动理论被广泛地参考、采用，世界上出现了一批发动机具有某些新性能的新式飞机，英国的斯贝型，美国的波音型，苏联的米格型，都有了一定程度的改进。有关方面的同志在这种情况下醒悟过来，意识到"导弹决定论"是一种片面观点，于是重新提出了筹建动力研究所的计划。

情况是喜人的。吴文权、房宗义等助手又回到了吴仲华身边，很快集中了一二百人，并且批准了三百人的编制计划；中型发动机实验室的修建设想又重新提出，封存了几年的设计图纸被拂去了灰尘，人们欣喜地等待着破土动工。

但是1964年到了。这是个各种潜在因素互相交融、撞击的年头。社会主义教育运动达到了高潮。科学院的大批科技人员被抽调到了"四清工作队"，还没有来得及开始研究工作的动力研究所，被当作抽调的重点，吴文权再一次来同老师告别，吴仲华这次一句话也没有说，他很赞成知识分子到阶级斗争的第一线去经风雨、见世面，但为什么要再次形成动力研究所关张的局面，他不理解。

是的，当吴仲华推着自行车，在1964年夏日的这个傍晚，沉思着漫步于长长的林荫道时，他是困惑的。

他一个人坚持着三元流动理论的研究，而这一课题的进一步发展，必须依赖于具体的实验数据，必须尽可能使用最先进的计算工具——当时世界上已经普遍使用了第二代电子计算机，第三代电子计算机正在崛起。没有实验条件，没有助手，没有人帮助编制计算程序，甚至也没有电子计算机可供使用，而必须靠自己用电动计算机一点一点地分步计算，但是吴仲华却并没有停止自己的研究工作，他细心地翻阅着国外资料，从中搜集可供参考的数据；他顽强地计算着，一遍又一遍地复验着，他摆弄着几个叶片，思考着，酝酿着新的想法……

每天清晨，人们看见这个和蔼沉静的中年科学家骑车进入力学所；每天傍晚，人们看见这个沉溺于思索中的副所长顺着林荫道骑车回家。

但是今天傍晚，他出了力学所，却并没有骑上车；他推车沿着长长的林荫道朝前信步走着；夏风吹动着高高的白杨树上那繁茂的枝叶，发出流水般的声响；附近的运动场上正进行着紧张的篮球赛，球迷们不时发出阵阵欢呼；夕阳收敛了最后一抹光线，大道两旁的楼房里开了灯，亮起了多少扇飘出欢声笑语的窗户；是谁在弹奏钢琴，琴声使人的思绪更加奔腾，飞扬……

两个迎面遇上吴仲华的青年，同他互打招呼后，不禁窃窃私议："吴先生这是到哪儿去呢？他已经走过了他家住的那幢楼房……""听说他每天都骑着这辆旧车上班，其实他完全可以就在家里看书……""他和李敏华每月的工资合起来好几百元，能把家里的日子弄得美美满满，何必还去抠那三元理论？听说助手都抽走了，就他单独一个，他也还是埋头死抠，真不可理解！……"

然而吴仲华这样的知识分子的心上，正鸣响着一根能发出优美旋律，韧不可断的弦——这就是为祖国、为人民辛勤工作，求得事业上的翔实成绩的那么一股劲，那么一种精神力量。

夏夜的风啊，你吹拂着这位科学家丰厚的黑发吧。在他的生活道路上，还有着更多的欢欣与苦恼，更多的曲折与考验……

黎明在这里长驻

沈阳东郊，在东陵公园附近，有一座虽然残破却仍然不失巍峨感的金刚座式喇嘛塔，古老的砖缝间蹿出了杂草和小树，每当夕阳斜照时，古塔的剪影便如一首无言诗，既咏叹着我们民族的悠久历史，又提醒着我们必须创造出一个崭新的未来……

就在这座古塔附近，有一片圈在高墙里的厂房，这就是黎明机械厂。离工厂二里多路，有一个花木扶疏的院落，里面有一座楼和一组平房，门口的牌子告知我们，这里是黎明机械厂的招待所。

负责平房区接待工作的服务员里，有个浓眉大眼的姑娘，她虽然才工作不久，却已经接待了几十拨客人，他们都是外地来黎明厂办事的，有的过一夜就走，有的住得长些，也顶多不过个把月；这些客人有的和气，有的急躁，有的爱洁如癖，有的邋遢不堪，不过，尽管形形色色，却都没给服务员姑娘留下什么印象，她只是日复一日地忙碌着、迎送着……

那是1969年秋天，招待所里枫叶如火、草坪如金。潘所长来和姑娘交代，中国科学院力学研究所有个科学家，随着一个小组，要来招待所长住，他们是来帮黎明机械厂生产的发动机改型的，一定要热情接待。

那时候，不少年轻人受极“左”思潮影响，一听“科学家”就会嗤之以鼻。潘所长是个懂得尊重科学家的人，他望着似乎有点心不在焉的姑娘，耐心地用劝告的语气说：“党给人家落实了政策，让人家来献真本事，帮厂里把发动机造得更好，咱们可不能不当回事儿！”

“他叫啥名儿呀？”姑娘有点好奇地问。

“吴仲华。”

姑娘摇头。她没听说过这个名儿。想了想，她问：“他有多大？”

潘所长以为问的是岁数，挠着后脑勺一时间答不上来。姑娘笑了：“我是问，要把他比成干部，相当多少级的官儿？”

潘所长严肃地晃着食指说：“人家原来是副所长呢，少说也相当于十一级！”

十一级？好，姑娘给他拾掇出一个单间，等着小轿车把十一级的科学家送来。

没来小轿车。敢情整个小组都是坐公共汽车来的。在来的那群人里，谁是吴仲华？

没想到，那位衣着朴素的、戴黑边眼镜的、格外和气的中年人，便是吴仲华。

姑娘把他领到单间里去。吴仲华认认真真地问："同志，您贵姓？"

姑娘告诉他："我姓卑。"姑娘也为自己姓氏的古怪而笑了："石碑的碑，去掉石字边！"

吴仲华用食指在空中画完了这个字，点点头，诚恳地说："小卑同志，今后每天都要麻烦您啦！"

在吴仲华来说，这是很普通的一句话；在小卑来说，却忽然产生了一种新鲜感。

小卑产生了一个想法，愿意多为吴仲华做点事。

但是，这位科学家却是个最省事不过的住客。每天清晨，小卑来到他的房间，地总是已经扫好了，暖瓶的水也总是灌好了，被子更是叠得整整齐齐。只有书桌那儿显得凌乱，似乎需要整理。小卑走过去细一端详，却又犹豫了；那些翻开訇放的书，那些写满算式的纸张，那几个从厂里拿来的叶片样品，看来都是存心那样交错摆放，以利研究的，如果贸然给他归为一叠，恐怕反会坏事呢！

小卑觉得无事可干了。想了想，她走到窗前，打开窗户给屋子换空气。从厂里传来高音喇叭的嘈杂声，一个什么造反派组织，正在发表一项什么"紧急声明"；小卑的心发紧了，难道又会发生新的武斗？在这半停产的厂里，吴仲华此刻正在干吗呢？他那些个学问，人家要吗？……

暮色苍茫时，吴仲华回来了。小卑近前问他："您吃过饭了吗？"

吴仲华微笑地回答："这就吃。"他朝暖气走去，小卑这才发现，暖气上放着大半个白纸包着的窝头。

"您就吃这个？"

吴仲华有点不好意思，解释说："中午吃剩下的。现在吃蛮好，蛮好。"

就这样，吴仲华倒一茶缸白开水，一边就着吃窝头，一边坐下来看那些大厚本的书。小卑给他找来了咸菜，发愣地望着他。

很晚很晚了，小卑在自己过夜的宿舍里，忽然从梦境里惊醒过来，她觉得有什么东西晃眼，定睛一看，窗外斜对过，恰是吴仲华的住房，仍然亮着台灯，白布窗帘映出了那位啃窝头的科学家的剪影，他手里摆弄着叶片，还在研究着……

年轻的姑娘在床上抱膝沉思了：科学家啊科学家，你现在搞这玩意儿又出不了名又得不到利，你图的是什么呢？

初冬的寒风在夜空中盘旋，星星似乎也冷得打哆嗦。暖气供应不足，吴仲华把床上的毛毯拿来盖到腿上，暂时搁下了手中的叶片，仰靠在椅背上，思绪奔腾起来……

他想到了白天的情景。他自告奋勇给厂里的技术员们讲三元流动理论。说实在的，在这仍旧动荡不定的政治形势下，讲这种理论，即使不被人扣上“业务挂帅”的帽子，也总有点不合时宜，但是，没有想到，小小一间屋子里，竟挤满了那么多热心的听众，闪烁着那么多双求知的眼睛。亲爱的祖国啊，多少颗心在盼望你能早日生产出第一流的飞机发动机！

然而，下了课，多少个热烘烘的身躯围住了他，多少张纸条递到了他手中，普遍的反应是没听懂、太艰深。怎么办？停讲，还是想出另一种深入浅出的方法，从头讲起？

吴仲华轻轻吁出口气来：一定要不怕麻烦，不怕艰难，想出新的、易于被人接受的讲授方案！需知，在这一九六九年的秋冬之际，多少干部和科学家仍未被解放，他们的聪明才智、学识能力仍被禁锢，他们所渴求、企慕的工作机会仍未获得！吴仲华不禁想到他在甬路上与程华明的邂逅相遇。这位曾在国民党统治最黑暗的年代里，向他心上播撒过火种的革命者，解放后到黎明机械厂担任了多年的党委副书记、总工程师，现在却被不公平地剃成了光头，挂着“走资派”的黑牌子，被“造反派”押往车间游斗！吴仲华与程华明交换了短暂的对视。吴仲华从程华明眼睛里所看到的，既不是沮丧也不是委屈，而是一种因为渴求工作所产生的羡慕之情——是呀，我吴仲华碰上了一个能较好地执行党的政策的军管会，这样早就得到了解脱，有了发挥专长的机会，我要加倍地努力！要把老程他们所失去的时间和工作机会，一人承担起来！

当黎明的霞光把招待所房屋的轮廓重新勾勒出来的时候，吴仲华住房的灯光仍未熄灭。小卑醒来，隔窗望见这情景，只觉得黎明的霞光注进了科学家住房的窗户，而且，将在那里长驻，永远也不会消失……

吴仲华同他们的小组回北京了。小卑头一回在客人离去后感到若有所失。见到潘所长，她时不时会问："老吴他们还来不来呢？"

还来。为了改型工作，以及别的任务，后来吴仲华他们又几次来到这里。几乎是回回小卑都要问："您有什么要求？尽管提吧！"而几乎回回吴仲华都是摇头："这样就蛮好，蛮好。"只有一次，吴仲华下了火车，来到招待所，有点不好意思地对小卑说："路上胃里有点不舒服，能不能给我……"

小卑顿时激动起来："您想吃什么？鸡蛋挂面？热汤馄饨？扯面片儿？……"

而吴仲华要的不过是："一碗大米粥。"

这就是他仅有的一次"额外要求"。

后几次来，吴仲华和小组的同事们主要是在吴仲华的住房里活动，他们没日没夜地大声讨论着、用台式电子计算机计算着，显然，改型设计工作到了最关键的时候。

终于有一天，屋子里安静下来，小卑发现科学家那些年轻的同事们都在整理行装，显然，他们的工作又告一段落，该回北京了。

小卑来到吴仲华的住房，想帮助他收拾一下东西，只见吴仲华站在书桌前，右手拿着一叠纸，左手搓着下巴；他见了小卑，便请求地说："小卑同志，麻烦你了，你把他们都叫来。"

小卑照办了。小卑目睹了一个难忘的场面：吴仲华请求年轻的助手们重新计算！助手们先是呆住了，然后便一叠声地表示反对："我们算得很仔细！""不会错！""重算可来不及！""火车票都买好了！""卧铺票不好搞，退了再买可不容易！"……

平时显得那么蔼然可亲的吴仲华，仿佛顿时变成了另外一个人，他表情冷峻，用不容商议的语气命令说："要重算！"

年轻的助手们同意了。然后便是椅子响、纸张响和手揿计算机键盘的响声……

小卑去给他们打开水，在院里子碰上了潘所长，她感动地说："老潘，你总说老吴'治学严谨'，这四个字呀，今天我才明白了是什么意思！"

潘所长点着头说："你这下该明白老吴了吧！告诉你，人家是个搞飞机发动机理论的科学家，按说这种搞设计的事儿，根本用不着管，怎么应用是别人的事儿，可老吴他勇于来联系实际，一丝不苟地搞设计应用，这精神可不简单啦！"

这晚上，吴仲华住房的灯光又亮了一夜。小卑做了个梦，梦见自己走去开门打扫房间，满屋绚丽的彩霞，满屋璀璨的晨光……

后台

人们津津乐道科学家的成就，却很少去体察科学家的内心。什么使他们最感幸福？什么使他们最觉痛苦？什么是他们可以舍弃的？什么是他们宁死不舍的？

1966年夏天，吴仲华在所办公室里被关了几天。有人以为吴仲华一定感到痛苦，不，吴仲华真诚地想：党和群众有权力审查我的一切，我是光明正大的，党和群众把我审查清楚了，我一定可以更好地工作。

1969年严冬，吴仲华每天从沈阳黎明机械厂招待所顶着寒星走出，顺着冷寂的街道，步行到黎明机械厂去，那条街道当时不大太平，被邪气迷住心窍的"武斗队"，会突然从拐角冲出来，袭击他们认为是"对立面"的身影；趁着动荡的形势行凶抢劫的流氓，时常使这条街道上陡然响起呼救的惨叫……但是吴仲华完全没把这些放在心上，他裹紧大衣，沉稳地朝前走去。当时强调接受改造，到了厂里，有一部分时间并不是搞科研和设计，而是跟班劳动。吴仲华向老师傅学习铣零件，开始不熟练，铣出了两个废品，老师傅原谅他，让他坐到一旁休息，他不，他用纸包上那铣坏的零件，掏出笔工工整整地写上："吴仲华铣坏的零件。"他没有意识到当时的做法是浪费人才，而是很真诚地想：我是搞飞机发动机设计的，有这样的机会来亲自铣铣发动机零件，实在是一件好事……

是的，吴仲华向人说过："我从国外回来不是为了生活，而是为了工作。""吃窝头也认了，到山沟也认了，我要帮助把中国自己的发动机搞出来。"1972年，当新到的党委书记老纪同志问他"你有什么想法？"时，他只有从肺腑中迸出来的四个字："我要工作！"

他的工作，他愿用毕生心血从事的工作，他赖以和党、祖国、人民联系的纽带，他的自尊心和荣誉感的基础，就是从事航空发动机理论的研究。只要让他为祖国研究这个，他就感到幸福，他就可以舍弃其余的一切！

然而，有一天，吴仲华正坐在办公室里，专心研究着三元流动理论上的环节，门被"砰"地撞开了，进来一个身躯干瘦、小鼻子小眼、薄嘴唇的年轻人，此人几步走到吴仲华身边，不等吴仲华反应过来，便盛气凌人地宣布说："吴仲华！从今天起，你停止关于航空发动机理论的研究，改行搞激光！这是力学所的重点工作。"

"改行？！"对于吴仲华来说，这犹如一声晴天霹雳。痛苦的波涛在他胸中涌动，他站起来，脸憋得通红，紧闭着嘴唇。来者估计吴仲华顶多不过是请求或沉默，没有想到，吴仲华此刻站在他的面前，倔强地发出了抗争：

"我决不改行！决不！"

薄嘴唇的年轻人略一镇静，便声色俱厉地训斥说："这是革委会业务组的决定，你必须服从！革委会业务组的决定，是根据陈伯达的指示作出来的。首长指示我们：科学院要拆围墙，要做到三个面向——面向工厂、面向应用、面向中小学。你那个脱离实际的研究，早该枪毙了！"

吴仲华气得发抖，他用手指弯敲着桌子，大声地驳斥："你们枪毙不了世界上根据三元流动理论设计的飞机发动机！"

吴仲华坚持下来了，当然，只剩他一个人干。那个薄嘴唇的年轻人还不甘心。这位年轻人是1965年的大学毕业生，他来到力学所并没有认真搞过一天科研，看来他对权力的爱恋远甚于对科学的兴趣，而他对权术的钻研又远甚于对知识的积累，于是，趁“文化大革命”之机，他便粉墨登场，来大捞一把了。他捞到的革委会常委、业务组负责人这个官位，正派人看来已觉过高而痛心，他自己却只觉过低而苦闷。迫令吴仲华改行碰钉子以后，他一方面忌恨吴仲华，一方面又暗讥吴仲华愚钝。吴仲华只以为这着棋完全是冲着他个人去的，殊不知薄嘴唇他们小帮派一伙，主要是想通过吴仲华搞吴仲华的“后台”。吴仲华的后台是谁？1972年来所担任党委书记的老纪同志，以及1973年来所担任党委书记的老杜（老纪这时到科学院院部担任了局长），他们都“明目张胆”地支持吴仲华坚持航空发动机理论研究，而他们之所以决心这样大，又是因为1971年，周总理明确指示要抓航空发动机的基础科学的研究……

吴仲华的确是个不大精于政治的科学家。他是直到1975年冬天，才终于彻底看出了薄嘴唇那伙人的矛头所向。啊，他们原来是想通过我去搞我的“后台”！“我的后台是谁呢？”吴仲华想了想，笑了。不错，后台有老杜和老纪，有把自己找去当参谋的昔日南泥湾的英豪，有用“你们还很年轻，要为祖国多做出贡献”的动人话语激励自己的敬爱的周总理……而这样的后台，他们的意志和愿望，不就是党和国家、人民和历史的愿望吗？

正是因为有了这样的自觉性，在1975年冬天，正当“批邓”的喧嚣声越来越响时，在安徽合肥中国科技大学里，活跃着一个“不合时宜”的叶轮机械三元流动理论学习班，这个学习班的主讲人吴仲华，每当登上阶梯教室的讲台后，眼里都闪着那样无邪、无畏的目光，开讲以后，不但以清晰、严谨的科学逻辑引人入胜，而且，那身姿、那音调，渗透着一种豪迈的、凛然不可犯的气势，使听讲人忘记了“批邓”带来的政治严寒，而向往着向四个现代化迈进的科学春天！

让薄嘴唇之流去“追”、去“捣”吴仲华的后台吧，他的后台、实际上就是人民，就是中华民族必然要向四个现代化迈进的铁的意志！谁向这样的后台挑战，谁到头来肯定会碰得头破血流！

主席没有揿铃

吴仲华是幸福的。即使在三九严寒里。大地上微吹的暖气也把他牢牢地托住，不准许“四人帮”的罪恶之手将他扼杀。1976 年春天，冲破“四人帮”一伙的重重阻挠，吴仲华率领中国航空学会代表团，到西德慕尼黑参加了第三届国际空气喷气发动机会议。

会议在豪华的“荷莱德”旅馆举行。在完全是现代派装饰的会场里，聚集了来自十八个国家的二百四十六个喷气发动机专家。会议为期一周，共宣读了四十五篇学术论文。

会议的一个高潮，是比利时的勃鲁盖尔门担任执行主席那一天，按规定，每篇论文最多宣读半小时，在第二十五分钟，执行主席循例要揿铃提醒宣读者：只剩下了最后五分钟。

吴仲华登上了讲台。同二十六年前在美国纽约艾斯托利尔旅馆宣读论文时相比，如今的吴仲华并没有显得衰老，他显得更加气度轩昂，更加胸有成竹。他手里拿着题为《使用非正交曲线坐标的叶轮机械三元流动基本方程及其解法》的论文，这篇论文不但凝聚着他的汗水和心血，也凝聚着祖国和人民所寄予的希望，在座的各国科学家们谁能知道，这篇论文冲破了林彪、“四人帮”一伙直到薄嘴唇之流所设置的多少障碍，饱吸着毛主席、周总理直到老纪、杜大姐乃至于小卑们所提供的多少滋养，才开花结果的啊！

吴仲华高声宣读着论文，在座的科学家们仔细地听着。十分钟、二十分钟、三十分钟……执行主席勃鲁盖尔门没有揿铃，论文宣读完了以后，人们报以由衷的热烈掌声后，勃鲁盖尔门这才一看手表——啊呀，竟宣读了整整一个小时，却又为何绝不感到枯燥、冗长，而令人兴味无穷呢？

休息时，在咖啡厅里，科学家们或坐或立，自由交谈，不少人走过来向吴仲华致以崇高敬意，比利时流体研究学院的副教授冯·卡门曾在英国与吴仲华有一面之缘，他早就应用过吴仲华的理论，并称呼吴仲华为“径向流动理论之父”，另一满头白发、戴着金丝边眼镜的老教授走来与吴仲华碰杯，他的评语只有一句话：“真美呀！”科学家们之间绝无虚谀浮言，一个称呼，一句赞叹，足能说明吴仲华宣读论文的时刻，恰是这次国际学术会议的一个高潮。

这高潮还有惊人的余波。西德航空空间实验研究院发动机所报告了激光双光聚焦测速法用于轴流压气机转子内部三元流场的测定，并与根据吴仲华 S1 S2 流面三元理论的计算结果进行了比较。对设计压比为 1.5 的单级跨音轴流压气机转子在一个设计工况下的内部三元流场进行了测定，测定结果与计算结果相当符合！实践是检验真理的唯一标准，西德的这个报告有力地证实了吴氏三元流动理论的充沛生命力。

某些好的科学论文能给人带来美学上的高度享受。当吴仲华应西德航空空间实验研究院发动机研究所之邀，去该所宣读他的论文时，勃鲁盖尔门从比利时再来，又听了一次。

吴仲华的论文又一次受到了好评，被公认为是指导燃气轮机设计的最好理论之一。

吴仲华从欧洲乘飞机归国。舷窗外是一片灰白的云海。吴仲华思念着祖国的一切。祖国啊祖国，你什么时候才能顺畅地起飞？什么时候，我那三元流动理论，才能为你所用，开花结果呢？

无声的尾

1978 年的春天，全国科学大会开会期间，我多次去访问吴仲华。

一定会有人感到奇怪，访问吴仲华，我不是到科学家们集中住宿的西颐宾馆，而是到城内东单的北京医院。

原来吴仲华当时正在住院。他参加大会的种种活动，几乎都是从北京医院坐车去的。医生发现他胃里长了块小小的类癌，为防止有所变化，建议他切除。

吴仲华和千百个科学家一样，不再被贬为起腐蚀和破坏作用的“臭老九”，而被我们的党尊重地宣布为脑力劳动者，宣布为社会主义伟大生产力的一个不可缺少的、重要的组成部分。关于他的病情和治疗方案，科学院的领导亲自过问，作了详细的指示，院领导、老纪和老杜代表院、局、所的党组织，对他进行了亲切的慰问，细致入微地照顾了他的每一个方面。他的助手们在等待他痊愈回到岗位，好在他带领下向更高的峰峦登攀；目前所里已恢复了三个专门搞工程热物理学的研究室，必要的实验室已经破土动工，一切都如同五月的丁香般充满了希望。沈阳黎明机械厂已经恢复了工作的党委书记兼总工程师程华明，在殷切地盼望着吴仲华早日去厂里搞实验；招待所的小卑笑容满面地指着报纸上登出的照片，向好奇的人们介绍着吴仲华请求一碗热粥的往事……啊，也有人对他充满了嫉恨，比如说，那个曾经逼迫他改行，而后被宣布停职检查的薄嘴唇年轻人。不过，慷慨的春天，以及吴仲华本身，都不想轻率地抛弃一个“浪子”——只要他真的能洗心革面地“回头”……

我又一次来到北京医院。我愿再次听到吴仲华爽朗的笑声，以及那诚恳而实在的谈吐；我想知道他今后的打算，以及他沸腾的思绪、奔放的展望。然而，进了病室，却不见吴仲华的身影。护士轻轻地走来，微笑地告诉我：“吴仲华同志由爱人陪着，检查身体去了，请您先坐下，稍等一会儿。”

我没有坐下。我在高大宽敞、铺着地毯的病房里踱着步子。我看见了搭在沙发背上的女式呢外套，这使我想到了吴仲华那患难与共的伴侣李敏华，同时，我想起了力学所同志告诉我的话：“在运动中吴仲华说过，他一生有两件事做对了，第一是1954年回国，第二是同李敏华的结合。”我想到了吴仲华的为人，他的事业与他的政治观念以及生活态度，是那样严肃、那样真挚地溶化在一起，一种敬佩的心情油然而生……

我暂时听不见吴仲华的言谈笑声，病室静悄悄。但是我踱到宽大的写字台前，我看见那上面摊放着邓副主席、方副总理在科学大会上的讲话，一角还放着一叠中文和外文的航空杂志；我更注意地观察，发现床头柜上还有一份未及改完的清样和一支圆珠笔，那清样是写给《红旗》杂志的文章，论述了技术基础科学和应用基础研究的重要性……啊，这里既是病房，也是工作室，此时无声胜有声，我们可敬的科学家，在这里也响动着向更高的科学峰峦登攀的足音！

我等待着与吴仲华再次欢叙……

我相信，他会告诉我，告诉大家，为了使整个祖国安装上最先进的“燃气轮机”，豪迈地飞腾起来，他和他的战友们，打算进一步作些什么……

啊，飞吧！祖国；啊，前进吧！时代……

1978 年春

碧绿的山影

山影，你在哪里?

一位老大娘在哭泣。泪珠，淌过她那被生活之刀刻出纹路的脸颊。那是一个夏日的清晨。霞光给首都北城的钟鼓楼勾出了金边。醒来的燕子，已经活泼地飞翔在钟鼓楼屋脊的螭头上下。

老大娘所住的胡同小院，就在钟鼓楼背后不远。她和她的老伴，在这个地方生活了许多年。他们爱养花。有一盆山影，他们养了整整二十四年。那是他们唯一的儿子落生时开始培养的，儿子有多大岁数，山影也有多大岁数。朝朝夕夕，儿子有离家之时，山影却永远守在窗前。

在仙人掌科植物中，山影也许是最不珍贵的观赏品种。它没有令箭荷花那样华美艳丽，也不如蟹爪莲那般婀娜多姿。它就是那么朴实厚壮的一块，因为外表高低凸凹不均，看去仿佛奇峰异岭，所以得了现在这么个俗称。栽植它非常容易：只要从成株中掰下一块，别盆安插，便有成活的可能；但是把它养到二十四年，在大盆中长到一人高的程度，碧绿欲滴、巍然可观，却不是每一家所能做到的。

老大娘那天清早起来，开门到院，陡觉若有所失，环视少许，顿如遭到雷击——窗外那盆一人高的山影，竟不翼而飞!

老大娘还在发愣，左邻右舍也纷纷报失——这家丢了院中陶盆里的金鱼，那家丢了晾在廊下的衣物，有的同老大娘一样也丢失了盆花。

显然，昨夜人们熟睡之时，有窃贼溜进了他们的院子，进行了一番洗劫。

他们竟然搬走了老大娘家的那盆一人高的山影！

人们公认，那是一桩最大的损失。

那山影的价值不能以花木商店的牌价来衡量，那山影满蓄着老大娘和她老伴的无数回忆与丰富的感情。那回忆里有丽日晴云，也有恶风淫雨；那感情里包含着酸甜苦辣咸的复杂成分。二十四年里有小一半的岁月是动荡的。二十四岁的儿子在这样的岁月里长大成人是不容易的。如今动乱已经过去，儿子走上了工作岗位，山影应当更加青翠多姿。山影几乎同儿子同高，它就是儿子的投影。老两口还等着在这山影面前，和儿子未来的媳妇一块拍照留念呢。但是，山影却如此这般地消失了！

非常遗憾，生活在我们这个时代，生活在首都的一角，人们还不能避免因悲痛而流泪。尤其遗憾的是，有相当的数量的悲剧，是由刑事犯罪活动构成的。

老大娘啊，您的泪水，既是对珍贵物品丢失的痛惜、对流氓偷窃分子的愤慨，也是对公安部门的一种强烈呼吁。

是的，不仅是这位老大娘，多少个善良而安分的公民，都切盼着公安部门为民除害。

老大娘所居住的胡同，属安定门派出所管段。这个派出所有三名治安民警。其中有一名叫王加明。

王加明来了。他在黎明的霞光中向我们走近。这位一九六五年从公安学校出来的民警，身上还散发着他家乡密云县山区的泥土气息。他个子高高，清瘦而结实；他相貌并不英俊，然而蔼然可亲。他的外表是那么平凡，但内心却犹如宝盒，闪烁着美丽的光彩。

他听说了老大娘家丢失山影的事。就事论事，这实在是一件小事。在安定门派出所管辖的几十条胡同里，这些年发生过多少起惊心动魄的刑事案件啊！

可是，老大娘的泪珠仿佛滴滴都落到了王加明的心上。对王加明来说，那泪珠是火烫的。它焦灼着一个治安民警的责任感。

安定门派出所位于豆腐池胡同。豆腐池这个名称，以及那一带其他胡同的名称：箭杆、粥铺、纱络、钥匙、酒醋局、扁担厂……，使我们想到历史上这个地区的特点。在古城北京最北边的这个地区，过去主要居住着城市贫民，他们从事着一些本小利薄的手工业生产。新中国建立以后，这里同整个中国、整个北京一样，出现了日新月异的发展趋势。这个趋势由于值得深入探讨的原因，从 1958 年以后便时而变得涩滞。在十年动乱中，教育事业处于崩溃状态的情况下，青年一代度过了他们的求学时期。他们在知识和教养方面的亏损，往往并不能从家庭中得到补偿，加以其他许多因素，于是，其中有的人就沦为流氓。“安定门不安定，和平里不和平”，这并不是一句笑话，而是一句随着夜色降临格外令人惶惶不安的警语。

双肩上披着霞光的王加明，当他向我们走近时，他心中沸腾的思绪，就在这样的背景上展开。

他知道，在资本主义社会，警察破案的积极性，往往是同事主的地位高低，以及涉及财富的大小成正比的。我们搞的是社会主义，我们国家的繁荣富强，取决于每一个普通公民的社会主义积极性，因而，使每一个公民都能生活在安定可靠的生活环境里，能集中精力投入实现四个现代化的伟大事业，是公安人员的神圣使命。对于社会主义社会的民警来说，老大娘为山影丢失而流出的泪水，其分量是资本主义社会达官贵人的任何悬赏都无法比拟的。

王加明蹙眉思索着：山影，你在哪里？他心中阵阵作痛。凭着他的经验，他知道，偷窃者不可能爱惜到手的任何物品的。那一人高的山影，整体运送和保存都很困难，因此很可能已被偷窃者掰分，然后拿去零卖……

王加明决心找回山影。就算物质的山影已经湮灭了吧，也要把碧绿山影般的安慰，送到人民群众的心头。

王加明走到了我们面前。他一身阳光，满脸朝气。

“你是从派出所出来，去执行任务吗？”

“不。我是昨晚从派出所出来，去执行任务的。现在事情办完了，我回派出所去。”

“你是白天休息，晚上工作吧？”

“不！白天晚上我们都干，事情急，连轴转，我和同志们有一回连续作战了三十四个小时。不过，你别为我担心，我得空就抓紧时间休息。所以身子骨还顶得住！”

顶得住，那不仅是身子骨硬，更重要的，是灵魂上燃着熊熊的火苗啊！

静夜里的搏斗

1978年6月23日零点。静谧的夏夜。

王加明缓缓地骑着自行车，从北锣鼓巷一带返回派出所。他刚执行完一项调查任务。夜风吹拂着他的身躯，他的面颊，在他心头逗起丰富的思绪。他的思绪飞越了整个北京城，飞越过了顺义的牛栏山和怀柔的裤子型水库，飞越过了上百里白杨镶边的公路和沉睡的密云县城，一直飞越过鱼儿不时跳出水面透气的、开阔的密云水库；在水库北岸不老屯公社转山子大队秀才峪的山坡上，有他的家乡，他的庭院，他的母亲，他的妻子和儿女……此刻在他头顶上微斜的银河，那神秘的光波，也沐浴着他的家乡和庭院吧？那三间饱蓄着幸福的北房，背靠山涧，那涧中的流水，正在星光下闪着银斑，潺潺地奔向水库吧？那山上的核桃、栗子、山里红，该已挂果？那满岭满谷的谷子，该已垂下了沉甸甸的穗子？庭院中他手植的雪花梨树，那梨儿长得已有多大？那梨树对面的桃树上，是否还为他留着两三个红透了尖尖的肥桃，只盼他进家就摘下来吃，咬出满嘴的蜜汁儿？……忽然，庭院中的柴禾堆进入了他的思绪。是啊，他头几天才接到妻子的来信，催他回去，那庭院里的柴禾堆已经变得很小很小，他该回去为家里上山打柴了。他眼前浮现出了散发着山野气息的柴禾堆，以及在灶孔中闪动的鲜红的火苗；他耳畔响着柴禾在灶孔中劈啪燃烧的声音：他鼻中嗅到了从家里大锅的秫秸盖帘边溢出的贴饼子气息……

谁无家庭？谁无父老、妻儿？谁不渴望安定而幸福的生活？王加明的胸膛里也跳动着一颗恋家之心。但是，他还是决定暂不回家，因为要使自己一家安定而幸福，就必须使千家万家都处在安定而保险的环境之中。眼下全市各有关部门正开展打击刑事犯罪的行动，他离不开。对这星光下的街道、胡同里的每一个院落、每一户家庭，他们治安民警都承担着保卫的任务，他不能在进攻性的保卫战中抽出身来，只顾自己那个小小的家。待工作告一段落，再去捧一把山涧水洗脸吧！我们的王加明啊，这平凡而质朴的民警，他的心胸，正如星空般开阔……

这也许是他们治安民警的职业性习惯吧，他们飞扬的思绪，可以在刹那间刹住——倘若眼前出现了哪怕是一丝的蹊跷的景象。

王加明忽然看见，迎面来了两辆自行车，骑车的是两个男青年，分别坐在车后的也是两个男青年，那两个坐在车后的青年手里，似乎搂着、提着大而松的包袱。这形迹当然可疑。两辆自行车从他左右掠过后，大概是骑车的见人心虚吧，嗖嗖地加快了速度，一派逃遁的神情。王加明当机立断，调转车头就追。那四个青年发现有人追来，慌了手脚，自行车不断地呈S形疾进。王加明终于追近了他们，先追究他们最明显的违章行为："嘿！你们怎么骑车带人？"

那果然是四个盗窃犯。他们慌乱中掉下车来。其中最凶恶的一个二话不说，冲上来就踢王加明的车子，另一个则抡起手中的东西往王加明砸来。原来那是一只大塑料袋，里面大约有六七斤水，水里是偷来的金鱼。水袋在王加明胸上震破了，溅了王加明一脸一身的水，可怜那里面的龙睛鱼，有的当场砸破身躯，血染王加明的衣襟，有的滚落地上，痛苦挣扎。王加明遇乱不乱，他并不四面出击，只集中对付一个，他伸手抓住其中动作最迟缓的一个，同时用另一只手麻利地锁住了他们两辆车中的一辆，拔下了钥匙，其余三个见状不妙，一个骑车逃跑，两个狂奔而去。这被逮住的一个，哪会甘心就擒，他先佯装服输，然后趁王加明换臂之机，纵身欲逃，这时恰好一位解放军同志路过，王加明招呼了一声：“我是派出所的，这小偷要跑！”解放军同志立即迎上去，同王加明一起扭住了小偷，将他送到派出所。

当晨曦映红了王加明家篱旁的柴禾堆时，当他的妻子弯身打开柴禾堆旁的鸡埘时，当丰盈的露珠从树叶上相继滚落时，当山谷中迢递的鸡鸣声伴着山涧水奔流时……家乡的亲人啊，你们以为王加明正从一夜酣睡中醒来，披衣洗漱吧？不，你们错了。当晚，王加明和所长对小偷进行了讯问，他们对小偷不打不骂不辱，在严厉的批评和耐心的教育启发下，经过四个小时，小偷终于供出了他们那个盗窃集团的主要罪行。他们一伙四人已作案五十多起，专门在深夜潜入胡同院内行窃，见着什么偷什么，他们特别对院中居民的盆花和缸盆中的金鱼感兴趣，每当窃取到手，就私下倒卖给花迷、鱼迷们，得到不少的钞票……他们将这个犯罪分子从派出所送到东城公安分局拘审后，王加明才松了一口气。他在派出所院子里的海棠树下，叉腰沉思起来，这时候他脑海里既没有家乡的雪花梨也没有家乡的柴禾堆，他有的只是愤恨、痛惜与探究。

他愤恨这些堕落者的卑污。他们不但偷窃着善良居民们的财物，更偷窃着他们的感情。财物上的损失还能计算出来，有时并能在破案后有所弥补，而感情上的创伤，往往是难以弥合的；居民们感情上的创伤，不可避免地要影响到他们在实现四个现代化的工作中的情绪。他也痛惜这些堕落的青年人的年华。他们是在十年动荡中荒废了学业、失却了教养的粗野一群。如果他们仅仅表现出一种对钱财的贪欲和对享乐的追求，那还不足怪；问题是他们竟愚昧、粗俗到不可思议的程度。他们并不能估出自己到手的东西的价值，他们可以将非常珍贵的东西毫不吝惜地毁掉或以一瓶汽水的代价转让；反过来，他们又可以将极无价值的东西视若珍宝，他们没有知识，以至荒诞到连挥霍享受的方式也有悖事理。如将耳环当作戒指戴在手上，或将含脂量很高的润肤膏浓涂于本已皮脂堵塞、粉刺累累的面皮……是谁把他们变成了这种模样？如何把他们当中的大多数挽救过来？如何把他们的犯罪行为扼止在犯罪冲动出现而尚未构成行动之前？……

王加明站在海棠树下，就这么沉思着。沉思中的王加明比行动中的王加明更加可爱。我们不必一一描述王加明经历过的那些远比这回惊心动魄的搏斗：他如何将一对新婚夫妇从手持尖刀的三名匪徒胁迫下解救出来，而自己险被匪徒割断手腕上的血管，只在棉衣袖口上留下了一个口子；他如何在追捕一名顽固的强劳外逃分子时，同该犯在狭窄的院墙上扭斗，这堵墙一侧离地三米多，另一侧离地两米，王加明机智而果敢，使双方的重心都倾向两米的一侧，扭着对方一齐摔了下去，并在搏斗中终于将逃犯制住……没有一颗丰富而美丽、质朴而深沉的爱人民的心，不可能会焕发出这股无私无畏的正气。王加明啊，你又经历了一个平凡而紧张的夜晚，让和爽的晨风，吹遍你的全身吧，让海棠的清香，沁透你的心脾吧，有了无数个你这样的公安战士，我们将感到更加安全，更加有靠，更加幸福！

失而复得的不仅是物

那一天交道口一带似乎格外热闹。交道口电影院大概正在上映场场满座的《追捕》，涌向北新桥商业区的人流摩肩接踵。一位四十来岁的男同志，兴致勃勃地朝交电门市部走去。他是某单位的保卫科科长。他是去为自己家买一台电视机。想象到当晚全家坐在电视机前观赏的情景，他心里真好像淌着蜜水儿。该顺便买块适合的布，回去让老婆用缝纫机轧个罩子；是买平绒好呢，还是买亚麻布好呢？……他在欢愉中走进了交电门市部。可是，当他习惯地一摸屁股上的裤兜时，手指头不禁发凉了，心上“腾”地长出了毛儿——那一叠四十六张十元的票子，竟已无影无踪！

阳光顿时变得暗淡起来，货架上的电视机变成了一只只硕大的惊讶的眼睛，周围嘈杂的人声仿佛一下子退到了很远的地方，他额上沁出了汗珠，颓然地呆立在那里，半晌不知该向何处挪步……

那四百六十元钱，是他由部队转业到地方时领取的复转费，这笔钱一直留着没动，全家人经协商，才热烈而郑重地决定用它来买一台电视机。他好比是位得到命令的战士，今天欣然出征了，谁想到却“出师未捷钱先失”！

当然，他去派出所报了案。然而从派出所出来时，他依旧是那样的沮丧。他知道，即使派出所查出了窃贼，往往也只是报给公安分局，公安分局依法拘留审查后，交法院判决处置，社会上固然少了一害，但失主的损失和悲痛却往往无从补偿。失主有权要求公安部门追捕坏人，却无无权要求公安部门赔偿损失。公安部门毕竟不是保险公司啊。

然而这事被王加明得知以后，他的反应却不仅仅是对保卫科长的同情与对窃贼的愤恨。他产生了一种超出义务之上的责任感：应当尽一切可能为遭受损失的事主补偿损失。

在一次对某个流氓盗窃惯犯的审讯中，王加明发现了一个小小的线索。这个线索导致了对另一个盗窃犯的调查。这场调查在得到主要的罪证后似乎可以宣告结束了，但王加明仍然穷追到底。由于他心中存有关于保卫科长失窃的那档子事，因此他没有在每一个可以停留下来的环节上止步，直到最后对证出来，那盗窃犯正是从保卫科长的裤子后兜中偷出四百六十元钱的作案者。他按法律手续查抄了盗窃犯的赃物，经过处理折算成现款后，通知那位保卫科长来领取他失去的款项。当保卫科长领到失而复得的四百六十元钱时，他简直不知道该用什么样的话语来表达自己的感激之情。

是啊，当那保卫科长全家每晚兴致勃勃地坐在电视机前看电视时，他们往往不由得提起王加明来，他们失而复得的不仅仅是一台电视机，而是一种体现着社会主义制度优越性的革命人情。这种人情在十年动荡中被压抑得那么深，以致直到今天，依然并不是处处可得。

去年的一天，一个街道积极分子把一辆自行车推到了派出所。这是他从安定门大街拣来的。那是辆新的飞鸽牌二六车，车上没有车牌。对于诸事繁忙冗杂的派出所来说，这是件芝麻粒大的事。有的只需登记一下循例上交就是了。

然而王加明走到这辆车子跟前时，他却不仅看见了物，而且想到了人。那失主现在何处？什么心情？他每天上下班，都离不开这辆车吧？他现在该多么焦急！回到家中，家里人肯定会埋怨他的疏忽，而他出于气郁不舒，或许就形成一场争吵……他在工作岗位上难免会分神吧？他是干什么工作的呢？他的心神恍惚会不会酿成事故？他要是能及早得到失去的车子该有多好……

王加明想到这些，便发动战友小高一齐来对这辆自行车详加检查。小高，这位河北宝坻县出生、经过部队严格训练的转业军人，在同王加明的共同战斗中，深深地被王加明身上焕发出的优美精神所吸引，他总是同王加明密切地配合着完成各项战斗任务。他们蹲在车旁，逐项地检查着，这辆车的特征太不明显了，他们简直濒于绝望。但是，“啊，瞧这儿！”王加明终于在车铃那儿，发现了一个小小的记号，上面写着“红旗化工厂”五个字。

王加明立即去给红旗化工厂打电话。厂里回话说：“我厂没查到有人丢车。”在那一天里，也没有人到安定门派出所来报失。不幸的自行车啊，看来只好被当作“无主车”上交了。

太阳高挂在空中，海棠果熟了，熟透了的果子借着风的劲儿落到了树下，中午的派出所里静悄悄，一些人在值班，另一些人在午睡。当日无大事，人们很可以心平气和地按部就班地工作和休息。但是对于王加明来说，这辆“无主车”犹如一根梗在心上的柴禾棍，不弄到水落石出，他午餐不香，午觉睡不着。他心中牵挂着那位没见过面的失主，那失主该更是吃不下饭、睡不着觉吧？

王加明和小高冒着暑气跑到红旗化工厂，详细介绍自行车特征，帮助厂保卫科进行调查，终于，他们查到了失主。当那失主被引到他们面前时，不禁胸脯大起大伏，握住王加明的手摇了又摇……原来，他的车是在和平里地区丢失的，他是在和平里派出所挂的失，他觉得厂保卫科管不了厂外的事，所以丢车后并未向厂保卫科报告。他已经横下了一条心，只当车子绝对找不回来了，准备再攒钱另买一辆，没曾想，安定门派出所竟有这样的好民警！

当这位化工厂的工人骑着那辆失而复得的车子行驶在繁华的街道上时，他切切实实感受到了我们社会主义制度的优越性。

失而复得的不仅可以是物，而且可以是感情。

失而复得的也不仅可以是感情，而且可以是人。

要减少犯罪行为，关键在于减少犯罪的人。要减少犯罪的人，除了防止新的堕落者的出现，很关键的一点，还在于要将已堕落者挽救，改造过来。

这些年来，初次犯罪和重新犯罪的人当中，大多是二十岁上下的小青年。

怎样改造那些犯罪堕落的青少年？这是王加明经常考虑的一个问题。

按说，这个问题他可以搁到一边，至少可以不必那样牵肠挂肚。因为派出所里，有专人配合街道办事处，负责挽救失足青少年的工作。而且，按照岗位责任分工，对失足青少年的具体掌握与教育，应由户籍民警承担。

但是，对于共产党员王加明来说，他思考问题的深度和从事工作的广度，是从不受具体分工限制的。

他骑车到国子监一带去，在离那古色古香的牌坊不远的地方，住着一个粗壮敦实的青年，人称“小羊子”。

王加明进了屋，“小羊子”迎上去，招呼着：“王叔叔！”

王加明问他：“怎么样呀。这几天管得住自个儿吗？”

“小羊子”涨红了脸，争辩似的说：“干吗管不住自个儿呀？昨晚我到对过小铺买东西去，有那么两个主儿正坐在那儿灌呢！一瞅就是我头几年当过的那路流氓。他们俩许是把钱都鼓捣光了，可还想接茬灌二锅头。我瞄了他们俩一眼，他们俩就跟我横上了，说：‘丫头养的，你他妈的给大哥二哥添二两酒来！’您想我听他们这么一吆喝，能不生气吗？我也不是好鸟！操起那小铺里的凳子，我就敢往他们脑袋瓜上撂……”

“那你怎么办呢？”

“我没撂凳子呀。我想起了您跟我说过的话，啥时候也不能离了正道儿，跟臭流氓们一般见识。我知道他们这是挑逗我呢，伤了他们吧，他们准拉我入伙，跟他们打吧，他们借着酒劲敢把事情闹大……我就憋回了这口气，没搭理他们，买了东西就家来了。他们也没敢再招惹我……”

“好哇，小羊子，你这是老大的进步，我都为你高兴……”王加明淳厚地微笑着，诚恳地同“小羊子”攀谈下去，深入浅出，谈一个人得有自尊心、自制力，谈走正道儿就得既顶得住软的腐蚀，也顶得住硬的挑逗，谈劳动的乐趣，谈前途和理想……

“小羊子”头几年曾因流氓犯罪被劳教二年，期满回到街道上以后，左邻右舍的正派人，不是躲着他就是斜着眼瞧他；可旧日的“哥儿们”却没把他当“外人”。一天“小羊子”正陷于苦闷之中，几个“哥儿们”用“哥儿们义气”激他去参加“叉架”，他想也没想，揣着菜刀便去了，结果当场被派出所抓获。根据他怀揣菜刀参加流氓斗殴的表现，派出所完全可以上报分局，将他送去劳教，但是，王加明却对“小羊子”的情况作了深入的调查和全面的分析，提出了自己的处理意见：“他这回并未造成伤害性后果，又不是主谋，让他‘二进宫’对他对社会都没有什么好处，不如还把他留在街道上，加强教育，让他觉着我们比那些流氓‘哥儿们’对他更好，我们才是真正看得起他，真正能帮助他成为活得有味道的人……”王加明的意见被采纳了，“小羊子”未被送去“二进宫”。“小羊子”始而震惊，继而感激，王加明和责任区民警、居委会同志及时把工作做到家，“小羊子”渐渐变了模样。周围的邻居们看“小羊子”的眼光，也变成了亲切与信任。

王加明配合责任区民警和居委会真的把“小羊子”调理好了，而且情况稳定。他现在是房修队的工人，时常可以看到他蹬着平板三轮车运送建筑材料。有一天夜里，他一气拉了十三趟房瓦，来回合二百多里，连续劳动了九个小时，为第二天房修队的工作解决了备料问题。

人们问：“小羊子，你哪来这么股邪乎劲儿？”

“小羊子”涨红了脸，争辩地说：“干吗说我是邪乎劲？我这是走正道的劲头！如今我凭劳动挣钱，光荣！”回到家里，没睡多久，他就起来，匆匆洗漱之后，便操起木工家什，接茬打制起大立柜来。他已经有了女朋友，准备够岁数就办喜事，而且一再跟王加明强调，到他大喜的日子，王加明非来不成，来了还非喝酒不成，因为他永远不能忘怀这位王叔叔对他的帮助教育。

王加明帮助好的失足青年，远不止“小羊子”一个。到目前为止，效果比较稳定的还有两三个。

当人们称赞王加明在这方面取得的成绩时，他真诚地感到惭愧，甚而会激动地加以反驳：“靠我一个人，就能把‘小羊子’那号的青少年教育好啦！那是大家伙，各方面‘综合治理’的成果。”

谈到“综合治理”问题，王加明时时发出深深的感叹：“最关键的一个因素，是家庭教育。同样经过十年动荡，同样是这么个社会环境，上的也是差不多的学校，可有的孩子就没变坏，有的就变坏了，为什么？因为家庭情况不一样。家庭是个‘上课’时间最多的小课堂。父母就是‘上课’堂数最多的教员。家里溺爱、放纵、包庇孩子，孩子就容易学坏，很难改好……”

有一天，王加明去找一位小青年的母亲，他告诉她：“根据别人揭发，您的孩子跟别人合伙偷了一个钱包，那钱包里除了钱，还有张修表门市部的取表条，您的孩子用那取表条，取出了失主的表，如今就戴在他的手腕上……”

这位母亲一脸惊讶：“你们弄错了吧？孩子的表，是我给他的啊……”

王加明追问道：“您给他置表，怎么不置块新表，而置块修理过的旧表呢？”

这位母亲头头是道地解释说：“那表是他姥爷当年给我的，我要置新表，就把旧表给他了。不信，您找他姥爷调查去！”

王加明只好再去找那小青年的姥爷。那天下着毛毛细雨，王加明跑了十几里路，在某工厂的传达室里找到了那位姥爷。看得出那位姥爷对他的外孙子同样充满了溺爱，他连连证明说：“没错儿，那表是我当年给我闺女的，我闺女如今给了我外孙子……”

去找小青年的父亲，父亲也是这么个说法。

但是揭开那块表的表盖，里头分明有着修理时写下的号码，而来修表的同志，恰是修理部经理的老战友，在内蒙工作，常出差北京。王加明同他通了长途电话，请他回答了一系列关于手表特征和送修经过的问题，证明那块上海牌手表确是他的。

怎么办呢？只好再找小青年的父母谈话。糊涂的父母啊，他们俩都是国家干部，在他们心目中，一块手表的分量有限，可是一个任其自在的宝贝儿子的分量却大到无限，他们认为对儿子包庇到底，便是对儿子最充分的爱，他们实际上是在把自己的儿子推到悬崖的边缘上。真令我们痛心，这样的父母，仅在安定门派出所管片，就颇不乏其人。

王加明和战友们同这对痴心的父母进行了长时间的耐心谈话；用确凿的证据戳穿他们的谎话是轻而易举的，用动心的言语化掉他们心中自私的冰块却并非易事。王加明苦口婆心地告诉他们，要区分什么是真正的爱，什么是表面的爱而实质上却是害……

一直谈到了深夜，这对痴心的父母才终于被说服。他们拉长了脸来，收圆了脸去。王加明把他们送出了派出所，解开了脖领上的衣扣，任夜风扑面而来，长长地吁出了一口气。

他对来采访他的先进事迹的人说："你们别把笔墨浪费在写啥我教育小青年的事情上，你们多呼吁呼吁：痴心爹娘，别溺爱、包庇你们的失足儿女吧！"

愿人们都能听到王加明这发自肺腑的声音。

山影无言，其形自巍

这篇文章开头提到的那位老大娘，如今已经不再悲伤。倘若是写小说，我乐于安排这样一个圆满的结局：那有二十四年年龄的一人高的山影，又回到了她家窗外，在艳阳映照下碧绿生光。但是现实生活总比小说里的生活要多些缺憾。那老大娘的山影没有找回。她另栽了一块山影，这块山影的命运将会怎样呢？

这正是王加明所挂怀的事情。

我去问王加明，他不会递烟，甚至找不到茶叶招待我，他做了那么多的好事，但他却一点也不会表现自己。我甚至感到他过于憨直。

他一开始跟我讲述就提到那盆山影。我们的谈话最后又落到了那盆山影之上。

对一盆山影的联想和思考，使我感到王加明有一颗充溢着革命人情的心。

王加明啊，你的灵魂，不就是一座质朴无华、碧绿莹洁的山影吗?

如果说，林彪、“四人帮”之类的奸贼可以一度窃走、毁坏我们无产阶级公安系统这个山影，一小撮社会渣滓可以搬走诚实公民窗下象征着和平安宁生活的山影，但是，他们却永远不可能泯灭掉王加明这样忠贞的无产阶级公安战士那美丽而丰富的心灵。那心灵的山影，是永远青翠碧绿、生机盎然的。山影无言，其形自巍。巍巍山影，我们敬爱你!

1980年5月20日写于北京垂杨柳

蘑菇池

昨天我到北京65中学去了。

那是我的母校。从1956年夏天到1959年夏天，我在那里度过了三年的岁月。

当时的65中只设高中，不设初中，男女合校并且合班。教学楼是按东德当时的中学标准设计建造的，每间教室对面，都有供学生存放衣帽鞋子和课间活动的休息间。四楼上，一边是宽敞明亮的图书馆和阅览室，一边是镶木地板的体育馆。记得二楼当中的教员休息室里，当时还有墨绿法兰绒镶槽的弹子台。大概是袭用了民主德国中学格局的缘故，我们在校的时候，每学期都将最优秀的班级命名为威廉·皮克班。如今的年轻人，大概不一定知道谁是威廉·皮克了，那是当时民主德国党和国家的最高领导人。记得我们在校时，他来访华，还曾特别到65中参观过，当时的景象，自然十分隆重热烈，但岁月匆匆，皮克早已溘然长逝，历届皮克班的毕业生们，也早已星散各方。

我当时所在的班级，从未荣享过皮克班的称谓。我们那一班相对来说似乎比较平庸。而我，则是班上最平庸的一名学生。

昨天是65中的校庆日。邀请了许多的来宾，并且有许多的校友返校。

我们59届的校友来了不少。我们那个班的，不知为什么只来了六个人。

六个人，便有六种不尽相同的命运，每个人的身后，都有自己独特的一串脚印。我们曾经相聚过三年，回味起来，各自后来的命运，确有那时已经伏下契机的，然而，更有连自己也不曾料到的。

在大家的交谈中，我才知道从我们那小小的班级里，几乎成长起了祖国各条战线上各个方面的栋梁材，有的在搞导弹，有的在搞地质，有的在大学任教，有的为名演员操琴，有的是威武的军官，有的是出色的翻译，有的主编着杂志，有的管理着工厂……

在我们几个同学欢谈时，学友李纪在一旁插话不多。我们都互相说："你可真不显老！还跟以前一个样儿！"但其实心里都明白，谁也不复是当年的形态了。互相望望头发，唯有李纪的头发花白得厉害。

大家一齐上楼，去看当年的教室，指认了一番各自当年的座位，心头浮起许多、许多的五味俱全的往事……

"你陪我去……方便一下。"李纪悄悄把我拉到一边。

我陪他去。当我们走近了二楼那间厕所时，我突然明白了！

我知道他沉浸在不但不愉快，甚而是痛苦的回忆之中。

那时候我们刚到65中上高一。我同他初中也是同学，我们初中都是在21中上的。因为初中就是同学，到了65中后我们两个自然最要好。

有一天，我们两个一起上厕所小便。当我们方便时，当时一位年轻的教导主任也恰好去方便。

没想到方便完以后，出得门去，李纪被喝叫住了。我也吓得要命。不知道我是不是也在被喝之列，便呆呆地随李纪立在墙边。

"你是什么动机？！你说！"主任严厉地质问着李纪。

李纪愕然。我茫然。

主任转向我："你看见他的行为了吗？"

我一辈子忘不了他那一双向我突出的眼睛。

我低着头，不能出声。我实在不知道李纪有什么错误行为。

"你是存心破坏公共财物！"主任朝李纪咆哮着，他显然充满了真正的义愤。

听了主任那连珠炮般的训斥，我才明白他指责李纪的究竟是什么——他说李纪小便时把小便滋在了池子的水管上，是别有用心，他警告李纪要放老实些，最后他让李纪立即写出书面检查，并说如果态度不好，检查不深刻，便将发动班上同学讨论他的行为。

至今我仍弄不懂让尿池子上的水管沾上了尿是不是便会酿成某种恶果，但那时我便隐隐地感觉到，主任专找李纪的茬儿是有特殊原因的。

李纪的父亲是位基督教的牧师。李纪从小受到基督教的教育。在21中上初中时，当生物老师讲了“从猿到人”一节后，李纪曾经跑去同老师辩论：“人怎么会是猿变成的呢？人是上帝造的呀？”那位秃顶的老师倒不像65中的那位主任，他没有大发雷霆，而是耐心给李纪解释。记得那回我恰巧也在旁边。

可是，显然，尽管李纪以优异的成绩进入了65中，那位主任却在只见了他的材料未见他本人之前，便在心里头给他挂了个特殊的号。因此“厕所事件”的爆发便不足为怪了。

李纪是很虔诚的。宗教的虔诚也许确给他灌输了许多谬误的东西，但是表里如一，言行如一，这种对信仰者的要求至少在他身上绝未构成虚伪。他很认真地写出了检查，自然也被很鄙夷地指认为并没有深刻的认识。

后来发生了一桩一定使那位主任更为恼怒的事，不是李纪又一次破坏了什么公共财物，而是他竟递交了入团申请书!

我是理解李纪的。在21中上初中时，李纪也是少先队员。他并不觉得作为一个牧师的儿子，一个教会唱诗班的童声歌手，同作为一个佩戴红领巾的少先队员有什么矛盾之处。他同我们其他同学一起，高高兴兴地参加十月一日的国庆游行，并且我记得他制作的花束，总是比一般同学的精美；也不是他一个人这样，我记得许多高年级的基督教青年会和女青年会的成员，他们为国庆游行制作的有“共产党万岁”口号的彩车，就非常华美艳丽，我想他们中的绝大多数不可能是出于虚伪或更坏的目的，才这么干的。我也记得在李纪家里，他母亲在厨房里炒菜，很随意地感慨着：“现在东西真便宜，这么好的对虾，才五千元一斤！（她说的旧币值，五千元相当于如今五角）”那实在不像是对现实不满的人说得出的话。

在进 65 中以前，李纪就真的不信人是上帝造的了。我记得他曾从图书馆借了许多有关进化论的科普读物来读，并试图同我讨论有关的问题，可是我对那些问题并无他那样浓厚的兴趣。我常常是截断他的问题，拉他去看一场电影。我们当时最爱看的电影是苏联列宁格勒电影制片厂摄制、法英齐密尔导演、斯特里席诺夫主演（你看，我如今还背得下这些名字）的《牛虻》。

到了 65 中以后，李纪实际上比我开窍得快。他关心时事政治，靠拢团组织，当时体育锻炼上实行“劳卫制”，李纪是最早达标的。他不但学习和锻炼上努力，业余还弹得一手好钢琴，并且苦练体操，他很早便能在单杠和双杠上完成难度相当大的动作。

开头，他似乎并没有为自己的教会家庭出身背多大的包袱，但是，自从“厕所事件”发生以后，他有了显著的变化。我那时还是天真烂熳的，不曾仔细注意过他内心的激荡和痛苦。他的申请入团，也曾令我吃惊。我当时在政治上是比较自甘落后的。但我从未怀疑过李纪申请入团的真诚。我只是吃惊于人家并不喜欢他，他怎么还要去争取。

那位主任，还有另外几位多少能决定我们普通学生命运的人，他们原来大概希望通过他们的监督、警告，李纪能自我抑制，而成为一个绝不存在非分之想的学生，但既然他们在批评、教育他时总也得说些鼓励他上进，包括“向共青团员学习”之类的附加语，李纪听了便认上了真，他决心拼命地改造自己，争取有一天能成为共青团员。有一回，我同李纪去什刹海游泳场游泳（那游泳场当年在北京是独一无二的，以至于除了接待游泳者外，还出售参观券，划出一块地盘供人观看游泳场面，如今已因落后而被淘汰），我始终不敢到没过自己的地方去游，他却早已能从九米跳台上跳水，泳技不消说是超群的；当我们走过供学龄前儿童嬉水的蘑菇池时，他似乎是无意地对我说：“我做过一个梦，梦见就许我在蘑菇池里头游，简直痛苦极了……”

我知道李纪有比我远大的抱负。他不好文史，他好数理化，又因为他钻研进化论入了迷，他打算考大学时报考生物物理学专业。他确立一个目标后总是比我坚定。我是直到填写报考志愿时，还下不了决心究竟是学文还是学理。

高中临毕业前，我父母都外出了，一个人在家住着竟然怕鬼，便把李纪叫来陪住。在那些寂静的夜晚，李纪向我讲了他家发生的变故。他父亲因“思想反动”被定为“坏分子”，送去劳动教养了。他家生活困难起来。他母亲要求政府给安排工作尚未落实，已经到血库卖了几次血。他讲的时候很冷静，他告诉我说：“我想了很久。现在我认识到我父亲确实有罪。我相信党和政府，我母亲大概就要安排到小学里代课了，这就是政策的光辉。我是能划清界限的。”沉默了一阵，他问：“你相信我吗？”

在李纪到我家住的那段时间里，我们也经常议论学校里的老师。我们都佩服教代数的刘祖植老师，他讲课总是那么条清线细，楷书就仿佛是放大的印刷品。我们对语文老师有小小的争议，像他那样讲解古文究竟是适合于大学生还是我们？……但是，我渐渐看出，李纪并不像我那样，主要从讲课讲得棒不棒去评价一位老师，他所感铭的主要是老师对他的一视同仁。有一回，我们谈到了教化学的老师孙鹏，他化学讲得生动明白，并且还是一位令学生们崇拜的足球名将，当我津津乐道地感叹着他的上述特点时，李纪却打断我说：“孙老师从来不看人家给你贴的标签……”当时我没有听懂他的意思，但从他的目光里，感觉到了一种超出寻常的感激和尊敬……

我不懂得那时候他最渴求的便是信任，不是一般的信任，而是政治上的信任。我竟没有去回答他这样的渴求，我只扭着他聊最新的一部电影，大概是苏联电影《黑孩子马克西姆卡》。

后来我们毕业了，都参加了高考。我的结果很不如意。记得马国馨到清华大学报到后立即给我来了一封信，说不要失去联系，我草草看完立即揉成一团，后来撕成了碎片。我不理他一气就是二十六年。

我的不如意，还不如李纪的不如意具有戏剧性。李纪几乎是最后一个接到了通知书，他被北京师范学院中文系录取了。李纪报考的是理工科，他的爱好尽管是多方面的，诸如生物、天文、钢琴、体操、举重、围棋……但我深深地知道，他是并不爱好文学的。在中学时，他费时最多而乐趣最少的，便是作文，语文老师总是说他写得干枯刻板，业余时间里他也很少读文学读物，可是他却偏偏被派分去师范学院中文系就读。

后来弄清楚了，李纪的考分并不低，只是评语很差，他的家庭出身又有问题，所以一开始是不被录取的。后来由于师范学院中文系不能满额，便从被筛选掉的考生中再找补出一些来，李纪便是找补来的一个。

上大学以后我们一直没有见面。不过偶尔我也想起他来。不知为什么我脑海里在浮现出他苦恼的面影时，总是叠印着蘑菇池的那一大几小的一组瓷蘑菇。

我上的是师范专科学校，两年后就毕业了，被分配到北京13中当语文教员，我从不适应走向适应，最后热爱上了语文教学工作。我知道中学语文教师是一种被许多人瞧不起的职业，但我自觉地躲避着那些有可能鄙薄我的人，包括过去的同学，我在自己的那小小的天地里，在粉笔灰飘飞旋落之中，在学生们的笑颜和稚语之中，获得了内心的平静和生活的乐趣。

大概是一九六四年的时候，有一回我们13中和30中联欢，先是从30中来了一群教员，参观我们学校并同我们座谈，我惊讶地发现，那里面竟有一位李老师，活生生地便是与我同窗六年的李纪兄！

他的身材仍是那么修长，眼睛小小的，戴着似乎永未改换式样的最简单的近视镜。

特别让我吃惊的，是李纪的精神面貌，他显然比我更适应中学语文教学的工作，他同我谈到讲授《从百草园到三味书屋》的体会，并试图同我探讨当时风行一时的“启发式教学法”，他甚至问到我申请入党了没有？后来我们去30中参观、座谈，我发现他确凿已是那里党支部的“红人”，他说支部已培养他入党。想来他实现了自己的愿望已指日可待。

我惭愧得不得了。当时我虽然已经加入了共青团了，但入党的事还没有考虑。而且我对当时日渐风行的“革命化”浪潮，常常不能从心理上适应（行动上我还是勉为其难的）。

我同李纪恢复了来往。没有旁人在场的时候，我试图考察他的内心，我小心谨慎地问到他的父母。

他坦然地说："父亲还在那里面，当烧火工。我母亲还在小学教书，不过她已经转正了。我妹妹也学了师范。弟弟也该考大学了。"

我心里想：他弟弟不管自己报的什么志愿，到头来恐怕至多也是考上师范。

这真是一桩怪事：尽管从道理上我们把师范谈得那么崇高，但从实践上看，大学招生时常常是把那些"有渣儿的"学生沉淀到师范院校里去。

但是，这倒并不一定是怪事：许多因为"有渣儿"（或出身不好，或本人政治条件太差，或有其他缺陷）而落入中小学教师这一行的人，却偏偏成为了优秀的教师。

然而他们大都在走向教师生涯的道路上，留下了累累的心灵创伤。他们往往不抱怨，不发泄，而是默默地隐忍着，消化着，并且还有像李纪那样的人，他们极其痛苦又极其认真地按要求改造着自己，并且不是去适应那最低的要求，而是力争去达到那最高的要求。

我问他："你怎么会心甘情愿地上了中文系，当了中学语文教师呢？"

他只是简略地说："我一开始也不甘心。刚上大学的时候，我有点自暴自弃。我和几个情绪差不多的同学，常常在宿舍里胡闹，我们在宿舍门上贴了个匾，题作'开心斋'。后来，我渐渐转变了。人总得为社会服务，为人民服务。人不能总想着满足自己的兴趣，自己的愿望。我为什么就不能学中文、教语文呢？……不止我一个人转变了，我们就把那'开心斋'的匾，变成了'赤心斋'。你相信吗？到后两学期，我还当上一科代表哩……"

我很吃惊。在中学，李纪是连最小的干部也没担任过的，他似乎天生应该是个白丁。

"文化大革命"的急风暴雨突然袭来，人人自危，我自己就首先遇上了麻烦，自然不敢再同李纪联系，但从我们那所学校出现的事态，我不难想象出李纪的艰窘，就算他什么“反动言行”也没有，光他那个家庭背景，以及他被“走资派”“包庇重用”这一条，就够他呛。当我受到“造反派”这样的质问：“你为什么要混到中学教师队伍里来毒害我们？”我竟忍不住要笑出声来，“混到教师队伍里来”？！我考大学时可从未想过要上师范专科学校，要当中学语文教师，而当我想象李纪也面对这样的质问时，就更忍不住要笑出眼泪来了。

我们直到“文革”后期才又见面。我先成的家。我邀请他到我那十多平米的小家里见面。当时我在北京所有的亲人（包括远房亲戚）全都下放干校了，所以对他那样曾同窗六载的老同学，便感到格外亲切。我真愿倾其所有地款待他，并在沙漠化的人际关系中，与他联合经营一片小小的绿洲。但他所表现出来的冷静和寡言，使我深深地失望。我向他流露出我的痛苦和困惑，而他，我怎么说呢，那当然不一定是麻木，但肯定是由外界和自己给心灵包上了一层厚壳，因而在那表面的冷漠下，一定有着比我更深沉的痛苦和困惑。

后来他通知我他也成家了。我去他家看他。他们仍住在他家的旧居中，不过房间只剩下一大一小两间。我记得原先他家有许多书柜，柜中尽是些精装的大开本外文书，还尽是希腊文的，他父亲精通希腊文，还翻译过一些东西。我那次去时书柜所剩无几，书是一本也不见踪影了，想问问他父亲状况如何，终于又没问出口。他主动告诉我他母亲已经去世了。我看见他姥姥坐在一张简陋的木床上，床脚下铺着炉灰，以备她不时咯痰，那老人已如狂风中的残烛，显然随时都可能湮灭。在里面那间小屋里，是他小小的家。他爱人体格粗壮，长得浓眉大眼，是搞地质的。看得出他们互相之间不仅有感情，还有理解和信任。我为李纪高兴。无论如何，在人际关系的荒漠中，他总算有一片葱绿的沙洲了。

经过1972年和1973年的短暂的相对尚可喘息的日子，生活又变得更加暗淡和令人窒息，我们自觉地停止了来往。

粉碎“四人帮”以后，我因为连发了几个短篇小说，竟意外地成为了所谓作家。有一天我忽然想起了李纪，并且立即想起了蘑菇池，我便跑到30中去找他，他果然还在那里。他见到我非常高兴，把我引到一间办公室里。我觉得那不像是教研室，并且似乎是他一人独用。一问，原来他当上教导主任了，是管教学业务的教导主任，多年不见，我觉得有许多话想对他说，自然不是关于小说创作一类的话，可是他却兴致勃勃地同我讲起有关中学教学方面的情况和问题来，并且告诉我，他参加了一个语言学方面的社会团体，看那表情，就好像他从小立志在语言学和中学语文教学方面作出成绩似的。

1979年秋天，我搬到了劲松居民区居住。过了年，李纪突然来访，说他也搬到劲松来了，住在四区。那是他爱人单位分给他们的房子。为志乔迁之喜，他们请我们全家去那里吃涮羊肉。

我们全家应约而去，敲开门，门内是一位头发雪白、面色红润的老先生，我立即猜出他是李纪的父亲。果然是。李纪他们全家都否极泰来。他父亲的冤案业已平反。这位牧师的问题究其底不过是笃于他的宗教信仰。他有好长一段时间，是同著名的作家从维熙在一个劳教队里。他终日恬静地蹲在灶房里烧火。当这一切都成为过去以后，儿女们曾问他："您是怎么熬过来的？"他庄重地说："我信仰上帝！"李纪把这一切告诉我时，脸上的表情十分复杂。他在信仰上早已同父亲决裂，但他相信父亲的真诚。他对受够了磨难的父亲有着补偿不尽的人子之爱，但他对重新忙于教务的父亲又有着难以言喻的惋惜之情。

涮羊肉的过程中，我们借着酒兴，又回忆起中学时代的往事来。我把当年他在蘑菇池边上发出的感叹，重述给他，他吃惊了，从眼镜片后透出严肃的光芒，喃喃地问我："我说过这样的话么？我真这么说过么？你怎么记得我说过这样的话呢？"

那绝不是因为他觉得那话含意不好而抵赖或难为情，我相信他确实是忘记了。人们自己是常会忘记某些给旁人深刻印象的话语的。

我对他说："没错儿。当时你就是那么说的。我记你一辈子。"

他沉思了一会儿，呷了一口酒，摇摇头说："其实蘑菇池也要有人照应的。中小学，不就好比是蘑菇池么？回首往事，我自己实在是没有多少值得羞愧的……我听命于时代。"

大学恢复统考和凭分择优录取以后，中学分为了重点和非重点。李纪所在的 30 中是个非重点中学，连续几年的高考他们学校的升学率都是零蛋，于是他们决定不再办普通高中，而同政法部门挂钩，将高中改为了法律职业高中。初中招收的学生成绩普遍差。思想作风方面问题也较多，他们便不再像以往那样大抓升重点高中的升学率，而是在培养引导好低素质低水平学生方面，闯出了一条路子，积累了一套经验。

有一天李纪打电话给我："你最近一篇小说写得真好！"

那大概已是一九八三年，我已经"红"过劲了，写出的力作不多，评论界对我已不那么热情，而灿烂的明星一队队地在我之后升起于文坛，所以听到这样的鼓励非常高兴。特别是我知道李纪始终学不会虚伪和矫情。他说好，那必定是真觉得好。

"哪一篇？哪一篇？"我急切地问。心里迅速地猜度着：《到远处去发信》？《八十六颗星星》？……

他告诉我："是《非重点》，《非重点》啊！"

我吁出一口气来。《非重点》发表在《延河》杂志上，北京一般读者难得读到它。这篇小说同我那时期的其他小说一样，难得有什么反响。连我自己也并不怎么看重它。可是，一所非重点中学的教导主任却打电话给我，给予我真诚的鼓励。

《非重点》写的是一个发生在非重点小学的故事，里面写到了一个有着美好心灵的非重点教师的形象。我冷静地咀嚼了来自李纪那里的夸赞后，突然醒悟，恰恰是李纪和他们那所学校本身，给予了我创作这篇小说的灵感。

我到李纪家去。他告诉我他父亲已经再婚了。后母是一位知识分子，也是一位基督教徒。他把他父亲挂在屋中的一叠月历翻给我看，那是南京基督教会印制的，每月都有一幅关于基督生平的彩图，是当代人用国画形式描绘的，他感慨地说："你看，谁能想到呢？又出现这样的东西了，并且我父亲每周都要去教堂布一次道……"

我便问他："你不动心吗？现在恢复宗教信仰自由了，你即使重新皈依基督教，也无碍于你当管教学业务的教导主任吧？"

他认认真真地回答我说："现在没有人限制我，非要我留在蘑菇池边，可是我却要自愿留下，因为我的信仰真的改变了……你不相信吗？原来，当我一走进亚斯教堂，一听见管风琴或唱诗班的乐音，就立即会激动起来，不要说观览这样大幅的彩画，就是小小贺年片上的一幅基督牧羊图，也能唤起我浓厚的宗教情绪。可是，在生活的道路上，我真的变了，变成了今天这样，再听见圣诗，再看见这宗教的图画，我只有一种渺远隔膜的感觉。父亲现在每次讲道都录下音来。他把带子拿回家，让我听，我也听过，简直听不进去，真听不进去……"

我想激他一下，便说："你是被整怕了吧？你现在的感情，会不会是一种被整肃出来的、被训练成的感情呢？"

他竟并不生气，而且严肃地思考着，沉吟地说："是的，我本想登上九米跳台去跳水，可是却被硬派到了蘑菇池里游泳，这也许的确是整我，可是我在这蘑菇池里有所发现，蘑菇池的孩子们需要有人照应。有人指导，而我在本来是被迫性的工作中，领悟到了它的价值，它的美，因而我不但成为了自觉自愿的工作者，并且还想争取成为这行列中最优秀的工作者……我的这种情感，主要不是由来自上面的力量训练而成的，而是主要来自下面，那些纯朴的学生们，那些各自有着自己弱点的同事们，他们的许许多多的活生生的事例，在我心灵里升华而成的……你知道我从小不长于文学，我不会讲故事，不会描写，甚至不善于形容，我能告诉你一些什么呢？比如说，有一个女学生，谁都说她无可救药了，她甚至怀了孕，可是她对这类的事一点也不懂，她把那孩子生在厕所，并且立即把他弄死了，她实际上已经刑事犯罪，但是司法部门不打算管她，家里简直不许她进门，她连起码的自尊心也没有，因此她甚至也不懂得自杀，怎么办呢？任凭她去变成一种邪恶的破坏性力量吗？我们这个非重点中学管了她，我们管，首先不是给她讲道理，而是启迪她的自尊感。我们摸索出一套办法，当然她是个极端的例子，我们对许多不同程度丧失了自尊和自信的后进学生实行了这套办法。我们同他们之间建立信任的关系，带领他们从蘑菇池起步，逐步学会在生活中游泳，向上浮，而不向下沉落……我们没有完全成功，实际上也不可能完全成功，一切工作都不可能是万能的，但是我们毕竟有了一个，再一个，最后是一连串的成功，或半成功……或者我再给你讲讲我的同事们，你也许会感到好笑，比如说有一位老师，他教学水平不高，口才不好，脾气也怪，他想调到别的更好的单位去，至少换一所更好的学校，可是人家嫌弃他，他也没有门路可走，于是他只好在我们这儿。他一家三代五口，只住一间十多平米的小平房，他连盖个小厨房的能耐也没有，他同学生发火，能把自己的手腕子拍肿……可是他拼命想把课讲好，有一回在课堂上他讲乱了，他生自己的气，面对哗然的学生，眼泪滚出了他的眼眶，他赌气跑出了教室，他以为这下全完了，谁知当天傍晚一群学生找到了他家，他们对他说：老师，敢情您家连个小厨房也没有，我们要帮您盖！他们果真帮他盖起了小厨房。说来也怪，自从有了小厨房以后，他讲课就比以前有条理了。他爱上了那些没希望考上重点高中的小市民子弟，现在就是硬调他走他也不走了。他觉得在我们那个蘑菇池里，有某种让人牵肠挂肚的东西……”

我听李纪冷静地讲述着，心里头燃起一团火来。

去年冬天，我从联邦德国回来，在一个飘着小雪的早晨，我在居民区的街上遇上了李纪。他问起我的近况，我告诉了他。他为我事业上的进展高兴，同时他告诉我，他已被发展为中共预备党员了，并且同时被任命为30中的副校长。

……昨天我们在65中的校庆活动中再一次会合。六个学友聚在一起兴奋地谈论着，突然马国馨说：“算来算去，咱们班的人如今都是业务干部，好像一个政工干部也没有……”

孟娟雯立即指出，原来班上的团支部书记，上大学留校后，不是一直担任着政工性质的职务么？而且从她的气质上看，也是最适合于担任领导业务干部的行政职务的。可是于华告诉大家，他前些时见到过她，她自己告诉于华，她早已不再担任那样的职务，她如今只是一个普通的专业课教师，并且她很乐于从事单纯的业务工作……

大家正议论纷纷，忽听李纪沉沉稳稳地说："怎么没有搞政工的？我现在就是。"

大家一怔。一想，李纪眼下是分管学生思想教育的副校长，可不是个正经八百的政工干部么！一时间大家都哑然。

我想另外几位学友心里头一定生出同我一样的感慨。二十六年前，李纪是被视为政治上最不可靠、思想上最成问题的、需得加以防范抑制的学生，可如今，偏他成了一个正牌的政工干部。生活啊生活，你怎么惯会开我们的玩笑？

昨天从母校65中回来以后，心情一直不能平静。学友们建议我把当年同班同学们二十几年的经历都摸一遍，然后写成一部长篇小说。那固然是个好主意，但是冷静一想，鸟瞰每一个人留下的脚印不难，透视每一个人的心灵轨迹却绝非易事。比如李纪，我与他同窗比其他65中的学友多一倍时间，且后来时断时续地总算一直有着联系，他也曾多次向我流露或表述过他的思绪和见解，但我至今仍然不能精确地理解和描述他从一个虔诚的基督教徒，成为一名共产党员、中学副校长的心路历程。

现在我只能告诉大家，生活中确有这样的人这样的事，很值得深思和玩味。将其参透，我，你，大家，恐怕都还得下更大的功夫去探索，去升华。

此刻，我脑海中又浮现出了蘑菇池，那一组一大几小的雪白雪白的磁蘑菇……

1985年10月14日写于劲松东街

山村之恋

前面的一段：没有被点错的鸳鸯

四十二年前，雾城重庆。

随着蒋介石政权以重庆为"陪都"偏安一隅，各色人等都汇集到这个夏秋燠热、冬春雾裹的山城。这里既有大小官僚、南北商贾，也有各怀一技的知识分子与满腹忧愤的流亡学生。

嘉陵江日日夜夜地流淌着。陈旧的褐色木船，张着缀满补丁的灰帆，几条绷得紧紧的绳索伸到岸上，嵌进纤夫酱色的肩膊，赤脚的纤夫们哼着悲壮的号子，踏着炙热的鹅卵石，艰难地牵引着……

一起一落的号子声，随风飘到沙坪坝和北碚的那些大学里，使流亡学生们的心情更难平静。何日平敌虏，一返旧家园？

在复旦大学里，有一个叫苑茵的东北流亡女学生，她先读新闻系，后改外文系，最后又学经济。她虽不重修饰，然而明眸皓齿，身材颀长，举止落落大方，言谈谐而不俗，自然身边不乏追求者，可是她却无心恋爱。每当夜幕降临、嘉陵江纤夫的号子声飘进女生宿舍时，她便不禁悲从中来。她想起了她出生的那个辽宁省的山村。有一年大旱不雨，男人们聚集在宗祠里祈雨。这时，一切女性是必须避开的；然而出于好奇，不到十岁的她还是跑去偷看了，结果，她被发现，暴怒的族长逐出她时，指天发誓：倘若天公因此发怒，继续干旱，那就一定要把她宰杀掉，供到祭坛上去。一天两天，十天半月……地上旱得裂开一道道口子，天上依然高悬火球，于是愤怒的族长及其追随者决定将她捕杀。她只得牵着心爱的黑狗，逃到村外躲藏；直到天降大雨，她才逃脱了碎尸祭坛的厄运……后来，遭受封建族长迫害的寡母，带着她和姐姐逃离了那僻远的山村，来到了沈阳。她和姐姐进了大安公司的卷烟厂，当了廉价的童工。慈爱的母亲和姐姐看她年幼可怜，便加倍辛苦地做工，让她离开工厂上了小学、中学……然后是“九一八”事变，她只身流亡关内，辗转奔波，才到了重庆。靠着“东北流亡学生救济处”发的一点助学金，进了这复旦大学。入学后，她没有一天不悬念着那在日寇铁蹄下呻吟的母亲和姐姐，她多么想同那些纤夫一样，肩上勒进坚韧的绳索，既分担民族的重载，又赋予母姊以活力！在灰雾迷蒙的山城，号子声悠悠，淑女意悬悬……

她的导师马宗融副教授（即女作家罗淑的丈夫），对她各方面都关心备至。有一天辅导学业毕，蔼然地对她说：“你很快就要毕业了，虽在战乱之中，但你的终身大事，也到了考虑的时候。你想嫁个什么样的丈夫呢？告诉我，我给你做主。”

严师如父。这样的关怀，使苑茵非常感动。她想了想，便说：“我希望，第一条，他个子要比我高一点。第二条，要跟我谈得来。我是在北平参加过‘一二·九’学生运动的人，人家都说我思想左倾。我希望他思想和我相近。第三条，不要湖北佬。”

马宗融先生听到最后一条，不禁发问：“为什么不要湖北人呢？”

苑茵坦率地说：“人家都说：‘天上九头鸟，地上湖北佬。’湖北人心眼太多，我们关外人斗不过。”

马宗融教授沉吟了：“啊，这样……糟糕，我要给你撮合的，恰是一个湖北人呢。”

苑茵断然拒绝说：“湖北人不要。”

马教授所看中、想给她介绍的，是在中央大学（现南京大学）外文系任教，并在复旦大学外文系兼课的一位年轻教授，这位教授后来就借住在马宗融教授的书房中。他精通英语和世界语，还能阅读法语和德语。他有着一副农民的相貌：方形的脸庞，宽阔的额头，高高的眉骨，结实的牙床。实际上他也确是农民出身，小时候在山村的草坡上放过牛。马宗融教授觉得他性格稳重，作风朴实，事业上刻苦，又富于创造性，因此早有将自己得意门生苑茵介绍给他的意思。

有一天饭后，马宗融教授摇着蒲扇，关切地对他说："马耳，你二十五六岁了。成家的事，不知你是怎么考虑的？你想要个什么样的妻子呢？"

那被称作马耳的年轻教授，略微想了想，便回答说："我希望她个子高一点……"

马宗融教授微笑了：嗯，这倒正好。

马耳又说："我不想要东北人……"

马宗融教授一听，吃了一惊。那边东北人不要湖北人，这边湖北人不要东北人，莫非我成了乱点鸳鸯谱的乔老爷？

马耳想的是，流亡学生中，东北来的固然最让人同情，但他们不分男女，性格大都粗犷豪放，这怕与自己内向沉静的性格难以相处……

这相互排斥的一对，在马宗融教授先生眼里，却越看越觉得恰堪般配。有一天，他便把这桩公案同常来常往的老舍先生讲了，老舍先生嘀嘀笑着说："你把他们说服，我来证婚！"

苑茵常来马宗融教授家里求教，马耳自然见到过。他看苑茵长得苗条清秀，性格爽朗，待人诚恳，那些莫名其妙的成见早已消失。马宗融教授觉得说服马耳并不困难，关键还在苑茵。于是马宗融教授便将马耳的情况细细地介绍给她：马耳的真名叫叶君健，他在十九岁时便以马耳的笔名用世界语发表了小说，抗战初期在武汉军事委员会政治部里由郭沫若任厅长、阳翰笙任秘书长的第三厅工作，该厅当时实际上由共产党领导，后来他又到香港从事抗日宣传工作，香港沦陷前夕才辗转来到重庆。说着，马宗融教授便将所藏的一本苏联出版的英文刊物《国际文学》拿给苑茵看，那在当时自然是一种革命刊物。苑茵从那刊物上看到了马耳译的抗战初期中国的抗战文学作品，以及马耳撰写的评介中国战时文学的文章……啊，原来这位还不到三十岁的马耳，已经作过这么多有意义的工作，苑茵对他不禁生出爱慕之心，对于他那湖北籍贯，便不再以为意了。

马耳和苑茵成了志同道合的一对，在自己的小天地里，他们时常畅泄忧国忧民之情。有时他们也到校园后的山坡上散步。夕阳把满坡的雏菊镀成了金色，在这样一种氛围中，苑茵真希望马耳能对她情话绵绵。然而踱步在山坡上，马耳不说别的，只是指点着柳树、雏菊、飞鸟、浮云……说外文单字，一会儿让苑茵问他，一会儿他考苑茵。有一回苑茵不再作答，埋怨他说："你这人怎么搞的啊，你就不会跟我说点别的？"马耳笑笑说："这不是很好吗？你看这花，这草，这树，这云，那远处的河湾，那河湾后面的山影，不都是情诗、恋歌吗？我们用外语指点它们，不是更能心心相印吗？"苑茵迎着他那既温柔又刚毅的目光，觉得更理解他也更爱恋他了……

一年后，当苑茵即将毕业（同时也面临失业）时，马宗融教授在家里请了几位客人，宣布了马耳和苑茵的订婚之喜。吃完一餐饭后，马耳和苑茵便各回各的住处。那时候国统区流行一句谚语："教授教授，越教越瘦"。马耳作为年轻教授，生活更加清贫，连间独享的宿舍也还没有。后来，几经争取，总算弄到了一间可供结婚的房子，于是文化界的朋友们便到一家饭馆，集资同他们吃了一餐饭，算是为他们举行了婚礼。老舍先生翩然到场，为他二人证婚。

婚后的生活，比他们两人各自生活时更加艰苦。他们从旧货市场买了几件破旧的家具，布置起了一个简陋的家庭。唯一值得骄傲的财富，是两只新的瓷杯，但他们过得挺和谐。苑茵怀孕了，真想吃点酸东西，路过卖杏子的小摊，不禁脚步放慢，那一枚枚青里泛黄的肥杏，真诱人啊！但是算计来算计去，还是加快步子走回了家中。她把对杏子的渴望讲给马耳听，马耳笑了："家里不是还有醋吗？"苑茵果真拿起醋瓶，"咕嘟"喝了一口，闭上双眼，作出一个满足的表情……傍晚，苑茵让马耳掏炉子，把火弄旺，马耳蹲在那里，一手拿着通条，一手捧着外文书，总也掏不旺那火，苑茵便过去埋怨他，他抬头笑笑："急什么？

多掏一会儿，不是还多读一页书么？”逗得苑茵也笑了……

这样，在深知他们的恩师指点下，这一对并没有被点错的鸳鸯，开始了他们前途莫测的婚后生活。他们不曾失悔吗？他们能够白头偕老吗？

唯有悠悠岁月，方能回答。

喜出望外：不仅有“海的女儿”，还有“地的儿子”

五年前，在《十月》杂志的初创时期，我在那里工作。当时《十月》就设有“学习与借鉴”的专栏，打算有步骤地介绍一些中外古今足资借鉴的代表性作品。凭着印象，首先，我们拜访了尊敬的儿童文学作家兼翻译家叶君健，请他给我们支持。在见到他本人之前，我脑海里浮现出：哥本哈根海滨，海浪像裙褶般涌向一座雕像——那是安徒生童话——《海的女儿》中的小人鱼，她微低着头颅，浸沉在永恒的向往之中。当我们见到满头银发的叶老，并恳切地向他提出我们的要求，他立即慨然应允。在我们告别时无意中说起：目前缺乏有分量的中长篇的情况，叶老留住了我们。

“你们等一等，”他的表情很复杂，似乎有几分犹豫，又有几分自信，还多多少少有一点矜持，只听他说，“你们需要长篇么？你们登得下么？……我手头，倒有写好未发过的长篇……”

他手头有现成的长篇？这真让我们喜出望外……

他考虑了一下，立即进了里面的房间，不一会儿他抱着三个两寸多厚的牛皮纸袋走了出来，那神情，仿佛母亲抱着酣睡的宝宝。

叶君健同志望着那摞牛皮纸袋，沉吟地对我们说：“这是我写的《土地三部曲》，第一部《火花》，第二部《自由》，第三部《曙光》，一共一百万字左右，人物从头到尾贯串，每一部可以相对独立。写的是辛亥革命前后到‘五四’运动前后，中国整个社会的变化，从长江中游农村里破产的农民的遭遇开始；一直写到他们在第一次世界大战时到法国前线去当华工，他们当中的优秀分子，后来成为了最早的马克思主义者……”

我们不禁问：“这作品您是什么时候写的呢？一九六六年以前写的吗？经过一场浩劫还能保存下来，真不容易啊！”

他那望着书稿的目光，越发像一位历尽艰辛的慈母面对终于成活的儿子，他告诉我们：“不是那以前写的。那以前写的，包括一部长篇的稿子，抄家时几乎都损失掉了。这《土地三部曲》是1972年‘革命群众’忙于建立他们自己的政权，放松了一点对我这种‘臭老九’的专政，我白天到单位扫厕所，晚上回到家里，利用夜晚的那段时间，由我爱人在外屋给我放哨，我躲进最里头的一间小屋，把门窗捂得严严的，偷偷地开始写起来的……算起来一共写了三年多，粉碎‘四人帮’以前才定稿。”

我当即抽出一叠原稿检视着，用的是北京电车公司印制的十六开原稿纸，纸质很薄，上面的圆珠笔字显然是另一人誊抄的，随处有叶君健同志自己用钢笔作的订正。

面对着那半尺多高的原稿，我们都很感动。这就是中国的作家——只要一息尚存，他们就含辛茹苦地为民族笔耕，深情地倾泻着对祖国、对民族那不泯的挚爱和信念！

叶君健同志回忆着那些既痛苦又艰辛的岁月：“当时稿纸是一个大问题，首先是很难买到，其次是你买多了便会引起怀疑，于是，我就让我爱人跑遍全城，这里买一点，那里买一点，凑起来……我写完了，她便替我誊抄，这件事，我们不但瞒着邻居，就是儿子们，也没让他们知道……”

哦！不仅有“海的女儿”还有“地的儿子”，我们真是喜出望外！

这样的一部长篇，我们当编辑的怎能漠视？我们兴冲冲地把它抱回了编辑部。

十天以后，我把一百万字的三部曲从头至尾读了一遍。

这个作品内容很好，概括了一个时代，写法上当然未受“四人帮”那一套法规的污染，但它的风格确实很古怪。他这三部曲的叙述方式和语言风格显然与众不同——它固然是一个浑成的整体，甚至可以一句不改地加以发表，但一般读者欣赏它，恐怕要比欣赏凯绥·珂勒惠支后期的某些腐蚀版作品更难。

基于我们一创刊便立志把《十月》办成一个摆脱商业气的严肃的文学刊物，本着百花齐放、百家争鸣的方针，经我提议、编辑部研究，认为叶君健同志的长篇既然自成一格，那么，即使在招徕读者上不一定成功，我们也应提供一定篇幅给予发表，于是，便在《十月》第二期上，全文刊出了二十八万字的《自由》，并在前面加了一条颇长的按语，向读者介绍了叶君健同志的整个三部曲。

这一期《十月》发行以后，出乎我的意料，《自由》并不寂寞，有一些读者给编辑部来了信。他们认为这部小说写得严肃、自然，读后有余味。

后来，《土地三部曲》陆续由人民文学出版社出了单行本。·

因为《土地三部曲》的面世，读者们开始知道叶君健同志不仅是一位儿童文学作家、一位以翻译《安徒生童话全集》而著名的翻译家，他还是一位善于以冷静的文字，娓娓描写广阔的生活图景、概括一个时代的小说家。

原来如此：花儿开在曲径中

1929年，叶君健十四岁。他的兄长把他从山村带到上海，本是为了让他能受一点洋式的教育，掌握一些数学、英文之类的知识，以便能在新式的商业机构中谋到一只牢靠的饭碗，稳稳当当地度过顺民的一生。但是这个从山村骤然来到洋场的少年，却不愿当一只温驯的绵羊。耸立在黄浦江边的海关大楼定时鸣响着威严冷酷的钟声，似乎在告诫人们不要怀疑那由封建军阀、帝国主义势力和买办资产阶级所建立的既定秩序。然而，耳闻目睹着街市上那富人的骄奢淫逸与乞儿的长呻短吟，少年人的心怎能平静？叶君健如饥似渴地寻觅、阅读着左翼文学作品，这些作品，特别是鲁迅的著作，如熠火般照亮了他的心灵，他决心背弃父兄为他苦心经营的人生之路，而去别寻蹊径——他要像鲁迅那样拿起笔来，为振兴中华民族贡献自己的一份力量！

他上了几年中学，没有去当店员，而是考进了武汉大学，学习外文。位于珞珈山的武汉大学，是国民党控制得很紧的一所学府，然而收拢得再紧的网，也总有缝隙可钻。叶君健平时沉默寡言，在进步朋友的影响下，随时同校内的国民党势力保持着距离，而当人们忽略了他的时候，他便躲在一隅，开始了他最早的文学尝试。该年寒假，他写成了第一个短篇《岁暮》，这个叙述一对贫贱夫妻失业后陷入困境的作品，不是用中文而是用世界语写成的。

最近《丑小鸭》杂志刊出了《岁暮》的中文译文。读到这篇小说的当代读者一定会感到困惑：作者为什么要用世界语来写这样一个实际是土里土气的中国下层的家庭悲剧？

叶君健之所以决心掌握世界语，并用它来写作，首先是受到了鲁迅的启发。鲁迅在《答世界社问：中国作家对世界语的意见》中说："我自己确信，我是赞成世界语的……但理由很简单，现在回想起来：一，是因为由此可以联合世界上的一切人——尤其是被压迫的人们；二，是为了自己的本行，以为它可以互相介绍文学。"（《集外集拾遗》）的确，世界语是当时东欧一些被压迫的弱小民族所使用的一种通用语言。因为，他们的文学不为世人所知，他们自己就用世界语翻译出来，传播到世界人民中间去。鲁迅当时编的《译文》上所发表的许多弱小民族的文学作品，就是通过世界语翻译过来的。胡愈之、楚图南、叶籁士等进步的文化人当时也在中国从事世界语的传播工作。叶君健正是在这样一种时代气氛下，选择了世界语来作为创作和翻译的工具，希图能由此把中国这个被欺凌的民族的声音，传达到世界人民，特别是同样遭受欺凌的弱小民族中间去。

刚由少年时代步入青年时代的叶君健，凭着他的敏感、深思与勤奋，从大学二年级到四年级这几年间，陆续用世界语写成了十多篇描写中国农村城镇下层人民苦难生活的小说，于1937年结集出版，书名叫《被遗忘的人们》，署名Cicio Mar（马耳）。四十五年后的今天，他在《丑小鸭》杂志上回顾自己的这段创作生活时说："……所描述的是我年轻时旧中国一些平凡渺小的人物的生活。这种生活是灰色的，无出路的，它也就是当时绝大部分处于底层的人们的现实。我的调子是低沉的。这些人物和他们的生活当然要被人遗忘掉，中国人民不能老过这样的生活……集子被命名为《被遗忘的人们》就是这个意思。现在他们的生活也真的成为了过去的历史，不会再重现了。但也正因为如此，这种生活又似乎不应被遗忘掉。它是我们的人民在某个历史时期的记录。”大概在迄今为止的任何一本中国现代文学史中，都还找不到对这朵开在曲径中的花儿的评述——但是在国际上，它的出现曾引起过强烈的反响。《被遗忘的人们》出版不久，日本世界语者就发表评论，认为这是东方唯一有分量的世界语创作，反映出中国底层人民的生活状况。英国当时一个极为重要的文学刊物《新作品》，很快从中翻译了一篇《王得胜从军记》发表，后来东欧许多国家的世界语者也从中选了一些，译成了他们本民族的文字，向他们国家的读者介绍。国际世界语运动领导人拉本纳在所著《透视》一书中谈到世界语文学时，认为这本《被遗忘的人们》是“世界语无产阶级文学的一个重要组成部分”。

事隔几乎半个世纪，叶君健步入了老年，他正从这些“少作”中选出一部分，译成中文，打算结成一册《叶君健小说选》，交由江苏人民出版社出版。这本书出来以后，也许会引起现代文学史研究者和一部分读者的注意。评价很可能并不相同。但是，如果考虑到四五十年前外国人们熟知的所谓中国文学作品，一本是林语堂翻译过去的清末沈三白的《浮生六记》，一本是熊式一改写的《王宝钏》，一本是美国人赛珍珠写的《大地》，那么，即便叶君健的这些作品有着这样那样的不足，也总是对那种畸形局面的一种冲击吧？在促使外界发现真实的中国这一点上，它的历史功绩是不可磨灭的。

在武汉大学上学时的叶君健，穷得连褥子也置不起。宿舍中他的那张床上，总铺着几层旧报纸，权充褥垫。每当躺在那旧报纸的褥垫上，清夜扪心自问时，他是坦然无愧的。他没有让浊流吞没自己，他总算尽自己所能，为民族作了一点有益的事。

然而刚开始研究叶君健同志的创作时，我不禁面对着他的作品索引发问：他那以《岁暮》开始的势头很猛的小说创作，为什么到抗日战争爆发时便中止了呢？我不无遗憾地请教他。

不遗憾：为了民族解放的神圣事业

有一回闲谈之中，我请教他："作为一个小说家，您觉得自己的小说创作应分作几个阶段？

他笑了："作为小说家？不，我不是小说家，严格来说，我的编制在外文出版局，直到六十岁以后退出第一线当顾问，我才有较充裕的写作时间。事实上我一直是个业余作者。

"当然，我很早就写小说。可我的实际身份，实在只是一个外文技术干部。我一生的主要精力，是用我的一点外文技术，为国家、为民族服务，更具体地说，是为共产党服务。抗日战争时期，我在武汉军事委员会政治部第三厅第七处任职，搞抗日的国际宣传工作。那时中华民族到了最危险的时候，我觉得停下自己的小说创作，更直接地投入民族解放战争的神圣事业，是完全值得的，应该的！解放后，我一直编对外发行的《中国文学》杂志（开始出英文版，后增加法文版），1950年一直编到'文化大革命'中'靠边站'。编这个刊物责任很大，它是面向外国读者，我一点不能懈怠，每一个字必须仔细斟酌才能拿出去，不仅每天八小时工作，晚上还常常把材料、清样带回家来看。我在那期间所翻译、所创作的东西，全部是利用下班后的业余时间和星期天搞的。所以说，我集中精力搞创作，其实只有三个时期，前两个时期都很短暂，头一个时期是1933年到1936年、在武汉大学当学生的时候，用世界语写了一些短篇小说；第二个时期是1945年到1949年，在英国剑桥大学搞研究的时候，用英语写了六本书，其中长篇小说《山村》影响比较大；第三个时期就是目前，如果不出现什么特殊情况，这回大概能比较长久地集中精力搞些创作……"

从他简短的自述中，我对他具有丰富经历的一生充满了神秘感：他在"三厅"究竟作了些什么事呢？后来怎么又到英国呢？他怎么又用英语写作呢？《山村》究竟是怎样的一本书呢？

后来我读到了阳翰笙同志的回忆录《第三厅——国统区抗日民族统一战线

的一个战斗堡垒》，那里面说："武汉时期，我们左派的英语人材还很少（国民党有很多）。三厅七处只有董维键、叶君健、朱伯琛、张兆林等八位同志，但是他们不仅英语精通，而且学识广博，有很高的素养。他们很少几个人，却做了大量的工作，特别是叶君健同志，里里外外，笔译、口译，有时还加上英语广播，整天忙得不亦乐乎……武汉撤退，叶君健搭最后一班火车离开汉口，转移到香港去搞对外抗日宣传……香港当局那时是不准搞抗日活动的，抗日宣传工作只能在地下进行。毛泽东同志的《论持久战》，叶君健就是在香港翻译后，在马尼拉出版的（当时菲律宾尚未独立，利用它和帝国主义之间的矛盾，还能出一点进步书籍）。这是《论持久战》的第一个英语译本。他还翻译了毛泽东同志的其它一些论著和解放区出版的小册子。"

这段时间，叶君健同志还接待了为数不少的外国文化界人士，如美国记者史沫特莱、英国小说家易休伍德和诗人奥登、荷兰电影艺术家伊文思和卡巴……这些人后来大都创作出了反映中国抗战的作品，叶君健同志在接待中无保留地向他们贡献了许多可资创作的素材，自己却甘愿放弃创作，而从最琐屑的事做起，去为神圣的民族解放战争出力。

撤退到香港以后，叶君健和冯亦代、徐迟一起，编了一种英文杂志《中国作家》，集中译载了一些抗战小说，这同当时一些买办文人向国外输送一些所谓"古香古色"的"中国情调"的做法，恰成对比。因为自办的杂志影响毕竟有限，叶君健又选译了为数不少的中国抗战文学作品，投寄在纽约、伦敦、莫斯科出版的一些严肃的文学刊物上发表，这就大大打开了外国读者的眼界，使他们从中看到了一个同《浮生六记》、《好逑传》中完全不同的斗争的中国。后来叶君健把这些译作收为了两个集子，英文的《中国抗战小说集》由香港商务印书馆出版，世界语的《新任务》由香港远东使者出版社出版。

1944 年叶君健同志经牛津大学希腊文教授道兹介绍，应英国战时宣传部邀请到英国各地向工人、学生、妇女、士兵、农民、知识分子进行巡回演讲，介绍中国人民的抗日斗争，以配合英国在欧洲开辟反法西斯的第二战场的全民动员。

他在英国各地演讲了一年，总计六百多场次，几乎一天要讲两场。一位英国著名作家前年在伦敦《泰晤士报》文学增刊上，这样概括他当年的演讲："他拥护毛泽东而反对蒋介石，集中称颂人民群众坚韧不拔的精神。"在巡回演讲的过程中，叶君健利用在旅店和客栈里歇脚的时候，开始了用英文写小说的创作活动。1945年8月15日他正在爱丁堡，这天电台里播出了日本宣布无条件投降的消息，规定他要作的演讲因此取消，他匆匆地回到了伦敦。由于他在巡回演讲中的表现赢得了英国文化界的尊重，许多文化人协助他申请到了去剑桥大学国王学院进修的公费，这样，在一个相对安定的环境中，他便先后用英语写成了短篇小说集《无知的和被遗忘的》、《蓝蓝的低山区》、长篇小说《山村》、《它们飞向南方》等作品。这使他成为了一名在欧洲用英语写作的著名作家。一九四八年秋天，叶君健接到由法国著名科学家约里奥·居里、著名诗人路易·阿拉贡和著名画家毕加索等人联名的邀请信，请他到波兰去参加由他们发起的世界知识分子保卫和平大会。社会主义的波兰驻英使馆立即给了他去波兰的签证——当时西方人士进入东欧是极不易得到准许的，这说明波兰方面对他的政治态度和创作倾向非常清楚。大会在波兰乌洛斯拉夫市举行，执行主席是苏联的法捷耶夫，苏联的许多著名的科学家、作家都去了，会议期间，叶君健同爱伦堡讨论了小说创作，并结识了丹麦进步作家尼克索，他们自然谈到了安徒生……那次会议的结果是产生了"世界和平大会"，叶君健也名列发起人之中。在波兰他遇到了从祖国去的亲人——一位从解放区专程出国赴会的宋平同志，一位新华社驻捷克记者吴文焘同志，他们告诉他全国即将解放，这令人兴奋的消息，使他一返回英国便去预订回国的船票。一九四九年冬天，叶君健回到了阔别六年的祖国。

他的种种经历，实在并不是一个谜。"文化大革命"初期，负责外事部门工作的陈毅同志还有一定的发言权时，曾到外文局去制止那里的混乱，这时就有"革命群众"向他控告到叶君健，陈老总以他惯有的那种豪气大声地说："叶君健我知道他。"

是的，有人知道他。党知道他。

值得探究：世界文坛的一个特殊现象

前些时候，叶君健同志三十六年前在英国用英语出版的长篇小说《山村》，经他自己译成中文在国内出版了。这本书引起了许多读者的浓厚兴趣。《山村》目前已有近二十种译本，除欧洲大陆有十四五种文字的译本外，美国、印度、印尼也都翻译出版过。《山村》在国外再版的次数也很多，最近挪威又再版了一种普及本，素白的封面上画一只大手，从掌心里冒出红色的火焰。

《山村》在国外拥有许多读者，在国内人们还不知道，这种世界文坛的特殊现象，引起了读者浓厚的兴趣。

为此，我专门采访了他。

我说："读者对您的兴趣，因为《山村》中文译本的出版，比以前更浓了。您能不能先围绕这部长篇的写作，来谈一谈？"

平时谈锋颇健的叶君健同志，不知怎么搞的，一见我打开笔记本，竟兴致索然，他简简单单地说："这次把《山村》移植回来，一是有了比较充裕的时间，再，也是因为年近七十，觉得应当把以前的创作，总结一下。不少人知道我在英国用英语写了小说，究竟写的是些什么？我觉得现在应当有个交代，使大家更了解我。现在回过头来看，平心而论，《山村》有它的价值，但也存在着弱点……"

没说几句，忽然电话铃响。接完电话以后，叶君健同志笑着对我说："有个外事活动，催我快去。你看，我还不能像你那样，自由支配自己的时间，一心一意地搞创作。"话虽如此说，可我看他的神情，似乎并不厌倦于那施展他的外交才能的活动，并且，为能哪怕是暂时地摆脱掉我的采访，而暗暗地高兴。

叶君健同志匆匆而去之后，我正坐在那里发愣，苑茵同志注意到我是一副愁眉不展的样子，不禁笑出了声来。她把手一摆说："算啦！你还是不要搞采访的好，还跟以前那样，随便聊聊天吧！"

我们便闲聊起来。从月季花聊到新近掀起的"君子兰热"，又从红茶菌饮料的衰微谈到玫瑰茄饮料的兴起，但是聊着聊着，我不由得还是把话题落到了叶君健同志身上。我问苑茵同志："叶老究竟都掌握哪几种外语呢？"

苑茵同志说："世界语和英语，对他来说就如同中文一样，可以说、读、写并用之思维。此外，法文、西班牙文、丹麦文他可以熟练地阅读、翻译。德文、意大利文和几种北欧语言他也可以阅读。"

我不禁赞叹地说："真不得了！叶老怕是有特殊的语言天赋吧？"

苑茵同志笑了："我可不知道他有什么天赋。我单知道他这人事业上有股犟劲。他要想做成一件事，那就什么也拦不住他，遇到挫折他也不灰心，非把那件事完成不可！此外他不甘心浪费哪怕是一小段时间，只要有可能，他就继续学习、钻研。你知道'文化大革命'当中，他也受了冲击，可就在那样的条件下，他也还是没有丧失学习的欲望，他相信总有一天他还能为国家工作，他要为以后的工作储备更多的潜力。他原来意大利文程度较浅，他就安了个心，要抓个机会进修意大利文。那时候他被打成'牛鬼蛇神'，自然只许读'红宝书'，于是他便有意从外文局取了一本意大利文的红宝书，把那当作学习意大利文的教材，刻苦地进修起来。结果'文化大革命'结束了，他的意大利文也过关了。他的英文、法文本来不错，但他并不满足，'文革'后期，许他接触办公室里的辞典了，他便利用'革命群众'放松监督的空隙，把两巨册英文、法文辞典从第一页到最后一页精读了两遍，并且还用套上'小红书'封皮的笔记本，偷偷记下了许多学习笔记……"，说到这儿，苑茵同志起身到里屋，拿出来一摞麻绳捆着的小红皮塑料本，搁到茶几上，我忙解开麻绳，翻看起来——啊，每个本子里，全布满蝇头般的外文单字和成语，有归纳，有对比，有组合，有分解……抚摸着这些笔记本，我心里十分感动。怪不得他出国参加国际笔会的会议，站起来即兴发言，当他想引用一首中国唐诗时，能够毫不费力地立即用英语译诵！

我把那摞小红皮塑料本清点了一下，足足有十五本。

"叶老真有毅力，真顽强啊！"我由衷地说。

"你也不要过誉。"苑茵同志坦率地说，"没有人比我更了解他。他钻学问、搞创作，那的确有股子顽强的毅力，但应付不讲道理的人，他可就完全是一个无能的书生了。‘文革’期间，他戴上了‘臭老九’的帽子后，处处受欺侮，弄得我们全家的日子都难过。可他总是忍受着。我的性格与他不同。我想，我们并没有他们强加的那些罪名的事实，为什么要怕他们？当有人欺侮我们太甚时，便站出去跟对方论理，这样，有时倒也维护住了我家的尊严与安全。”说到这儿苑茵同志笑了起来，“你心里在想：苑师母够厉害的呀！对吧？确实，我祖上是山东，我出生在东北，我性格是比较豪放、粗犷的。再说我过惯了苦日子，各种各样的事也见得多了，所以遇上变故，遇上灾难，我总是不那么在乎。

“我青年时代何尝没有事业上的抱负，从‘九一八’，流亡关内，参加‘一二·九’学生运动，到八年抗战，我一直在党的影响下与旧社会抗争，一九四四年老叶去英国以后，我一个人挑起了家庭的重担，除了抚养两个儿子，我还要赡养母亲和失业的姐姐，结果一个儿子不幸死亡，我也患上了严重的肺病。旧社会没有给我施展个人聪明才智的机会，还几乎把我摧残致死。解放后，老叶从国外回来了，党和政府给了他很好的待遇，我们的家庭团聚了，我本应精神焕发地走上适合于我能力的工作岗位，创一番事业，但我在旧社会染上的肺病，老叶想尽了办法，医生也竭尽了全力。后来我肺部的病变奇迹般地全部纤维化了，可这病一治就是八年，当我身体恢复以后，我已经没有了工作单位，成为了一名家庭妇女。我应当怎么办？我决定集中精力支持老叶的工作和创作，当一个六口之家的出色的‘后勤部长’。

“除了安排好全家的生活，我还辅助老叶搞翻译、搞创作。他译出、写出的东西，我照例是第一个读者，我给他提出的意见，虽然有时候他并不采纳，但对促进他精益求精地反复推敲，还是起了不小的作用。他这三十多年写出的四五百万字的稿子，都是我给他抄写、整理的。

“为了进一步解除老叶的后顾之忧，我还用大量的精力来教养第二代、第三代。‘文革’时，两个儿子正是中学生，最容易受诱惑变坏，我就不让他们到社会上乱跑，把他们关在家里，从 A、B、C 开始教他们英文，他们上山下乡以后，我就让他们用英文写信回来，改好了，再给他们寄回去。所以‘文革’

结束后，他们因为掌握一门外语，都免去了同代人的那种荒废之感，使我们也不必为他们的前途焦虑。

“就是种植庭院里的那些花木，我也是为了给他创造出一个更美好的生活环境。老叶和我毕竟都已步入老年。血管硬化、心脏病、腰肌劳损，种种老年病都有可能找上门来。所以我不赞成他总是一天到晚坐在那里写作，我有意种了这些花木，让他清晨、傍晚去浇水、剪枝，调剂一下他的精神，活动他的血脉。我们实行了分片包干：月季花全归我，五岁的孙子管一片草莓，而香椿和一棵葡萄属于他……”

不必惊讶："英国文学史上的一个片段在他身上显现了出来"

1981年春天，丹麦首都哥本哈根一家饭店的大厅里，聚集着一群英国著名的作家，他们是特意从英国飞到这里，来同他们的老朋友会晤的。他们怀着深厚情谊来晤面的那位老朋友，便是叶君健。当时叶君健正作为中国笔会中心的代表，在哥本哈根参加国际笔会的代表大会。后来，一位名叫迈克尔·斯卡梅尔的英国作家在1981年7月10日《泰晤士报》文学增刊上发表了一篇名为《布隆斯伯里中的一个中国人》的长文（此文的中文节译载《读书》杂志1982年5月号），记述了这次会见，并对叶君健的创作进行了评论。这篇文章劈头一句便说："最近在哥本哈根召开的国际笔会代表大会上，英国文学史上的一个片段在叶君健这个人物身上显现出来了。"

这是怎么回事呢？

原来，1944年至1949年，叶君健在英国居留期间，通过他的文学活动，已经进入了英国那一阶段的文坛，并留下了不可磨灭的痕迹。

第一次世界大战后的英国文坛，严肃的作家中影响最大的大体上有两派。一派的代表人物是威尔斯、高尔斯华绥、普里斯特莱等人。他们继承着英国十九世纪批判现实主义的文学传统，把狄更斯、托马斯·哈代等开创的文学道路展拓得更加开阔，他们注重用自己的作品去展现丰富多姿的社会现实，力图用自己的作品概括一个时代。在题材的选择上尽量摆脱个人经历和情感的狭小天地，写法上注意发挥固有的文学技巧并融进新的因素。另一派被称为“布隆斯伯里派”，布隆斯伯里是伦敦中西部的一个区域的名字，大英博物馆和伦敦大学即位于此。这里住着一批所谓“超高级知识分子”，他们包括作家、画家、艺术批评家、政治评论家、经济学家、文学批评家、哲学家、汉学家和编辑等。他们都来自牛津或剑桥大学，文化修养很高，对学术的要求也有很高标准。这里面的作家，第一代的如佛吉尼娅·伍尔芙，极重视形式上的创新，是所谓“意识流”手法的始作俑者之一。第二代承袭了第一代的创新精神，但由于他们经历了三十年代席卷资本主义世界的经济危机，思想上受到共产主义运动的影响，政治上都相当左倾。有的还“投笔从戎”，去参加西班牙反法西斯的国际纵队，牺牲在战场上。这批作家创办了一个丛刊，名叫《新作品》，上面刊载的东西可以说是左派政治和现代派艺术相结合的产物。不仅英国的这派作家在上面发表作品，欧洲大陆、美国一些当时年轻有为的作家，也给这个丛刊投稿，他们后来大都在西方名噪一时，例如英国小说家易休伍德，诗人奥登，法国小说家香松，意大利小说家西龙涅……都是从《新作品》起家的。

叶君健居留英国期间，同上述两派作家的关系都很融洽。他同普里斯特莱是好朋友，他在题材的选择上，同普里斯特莱这一派意趣相近，无论是二十岁前后所写的《被遗忘的人们》，还是在英国写成的《山村》等作品，以及后来所完成的《土地三部曲》，他都尽可能摆脱开个人经历的狭窄范畴和身边的轶闻琐事，去展现一个历史时期的社会相。但他也时常活动在“布隆斯伯里派”当中，这一方面是因为早在1937年，这一派的刊物《新作品》上就译载过他用世界语写出的《王得胜从军记》，并且当他在武汉“三厅”工作时，就同这一派当时访问中国的作家有过交往，另一方面，也是因为他同他们在叙述方式的追求上，有着相近的主张：去外在的激情渲染，而重冷静的白描。

叶君健在那一时期用英文写出的作品，获得了两派作家的好评。1946年出版的短篇小说集《无知的和被遗忘的》被评选为英国“书会”的推荐书。1947年出版的长篇小说《山村》被“书会”评选为该年七月份英国出版的“最佳作品”。

（“书会”是一个作家和出版家的联合组织，在文学出版界有相当的权威性。）

除了写小说外，叶君健还为英国高级知识分子的刊物如《新政治家与民族》周刊、《现代文学与生活》杂志写书评，当时英国最负盛名的批评家、作家如马迦莱特·兰妮和瓦尔特·亚伦都评论他的作品，一些最著名的出版社都乐于接受他的书稿，难怪《泰晤士报》说从他身上可以显现出英国文学史上的一个片段。

迈克尔·斯卡梅尔在《泰晤士报》上的那篇文章中告诉我们：“看来他要成为一位英国作家了。但是他的心（而且他写的题材）却是在中国，当那里的内战快要结束、蒋介石政权接近崩溃的时候，即 1949 年，叶就匆匆回国，支持那即将胜利的革命。”

他回来了。他是一位中国作家。在中国现、当代文学史上，应当显现出他所留下的痕迹。

重读《山村》：奥秘在这里

当我对叶君健的经历有了比较充分的了解，再来读他的《山村》时，我感到有新的发现、新的领悟。

理解一个作家的创作——特别是理解他的代表作，往往需要同时理解这个作家本人。

任何一部作品的根须，都是透过作家的心，透过他的全部生活道路，扎在他所最难忘怀的，而且也往往是最早的，特别是青春期的感受之中。即使是完全撇开自己去写社会众生相，也往往不可避免地会有他自身命运的投影。

叶君健的根须扎在了哪里？

扎在山村。

他一辈子苦苦地恋着山村。

即使是到了大城市；即使是到了国外；即使是到了伦敦、剑桥；即使是进入了“布隆斯伯里”的圈子里；即使是步入了晚年。

他常常独处自问：我是以怎样的身份踏进山村外的广阔世界，以怎样的眼光开始观察复杂的人类社会，以怎样的情感起步于人生的长途跋涉的？

他怎能忘记大别山中那生他养他的小小村落？石头多，黄土少。女人多，男人少。男人进入成年，便纷纷到山村外去谋生。是怎样的一个傍晚：不记得惨红的夕阳可曾镀紫了竹丛，不记得纷飞的乱鸦可曾布满了天空，只记得一乘嘎吱嘎吱发着怪响的担架，抬回了面如纸灰的父亲——他少小离家老大回，然而，不是衣锦还乡；他在外地商号中被老板榨干了最后一滴血，他只剩下最后一个愿望：回到山村，咽下那最后一口气。

然而人们还是继续往外跑——贫瘠的山村养活不了那么多人。才十四岁，叶君健便被哥哥带到了外地。在进步的书籍的启迪下，他懂得了：原来山村里的贫困、愚昧、野蛮、黑暗，不仅在于山村本身的封建势力作孽；城市里的军阀买办，以及他们背后更残暴的帝国主义的种种活动，也是这一切的根源。

原来山村里那些处于水深火热中的最卑贱的农民们——他们卑贱到甚至被山村外的人们遗忘掉的程度——他们的挣扎，他们的幻想，他们的尝试，他们的悲剧和闹剧，并不能认为是无意义的，在山村以外的世界中，亿万受苦受难的民众正在觉醒，他们必将把山村里那些无知的和被遗忘的人们联合起来，向着光明的未来奋进！经过思考，叶君健决定像鲁迅、郭沫若、茅盾他们那样，以自己的笔，去探索真理，去追求正义。

他的少年和青年时代，实际上是过着半流浪的生活。在颠沛流离中，在半饥半饱中，他常把周围这宏大世界所传递给他的万千信息，用一根情感的导线，汇聚到对自己所出生的山村命运的思考中……

他对山村的爱恋，贯串于他的一生，这里包含着他对故土，对祖国，对乡亲，对苑茵，对家室，对民族，乃至于对世界大同的憧憬……他的感情尽管有时用外语表达，但总透散出一股浓郁的中国山村的泥土气息。

难怪从这根须上伸出的茎叶，长出的花果，只能主要是《被遗忘的人们》，是《山村》，是《土地三部曲》。

作家的力作，只能出自他最熟悉、最关心、最动情的生活。所以虽在1944年，叶君健却以少年人的率真笔调，娓娓地向读者叙述着他所一直念念不忘的山村生活，那里有外出谋生的男人，有外流借住的农夫，有被天花吞噬了青春的童养媳，有顽强挣扎不甘凌辱的“活寡妇”，有在时代潮流飞沫溅来时，各依自己的本能而演出正剧、悲剧、闹剧的塾师、道士、说书人以及其他芸芸众生……

作家的创作，又不能不受到他们所处的社会环境的推动与制约。当时欧洲文化界的人士（不仅左派，包括中间派）都善意地关心着中国。直接阅读中文的文学作品，对他们来说是不可能的（极个别的汉学家例外），而径直地以文学方式向他们描绘中国抗日战争的情况，也不尽符合他们当中大多数人的欣赏习惯。他们更愿意阅读不直接涉及当前政治生活的中国文学作品，从中了解中国普通人的生活情况和思想感情，从而间接地去理解中国人民投入反法西斯战争的力源。当时也有某些旅居国外的中国作家，用英文写了一些主要供西方知识界人士阅读的、介绍中国情况的文学作品。但其中有的却只是一味展览中国女人的小脚、男人的吸食鸦片，旗袍马褂鼻烟壶、妓女相公姨太太，以及士大夫阶层的闲情逸致、满汉全席上的烹饪奇迹……难道听凭这样的东西，在外国人心目中去形成一个被歪曲了的中国形象吗？叶君健的回答是：不能！既然自己现在有了足够的条件，那么，就一定要尽可能写出中国普通人的真实生活场景、真实思想情绪来……他的《山村》诞生在那样一种环境中，乍看奇怪，细究便不难理解了！

叶君健既与当时英国严肃文学中的两大主流派都有密切关系，他的写作方法，自然与该两派都有相通之处。取材上，他接近普里斯特莱，叙述语言的运用上，他又吸收了“布隆斯伯里派”那冷静客观的特点。叶君健的小说，却正如那位英国作家在《泰晤士报》发表的评论中所说：“他那直率、流畅、抒情的笔调，更接近于杰克·伦敦和早期的高尔基，而不像‘布隆斯伯里派’的那种对下意识的淋漓的描绘。”确实，《山村》就创作方法而论，它是严格地遵循着现实主义而并非现代主义的，然而它的叙述语言，又绝不同于国内一般的现实主义作品——它冷静到了不动声色的地步，即使是写到最激烈的变故，最强烈的感情爆发，叙述者也仍然保持着克制与沉静。这体现出，作者是把读者当作思维能力与自己相等的交流对象，对读者充分信任与尊重。他不施重彩，不搞渲染，简练地勾勒，安静地叙述，使小说中的各个人物乃至黄牛、家犬的一切活动，都自然而然地呈现出来。整部作品自始至终，作者自己都绝不站出来讲话，他只引导读者动用自己的学识与想象力去体味、去发挥。

从《被遗忘的人们》到《山村》，到《土地三部曲》（这是直接用中文写出的），他的写法是一脉相承的。他追求的是一种现实主义的精神，而不是一种对现实的精确写照。

故事发生的背景往往缺乏具体的地方特色（更准确一点说，是只具有区域性的地方特色，而缺乏可以实指的具体原型）；人物的衣饰装扮、作品中出现的器物用品，也往往缺乏精密的、富有特定性的描写；尤其与众不同的是，人物的对话不但排斥地方性的方言俚语，而且往往并不直接摹拟说话者的词序声气，竟大量使用一种转化过来的书面语言。（《山村》如此，读者或许还以为是从英文译过来的缘故；但《土地三部曲》直接用中文写，也如此。）读到这些对话时，你会既感到“他们不会用这样的语言说”，又会感到“此刻他们要说的确实只能是这样的意思”。

按说，这样的写法，似乎很难准确地反映生活、塑造出人物、表达好人物之间的关系，但你仔细读《山村》，细细品《土地三部曲》吧，却自有一种淡雅隽永的艺术魅力，越读，便越感到自然、亲切、有韵味。

仔细想来，这样的写作方法，与其内容也是相适应的。而全部奥秘就在于作者本是一个苦恋着山村的农民，他以山村式的素淡笔调娓娓地叙述山村那些普通人的命运，实在是一桩再自然不过的事。

不可少的一段应当知道：世界文坛的评价

这是毋庸讳言的：到目前为止，国外对叶君健小说创作的评价，超过了国内。这也难怪，《山村》虽然在解放初出过一次中译本，但早已绝版，由作者自己认真移植回来的中文译本，今年才开始在国内发行;《土地三部曲》虽然已在前两年由人民文学出版社出全，但印数不多，把它从头到尾读过并作出评价，确实也还需要更长的时间。

对待国外的评价，我以为既不能盲目迷信，也不能盲目漠视。国外的确有那么一种评论者，他们评价中国作家的创作，实质上是反动的政治标准第一，或者至少是从资产阶级的政治偏见出发,他们总希望从中国作家当中发现出“持不同政见者”,从中国作品当中挖掘出反共反社会主义的因素来。对于这类的“高度评价”和怪声喝彩,我们必须保持清醒头脑。但这种评论者,终究只是极少数。绝大多数国外研究、关注中国作家和中国作品的人士，他们的出发点是善意的。他们肯定或否定的角度也许不能为我们所接受，他们的艺术趣味也许距离我们甚远,但他们的评论只要是严肃认真的、富有学术价值的,我们都应当有所了解,并加以参考。

迄今为止，国外对叶君健小说的评论，大体上有这样几个特点：评论者全部都是对华友好的人士，而且大多数又都是当代西方享有盛名的作家，他们的评论严肃而富于学术性，又特别着重于艺术分析，所以我以为这些评论不仅对叶君健同志本人是重要的，对我们的评论界和广大作者、读者，也有相当的参考价值。

对于《山村》，挪威作家协会前主席、剧作家汉斯·海堡，他也是《山村》挪威文的译者，在译完后还曾写到:“关于这个(中国的)最奇特的、最伟大的革命，现在要获得有关它的资料和报导并不困难……但是人们的心灵上会发生什么波动，会产生一些什么起伏呢？当那黄昏到来的时候，当历史的车轮在夜里暂时停止了转动和那些公布的新闻资料不再起作用的时候，当村子睡着了的时候，当月亮镶在天空，人们和大自然似乎都在静静地休息的时候，要讲述这时所发生的事情，那得由一个诗人来作……我一直在想找那无名的、日常生活中的凡人，那活动在广大群众中、但不一定政治性很强或者具有英雄气质的普通人。那生活在村子里的人，那代表中国、组成中国这个国家的普通人，我终于找到了他们——在《山村》这部小说中找到了他们。读完这部小说后，我似乎第一次真正理解了关于中国人的某些真实和诚挚的东西。我开始更好地懂得了他们的过去和现在，他们所度过的日夜和生活。”另一位北欧当代著名作家、诺贝尔文学奖金获得者霍尔杜尔·拉史斯奈斯在为这部小说的冰岛文译本所写的序言中说：“中国人民接受马克思主义已经有十多年了。这是一种了不起的、科学的信念，是人类文明的新的创造，也可以说是近代西方最伟大的理论。它征服了整个世界，从波罗的海一直到太平洋……在中国人中这种实践的演化过程，我觉得中国作家叶抓住了实质。他帮助我获得更多的理解……我过去读过的几本关于中国人的书，从来没有像这本书那样绘出有关革命特点的那么清晰的图画。这是在一个古老的国家所进行的一场革命，关于它马克思没有作出过任何预言……中国在这本书里被浓缩在一个小村里，但这丝毫也没有削弱这本书的意义。读者可以集中地在这里看到那最初阶段的一些变化和在这个世界上一个超级庞大的国家里的革命在农村中如何地开展……”当代丹麦著名女作家苔娅·莫尔克则评论说：“在一个深夜逃脱了侦缉队的追捕的年轻学生，叙述了他对于不久即将出现的共产主义的新中国所怀有的美丽的梦和理想。在书中我们可以看到在革命早期的中国人民如何在一个高压的统治机器下所展开的活动。书中关于这些人的描写，是既充满了幽默感，也非常美丽动人，同时又夹杂着一点农民的荒唐性。一个不满三十岁的作家居然能写出这样成熟的作品，实在令人不可置信。但这是事实。他的每个句子都写得简洁、清楚，表现了他的聪明。全书是建筑在一系列独立的篇章之上，每个篇章都可以单独地阅读，但它们中间却贯穿着一个主要的情节和一条红线。它们所展开的巨大场面紧紧地把读者抓住了，使他们迫切地想要知道这些人物的命运和那个静静地观察这一切活动的那个小男孩的想法……我一点也不奇怪，这部小说在许多国家取得了那么大的成功。它在一长串的文字中都有译本，最近又出了一个南斯拉夫的译本。这个译本在那里也掀起了巨大的兴趣，而这也不是偶然的。”她所指的南斯拉夫译本，是由斯洛文尼亚共和国森加尔文学出版牡 1980 年 5 月出版的。出版的那天正值“国际作家会议”在该共和国举行，该共和国作家协会主席(也是该出版社的社长)巴夫切克同志特别地举行了一次记者招待会，庆祝该书出版，对该书给予了极高评价。英国著名小说家、评论家华尔特·亚伦在他最近出版的回忆录中谈到叶君健的写作风格时，则认为“堪与屠格涅夫媲美”。

这里还不妨提一笔《山村》的一些翻译者在他们翻译的过程中，对这部作品的感受。国际知名的世界语诗人、英国作家威廉·奥尔德不久前在完成了《山村》的世界语译本后，最近(1983年7月14日)写信给中国世界语协会秘书长张企程说：“请容许我再一次指出，这部有价值的长篇小说给了我多大的愉快。翻译它简直是一种享受。我尽一切力量使我的译文能表达出原作英文的优美风格。我深深地高兴，世界语人士不久就能读到这部真正有意义的著作……说来也奇怪，《山村》在许多方面使我回忆起了我自己的、在表面上看来是多么不同的童年……”

国外对《山村》的评价如此之高，或许是因为它用英文写成，较易阅读，况且已经历了三十多年的广泛流布。但国外对叶君健同志在国内用中文写出，出版也并不算久的《土地三部曲》，也有极高的评价，这又是为什么呢？

挪威奥斯陆大学的汉学家克里斯朵夫·何莫邪读《土地三部曲》的过程中，写了一百多条眉批，最后写信给作者，说：“我得说老实话，我最初以为这又是一套政治宣传品，但读完后我深为感动。这不是客气话。特别是第二部《自由》的结尾，触动了人的灵魂。受苦受难的兰兰，最后在敌人的监牢里被折磨致死，她的丈夫，在与敌人搏斗取得胜利后，打开牢门来看她，她躺在潮湿的地上，已经是奄奄一息。当他在她面前跪下来、贴着她的脸的时候，她的嘴唇已经变得冰凉，没有呼吸了。他没流一滴眼泪。他的这种沉默，这种克制，对读者所传达出来的悲恸，比一般东方作品在这种场合下所惯用的泪流满面、咽不成声，或捏起拳头、义愤一番，要深刻、强烈得多。这种寥寥几句、简洁的描写，比起长段的渲染，感人力量不知要大过多少倍。这是大师的手法。”1981年，奥斯陆大学和挪威皇家学院为此特请叶君健去讲学，请他谈一个作家在一个大时代中的感受和体验、创作和思考。前不久美国威士里昂大学历史系教授薇拉·施瓦尔茨来京时，特别访问了叶君健。她说，她从没有看到一部像《土地三部曲》那样的书，把中国清朝崩溃、辛亥革命至"五·四"运动这个大动乱的历史时期，展现得那样广阔，那样深刻，那样生动。施瓦尔茨觉得她从《土地三部曲》中得到的有关中国在那段时期的历史概念，比别的任何书都鲜明、深刻。她说，固然小说内容中充满了政治，但写时却并不从政治概念出发，而是把一个又一个活生生的人物和一幕又一幕活生生的社会画面，朴素自然地展现在读者面前，因此毫无政治说教的气味，使人从创造中国历史的普通人身上感受到了一个民族的伟大和豪迈。她认为《土地三部曲》堪称是一首宏伟的"史诗"。叶君健同志对她说，他自己现在感到《土地三部曲》存在着若干的不足，如对一些农民的描写，还未能写到他们的灵魂深处，对某几个主要人物的描写还有点扬长抑短，其实完全可以把他们写得更复杂、更立体化。他表示将来还要对《土地三部曲》作一次全面的修订。

国外对叶君健同志小说创作的评价，还常常并不胶着于具体的作品，而总论其创作的风格。他们普遍认为他的小说有诗的意境。他有一个短篇小说《风》（已由作者自己译成中文，发表在1982年《收获》双月刊第五期上，并将收入即出的《叶君健小说选》中)，巴黎出版的《诗刊》在1946年2、3月合刊号上，干脆把它当作一首诗予以发表。许多外国作家、评论家都把叶君健称作"一个诗人"。我无从阅读叶君健同志的外语原著，所以无法判断他用外语写出的作品是否从内涵到形式都有着诗的特性与韵味，读他自己译回来的《山村》和直接用中文写作的《土地三部曲》，我只觉得他那冷静简洁的笔触所勾勒出的人物和场面，的确透散出一股淡淡的诗情。国外一些评论家认为他行文有诗的意趣，似乎也并不仅是针对他的外语著作，比如对他所译成中文的安徒生童话全集，挪威的那位汉学家克里斯朵夫·何莫邪就给予了这样的评价："看来好像是，在不同文字和意识形态框框的表皮下，安徒生的诗情和社会主义的宣传似乎很深刻地起着相辅相成的作用。如果说有什么人能够把这两个特点溶化在一起的话，那只有像叶君健这样的一个诗人。”

叶君健同志在国外的声誉还在与日俱增。他在国内发表的重要作品，很快便能在国外引起反响。他在英国的母校剑桥大学的“国王学院”过去只收藏他在国外用英文发表的作品和文章，现在又尽力收集他在国内用中文写的作品，保存在该院的图书馆中，并希望形成一个包罗无遗的专架。去年该院还请他去剑桥大学讲学，并赠予他“名誉讲座”的称号。这对东方的文化人说来还是第一次。最近美国又有哈佛大学等三所学府邀他赴美讲学，而且希望他重点介绍自己的小说创作历程，对《土地三部曲》的构思、写作与追求，更表现出强烈的兴趣。

必不可少的一段：手提箱里只有衬衫和牙刷

首都机场。

入境检查站。叶君健同志拎着手提箱来到了海关人员面前。他们立即认出了他。两个年轻的海关人员互相打趣地说：“瞧，这位老先生又回来了。他这一年里头跑了几个来回啦？”“他那箱子里呀，我可知道，就几件衬衫，一把牙刷！”

粉碎“四人帮”以后，作为文化使者，叶君健同志频频出国参加国际性会议和赴高等学府讲学，说他手提箱里只有几件衬衫、一把牙刷固然有点夸张，但他来去匆匆，轻装简行，确是事实。

尽管他多次出国，但并没有一次是参加政府级的双边文化交流，也没有一次是参加那种以观光游览为主的访问活动，他往往肩负着并不轻松的任务，还常常是单枪匹马地去，既是团长又是团员，既是作家又是翻译，既作事先准备好的书面发言，又随机应变地作大量的即兴发言，同时，既在会上也在会下开展各种增进各国文化人相互了解的活动。他完成任务总是相当出色。

1979 年春天，他去保加利亚参加国际世界语大会，了解到许多情况，后来中国据此加入了国际世界语协会，叶君健同志被选为这个国际组织的理事。

1980 年国际笔会在南斯拉夫开工作会议，叶君健同志和另一位中国作家作为观察员出席。在这次会上，他与该组织的领导成员讨论了关于中国加入国际笔会的问题，回国后经过中国作家们的讨论研究，成立了中国笔会中心，于第二年正式加入了国际笔会。这样，中国作家就有了一条重要的与世界各国作家进行交流的渠道。

1982 年这一年间，他三次出国。第一次是该年 3 月，他一个人代表中国笔会中心去丹麦哥本哈根参加国际笔会的年会。在会上，他肩负中国南方作家们赋予的使命，利用他在西欧——特别是在英国和丹麦的特殊影响，充分发挥他的外交才能，既在会上幽默而庄重地侃侃发言，又在会下轻松而通达地娓娓谈心，终于排除了来自某些方面的干扰，消除了某些人的误会，终于，上海笔会中心和广州笔会中心在大会上以压倒的多数票通过了，在国际笔会中又取得了两个发言权。这样，中国作家与世界作家交往的渠道，又有了新的发展。

1982 年 8 月，国际笔会在法国里昂举行庆祝该会成立六十周年的大会，巴金同志作为团长率中国作家代表团参加了这个活动，叶君健同志随团赴法。这次虽然有专门的翻译同往，但在关键时刻，仍需叶君健同志当场以流利的外语、生动的例证、雄辩的逻辑来对某些提问直接作答，他的特殊作用，全团同志都非常赞肯。

1982 年 11 月，国际笔会在塞浦路斯召开讨论会。叶君健同志又一人前往，并在会议结束后顺访了希腊。

对于某些人来说，出国访问前的治备行装，出国访问时的购置物品，是两个需要付出相当心思的环节，这当然也无可厚非；但叶君健同志的行装总是那么简朴，除了外国朋友赠送的图书和小件纪念品，他几乎没有带回过一样高档的洋货，有关单位提供给他的可以“便宜行事”的机动外汇，他总是带出去又带回来，如数上交。在国内参加外事活动，叶君健同志的穿着也总是比较简朴，常常上身就是一件在剑桥穿的有三十多年历史的灯芯绒上衣，下身就是一条“的卡”长裤，脚上一双旧皮鞋。他对外国朋友的吸引力，显然并不在外表，而在他言谈作风中所显示出的涵养、风度、学识与品格。

叶君健同志在对外文化交流方面发挥着多方面的作用。鉴于国外知道现、当代中国文学及作家的情况很少，他便直接用外语为国外有影响的报刊撰文介绍这方面的情况。这些文章总是以整版的篇幅发表，并配以照片和图画。甚至西方文化界人士也认为是难以挤进去的英国《泰晤士报》，也在显著的位置登载叶君健的这种文章。他的文章目的性很强，如从中国纪念鲁迅百年诞辰谈起，向国外介绍鲁迅的生平、作品和在中国现代文学中的地位及其深远的影响，从茅盾逝世谈起，向国外介绍茅盾的生平、作品和与他同时代的其他一些作家的情况；从新中国培养的藏族话剧演员演出莎士比亚的《罗蜜欧与朱丽叶》，谈到莎士亚作品在中国的传播及中国培养少数民族文艺人才方面取得的成绩……有趣的是他撰写的文章有时竟反馈回来，成为“国外报纸高度评价我国文化成就”的例证，那篇评述藏族演员演出莎翁名剧的文章，就曾由国内一份内部报纸译载，说是《泰晤士报》的评论，其实，那篇文章是由叶君健这位中国作家，在北京一条小胡同的家里写出来的。

远不是终结：作为一个中国知识分子

我这篇文章够长的了，但仍未能把叶君健同志在文学事业上的成就囊括完全，不要说详加评述，就仅仅是开列一下前面遗漏掉的译著，就有一大串：他翻译过古希腊埃斯库罗斯的悲剧《阿伽门农王》、法国古典作家梅里美的名著《嘉尔曼》、比利时象征主义作家梅特林克的剧本《乔婉娜》、俄国列夫·托尔斯泰的中篇小说《幸福家庭》、美国斯坦培克的反法西斯小说《月亮下落》……他撰写了翔实生动的安徒生传记《鞋匠的儿子》；他出版过中篇小说《开垦者的命运》、《在草原上》，出版过短篇小说集《新同学》、童话故事集《小仆人》、散文集《樱花的国度》、《画册》……他不仅曾热情地将中国左翼文学、抗战文学译介到国外，例如曾将茅盾的《春蚕》、《秋收》、《残冬》以及其他中国作家的短篇译为英文，用《三季》的书名在英国出版；直到近几年，还协助外文局美裔专家沙博里，完成了将《水浒传》译成英文的工作……像山村中的一头牛，他在文学园地中辛勤地耕耘着，日复一日，年复一年……

现在叶君健同志处在他一生中创作条件最好的时期，尽管他明年就要满七十岁了，但他精力依旧旺盛，创作力毫不见衰竭。对于他来说，正同别的一些老作家一样，创作道路远未终结，在辛勤的跋涉中，还要不断攀上新的文学高峰。

他出生在穷乡僻壤。他从小同山村中那些淳朴的农民生活在一起，他们的感情溶进了他的血液。他小时在乡塾中所受到的启蒙教育，是地道的中国文化，他背诵过“四书”、“五经”，背诵过唐宋八大家的散文，背诵过唐诗宋词……中国传统文化连同中国普通人民的生活方式，在他的头脑中深深地扎下了根。更重要的是他在旧社会亲身感受到了中国人民在帝国主义蹂躏下遭受的苦难，亲自参加了中国人民在中国共产党领导下所进行的艰苦斗争，所以，尽管他十四岁便离开了山村，后来又学的是外国文学，用外语做了许多工作，跑了世界上许多国家，与西方一些高级知识分子有所交往，甚至于在英国当代文学史中占到了一席地位，算得是够洋的了，但他的灵魂深处，是一个中国乡下人。

1981年春天，挪威皇家学院的院士们请他就《作为一个中国知识分子》为题，作一次报告。他在报告中说：“当前的中国，正在向健康的道路上发展，但还有许多事情我有意见，所以我在国内有时是一个批评者；但一到国外，我是一个无条件的爱国主义者。我们国家的人民、文化和山河抓住了我的灵魂。我永远爱他们。离开他们远一点，我就更加怀恋他们。”

这也是其他中国知识分子的心声。

爱恋山村的人，也会得到山村的爱。这是肯定的。

1983年6月6日-13日初稿

6月24日-29日修改

写于北京农光里

刘心武文存

36

剧 本

咕咚［广播剧］

解说　一天早上。太阳照着小河旁边的木瓜树。这些又高又大的木瓜树上，结着很多又白又圆的大木瓜。（节奏鲜明的音乐、配竹板声）

这时候，不知道从哪儿跳出来一只小兔。

兔　草儿绿、花儿红。

小河边上好风景。

小河水，清又清。

让我照照自己的影（儿）。

啊！——

浑身上下毛茸茸。

两只长耳朵、一双圆眼睛。（节奏乐）

解　正在这时候，就听见（“咕咚”一声）

小兔吓得大叫起来。

兔　哎呀！——这是什么？

白晃晃，圆墩墩，

跳到河里咕咚咚。

快救命，快救命，

一定是个大妖精。

哎呀！他要来抓我啦！

（忙乱的音乐）

解 小兔拼命跑！跑着跑着，（大鼓“嘭”的一声）跟谁撞上了？

噢，原来是小猴。

猴 小兔子你发了疯，

干吗使劲往前冲，

今天天气多么好。

快来和我一块逗蜜蜂。

兔 嗨！

猴大哥，猴大哥，

你还在这儿逗蜜蜂？

河边出了个大妖精，

白晃晃，圆墩墩，

跳到水里咕咚咚，

要不是我跑得快，

眼看就要活不成。

猴 唉呀！快跑！

兔 快跑。（紧张的音乐）

解 小兔、小猴拼命地跑！跑着跑着，（大鼓“嘭”的一声）又跟谁撞上了？哎哟！原来是老熊。老熊奇怪地说：

熊 一个跳，一个蹦，

慌里慌张好像一阵风，

你们两个快站住，

帮我老熊捉马蝇。

兔 哎呀呀，熊大叔，

您还有心捉马蝇，

河边出了个大妖精，

白晃晃，圆墩墩，

兔、猴 跳到河里咕咚咚，

要不是我们跑得快，

眼看就要活不成。

熊 那可不得了！快跑。

兔、猴 快跑——（忙乱音乐）

解 小兔、小猴、老熊拼命地跑！后来他们又遇见了狐狸、大象、老虎……他们都不问怎么回事儿，也拼命地跟着跑。（音乐中夹有连续“嘭嘭”鼓声），一边跑还一边嚷：

众 快点跑、快点蹦，

河边出了大妖精，

大妖精叫“咕咚”，

咕咕咚咚真叫凶。

解 这时候，老狮子从前面走过来。

狮 停一停，停一停！

出了什么大事情？

不要命的使劲跑，

唏哩呼噜好像一窝蜂。

兔 （喘气）嗯……狮子大王您细听，

猴 嗯……河边出了个大妖精，

熊 他白晃晃，圆墩墩，

众 跳到河里咕咚咚，咕咚咚！

狮 真的吗？谁看见的？

虎、狐、象 我们——我们是听老熊说的。

熊 呃，我是听猴子说的。

猴 我是听小兔说的。

兔 我——我——我是在河边亲眼看见的。真可怕，白晃晃，圆墩墩。跳到河里咕咚咚……

狮 真是妖精吗？

兔 嗯……也许是……没准儿是——

狮 嗨！你们哪！都是听说的。

小兔哪！又说没准儿。好了，咱们一块去看看吧！

（缓慢的行进音乐）

解 狮子让小兔引路带领大伙儿回到了小河边。

狮 妖精在哪儿？

兔 呃？我刚才明明看见，就在那个树底下（“咕咚”一声）哎

呀，妖精来啦！快跑。

狮 站住！小傻瓜。你仔细看看到底是什么？看清楚了吗7.

白晃晃，圆墩墩，

不是什么大妖精，

那是木瓜长熟了，

掉进水里咕咚咚。

兔 木瓜？呃！真的。真是木瓜。

都怪我，太粗心。

糊里糊涂没弄清。

猴 没弄清，没弄清，

把木瓜当成大妖精。

熊 叫人害怕又心惊。

众 唉！白白跑了一大通。

（根据藏族民间故事改编）

1959 年中央人民广播电台
《小喇叭》首播；
1991 年中央人民广播电台
《小喇叭》重录复播

如意［电影文学剧本］

序幕

秋晨。小树林中。

阳光透过树隙，斜映下来。晨雾在阳光中缓缓飘散。

秋叶飘落着、飘落着……

金黄的、带着赤褐斑点的大片秋叶上，露珠缓缓滚下。

一只手伸过来，动情地接住一片秋叶。秋叶上的露水熠熠闪光，使人联想到那是一个生命在发出最后的热力。

画外程宇的声音："每到秋天，我就要想起他来。他活着，像树上一片最普通的绿叶。他死去，像这秋叶静静地飘落……"

程宇，一个三十多岁的中学男教师，进入画面。他沉思着朝小树林深处走去。秋叶在他身前、身后飘落着、飘落着……

程宇的心声："石大爷，如果您在天有灵，您应当驾着清风，悄悄来到我的身边……"

第一章

一

夏日。晴阳下的北京市区一角。一片屋宇后显现出白塔寺的白塔。柔和的鸽哨声。

古老而比较宽大的胡同。胡同中有一株两人才能合抱、树冠巨大的古槐。槐树上缀满一房房的槐花。悠闲的蝉鸣声。

程宇的背影。他头戴旅行帽,背着被褥卷。一手提着装有脸盆等什物的网兜,徐徐朝前走动着。看得出他是在辨认路径。

胡同里，程宇在继续前行。在他前面，有一位五十来岁的大妈，一望可知是居委会中管事的人。她推着一辆儿童车，儿童车上并没有孩子，却有许多糊好的装蜜饯的纸盒子。她在程宇前面十多步的地方停住，朝着一扇小小的院门，略带威严地喊:“格格！收活啦！”

院门静静地关闭着。

大妈略显不快，提高了嗓门:“格——格——！交——活——啰！”

程宇被“格格”这个新鲜的称呼吸引住了，忍不住也朝那扇小门望去。

小门猛地被打开了。迸出一串粗豪的笑声。一位四十五六岁的妇女，身材丰满、浓眉大眼；一叠糊好的纸盒搂在胸前，随着笑声闪了出来。

大妈接过她递上的纸盒，却以责备的口吻说:“秋芸，你怎么还在给格格当丫头！她自个儿就不能抱出来？”

秋芸满不在乎地说:“冯大妈，我这叫作——团结互助！”

冯大妈不以为然地摇头，并麻利地点着纸盒子的数目。点完，鄙夷地说:“到底是格格出身呀，就数她糊得少！”

这话音刚落，只听有个声音柔和地说:“我这儿还有一多半呢！”

院门那儿，一位四十多岁的妇女已经站定。她身材瘦弱，长圆面庞，皮肤明显地比冯大妈和秋芸都要细腻，一双饱经沧桑的大眼睛里，流露出温驯、宽容的神情。就连她托抱纸盒子的姿势，也显示出一种特有的优雅气度。

冯大妈多少有些尴尬，接过纸盒子，睨了秋芸一眼："准是你帮着格格糊的吧？"

秋芸笑嘻嘻地反驳："我可没帮她。倒是她帮着我连缝了三床被子！"

冯大妈只好冲她俩来句："你们呀！"随即点数。

几个八九岁的小孩子嬉戏着跑过。一个滚铁环的小孩冲站在院门旁的妇女嚷了一声："格——格！"其余几个应和着。

秋芸朝他们一跺脚，他们飞快地遁去。快活地笑着。

程宇看着这一切，感到新鲜，同时好奇。

一个四十五六岁的黑大汉，蹬着平板三轮车驶过，车上搁满装蜂窝煤的竹筐。秋芸扬臂对他嚷："嘿！今儿个中午给你预备了炸酱面，你完了事可快点回窝，捎带脚买几根黄瓜回来！"

黑大汉扭回头来，憨厚地、幸福地点着头。

冯大妈故意冲他嚷："再捎带脚买瓶'二锅头'！"

秋芸毫不犹豫地捶了她肩膀一下，冲她说："你给钱呀？"俩人都笑了。站在门口的格格也笑了，她笑得很矜持，并略显忧伤。格格和秋芸都回到院里，院门关闭了。冯大妈这才注意到程宇。她上下打量着他。

程宇走过去："大妈，光明中学还有多远？"

冯大妈："是新来的老师吧？跟我走吧，再拐两个弯儿就到啦。"

程宇随冯大妈朝前走去，冯大妈仍推着装纸盒的儿童车。

程宇："那个女的，怎么你们都管她叫哥哥？"

冯大妈："不是哥哥弟弟的'哥哥'，她大名叫金绮纹。说起来，她跟光明中学，还有一段关系呢。"

程宇："她当过老师？"

冯大妈："哪儿呀！光明中学，解放前是外国人办的教会学校，那校园子，再以前是个贝勒府……"

程宇："贝勒府？"

冯大妈："对啰。满清的时候，皇帝那一族，有的封成贝勒、贝子什么的。金绮纹生出来的时候，虽说已经是民国了，退了位的宣统皇帝还住在宫里头，那老贝勒，还时不时地去宫里磕头请安……贝勒的闺女，就叫作格格。刚才你瞅见那叫秋芸的了吧？当初，就是金格格的丫头……"

程宇："啊，原来还有这样的人……"

冯大妈："所以说，咱们这片地方………复杂呀！"

程宇点头。

二

光明中学。传达室。一个高瘦的、青筋暴露的五十多岁的男传达工，正往传达室的门玻璃上贴纸条子，纸条子上用繁体字写着："闲人免进"。

几个初中学生围观着。

学生甲："郭大爷，您写的这是什么呀？什么人免什么呀！"

学生乙："闲人免进——'闲'和'进'都是繁体字！"

学生甲："干吗写繁体字呀？老师让我们一律写简化字……"

郭大爷抱歉地说："过去我们道观里头，天师就教给我们写这繁体字……"

学生甲："郭大爷，当年您当道士的时候，也跟和尚似的，推光秃吗？"

学生乙："才不呢！我见过书上的画儿，道士留长头发，盘在头上……"

郭大爷惭愧地说："快别提那时候的事啦，如今我可是教育工会的正式会员，有会员证呢！"

恰好程宇兴奋地走到了传达室门前。

程宇掏出介绍信递过去："大爷，我是新来的……"

郭大爷："程老师吧？早听说啦，都在恭候呢！"

传达室门从里面拉开了，取报纸的魏老师高兴地走出来。他看上去比程宇略大一点，热情地接过程宇手里的网兜，带他朝校园里走去，说："我叫魏禹民，教数学的。定下来啦，咱俩住一个宿舍。我带你去见校长，他叫赵双石。”

三

程宇随魏禹民朝前走去，他无比兴奋地看着校园里的景象。

几个学生在布置壁报，可以看见通栏美术字装饰：“迎接新学年！”

一队业余演出队的学生走过，有的带着提琴，有的带着手风琴、黑管……

两个教师推着手推车横过镜头，手推车上显露出地球仪、动物标本等教学用品……校园前面是一些平房，平房后面，是一座新建的教学楼。

程宇随魏禹民走到了两边长着树木的甬路上。时值夏日，树叶绿油油，树下分布着花圃，几只蝴蝶横切着飞过甬路。

几个穿着运动服的学生抱着篮球，活泼地跑过甬路，显然，是去往操场。

几个女学生，手里拿着借到的图书，叽叽喳喳地议论着，匆忙地从甬路上走过。

从程宇进入校园的头一个镜头中，后景上就有一个工友在扫地。随着程宇和魏禹民朝前走去，这工友的身影逐渐明晰起来。

这工友暂时停住了扫地，因为有一个人正走近他，同他亲切地对话。工友是个乍看上去相貌平常、大约五十来岁的壮年人。他身旁的男同志大约三十五六岁，精明强干，那是光明中学的赵校长。

魏禹民：“赵校长！”

赵校长离开那工友，走了过来。后景上，工友恢复了扫地。

赵校长：“啊，是程宇老师吧？欢迎你！”同程宇握手。

程宇回顾四周：“咱们学校真好！”

四

宿舍中。魏禹民帮助程宇铺排用物。他把程宇的脸盆放到屋角脸盆下面的横档上，因为脸盆架上已搁着他的脸盆。他指指脸盆架一侧的肥皂盒说：“咱俩以后就合着用吧。轮流买香皂。我刚买了块‘绿宝’的，你喜欢这牌子的吗？”

可是程宇站在窗前，并没注意到他这些动作和问话。程宇在向外看。窗外恰是那条甬路。只见那工友仍在默默地清扫甬路。

他扫得很仔细，连铺砌甬路的石缝中的几片落叶，一些纸屑，也认真地用长把扫帚扫去。

程宇的声音："他是谁？"

魏禹民的声音："啊，他呀，他叫石义海，大伙都管他叫石大爷。论起来，他是咱们学校工龄最长的人，可我常常忘记了还有他这么个人存在……"

石大爷认真地扫着、扫着……

五

霞光中，程宇在甬路一侧的树下，来回踱步，手持单词卡，背诵着英语单词，甬路上，石大爷默默地扫着、扫着……

秋天。秋叶飘落。魏禹民领着一队学生，跑步而过。石大爷默默地扫着、扫着……

冬日。雪后，树木伸展着琼枝玉杈。近景中，一群学生正堆起一个胖乎乎的雪人。石大爷在后景中默默地扫着、扫着，扫出一条干净的路来……

第二章

六

爆竹声。欢笑声。

瑞雪纷飞。校门口。新年的夜晚，校门前搭起了装饰牌楼，彩色电灯衬托出"欢庆 1963 年元旦"字样。

一群学生穿着过年的新衣，手里拿着气球走进门去。

一些家长喜盈盈地走进门去。郭大爷在传达室门口，正与冯大妈、秋芸和秋芸的丈夫王师傅谈笑。

郭大爷对秋芸:“人家冯大妈,既是学生家长,又是咱们这一片的居委会主任,来这儿名正言顺。你来这儿,算是凑哪门子热闹呀?”

秋芸:“嗬,我们就不能来啦!”

冯大妈:“得啦,说实话吧,你不就为了看不花钱的节目,才跑这儿来凑热闹的吗?”

秋芸:“那怎么着,我不光自个儿要看‘蹭儿戏’[1],还带着家属呢!”说着一指王师傅。

王师傅穿着一身新衣服,胡子刮得干干净净,只是憨笑。

郭大爷注意到王师傅提着一个布包裹,问:“哟,还给秋芸带着备用的衣服啦?我们礼堂里头有暖气,冻不坏她!”

王师傅:“我是捎带脚看看老石,给他捎来点东西……”

秋芸一拽王师傅衣袖:“走吧走吧!听听,头一个节目都开始啦!”

冯大妈和郭大爷看着王师傅驯服地随秋芸朝里走去,都笑了。

七

教学楼灯火通明。歌声、琴声、突发性的笑声、爆竹声。

在程宇那班的教室里。课桌挪到墙边,师生围坐一起。几个女同学跳完了新疆舞,跑回座位上坐下,大伙鼓掌、欢笑。

充当司仪的一个女同学站起来:“节目暂停。现在开始互赠新年礼物。”

同学们活跃起来。有赠贺年片的,有赠小泥人的,有赠飞机模型的。前面出现过的学生甲把一块大棒棒糖送给学生乙。学生乙:“嗬,我又不是你小弟弟……”

许多同学围住程宇,纷纷递给他礼物。其中最引人注目的,是一只用彩色塑料绳编织的宫灯。

程宇被感动的、幸福的面容。

[1]“蹭儿戏”,北京土话,不花钱买票白看戏的意思。

程宇提起宫灯，宫灯旋转。

程宇："我可不配得这么好的礼物。我建议，咱们把它送给学校里工作最辛勤的人！"

学生甲："谁是学校里工作最辛勤的人呢？"

一个女同学："赵校长！"

学生甲："也不能说谁官儿大谁就最辛勤呀！"

大伙都笑了。

另一个女同学："送给教数学的魏老师，他一天就得批改一百多篇作业！"

学生甲："可他净爱发火，还拍桌子！"

大伙又都笑了。

学生乙："送给传达室的郭大爷吧，他工作井井有条，哪个班订了哪种报纸，他都能背出来！"

学生甲："可他净写繁体字，搞文字改革不积极！"

大伙笑得更凶了。

另一男同学大声地喊出来："我建议，送给扫地的石大爷！他把咱们校园，打扫得多干净，多漂亮呀！他是学校里工作最辛勤的人！"

一时大家都静了下来。

学生乙问学生甲："你又有反对的词儿吧？"

学生甲眨了眨眼睛，认真地说："应该送给他！"

大家欢乐地笑着，涌向教室门外。

程宇为之动容，跟了出去。

八

操场一角。石大爷住的小屋门前。喧嚷的学生们围住了他，七嘴八舌地说："石大爷，我们选上了您！""您是全校最辛勤的人！""石大爷，感谢您把校园打扫得这么美！”“我们要把最好的礼物送给您！”……

程宇挤上前，把那盏宫灯递给了他。

石大爷微微点着头，接过了宫灯。同学们往他外衣口袋里装满了东西。

程宇：“石大爷，跟我们一块到礼堂里看节目去吧！”

同学们：“去吧！”“石大爷，我搀着您！”“石大爷，瞧我说相声去！”

石大爷表情竟比较平淡。只是喃喃地说：“我心领了。心领了。你们去吧，我就不去啦。”程宇不解地望着石大爷。焰火爆裂的声音。焰火的彩光映照着这一群人。学生甲：“看焰火去哟！”众学生兴奋地转身欢叫着朝操场上放焰火的地方跑去。有的还回顾着石大爷：“石大爷，快去看焰火呀！”程宇被同学们拉走。

通往操场的甬路上，一个架着单拐的学生，被焰火光勾出了身影，正急切而困难地朝人群走去。

石大爷朝那学生走了过去。他快步追上了那学生，拍了那学生肩膀一下。

那学生惊异地扭过了头来，仰视着他。

石大爷什么也没有说，只是默默地从自己的衣袋中，把糖果掏出来，往那学生的衣袋中装。学生起初推辞着，末后，他接受了他的馈赠。学生的脸上，现出了感激、幸福而又天真、欢乐的笑容。石大爷摸摸学生的头，指指放焰火的地方，示意：“快去吧！”学生高兴地朝那里走去。腾空而起的焰火。石大爷举起宫灯，凝望着，若有所思。他回忆起解放前的情况：焰火映衬出教堂的尖顶。他在通往教堂的甬路上扫雪，一群阔少互相用外国名字招呼着，朝教堂走去。一个阔少故意从身后绊他的脚，他摔倒了，阔少们发出哄笑。他伸手去够掉在一边的笤帚，笤帚又被另一阔少踢飞了。他当年的面容，充满了屈辱与愤慨。

焰火。焰火映衬出今天的学校新楼。

旋转的宫灯。今天学生们的声音：“石大爷，我们选上了您！”“石大爷，您是全校最辛勤的人！”“我们要把最好的礼物送给您！”石大爷今天的面容：充满了尊严与感动。

九

石大爷拿着宫灯回到屋里。这是一间不大的小屋,俭朴到了极点,然而温暖,干净。墙上挂着历年学校颁发给他的奖状。

石大爷举着宫灯，找到了第一张奖状，慢慢地将宫灯挂到那张奖状的挂钉上。镜头推向奖状，可以看出奖状是一九五〇年颁发的。

画外响起了当年扩音器里传来的声音:“石义海同志，请到主席台领奖！”“石义海同志，请到主席台领奖！”

当年正在甬路上埋头扫地的石义海，头一回听见这样的呼唤，不由得停下了扫地，抬起头来，迷惑地张望着。

一群学生笑着跑到石义海身边，簇拥着他朝会场走去。学生们把石义海拥上了主席台。赵校长笑吟吟地把“模范工作者”的奖状递给他。石义海不知所措地接了过来。鼓掌声。赵校长请他面向会场上的师生展示奖状，他手忙脚乱地转过身去。慌乱中把奖状拿倒了，赵校长微笑着帮他纠正。师生们并没有嘲笑他，掌声反而更加热烈了。镜头再次推向奖状。

镜头拉开，今天石大爷的小屋中，那张奖状上挂着那盏宫灯。

王师傅推门而入，打断了石大爷的回忆。石大爷点头招呼他，俩人分别坐到床铺上炕桌两边。

王师傅笑吟吟地把手里的布包搁到炕桌上，解开，布包里原来是一只古色古香的雕漆什锦攒盒。

石大爷会意地揭开盒盖，里面各种形状的小格子里，摆着各种吃食。

石大爷站起来去取酒:“咱俩一块干两盅吧！”

王师傅:“人家单给你一个人预备的。”

窗外焰火的闪光。爆竹声。远处的锣鼓声、音乐声。

石大爷若有所思:“她一个人待着呢？”

王师傅:“她来这儿合适吗？”

石大爷想了想，到奖状边取下学生送他的宫灯，理了理穗子，递给王师傅:

“你给她捎去吧！”

十

校门口。学生和家长们尽兴而散。

魏禹民正送冯大妈出校门。

冯大妈：“你们这节目里头，忆苦思甜的还少了点儿。像我们大强，缺的就是这一课……”

冯大强正在她身边，随口申辩说：“您跟我唠叨的还少呀？我们老师，也尽讲……”

冯大妈严厉地瞪了冯大强一眼：“可你听进去多少啦？”

那边，郭大爷正与往外走的秋芸和王师傅逗趣：“嘀，老两口赶灯会呢！这‘蹭儿戏’看得怎么样呀？”

秋芸甩着大嗓门：“反正，比你当年卖狗皮膏药中看！”她手里举着石大爷让王师傅带走的那盏宫灯。

郭大爷有点架不住：“这是怎么说的！”

王师傅厚道地岔过去：“老郭呀，今儿个晚上还不家去吃饺子呀？”

郭大爷：“一会儿就回去。今儿个有住校的老师值班。魏老师在前院，程老师在后操场。”

十一

石大爷一个人在小屋中就着什锦攒盒中的吃食独酌。看得出他在思念着什么。

秋芸他们住的小院子里。秋芸举着宫灯朝格格住的小屋走去。

屋里，格格一个人闷坐在床边。床边有个精致的硬木茶几，茶几上有一个古色古香的茶杯，有杯盖和托盘；此外还有一盘瓜子。格格一肘支在茶几上，另一只手举着个瓜子，似嗑非嗑。

秋芸进屋，把宫灯送到她眼前："人家给你的！"

格格高兴地接过，端详着宫灯；忽然又转为忧郁："唉……"

秋芸挨着她坐下，安慰地说："早晚你们也能跟我和老王似的，大摇大摆地到处转悠！"

格格把宫灯挂到摆着纸盒和蛋壳的桌子跟前，喃喃地说："他爱吃吗？"

秋芸："光凭那盒子，他就准爱……"

格格点头："是呀，当年，姓傅的卷包一跑，咱俩真是走投无路，多亏了他跟老王照应啊……"格格和秋芸紧挨着坐在一起，回忆起了解放前的情景：

钟鼓楼后的小市。与庙会的不同之处，是更杂乱，更平民化。

镜头摇过各种估衣摊、杂货摊、吃食摊，最后停在一株歪脖柳下。柳荫下，格格和秋芸守着她们的小地摊，地摊上摆着几件文玩瓷器之类的东西，其中就有那只雕漆什锦攒盒。

逛小市的人们匆匆从那小地摊旁过往，几乎没有人向她们的地摊瞥上一眼。

格格忧郁地补着一件衣服。秋芸纳着一个鞋底。秋芸有点心不在焉，她纳鞋底的动作停住了。她在朝一个方向张望。

秋芸所望的地方：当年的王师傅正光着膀子，腰上扎着好粗好高的红布腰带，耍着钢叉，围成一圈的看客们有的喝彩，有的朝圈子里掷钱。

格格发现了秋芸的目光所注，她轻轻拉了一下秋芸的衣袖，秋芸回过神来，自己忍不住笑了，格格微微责备地摇头。

石义海从逛小市的人群中显露了出来。他已经三十多岁，衣着粗陋，但是整洁、利落。他朝格格和秋芸摆的小摊走了过来。他走到小摊前，格格垂下眼帘，仍旧补衣，秋芸扬起眉毛望着他。

秋芸："来给神甫买东西？"

石义海："他们都出城了。我偷着出来逛逛。"

石义海低头望着地摊上的东西。

秋芸："你买哪一件？"

石义海："我买这盒子。"

秋芸："这叫雕漆什锦攒盒。"

石义海："我就买这雕漆什锦攒盒。"

秋芸："少了不卖。你说个价吧！"

石义海撂下一把汗湿的钱："我就这么多。不够，赶明儿我再往这儿拿。够，算我买下了存在你们这儿吧！"

格格抬起眼睛，望了望石义海。

石义海望了望格格，仍同秋芸对话："傅先生有信儿吗？"

秋芸："没有。也甭指望他了。"

秋芸同格格对望了一眼，又补充说："他颠了也好，省得祸害。"

镜头回到现在的格格和秋芸。

格格对秋芸："那时候，哪想到会有今天……"嫣然一笑，"菜好吃，他酒可别喝多了啊……"

十二

石大爷在屋里独酌。拿起酒瓶，要再斟一杯酒，仿佛听到了格格的声音，愣了愣，没有再斟。这时有人敲门："石大爷！"是程宇的声音。

石大爷把什锦攒盒盖好，收到屋角唯一的木箱上，又用一块白布盖住，然后去开门。

程宇手里拿着长把手电："石大爷，还没睡呢？我今晚上在后操场值班……"

石大爷："啊，跟我这儿待着吧。"

俩人在木板铺的炕桌两边坐下。

石大爷收拾酒瓶和酒杯，随口地："程老师您喝一盅？"

程宇："谢谢，我不会喝酒。"

石大爷给程宇沏茶倒水。程宇一时想不出话谈。

外面起风了。北风扑打着窗户。

程宇漫不经心地:“石大爷，当年这操场是贝勒府的什么地方，您知道吗？”

石大爷:“咋不知道？是花园。”

程宇:“这花园……闹鬼吗？”

石大爷:“咋不闹鬼？我就见过。”

程宇:“我不信。世界上哪有鬼呢？”

石大爷:“咋不信？我亲眼见呢。”

程宇:“真的吗？您见着的鬼什么样呢？”

石大爷:“那时候，我才你这么个岁数吧。这贝勒府的多一半，都归了教会学校。那时候，我起五更就得给外国神甫倒尿桶。有一天，我起得早点，往井台那边走，冷不丁见着个白影儿一闪……仔细一瞧，是个女的……”

程宇:“也许是个女学生吧？”

石大爷:“那时候咱这是个男校，哪来的女学生？我见她光着脚，两只脚好像没踩着地面，忽悠忽悠地，转过井台就没影了……”

程宇害怕了，往后靠到被子垛上，反驳说:“您肯定看花眼了。鬼是没有的，没有。”

石大爷表情依旧淡淡的:“我咋会看错呢？后来我想着她可怜，估摸着她准有冤情，就偷偷买了一双袜子，半夜搁在了井台上。天亮时候我再去看，袜子没有了。不是她收走是谁收走了？打那以后她再没现过形，兴许是报了冤仇了吧。”

程宇恐惧地又往后靠了靠。

石大爷见他这样，温和地说:“程老师，您歇着，我去替您转悠转悠吧！”

程宇:“别——”想了想，只好把手电筒递了过去，“您快点回来啊！”

石大爷拿着手电筒出去了。

程宇心里很害怕，从兜里掏出书来，想读，又读不下去。忽然有人敲门，把他吓了一跳:“谁？！”进来的是赵校长。

程宇:“这么晚了，您还来学校？”赵校长亮出手里的东西:“石大爷有个腰痛的毛病，给他送个热水袋熥熥他那个腰。”说着把热水袋搁到床铺上。

程宇：“他刚出去，替我转悠一圈。”

赵校长：“是呀，我瞧见他进楼去了。”边说边顺便用手摸着石大爷的被褥，验着厚薄。

程宇：“进楼？干吗去？”

赵校长：“好像还有一两个教室忘了关窗户……”坐在炕桌边，拿出烟来，找火柴点烟：“石大爷的火柴呢？”程宇帮着找，没找到，赵校长从衣兜里掏出一张纸来，卷成捻儿，挪开火炉上的水壶，取火，火一下子着起来，烫了手，一甩手，火捻儿落到了石大爷盖床的塑料布上，程宇帮他扑灭，已经烧出了一大一小两个窟窿。

赵校长：“真糟糕！”

程宇：“石大爷该觉着不吉利了！”

赵校长：“不会的。”

程宇：“赵校长，我有点不理解，石大爷他工作那么积极，可思想怎么还有点……迷信啊？”

赵校长：“你有这种感觉？”

程宇：“是呀，怎么说好呢……”

赵校长：“我了解他。他相信他见过的东西，他不会无中生有。”

十三

教学楼中。石大爷拉开电灯，这是程宇他们班的教室，有两扇窗户没关。石大爷过去细心地把窗户关好。关好窗户，转过身，石大爷又把没摆整齐的桌椅一一摆正。

石大爷环视着教室里的布置：黑板上“欢庆新年”的美术字，天花板上交叉的彩练，墙上的各种节日装饰……

石大爷深情地抚摸着身前的那张课桌。他不由得在课桌后坐了下来。他把一双久经劳动的粗大的手，放到了课桌上。他听见了师生们的欢笑声。欢笑声随上课铃声中止。随即响起了程宇领着学生们念英语的声音。

石大爷久久地坐在那里。镜头摇过去，我们看到他眼里闪烁着晶莹的泪光。

十四

甬路。飘飞着柳絮。石大爷依然如故地默默清扫路面。

树下，程宇手持单词卡，背诵着英语单词。听见了扫帚摩擦路面的声音，他禁不住抬头朝石大爷望去。

石大爷并没有看见程宇，他只是埋头一下又一下地扫着、扫着……

程宇凝望着石大爷。他目光中充溢着探索的意味。

第三章

十五

香山公园。枫叶如火。

在“松林餐厅”外面的平台上，郊游的师生们正在休息。程宇和几个男孩子倚在矮栏上，一边吃着手里的面包，一边喝着汽水。

前面出现过的学生乙，正用望远镜朝远处眺望着。

学生乙：“咦，我瞧见石大爷了！”

学生甲一边大口嚼着面包一边讽刺地说：“你连他那大笤帚的笤帚尖都瞧见了吧！”

学生乙继续望着：“真的！就是他！”

学生甲伸手抢过望远镜，朝同一方向望去，不禁尖叫起来：“没错！石大爷！”

程宇一摆手：“别胡闹！”

学生甲把望远镜递给他：“程老师，不信您自个儿瞧！”

程宇举起望远镜朝香炉峰西侧的一处僻静山峦望去。

望远镜中景象：确实是年近五旬的石大爷，在接近山巅的一块布满绿苔的岩石前，躬身搜寻着什么。

程宇把望远镜移开，惊诧莫名的眼神。他的心声："他有心脏病，怎么爬到那么高的地方去啊！"

程宇把望远镜还给学生乙，对学生甲、乙嘱咐着："你们自己做军事游戏吧，我去找他一趟。"

山路上，程宇急促地朝上攀登。

程宇终于接近了石大爷。只见石大爷正坐在一块石头上休息，手里摆弄着什么。

石大爷听见了程宇的脚步声，回过头，认出是他，坦然地望着他，点点头。

程宇："石大爷，您怎么在这儿？"

石大爷："我找卷柏呀。"

程宇："卷柏？"他坐到了石大爷旁边。

石大爷把手中的卷柏展示给他："这东西瞧上去像柏树枝子。没水的时候，就这么缩着，可不死。有了水，能开成一朵绿花儿，鲜亮鲜亮的。"

程宇："您跑这么老远，找它干什么？"

石大爷："给人治病。这是一味药啊。"

程宇："您的心脏病又犯啦？"

石大爷暂不言语，眯眼望着远山。远山青黛，近树绿中有红，红中有绿。

远处的学生正在朝他们这边呼喊："程老师！程老师！"他们兴高采烈。

石大爷站起来，淡淡地说："程老师，学生们找您呢。我还得再往上找。大夫说，越长在山顶上的卷柏，药力越大。"

程宇愣愣地望着石大爷朝更高处攀去。

十六

傍晚前。马路上，满载着郊游完毕的师生们的大轿子车开过。歌声渐远。

一家中药房门口，立着“刘炳宣大夫应诊专治妇科诸症”的牌子。秋芸陪着格格从药房里出来。

格格走了几步，忽然站住，朝马路对面望去。

马路那边，水果摊前，站着石大爷。

格格犹豫着。秋芸发现了石大爷，对石大爷招手，让他过来。

石大爷望望来往的行人，犹豫着。

秋芸想了想，拉了拉格格衣袖，同她侧转身，朝前走去。

马路另一面的人行道上，石大爷也顺同一方向，朝前走去。

十七

什刹海后海河沿。垂柳金黄，湖水澄碧。

夕阳西下。行人稀少。

秋芸坐在河沿边的长椅上，手里用钩针钩着小桌垫，不时朝河栏杆那儿望去。

河栏杆边，站着石大爷和格格。

石大爷：“好点了吗？”

格格：“真过意不去……把您给耽搁了……”

石大爷：“先把病治好吧。”从胸口里掏出掖在里面口袋里的手绢包，打开，是从香山采来的卷柏。

格格望着卷柏：“您哪儿弄来的？这是长在高山上的啊！”

石大爷：“不够，我再给你弄去。”

秋芸望着他们，微笑，摇头。

格格和石大爷默默地对望着。格格偏过头来，仿佛求助于秋芸。

秋芸坐在椅子上向格格打手势，伸出手来，五指张开，活动着。

格格这才想起。她从布提包里，取出一副夹手套来，递了过去："您试试，看合适不？"

石大爷接过了手套，戴在手上试着："恰可好。"

秋芸朝他们微笑，摇头，趁他们不注意，起身走了。走到一棵大柳树后，伸出头来看了一下，又一笑，便决然离去。

格格朝秋芸坐的地方望去，发现秋芸不见了，略觉惶惑。但定神一想，淡淡地微笑了。

夕阳无限。什刹海中荡漾着玫瑰色的波环。

格格和石大爷一前一后，缓步行进在什刹海畔。

他们走到了银锭桥上，从这里可以望见晚霞映照的西山。

格格指着远处的西山，轻轻地说："这儿是燕京十八景之——银锭观山。"

石大爷怡然地望着："这晚景儿真不错。"

夕阳渐渐敛去。什刹海畔，移动着格格和石大爷的剪影。

十八

学校宿舍中。魏禹民正在修改忆苦思甜的连环画。程宇从他肩后看过去。

程宇："你这么画，真实吗？"

魏禹民："全是照冯大妈讲的画的，怎么不真实？"

程宇："冯大妈她娘生她的时候，那些细致的情况，她怎么可能知道？"

魏禹民："咳，反正能说明旧社会苦，就行呗。"顺便问，"你们真的要请石大爷去忆苦？"

程宇："是赵校长出的主意。他说没人知道石大爷的亲生父母是谁，生出来就给扔到了当年'育婴堂'收孩子的大抽屉里，能活下来就不容易了。后来他被教会学校里主事的神甫挑了去，给他们当仆人……"

魏禹民："石大爷要把那回给你讲的鬼故事讲出来，可怎么办？"

程宇："啊。赵校长说他知道那是怎么回事。那不是鬼，是贝勒府一个被糟蹋的丫头，后来自尽了……"

魏禹民："啊！"

十九

教室中。黑板上写着美术字："忆苦思甜班会"。同学们坐在座位上。石大爷坐在前面，程宇靠窗户坐着。

石大爷正继续忆苦："……那时候洋人可享福了，打那欧罗巴国运来成箱的啤酒，搁在地窨子里头，想喝了，就使唤我下去拿。那德太白神甫，白得像剥了皮儿的山药，胖得像个冬瓜。要说懒、剥削人，他跟别的洋人一个德性，可他讲点子仁义，使唤我们的时候，说话透着客气：'义海呀，劳驾你再给我取瓶啤酒吧。'我给取来送上去，他还冲我点个头：'谢谢啦！'遇上他顺心的时候，兴许还剩下小半瓶子啤酒，赏给我喝……'"说着举起烟斗，"这洋烟锅子，就是他送我的！"

同学们始而窃窃私议，继而哄笑起来。

程宇急忙过去，借给石大爷倒水，转移他的话题说："您还是说说赫爱尔神甫的事吧！"

石大爷激愤起来："赫爱尔神甫？那狗娘养的，他可就不是玩意儿了！他那酒糟鼻子，比胡萝卜还红。他使唤人谱儿可大了，一声吆喝：'给我拿酒去！'咱就得颠颠地赶紧下地窨子，稍微慢点他就兴许扬手打人！后来他要回他那国去，从天津雇了个捏泥人儿的匠人，让人家给他捏成套的泥人儿，好带回去显摆……狗娘养的，他让我给他去踩那黄泥不说，还把我两只手这样（作姿势）扳到身子后头，用一根鞋带拴住了我两个大拇哥，给我来了个'苏秦背剑'，就让我那么给他踩黄泥去……"

同学们受到感染。程宇满意。

石大爷忽然停下来，仿佛想着什么心事，出了神。

同学们有点等不及了，轻微骚动。程宇过去给石大爷倒水，提个话茬说:“有一回，那赫爱尔神甫，不还把您给关到地窨子里了吗？”

石大爷这才回过神来，接下去说:“可不，他存心冻我不是，那地窨子的墙上全是冰碴儿，冻得我上牙直跟下牙掐架……多亏了德太白神甫仗义，把我给放了出来，他直埋怨赫爱尔心狠，不合上帝的旨意，赫爱尔还要打我，他拦着不让。德神甫到了还是护着我啊……”

同学们吃惊，纷纷议论。程宇着急，插进去议论:“两个神甫是一路货色，德太白比赫爱尔更阴险，因为他具有欺骗性……天下乌鸦一般黑嘛！”

石大爷偏过头，望着程宇，恳切地说:“乌鸦也不尽是黑的，我就在这校园子里，见着过灰脖白肚的山老鸹。”

同学们“轰”地全笑了。程宇急得敲窗台制止。但他终于也忍不住“噗哧”笑了出来。

二十

傍晚。校园甬路上。程宇和赵校长并肩而行。

程宇:“您瞧，石大爷够多胡涂！一点阶级觉悟也没有！”

赵校长:“我看他讲的全是事实。社会生活本来是复杂多样的嘛。解放后，他十几年来如一日，以校为家，辛勤工作，一个没有觉悟的胡涂人，能这样吗？”

程宇思考着。

第四章

二十一

格格所住的小院中。

深秋了，院里的葡萄架上已经挂满了葡萄珠儿。

王师傅和石大爷正在院里的砖、灰、木材、油毡一类东西中忙着备料。

冯大妈手里拿着一匣蛋壳进了院。

冯大妈认出石大爷："这不是学校里的石大爷吗？"

石大爷："啊。"

王师傅解释："我把他请来的，帮着我给格格盖个小厨房。"

格格闻声出了小屋："冯大妈！"

冯大妈递过去蛋壳匣："工艺美术公司还真看上你的手艺了，说再让你给画一百个彩蛋。"

格格略显笑容："要什么花样的？"

冯大妈说："说不光要亭台楼阁、花鸟虫鱼，还要你试着画二十四个古装仕女，什么黛玉葬花，昭君出塞……我也说不上来了！"格格："行，我试试。"秋芸从自己家里出来："冯大妈来啦！"冯大妈望着格格屋侧准备搭小厨房的地方："咳，依我说，格格一个人过，非搭这小厨房干吗？"

格格已经把蛋壳匣搁回了屋里，又走出来，指指屋檐下的小蜂窝煤炉子，解释说："一下雨，水一溅过来，我就没辙啦。"

冯大妈："咳，那你就到秋芸他们厨房去使火呗！"

秋芸试探地："人家格格，被那姓傅的扔了整十五年了，一九五八年年初又到法院办妥了离婚手续，如今就不兴跟我和老王似的，有个自个儿的小厨房呀？"

冯大妈笑起来："天哪，格格今年该有四十六七了吧？没见过……"单刀直入地，"究竟是格格出身，到了还是想寻个痛快呀！"

格格不堪忍受的面容。

石大爷正用铁锹把黄泥堆成一堆，他直咬牙。

冯大妈："得，我还得张罗查卫生的事儿去！"轻松自如地走了。

秋芸走到格格身边："甭听她那一套。我看，如今你病也好多了，干脆，早点拿主意吧！"

格格痛苦地揉着手绢。

王师傅把“五齿”递给石大爷：“用这个和泥吧！”

石大爷没接“五齿”，而是甩掉两只鞋，光着脚杆站到了黄泥上，踩动起来。王师傅吃惊：“你？”格格和秋芸朝石大爷望去。格格一惊，眼睛一亮。从格格的眼里望去，石大爷身后的景物模糊了，石大爷呈现着“苏秦背剑”的姿势（右手弯到右肩后，左手弯到左腰后，一根鞋带拴住了左、右手的大拇指），他痛苦地以那种姿势踩着、踩着……

从石大爷的眼里望去，格格和秋芸身后的景物先变成昔日贝勒府破败花园中亭榭的一角；随后，格格和秋芸变成了昔日的模样：格格十八岁，梳着两个蟠桃髻，额前覆着刘海，手持一把团扇；秋芸十六岁，梳着一条长辫子；两个人都穿着肥袖短衫，格格下面是长裙，秋芸是肥口裤；格格流着泪，秋芸劝慰着她……

石大爷痛苦地踩着黄泥。蝉鸣声。黄泥的吧唧声。赫爱尔的狞笑声：“你给我踩！快！踩出油来！哈哈哈哈……”石大爷充满痛苦的眼睛。

昔日的格格和秋芸。格格依偎在秋芸的肩上哭着：“我不愿意嫁给姓傅的，我要出去念书、见世面……”

秋芸：“别光流眼泪，有我呢，咱们想个法子……”

今天的格格和秋芸望着踩黄泥的石大爷。

昔日的格格和秋芸发现了踩黄泥的石大爷。

昔日的秋芸：“天哪，准是隔壁外国神甫使的坏！”

昔日的格格：“你快去，给他解开绳儿！”

昔日的秋芸走到石大爷身边，给他解脱开。

石大爷蠕动着干裂的嘴唇，对秋芸：“谢……”

昔日的秋芸朝昔日的格格所站的地方一指：“你谢她！”

石大爷望过去，透过一株垂柳微曳的绿丝，只见昔日的格格站在一丛紫蔷薇前，两眼湿漉漉地正望着他，满脸怜惜……两只蝴蝶围着她藕合色的腰肢飞，几扇银杏叶儿袅袅飘落到她的肩头……昔日的格格变成了现在的格格，周围的景物也还原成了现在的模样。

格格深情地望了石大爷一眼，回到屋里。

二十二

格格坐在屋里桌前。桌上有一只白瓷碗，碗里的清水中浮着一棵卷柏。卷柏张开了，绿盈盈的。格格愣愣地望着碗中的卷柏。

秋芸跟了进来，在她肩后说："我看你们别再老瞒着人了……开证明登记吧……"

格格内心极度复杂，不知说什么好。她操起笔来，在蛋壳上勾勒着林黛玉的形象。

二十三

夕阳沐浴着小院，小厨房已基本搭好。王师傅送石大爷走出院门。胡同里很清静，两人一路走着。王师傅劝石大爷："你下个决心，找你们赵校长开证明吧，你开了，格格她准定也能开……"

石大爷："等格格的病好利落了吧。"

王师傅："我看她一天天见好。入冬准能好利落，你就在年前去开吧！"

石大爷脸上现出了决心。

二十四

年前，飘着鸡爪雪。石大爷在甬道入口处站着。显然，他已经站了好久，肩上积了半寸厚的雪。

赵校长和魏禹民从校长室走出来。赵校长戴着毡绒帽，一边穿着棉大衣一边对魏禹民说："你的这个建议，一会儿到教育局汇报，我就反映上去。"

魏禹民离去了。赵校长穿完棉大衣，发现了石大爷，他主动走到了石大爷跟前:“石大爷，天这么冷，你怎么不在屋里暖和着？”

石大爷两眼望着别处:“我有话跟你说……”

赵校长:“我要去教育局呢……天冷，您别站在这儿受冻。等闲了我到您屋去，听您慢慢说……”

石大爷忽然瞪住赵校长，生气了:“我有急事……”

赵校长重视起来:“您说吧说吧。”

石大爷盯住赵校长，突然又不说了。

赵校长努力地猜测着:“怎么不说啦？您那屋里的炉子，太小了吧？明天我让总务科发您个高腰的花盆炉……要不，准是学生踢球老打碎您那玻璃窗，我让体育组帮您安上铁丝网吧……”

石大爷失望地干咳了一声。

赵校长:“您咳嗽好点了吗？医务室的嗽喘宁要没了，您自己先去药房买几瓶吃着，我让校医给您报销……”

石大爷爆发了:“我不要这些玩意儿，我要……我要开封介绍信！”

赵校长显露出恍然大悟的神情:“瞧我这记性！介绍信哪，咱们统一开了。天这么冷，您就不要自个儿去跑了。你们几位老同志的棉大衣，我已经交总务科去办了……”

石大爷一跺脚，一声不吭地转回身，沿着甬路朝他的小屋走去。

“石大爷！”赵校长吃惊地望着他的背影。

石大爷头也不回地继续走他的路。

赵校长伸腕一看表，摇摇头，转向另一面办他的事去了。

石大爷在那条他每天不知要清扫多少遍的甬路上，痛苦地走动着。他头上肩上的积雪，簌簌地滑落下来。沿着甬路，石大爷一直走回了自己的小屋。

二十五

石大爷回到小屋里，愣愣地坐到床铺上。

屋子里的热气，融化着他肩上的积雪。

石大爷望着对面墙上大大小小的奖状。

石大爷转过脸，朝小炕桌上望去。小炕桌上白布盖着一样东西。

石大爷掀开白布，是那雕漆什锦攒盒。

石大爷抽着旱烟，烟雾缭绕，他陷入了回忆之中。

出现解放不久的情景。胡同里的大槐树下，一群儿童在树下唱着歌跳猴皮筋。镜头摇向胡同深处，摇到了格格和秋芸他们住的那个小院门。院门打开，冯大妈和郭大爷走了出来。显然，他们刚在秋芸家吃完饭。

冯大妈："你瞧，这一解放，老王当了煤厂工人，该多顺气！娶了秋芸才一年，就抱上了大胖小子！"

当年的郭大爷："可不是，瞅着让人眼馋。"

冯大妈："你也还俗了，工作也有了着落，该跟老王学学了！"

郭大爷："那敢情是！"

他们走出镜头，镜头推进院门，石大爷正在门侧扫地。

秋芸从自己家的窗户里招呼着石大爷："老石，你怎么到了哪儿都离不开笤帚把哪！再进屋来喝两盅！"

王师傅手里抱着胖小子，乐呵呵在秋芸身后帮着招呼："是哇！咱俩再干上一瓶！"

石大爷憨厚地："我也没带贺礼，这就算份礼吧！"继续扫地。

秋芸又朝另一面招呼格格："格格，你再来吃俩红蛋吧！"

格格正站在晾衣绳旁，推辞说："行啦，我吃了不少啦！"她正准备收晾晒好的大被单。

王师傅和秋芸幸福地望着自己才满月的胖小子。

王师傅豪放地一次次托举着襁褓中的婴儿，秋芸笑着叫着怕他把孩子摔了，孩子敞开嗓门哭了起来。

石大爷望过去：被高高举起的孩子。

格格望过去：被高高举起的孩子。

石大爷和格格都被这幸福和乐趣触动了。他们又都收回眼光，心情恍惚。

格格开始收晾晒干了的大被单。被单很大，一个人很难收下。

石大爷看见了这情景，放下笤帚，默默地走了过去，搓搓手，走到被单的另一端，表示要帮格格收。

格格朝他淡淡地微笑一下，示意开始一齐动作。

两个人把被单从绳子上翻取了下来。两个人各攥着被单的一头，都有点犹豫。本应当两个走到一起，把被单竖着对折起来，可是他们不约而同地只是横折着，一折，又一折。再那么折，就变成不成样子的窄长条了，两个人托着被单两头，尴尬地对望着。

王师傅和秋芸同站在窗口，瞧见了他们俩那副情景。

石大爷终于鼓起勇气，走了过去，使被单终于对折了起来。

王师傅和秋芸看见了这个镜头，相视而笑了。

石大爷头一回站得离格格这么近，他禁不住后退了一步。

格格鼓起勇气邀请他："屋里坐坐吧！"

格格那小屋的门被推开了，石大爷随格格走进了她的住房。

石大爷惶惑地看着小屋中令他无比新奇的景象：窗前的案上，摆着文房四宝。靠墙的一个笔架上头，挂着不同型号的毛笔，显得非常突出。屋中养着许多盆花，兰花正开，月季含苞待放；小桌上摆着鱼缸，缸中两条大尾金鱼悠然游动，忽然又听见鸟儿拍翅，屋梁上挂下一个鸟笼，笼里两只虎皮鹦鹉正在嬉戏……格格："甭客气，请坐吧。"石大爷眉头微颤，他本能地感觉到这种生活方式离自己太远。他站在那儿，没有坐。

格格敏感地意识到了石大爷的心理，她走到案旁笔架前，抬手把吊在笔架上的笔一抚："您看，跟您一样，我也有这么多笤帚！"石大爷："笤帚？！您这是——”格格:“可不是一样的吗……”说着把一排卡在框子里的蛋壳移到案中，取下一只笔，比划着:“我如今不光糊纸盒子，还画这蛋壳儿……”

石大爷:“您爱蛋壳儿？”

格格:“不是我爱。工艺美术公司组织我这样的人画蛋壳儿，出口到外国去，为咱们国家挣外汇。”

石大爷这才在案旁的凳子上坐下来，恍然大悟地:“敢情您如今也为国家出力啦！”

格格自豪地指点着:“您瞧，这花，这鱼，可不是养着玩的，为的是研究那姿态，那颜色，好把画儿画得更活泼，更水灵！”

笼中的鹦鹉叫了起来:“格格！”“歇歇吧！”

格格冲鹦鹉笼一挥手:“讨厌！”

石大爷仰望着:“这鸟真不赖！”

格格:“吵死人了！等画完了这批蛋壳，就让秋芸拿走。”

说着麻利地把笔在笔洗里涮净，蘸上瓷碟里的红颜料，在一排已画好绿鹦鹉身躯的蛋壳上，熟练地给每只鹦鹉点上红嘴巴。

石大爷看见这情景，不由得咧嘴笑了:“嗬，您真行。”

格格:“不比您扫地的技术差吧？”

石大爷:“敢情！”他以新的目光打量着这间小屋里的一切。

格格和石大爷对望一眼，忽然，都有点局促。

格格找话说:“秋芸他们的胖小子，真叫可爱。”

石大爷:“可不是，老王真有福。”

格格:“对了，我想起来，有样东西，我留着也没用，该拿去给他们使。待个客什么的，还挺像样的。”说着站起来，朝屋角走去。

屋角墙上有个支架，上头搁着个旧羊皮箱子。显然，那箱子平时很少动用，格格想取下那箱子，但不搭凳子，就够不着。

格格欲取欲罢。欲罢欲取。显然，她不太愿意当着石大爷上凳子爬高。

石大爷站起来，走到支架跟前，问："是拿这口箱子吗？"

格格："嗯。"

石大爷伸出双臂，轻而易举然而小心翼翼地将箱子取了下来，他将箱子托在手中，憨厚地问："搁在哪儿？"

格格赶紧腾开桌上的东西："搁这儿吧。"

石大爷将箱子搁在了桌上。

格格打开了箱子，从箱子里取出了那个雕漆什锦攒盒。

这时候秋芸抱着孩子走了进来。

格格："孩子满月，我老寻思着得给他点什么，这不，想起了这个什锦攒盒，你就拿去吧。"

秋芸："他啥时候用得上这个！"对格格一指石大爷："别忘了，人家早就买了这盒子了，只是跟您这儿存着呢！"

格格同石大爷对望了一眼，又同时朝那雕漆什锦攒盒望去。

镜头回到现在石大爷的小屋。石大爷望着小炕桌上的盒子。

石大爷继续抽着旱烟，沉浸到了更深沉的回忆中。

回忆中的情景：石大爷在晨曦中扫着那条甬路。

石大爷扫完校园，回到宿舍，把扫帚搁好。

石大爷打开唯一的木箱，取出一套崭新的中山服来，抚摸着。

格格所住的小院，葡萄藤挂叶儿了，镜头透过葡萄叶推进格格小屋的窗户。格格把画好的蛋壳移到临窗小桌的一侧，把梳妆匣移到了正中。格格用绢头擦拭着梳妆匣上的镜面。从挂在墙上的日历可以看出，这是一九五八年四月三日。

石大爷穿好了中山服。石大爷对着墙上的镜子，脱下旧帽子，戴上一顶新便帽，来回来去地扶正。

格格对镜梳妆。她从梳子上发现了一根白发，拿下来，望着，微微皱眉，轻轻叹了口气，把那根白发珍重地搁进了梳妆匣中，继续梳头，她把梳好的头发在脑后绾了个庸妆髻，对镜略微掠了掠鬓角的头发，望着镜中自己的面影，她虽然已经四十三岁了，但现在望过去，还并不显得苍老。她从梳妆匣中取出一个久不使用的粉盒，吹去盒盖上的灰．小心翼翼地打开，取出粉扑，轻轻沾了点粉，对镜匀匀地扑着粉，扑了粉以后，镜中的她更年轻了一点。她微笑了。

石大爷用一方手帕,包扎着六个精心挑选后买来的蜜橘。他扎好了,又解开，用他的大手擦拭着橘皮，看着莹洁无疵了，再加以包扎。

格格也包扎好了她要带去的东西。她把包扎好的东西，搁进了一个圆环提手的布提袋里。秋芸轻轻推门进来，格格吃了一惊，随即镇定下来。秋芸小声对她说："我跟老王先走一步，省得别人嚼舌，可你得准时去，别误了事儿！"

石大爷一切都准备停当，在屋当中站着，双手攏着衣袖，自己低头欣赏着自己。

格格一切都准备停当，她走到门边，又退了回去，忽然气馁，坐到了床上。

石大爷走出了屋子。他觉得春光格外明媚。他仰起头,眯眼望着晴朗的天空。

格格终于走出了屋子，她低头匆匆朝前走了几步，想起尚未锁门，又折回去锁门。锁上了，又突然插回钥匙，仿佛要把锁再打开，但她终于还是把钥匙抽出来，搁进了衣兜里。

石大爷简直是豪迈地提着蜜橘，穿过甬路，朝校外走去。魏禹民推着自行车迎面走来。石大爷对他微笑着，希望他注意到自己，然而魏禹民无动于衷，同他擦肩而过，连招呼都没打。石大爷扫兴。

格格走出了小院。走在胡同里，迎面两个买菜归来的妇女同她互相点头招呼。两个妇女露出好奇的眼光。格格垂着眼帘朝前走去。

石大爷路过传达室。郭大爷正坐在传达室门口，戴着老花镜看报。郭大爷虽然抬眼望了石大爷一下，点了个头，却也并没特别注意到石大爷的变化。石大爷走了出去。

格格在胡同里的大槐树下，迎面遇上了冯大妈。冯大妈敏锐地观察、考究着格格："这是去哪儿呀？拾掇得这么利索？"格格穿着一件暗紫色的中式外套，外头罩着一件银灰的开襟毛衣。

格格："也就是去买点家常要用的东西。"

冯大妈："你今儿个不画蛋壳啦？"

格格："剩的不多了。我下午稍微抓紧点，就能画完。"

冯大妈用手指头戳戳自己太阳穴，教训地说："可得自觉地改造这块啊，你到底是格格出身……"格格低头不语。冯大妈："这思想改造，可是一辈子的事情哟！"格格："我懂。"两人分手了。格格内心矛盾地走出胡同。胡同口外头有一家副食商店，格格站在商店门口，犹豫着。格格偏过头去，发现胡同深处的冯大妈，恰好回过头来观察她。格格走进了商店，茫然地走到了柜台前。

女售货员："买点什么？"

格格："啊……买包味精。"

天坛公园。蓝天映衬下的祈年殿。

柏树林中。石大爷和王师傅、秋芸站在一副石桌石凳边上。他们都有点焦急地朝远处眺望着。

王师傅："咋还不来呢！"

秋芸："你懂什么！她走到这儿来，好比得越过好几座山！……瞧，来了！"

远处，红墙绿树之间的小路上，格格姗姗而来。她的步态，充分显示着她克服内心和环境双重障碍，去争取个人幸福的决心和勇气。

他们四个人都站在了石桌旁边。

秋芸对格格和石大爷："坐呀坐呀！"

石大爷和格格隔桌而坐。他们一时都有点手足无措。

那石桌边只有三条石凳。秋芸打横坐了下来，王师傅斜立在她的身后。

秋芸以绝对权威的口吻嘱咐说："你们好好聊，我跟老王要逛个痛快。我们不回来，你们不许散！"

王师傅在她身后憨笑着。秋芸站起来，一攥王师傅胳膊，回望了一眼，同他离开了。

石大爷和格格都垂着眼皮儿。石大爷首先抬起了眼睛，朝格格望去。格格微微抬起了眼睛，也开始望着石大爷。他们两个对望着，背景是古老的、形态优美的古柏。时值春日，风吹过，谢落的红、白花瓣儿，从他们身边轻盈地飘过。

石大爷眼中的格格，格格变得越来越年轻，终于还原为当年搭救他时的模样……

格格眼中的石大爷。石大爷朴实厚道的面容。短暂地闪过如下回忆画面：

石大爷在庙会上买盒子，手里落下汗湿的钱；石大爷和她对折大被单，一下子走到了她的跟前；石大爷帮她搬取箱子，宽厚的、足可依靠的脊背和有力的、足可依赖的双臂和大手……

两人逐渐坦然地对望。

石大爷："当年您救了我。我多少年一直没忘您的恩德。"格格："您后来没少关照我，甭提这个了。我这辈子遇上的歹人太多，遇上的好人有数，我的心，早硬得能划火柴了。我没指望还能交什么好运道……"

石大爷："新社会了，咱们都该交好运道了……"

镜头逐渐拉成远景。前景中出现了一片艳绿的草地，一对年轻的夫妇，一人在左边，另一人在右边，半蹲着，让他们那穿着柠檬黄毛线衣裤的孩子，从左走到右，又从右走到左，显示出一种平凡而可贵的人生乐趣。

镜头把石大爷和格格对坐而谈作为近景，反拍过去。柏树的躯干后，露出那些艳绿的草地，远景上是那对年轻的夫妇，在教他们的孩子走路。这时我们听不到石大爷和格格在说什么，而那对夫妇逗弄孩子的欢快声音，却仍旧那么响亮。

石大爷把带来的东西放到石桌上，解开手帕，露出六个精心挑选出来的、黄澄澄的蜜橘。

石大爷："听秋芸说，你最爱吃这个。"

格格被感动了，微笑："可吃了它，就什么也留不下了。"

石大爷原来没有想到，有点尴尬："啊——"

格格轻轻地笑出了声来，低头用手绢捂住了嘴。

石大爷头一回听到格格的笑声，心里放松了，也笑了。

柏树枝伸展着，仿佛手臂。桃花瓣飘落在浓绿的柏树枝上。

格格从手提袋里取出一尺长的布包。她朝石大爷递了过去：“这本来是一对，我留了一个，把这个给你……”

石大爷接过，刚想解开，格格说：“你回去再看，我的意思全在这上头了……”

回到现在，石大爷在小屋中。石大爷放下烟锅，走到屋角唯一的木箱前，从石大爷的背后拍过去，他打开木箱，取出那个布包，小心翼翼地解开，一层，再一层……观众一时看不到那信物，只看见石大爷双眼注视着信物，眼里焕发出一种渴求幸福的热力。

窗外，漫天大雪，雪网中的校园。

程宇的画外音：“在人们的眼里，石大爷也许是一个优秀的工友，一个值得表扬的工会会员，一个以校为家的模范，一个任劳任怨的典型……然而，连赵校长这样的最能关心他的人也全然忘记了，他也是一个需要女人的男人！他需要一个小小的家庭！一种最普通最琐屑的人生乐趣！”

第五章

二十六

阴云下的白塔寺。前景是一些飞舞的传单。

嘈杂的口号声和语录歌的音乐声混杂在一起。

光明中学。传达室。郭大爷被已成了“红卫兵”的学生乙用军训的木枪押出来；传达室的门玻璃已有裂纹，也成了“红卫兵”的学生甲撕去“闲人免进”的繁体字条子，改贴上一张红纸，上面用难看的字体写着：“红色恐怖万岁！”镜头摇进去。魏禹民正和冯大妈的儿子冯大强等学生在昔日的壁报栏上刷大标语：“赵双石必须低头认……”（最后一个字还没写到）

一队“红卫兵”唱着《鬼见愁》歌走过，有的拿着大字报卷，有的提着浆糊桶，他们的表情激昂而真诚。

两位教师推着手推车横过镜头，手推车上显露出乱扔成一堆的图书，车帮上贴着大字标语："把封资修的破烂货扔进垃圾堆！"

二十七

阴云密布的天空。响着隐约的雷声。

镜头从阴云和雷雨拉入程宇和魏禹民合住的那间宿舍。程宇双手插在口袋里，不安地踱着步子。

魏禹民推门进来，他戴着一个红袖章。

魏禹民质问程宇："刚才批斗反动资本家，你为什么不去？！"

程宇："我去了。"

魏禹民："你为什么不开完批斗会就跑回宿舍？"

程宇："……应该文斗……为什么要那么乱打，把人打死？"

魏禹民真诚地："注意你的立场！"

程宇："政策和策略是党的生命——"

魏禹民激动地截断他："可是革命不是请客吃饭，不是绘画绣花！革命是一个阶级推翻一个阶级的暴烈行动！暴烈行动！"

程宇痛苦地紧闭着嘴。

魏禹民："我不能再和你这样的人住在一起。我要搬到'造反兵团总部'，同小将们战斗在一起，胜利在一起！"他几下卷好被褥，简单地一捆，又取过大网兜，装进脸盆、牙缸等物，已经拉门要出屋，又突然转过身体，一把将脸盆架上的香皂抓走，这才出屋。他用脚把门一勾，门"砰"地关上了。

程宇痛苦地坐到了床上，双肘支在腿上，双手掩住自己的面孔。

镜头再从宿舍窗户推出去，外面是瓢泼大雨。闪电、雷声。

二十八

当夜。

传达室中。郭大爷正坐立不安。石大爷忽然推门而入；他穿着雨衣，攥着一个长把手电。

郭大爷惊讶地望着石大爷。

石大爷："他们今天抄了白塔胡同吧？"

郭大爷："是呀！就连那格格她们家，也给抄了。"说着把头一偏，指示着里面一扇门说："东西都搁在那里头了。"

石大爷走过去。那门上钉着木条，贴着封条。他毫不犹豫地去撬那扇门。

郭大爷慌忙拦住他："你干吗？！你活腻了还想连累别人呀！"

石大爷："没事儿。让我进去！"说时已撬开门，钻了进去。

郭大爷惊惶万分地朝外面张望着，想了想，便把电灯熄灭了。

石大爷在里间屋里，用手电检视着堆得乱七八糟的抄家物品。显然，他是在有目的地寻找着什么。从他的表情上看，他并不希望找到那样东西。

正当郭大爷害怕得哆嗦时，石大爷从里屋出来了。见他把门原样弄好，郭大爷这才松了一口气，赶紧开亮电灯。

郭大爷："你找什么呀？"

石大爷："没什么。"又关心地问，"你没事吧？"

郭大爷忧心忡忡："我那段历史，不要紧吧？"

石大爷不以为然："当过道士，算什么屁事！"临出屋，又安慰道，"你别害怕。明儿个我给你问问赵校长。"郭大爷总算松了口气。石大爷出了屋。

二十九

翌日。雨停了。朝霞惨红。

高音喇叭的声音："最高指示：在拿枪的敌人被消灭以后，不拿枪的敌人依然存在……”

镜头拉回程宇的宿舍，高音喇叭的声音模糊了。

有人重重地敲宿舍的门，传来吆喝声：“都出去看大字报！”

程宇眼圈乌黑，朝门外走去。

程宇走到教学楼一侧。楼墙前聚满了人，议论纷纷。

魏禹民和冯大妈的儿子冯大强迎面朝他走来。

魏禹民指指人群聚集处：“你该觉醒了！”

程宇莫名其妙。

冯大强：“今天早上发现了一起严重的现行反革命案件！昨晚上下雨以前，有反革命分子给那反动资本家的死尸，盖了块塑料布！”

魏禹民确确实实是义愤填膺：“大家都要检举揭发，一定要把现行反革命分子揪出来！”

冯大强真诚地发动程宇：“反革命的罪证塑料布已经挂在了那儿，你也去认认，有线索立即向我们报告！”

魏、冯二人匆匆离去。

程宇朝人群走去。程宇挤到前面。

一条大字标语：“看！反动势力的猖狂反扑！”标语下，一块铺床的旧塑料布挂在那里示众。

程宇朝塑料布望去。他的眼睛突然惊愕地睁大。

镜头猛地朝塑料布推成特写：塑料布上有一大一小两个窟窿。

程宇觉得眼前的塑料布晃动起来。

程宇挤出人群，茫然地朝操场上走去。

程宇朝石大爷住的小屋望去。小屋附近没有人，门静静地关着。

程宇朝那条我们已经非常熟悉的甬路走去。

突然，程宇刹住脚步，呆住了。

程宇看过去的画面：因为泄水孔堵住了，甬路上有一段积满了雨水。石大爷平静地、专注地站在水里，光着脚，挽裤腿，弯下腰，掏着被树叶、破纸堵塞的泄水孔。背景上的几株枫树，被雨水冲刷得格外清爽，叶片在晴阳下闪着滋润的光泽，叶尖上时不时滴落下亮晶晶的水珠，在倒映着碧蓝天空的积水中，激起柔美的涟漪；枫树下的几棵蜀葵花，虽然被折毁了一部分，剩余的部分却仍旧生长得粗壮、恣肆、烂漫，开着一串或大或小的粉得浑厚的花朵。

石大爷不紧不慢地掏着泄水孔，把掏出来的脏东西，扔到树下，扔成一堆。扔完了，再弯下腰去掏。

程宇呆呆地望着石大爷。

三十

月亮在阴云里穿行。程宇悄悄来到了石大爷小屋门前，小屋的窗户透出朦胧的灯光。程宇轻轻推开了小屋的门，屋里没有人。程宇掩好门。皱眉思考。程宇离开小屋，发现学校的后门虚掩着。程宇出了学校后门。后门外是一条胡同。一只猫横穿过胡同，把程宇吓了一跳。程宇蹑手蹑脚地拐出这条胡同。前面显露出有大槐树的那条胡同。

月亮从阴云里穿了出来。

程宇认出胡同里有一个身影。那是石大爷正弓着腰，用短把笤帚在清扫胡同地面。

程宇惊疑地望着石大爷的身影。

程宇沿着墙根轻轻走去。

程宇认出了格格住的那个小院的院门。

月光下，显露出贴在小院门口的勒令："勒令封建余孽金绮纹必须在每日七点以前，将胡同地面全部打扫干净。"

程宇有所领悟。他朝前望去，石大爷已扫到了大槐树下。

小院院门的门闩轻轻响动。程宇赶紧藏到小院附近的墙凹处。

院门轻轻开了。格格苍白、憔悴的面容。她用一只手揉着胸脯，另一只手上拿着一把笤帚。

格格迈出门来，她朝大槐树望去。

槐树下，石大爷停止了扫地，站着，也在望她。

格格感动的面容。她眼里涌出了泪花。

格格快步走了过去。

程宇走出墙凹，贴着墙，观察着这一切。

格格走到了石大爷面前。两个人移到墙脚下，深情地对望着。真是相对无语泪先流，欲说还休，欲说还休……

格格："白天，听秋芸他们说起学校里追查的事……谁也猜不出来，可我……你可得跟我说实话……"

石大爷："是我盖的。"

格格抬起头来，满眼惊恐、焦虑："果真是你！原本我想，不管怎么着，他们总弄不着你，你在，我就有靠……可你，干出这样的事来！万一他们要把你也揪出来，那可怎么得了……"

石大爷镇定地："别怕。"

格格被这简单的回答慑服了，她感动而信任地望着自己所爱的人，泪珠扑扑簌簌地落了下来。

夜风吹来，格格的一缕乱发被吹到了额前，挡住了眼睛。格格自然地伸出右手去拂开这缕头发。石大爷猛地发现，格格的这只手有些异常，他心疼而愤慨地问："他们打你手了？"

格格不愿给石大爷增添痛苦，忙把手躲开，但她从石大爷的眼光里看出，她对这事是再不能隐瞒了，便简单地告诉他："他们说，我这手画那些蛋壳，有罪……"

石大爷此刻把对格格的一腔爱情都集中到了对她这只手的关注上，格格把手藏起来不让他看，他头一回用了一种命令的口气，焦急地对她说："你得让我看！"

格格犹豫了一下，她不愿让自己所爱的人再为自己过多地分担苦难，然而她又不能拒绝他的要求，于是她伸出了手去。

石大爷托住了格格的右手，在昏暗的光线中仔细地、焦急地检查着受伤的程度。格格不愿让他看出伤痕，有点慌张地想把手退回去。石大爷紧紧地握住了她这只手。他觉得这时候最要紧的已经不是考察格格手上的伤，而是要给格以生活下去的信念和勇气，他用深情的握手，传递着自己的这种炽烈的爱情。

格格感动万分。她得到了在最艰难危厄的情况下得以支持下去的力量，她的泪水夺眶而出，忍不住说："……我多想再画蛋壳儿啊！"

石大爷用全部身心的力量鼓舞她说："你还能再画。遇事往开想，都会过去的！"

格格无限依赖地望着他："嗯。"

起风了。风吹动着槐树枝叶，两个人被惊得分开了。

石大爷："你天亮再出来扫那一小段吧……先回去，小心别着凉。"他躬下腰扫地。

格格也躬下腰无言地同他并排扫地。

月亮缓缓地躲进了乌云里面。

程宇闭上了眼睛，两滴晶莹的泪珠，落到了他的脸颊上。

三十一

一只拳头砸着程宇宿舍的门。程宇开门出来，叫门的是魏禹民。

魏禹民："程宇，今天的批斗大会你必须参加。"

程宇一脸病容："我刚试完表，三十八度六，不信，当你面再试一遍。"

魏禹民觉得自己是仁至义尽，语气诚恳："你吃片药就去吧。今天连附近的居民也来参加。批判修正主义教育路线，人人有责。就连石大爷，也答应上台发言。"

程宇："石大爷？他答应发言批判赵双石？"

魏禹民:“石头人都投入了大揭发大批判。你再这样下去，会走到对立面上去的！”

程宇:“好，我吃了药去。”

操场上。批判会已经开始。台上冯大强正结束他的批判，领呼口号:“打倒赵双石！”“砸烂旧学校！”

台下坐满学生、教师和街道居民。冯大妈激昂地振臂跟呼着口号。学生甲和学生乙表情纯真,激昂地呼着口号。两个教师表情拘谨,比较勉强地呼着口号。

魏禹民在台上主持批斗会。他高声宣布:“下面，由石义海同志揭发批判！”

会场上的窃议声。石大爷从人群中站出来，毫无表情地朝台上走去。

台上魏禹民和冯大强互望、点头。台下冯大妈露出赞许的微笑。学生甲和学生乙专注地望着石大爷走向前去。与会居民中，格格惊惶地大睁着双眼，心情极为复杂，神经高度紧张。王师傅微皱着眉头，眯起眼睛。秋芸扭动着嘴角，表示轻蔑。程宇微张着嘴巴，额上沁出密密的汗珠，痛心地望着石大爷朝台上走去。

石大爷一步步接近了台子。他登了上去。

魏禹民握住麦克风，又宣布了一遍:“请石义海同志揭发批判！”

赵校长被剃了光头，弯着腰。他费力地抬起眼眉，朝石大爷望去。他头上、脸上全是热汗的污渍，新的汗珠仍在沁出、滴落。

石大爷登到台上的脚。双脚继续移动，直至离赵校长很近的地方。

赵校长的脖子上吊着举重杠铃上最大的铁饼，拴铁饼的铁丝深深地嵌进了他脖子上的肉里，有些地方已经流出了血来。

石大爷的眼睛盯着那铁饼，那脖子上勒出的血道，那满头满脸的汗珠。

魏禹民和冯大强从主席台上欠起身来，有点疑惑地盯着石大爷。

冯大强拢紧眉头望着台上。学生甲和学生乙表情趋于紧张。两个教师茫然地望着台上。格格痛苦地闭上了双眼。王师傅扬起了他的浓眉。秋芸改变了刚才的表情，眼睛睁得溜圆。程宇用手抹去额上的汗珠，喉结滑动着，目不转睛地朝台上望去。

魏禹民干咳了一声，对着石大爷："石义海，你开始揭发批判吧！"

石义海转过身，对着魏禹民和冯大强他们，语气平稳而声量很大地说："共产党哪点亏待你们啦？犯得着上这么重的刑罚？啊？！"说完，走到赵校长面前，伸手取下了他脖子上挂的铁饼，轻轻地放到了地上。

魏禹民和冯大强无比惊愕。

会场立即一片骚动声。冯大妈吃惊得身子往后一仰。学生甲和学生乙面面相视。两个教师深受震动。格格始而大出意外，继而又显露出本在意料之中的复杂表情。王师傅微微点头。秋芸面呈惊喜。程宇感动之极。

石大爷不慌不忙地朝台下走去。

魏禹民和冯大强气急败坏。魏禹民一把抓起麦克风，喊叫着说："石义海的这种表现，我们要进行……研究！这说明走资派对他的腐蚀很深！我们希望石义海悬崖勒马，如果坚持这种反动立场，一切后果由他负责！勿谓言之不预也！"

格格听到最后一句，在惊吓和担忧中昏倒，秋芸赶紧搂住了她。大骚动声。

三十二

石大爷住室门外。墙上以及门、窗上贴着一些墨迹未干的大字报和标语，其中最醒目的一条大标语是："保皇派石义海必须悬崖勒马！"

甬路上，石大爷照旧稳稳当当地清扫着路面。

程宇的画外音："石大爷总算幸运。造反派们只给他贴大字报。谁也知道，把他揪出来也不过是个扫地的……"

三十三

炎夏。离学校不远的一条街上，一侧的树都被锯掉了，一些人正在刨剩下的树根。

程宇的画外音:“到了1969年，学校里揪出来的‘牛鬼蛇神’越来越多。我也被当成现行反革命揪了出来，这也许并不奇怪。而魏禹民竟也被当成‘五·一六’分子揪出来了……”

魏禹民正在刨一个树根。他已经全然变成了另一种模样。酷热、干渴，他扶着铁镐喘气。

郭大爷嘴唇干裂，剧渴难忍。

程宇朝身后的小院望了望，院中的自来水管龙头滴着水珠。

程宇:“去喝点自来水吧。现在院里没人……”

程宇溜进院里，悄悄走近自来水管，四顾无人，朝院外的郭大爷招手。

几个小学生吵嚷着从后院跑到前院。为首的一个手里提着一只鸟儿，被戴上了一顶纸折的高帽子，鸟儿痛苦地挣扎着。

程宇望见这情景，痛心地闭上了眼睛。

小学生们一见程宇,立即叫喊:“牛鬼蛇神,不许偷水喝！”“出去！干活去！”

程宇痛苦地望望孩子们,退了出去。郭大爷朝他惨然一笑,抿抿干裂的嘴唇,继续痛苦地喘息着。

程宇无言可慰。程宇忽然注意到远处，他告诉郭大爷:“哎呀，怎么石大爷也给揪出来了?”

远处街口，石大爷推来个手推车，手推车里露出了镐头和锹头。

郭大爷用手掌遮住眼睛，也望过去:“我就知道他也躲不过。他平时轻易不说话，可猛孤丁一说，兴许就能落上个‘现行’！”

石大爷渐渐走近。手推车中不仅有镐和锹，还有一只铅桶，桶上蒙着一块湿布。

程宇对郭大爷:“石大爷没出事儿。他是给咱们送水来了。”他和郭大爷都站了起来。

石大爷的手推车停在了程宇和郭大爷面前。他怜惜地望望郭大爷和程宇，用碗从桶里舀出了一碗水来，先递给郭大爷。

郭大爷感激地接过，贪婪地仰脖喝着，喝完，感动地说:“还是绿豆汤呢！”

另外几个在树根处的“牛鬼蛇神”，有的忍不住走了过来，其中魏禹民最难忍耐，他的嘴皮都已干裂。但他不好意思站到最前面。众“牛鬼蛇神”一个接一个贪婪地喝着绿豆汤，魏禹民几次伸出手去，均未拿到碗。

石大爷注意到魏禹民的神情。他沉稳地从另一人手中取过碗，舀了一满碗绿豆汤，递给了魏禹民。魏禹民接过碗，没有马上喝，他的双手微微发抖，鼻子里呜咽着。

魏禹民:“石大爷，我对您有罪……”

石大爷:“谁也不是圣人。不存心害人的人就是好人。喝吧！”

魏禹民听见这话，失声痛哭。

众“牛鬼蛇神”都没吱声，反应各异，多数深受震动。

石大爷注意到最远处的树坑旁，还有一个人没有过来，只是呆呆地朝这边望着。

石大爷:“他怎么不来啊？”

程宇:“他可真的攻击了伟大领袖。您可别让他来……”

石大爷:“他有罪，该让他受罚。可也得善待他。越把他当人待，兴许他改得越快。”说完，舀好一碗绿豆汤，捧着朝那人走去。

众人愣愣地望着他，深受感动。

三十四

秋日。学校里那我们已经非常熟悉的甬路。

石大爷平静地扫着甬路。

程宇的画外音:“又过了三年，到一九七二年了，情况多少有了些好转。落实了一批政策。赵双石解脱了。我跟魏禹民也没事了……”

镜头从石大爷清扫甬路的画面拉进宿舍的窗户，程宇和魏禹民又住在了一起。

魏禹民把一块香皂放到了脸盆架上。

魏禹民："这几年真像做梦一样。现在也还是在梦里头。"

程宇："可惜有的人梦没结束就死了。郭大爷真是死不瞑目！"

魏禹民："唉！"

程宇站在窗前，朝外望去："只有石大爷，什么也改变不了他！……他究竟是怎么想的呢？"

三十五

夕阳红辉射进石大爷的小屋。程宇和石大爷坐在床铺上小炕桌的两边。

程宇："您干的别的事，我都理解。可我一直不明白，您是个受苦出身的人，那红卫兵打死了资本家，您干吗要去盖尸首呢？"

石大爷抽着旱烟，老老实实地回答说："他们打死的那个主儿姓孙，这主儿人缘最次，是'抠门儿大仙'，家里人剪手指甲，他都让拿纸接着，完了攒在一块儿，拿去卖给药铺，就那么爱财！可他没有死罪啊……解放那阵，我为什么佩服共产党？就是觉得共产党不糟践人。地痞恶霸逮去了，为民除害，一个枪子儿毙了算，不像猫拿耗子似的，先玩上一阵，揉搓烂了再吃。我也不知道这几年是怎么啦，时兴人整治人，人糟践人……咱们常说阶级斗争，阶级斗争是人跟人斗，不是人跟狗斗，是不？那就该有个分寸，不要弄得这么不像人样儿……"

程宇深感振聋发聩的表情。

程宇在空无一人的操场上漫步，耳边还响着石大爷讲的最后几句话，他抬头望着星空，银河微颤，他激动地思考着。

三十六

夕阳西下。蝉声如织。

程宇朝石大爷的小屋走去。门敞着，遮着门帘。

程宇揭开门帘迈进屋，愣住了。

石大爷和王师傅对坐在床沿上。因为天气依旧酷热，俩人都打着赤膊，他们虽然都已经快六十岁了，体魄仍旧那么雄健。他俩当中的炕桌上，摆着一瓶喝得剩下不多的“二锅头”，还有两盘剩下不多的下酒菜。

石大爷面带酒晕。他两眼炯炯地望着程宇说：“你来得正好。正要求你呢。”

程宇：“什么事儿？”

石大爷用自己的酒杯给他斟酒：“你先喝一盅。我的私事，头些天不是都告诉你了吗？”

程宇：“有好消息了？”

王师傅：“街道上给格格落实政策了。她还算人民内部。”

程宇：“是吗？”他兴奋地坐在椅子上，干了杯中酒，问石大爷：“我哪天帮您开介绍信去？”

石大爷：“赵校长如今不主事儿了，还是慎着点好。你先给我试探试探，要能成，下礼拜开出来最好。”

王师傅：“是呀，该如意了！”

三十七

晴阳下的白塔寺白塔。

胡同里，程宇同赵双石并肩而行。

程宇：“你说革委会那些人，能痛痛快快地给石大爷开证明吗？”

赵双石：“难说啊。”愧悔地，“头八年我就应当给他开。我对不起他！”

迎面来了冯大妈。她乐乐呵呵的。

冯大妈：“老赵！程老师！”

赵双石和程宇停住脚步。

冯大妈：“程老师，我正想到学校里去找你哩！”

程宇：“什么事？”

冯大妈兴高采烈地："没想到的事，咱们居委会也摊上了外事活动，要接待一位外宾。程老师你不是教英文的吗？想到时候请你帮忙搞接待！"

赵双石："是个什么样的人？"

冯大妈："是个外籍华人，名叫傅训诰，咳，不是外人，就是这胡同金格格的丈夫，人家如今在外国办工厂、开公司，发了财，可还爱中国，念旧。他在广州参加完了交易会，特意来看格格。他的意思，是把格格接到他那儿去。格格这下总算熬出头啦……"

程宇来不及听完，拔腿便往学校跑去。

冯大妈："咦，程老师！程老师！"

三十八

程宇喘吁吁地闯进了石大爷的屋子。

石大爷正坐在床铺上，给一根长竹竿安铅丝钩子。

程宇的声音发颤了："格格原来的丈夫，打国外回来了！"

石大爷努力镇定住自己："听说了。王师傅刚才来递了话。"

程宇："赶紧开介绍信吧！我这就去找他们！"

石大爷："慢着。先不忙开。"但他神情恍惚，转头寻找什么，没有找到。他愣愣地站起来，找铅丝；他打开门，走到门外，不知怎么走到了墙角的蓖麻前。蓖麻叶上，几只瓢虫缓缓地爬行着。

石大爷晃晃头，仿佛要让自己清醒些。他回到屋里。原来铅丝圈就在他刚才坐过的地方。他取下一截铅丝，默默地绑扎着。

程宇忍不住伸手去夺石大爷摆弄的竹竿："您怎么还有心思摆弄这个？"

石大爷："郭大爷的闺女从乡下回来了，没工作。孤儿寡妇的。我给她绑上这个，她打点槐树豆儿，卖给药房，也能补助点生活。"

程宇愣愣地望着石大爷。石大爷试着铅丝钩子的松紧。

三十九

格格所住的小院的门口，冯大妈组织一群居民鼓掌欢迎从汽车下来的傅训诰。他还带着个混血儿的儿子，已经十多岁。

冯大妈等几个街道干部陪傅训诰进了院里。

秋芸和王师傅从自己家的窗户里望着这情景。秋芸忍不住流露出厌恶的表情。

冯大妈等陪傅训诰走进了格格住的屋子。

院外涌进了一些附近的居民和孩子，他们待在院子里，朝格格住的屋子好奇地张望着。

屋里。屋子收拾得格外整洁。屋里摆上了一套沙发。格格和傅训诰各坐在一个沙发里。混血儿坐在对面的一把椅子上，程宇坐在他旁边的另一把椅子上。冯大妈等站在门口。

傅训诰头发花白，西服革履，保养得很好。

傅训诰对格格："……我对你犯了罪。我是来悔罪的。"指指儿子，"他妈妈五年前已经去世。这几年里，我常想起以往的事来，常想起你。我把悔罪的意思，讲给他们听了，他们也都同意我跟你复婚，把你接去，认你做母亲……"

程宇在傅训诰讲话时，小声附在耳边为那儿子翻译着。

傅训诰命令儿子："给你妈妈鞠躬！"又用英语命令了一遍。

儿子爽快地站起来，对着格格鞠躬。

冯大妈真心地带头拍起了巴掌。格格只对那孩子温和地瞥视了一眼，然后便扭过头去，沉默着。冯大妈吃惊的表情。傅训诰对格格："你考虑考虑吧。到底年岁不饶人。就是为人民服务，你也该退休了。我等着你的信儿，随时回来接你去。"

格格一动也不动，静静地坐在那里。

四十

石大爷的小屋里。程宇和石大爷坐在一起。

程宇："抓紧把事儿办了吧。"

石大爷平静地抽着旱烟："眼下不能。我得凉一凉，得容格格多想想。"

程宇感动地望着石大爷。

四十一

胡同里。几位街道居民正一边从流动售菜车上买菜，一边议论着。

一位妇女："人家傅先生当着众人给她赔罪，又让洋儿子当着众人给她鞠躬……"

另一位妇女："格格这回总算熬出来啦！"

卖菜的师傅："听说，傅先生还等着她的回话哪！"

前一位妇女："那可不是……哟，来啦！"

另一位妇女："给我来一斤芹菜……"

大家表面上买菜、卖菜，其实都注意着格格的神情。

格格安详地从他们身边走过。

四十二

石大爷扫地回来，走进他那小屋。

他心情复杂地搁下扫帚，走到橱柜前，打开柜门，从中取出一个包袱来，尔后，坐到床铺边，心潮起伏地打开。包袱被一层层打开了，里面是格格给他的爱情信物——如意。他心乱如麻地抚摸着如意。

突然，门被推开了。是格格走了进来。

石大爷惊愕地望着格格："你、你怎么到这儿来了?！"

格格沉静地说："我还是头一回到您这儿来。"

石大爷不知所措地："那，那你……坐吧！"

格格在床铺边坐下。她环视着屋里的一切。不是贫穷，而是简朴的陈设。这个人给予别人、给予这社会的是那么多！而他向别人和社会索取的却是这么少。她的眼光最后停留在门背后的一把大竹笤帚上；那竹笤帚的把手部分已经磨得光闪闪的了。她从竹笤帚上再一次深刻地体验到了这个平凡的校工的人格和心灵的闪光。她对他的爱情，在默默环视中达于顶点……

格格看到笼屉里露出的凉馒头。

格格问："您还没吃饭吧？"

她站起身，过去，捅开火炉，把蒸锅放上，给他热馒头。她还想给他弄个菜，便在小柜上找着做菜的原料。她拿起一根葱，剥了起来，又顺手掀开一块盖布……盖布滑落下去，露出一筐橘子和一枝装在玻璃匣子里的人参。她心里一惊，那才剥开的葱落到地上！

石大爷下定决心，站起来，把包好的如意放在橘子筐旁边，诚挚地对她说："你走，我不能去送了……橘子，你最爱吃；人参，中国的最好……我不怨你……"他拼命抑制着内心的痛苦。

格格呆立在那儿，心中像打翻了五味瓶。

突然，格格冲出了屋子，屋门"砰"的一声关上了。石大爷痴痴地站在屋当中……

四十三

什刹海。柳枝金黄。夕阳正红。

格格和石大爷在湖栏边面对面站着。显然，格格冲出石大爷屋子后不禁来到这里，而石大爷也心领神会找见了她。

石大爷："……你身体不好，我年岁也大了……兴许你跟他去了，晚景儿更好。"

格格："人家这么劝我，倒也罢了……怎么你也这么说！"

石大爷："傅先生如今变好了，我看他是诚心诚意……"

格格："你、你、你好胡涂啊！"她声音打颤了，"这脚底下的地，这周围的人，我都舍不得……我更舍不得、舍不得你啊！"她哭了，用手指头抹着眼角的泪。

石大爷深为感动。他愣愣地望着格格，忏悔般地说："这回，是我说了傻话了！"

格格抬眼望着他，含泪微笑了。

蝙蝠在波光粼粼的湖面上飞舞。

石大爷："成。就这么着——明儿个咱们就分头开证明去。"

格格幸福地望着"银锭观山"的景色。

夕阳斜铺水面，宛若闪动跳跃着万斛珍珠。

格格："这晚景儿真好！"

四十四

石大爷回到自己的屋里。

他坐到床铺上，一层层打开那信物包，取出那柄精致的硬木如意，深情地抚摸着。如意头上的玉雕愈来愈大，充满银幕。叠印石大爷美好的向往情景：格格在往热锅里下饺子，他在一旁剥着蒜瓣；格格坐在案前画着彩蛋，他伫立她身后为之打扇……

石大爷放下如意，凑到炕桌前，斟了一杯白酒，一饮而尽。兴奋中，他从小碟子里拈出几粒花生米，扔到嘴里，有滋有味儿地嚼着，随后又斟了一杯白酒，一饮而尽……

石大爷在微醺中走到柜橱前，打开门，从里面取出一套新衣。他拍了拍新衣，摘去线丝，把它放在床头；又取出一双布鞋，挥了挥，把它放在床边。

石大爷幸福地微笑着。

从操场上看石大爷的小屋。

镜头越拉越远，小屋的灯静静地亮着。

四十五

清晨。薄雾中的白塔寺白塔。

石大爷站在小屋里。他已经穿上了新衣新鞋。他拿起长把笤帚，打开门，走了出去。

秋叶飘落的甬路。石大爷扫着甬路。

石大爷突然停止了扫地。他捂住了胸口，他感到天旋地转。

程宇穿着运动衫跑到了甬路上。他惊讶地发现甬路只扫了一半。在扫过与没扫过的交界处，他发现了什么异样的东西。

程宇恐慌地跑了过去。

特写表现出，甬路边上，一只大手握住一根笤帚柄。几片秋叶飘到大手上。

程宇悲痛欲绝的面容。

秋叶断续飘落着，渐渐遮掩石大爷那握住扫帚柄的大手。

程宇的画外音："一九七二年一个秋天的早上，石大爷心肌梗塞发作，默默地离开了人间。"

胡同。格格住的那个小院的院门。里面传来悲恸的哭泣声。

尾声

小树林中。

露水从秋叶上淌下，程宇用手承接；露水透过他的指缝再滴落到地面上，像是饱含情思的泪珠。

程宇的心声："一个人死去了，另一个人为他哭泣，这在世界上来说，本是一件最平淡的事。可是，听到这哭泣声，看到他们两人各执一柄如意而始终没能如意，我想得很多、很多……"

一阵风吹来，树枝摇曳，仿佛在倾诉着什么……

剧终

1983 年 2 月

概不接待［话剧剧本］

［舞台上有三个门框，三个单元的门上分别有501、502、503的标号；503的门上挂有一个牌子，上写："写作时间概不接待"。］

一女青年提着个包上。

女青年 （对观众）您一瞧我这身明黄色儿的连衣裙，就知道这会儿演的是1985年的事儿。（观察三个门，在503前犹豫）好不容易来一趟，您说我可怎么办呢？（想了想，去敲501的门）［501门开，一老年男人露面。］

老年人 （打量着）不是找我的吧？

女青年 您怎么猜着的？

老年人 有事要问我吧？

女青年 您可真料事如神！

老年人 我这就告诉你吧——

女青年 可我还没问啦！

老年人 我帮你问："同志，作家陈力他什么时候不写作可以接待来客？"

女青年 对对对，我是想问，什么时候来，能没有那个牌儿。

老年人 你什么时候来什么时候挂着！一天二十四个小时！自打我搬这儿来，那牌子就从没摘下来过！好，再见！（关门 消失）

女青年 谢谢！（又回到503门前，稍犹豫，敲门，先很轻，再次轻，再较重，再使劲敲，最后重捶三下）[中间502门开，一男青年露面。]

男青年 嘿，我说你让不让人睡觉了？

女青年 您睡您的觉，我又没敲您家的门！

男青年 您这是敲门？您这是扔原子弹哩！

女青年 我还真是扔炸弹来的！

男青年 （见她提的那个包沉甸甸的）咳哟，我说您退两步行不行，您那……那是什么样的炸弹？您要炸您炸您仇人去，可别伤害无辜！

女青年 （把包上提晃动）我要炸，就不是炸一个人，我要稀里哗啦炸一大片！炸得天下没人不知道我！

男青年 嘿，我告诉你，你要再不走，我可报告公安局啦！

女青年 我炸完了就走！

男青年 那……那我可就只好……只好为了保卫自己保卫家庭保卫这座楼……跟你搏斗了！（作出夺包架势）

女青年 （躲闪）我说你这人是怎么回事儿？你抢我东西干什么？

男青年 你那里头不是炸弹么？

女青年 谁说是炸弹啦？这里头是……是我写的长篇小说的稿子！

男青年 嗨！那你干吗说要爆炸呢？

女青年 土老帽儿！你连"文学爆炸"这个词儿都没听说过？知道拉丁美洲么？知道拉丁美洲有个作家叫马尔奎斯么？知道他写过一本书叫《百年孤独》么？那样的小说，可轰动啦！那就叫作"拉丁美洲的文学大爆炸"！

男青年 你拉丁美洲来的？（打手势）怎么着，跟你兑点美元怎么样？爱弗伊西也行——就是外币兑换券……你要什么价儿？美元一七行不行？一七一？一七二？一七五？

女青年 去去去去，俗不可耐！

男青年 您倒是怪雅的，可我也再没耐性了——别再梆梆梆瞎敲打啦！（进

502 消失）

（中年作家陈力上，用牙签剔着牙。走到 503 门前，旁若无人，掏钥匙开门。）

女青年 （激动）您就是……陈老师，陈导师，陈力同志，陈力先生，陈作家，陈大作家……最最可敬可爱的小说家陈力？

陈力 你是谁？

女青年 一个对您无比敬爱无比崇拜无比景仰无比……无比无比。

陈力 那就不要比了嘛！

女青年 好，不比了……我、我恳求您，接待我一下，就一会儿，一小会儿……就浪费您一丁点儿工夫……

陈力 一丁点儿是多少？

女青年 嗯……（要从包里取稿子）我带来了……我自己写的一部"魔幻现实主义"的长篇小说……

陈力 我一丁点儿工夫也没有！（敲敲门上的牌子）看见了吗？

女青年 可您现在……不是没写作吗？

陈力 谁说的？写作是一个大概念，你以为光是趴在桌子那儿爬格子才算写作？我得外出体验生活，参加笔会，观光旅游，出席会议……还有外事活动，比如说我这就是刚参加一个宴请外国作家代表团的活动回来……哎哎哎哎，你知道我欠着多少文债……多少会债多少人情债多少关系债……实跟你说吧，我现在要有那么一丁点儿的工夫，我就——

女青年 就收下我写的这部稿子……

陈力 我就赶紧去邮局——还有三笔稿费两笔奖金没来得及领哩！（开门进 503，重复关门）

[女青年气愤，瞪了几下 503 门上的牌子，一跺脚下。]

[稍静场后，女青年又上。这时 501 门上也挂出了一个牌子："教学时间概不接待"。

女青年 （复上，穿着一身牛仔服，挎个书包，对观众）瞧见了吧？

这身打扮，到了1988年啦！（观察，对503门一撇嘴，敲501门，先轻敲，再次轻，再较重，再使劲敲，最后重捶三下）

[502门开，男青年露面。

男青年 嘿，我说这是谁在抽疯呢？

女青年 谁抽疯？

男青年 咦，这不是……不是那年要来爆炸的事儿妈吗？

女青年 谁还搞爆炸？如今要搞"托佛儿"！

男青年 "托佛儿"？您这是"放下屠刀，立地成佛''啦，怎么着，把个观音菩萨的小佛像，这么用手托着？

女青年 差不离就是那么回事儿，我这些天从早到晚不住地祷告，耶稣基督，圣母玛利亚，真主阿拉，当然也有大慈大悲的观世音菩萨……还有元始天尊，玉皇大帝，托塔李天王，孙悟空，诸葛亮……还有毛主席保佑！……

男青年 干吗呀？

女青年 保佑我"托佛儿"能过五百五！

男青年 你一个巴掌，能托上五百五十个佛像吗？

女青年 土老帽儿？你懂什么叫"托佛儿"吗？"托佛儿，就是英语水平测试，只有"托佛儿"考得够了分，当然分儿越高越好，把成绩单寄到美国那边去，那边大学才有可能给你奖学金，你有了大学给奖学金的通知，不就能办签证去美国留学了吗？

男青年 敢情你不"爆炸"，要留学了！

女青年 那可不，可眼见着考"托佛儿"时间越来越近，我心里头还没个准把握，所以来这儿找王东老师——听说在他这儿接受家庭辅导，钱嘛是收得够多的，可只要让他辅导上个把星期，"托佛儿"涨个三五十分是没问题的！

男青年 他如今可不好找，牌子虽这么挂着，他人可见天不在家，如今找他的人特多，他租地界正式开班啦！（欲进门回去）

女青年 嘿，您先留步……您倒汇切汇好像挺有一手儿的，我这眼下就要办出去了，手头的美元可还差得老多，您兑点给我怎么样？一七五行不行？一七六？一七七？一七八？

男青年 没戏！（进502，关门）

[作家陈力上。]

[女青年欲让开。]

陈力 咦，这是……一位女青年，一位女文学青年，文学女青在……

[女青年欲绕开。

陈力 咦，想起来了想起来了想起来了……咱们见过见过见过，瞧瞧瞧瞧，作家就有这份儿超常的记忆力，文学是人学，是专门记住人长相的一门学问嘛！你好你好你好……

（伸手）

女青年 （只好忙握手）不过今天，我可不是来找您的……再说（指指503门上）您现在不是正在写作吗？

陈力 那当然那当然那当然……我当然很忙很忙很忙……不过我们无妨抽出一丁点儿的工夫——

女青年 一丁点儿是多少？

陈力 不多不多不多，很少很少很少……长话短说吧，是这么回事，我的一部新的小说集，原来叫《草帽》，现在印出来了，当然那是出版社的意思，现在叫……叫《印着吻痕的草帽》，就是草帽上头有那、有那亲嘴儿留下的口红的印记……不过我这可是一本严肃的文学的集子……

女青年 对不起，现在我什么小说都不读……

陈力 没关系没关系没关系……您自己读不读都没关系，问题是，这书印了三千，出版社让我自己包销两千，现在我家里还堆着一千八百本，我是想问一声，您能不能帮我推销个五百一千的？报酬从优一定从优，先取货后付款没问题……怎么样？

女青年 不怎么样？我不想干也干不了，您的那些个书您都留在家里严肃去吧！拜拜！（飘然而下）

［陈力发愣，叹口气，开门，开门后想了想，取下了门上的牌子，关门进去，但随后又开门，伸出手挂回了牌子。］

［稍静场，女青年上，上身穿一件印有香港明星黎明的文化衫，下身穿一条砂洗绸裙裤。］

[501 门上牌子照旧，502 门上挂出了“休息时间概不接待”的牌子，503 门上也拴着老牌子。]

女青年 （对观众）瞧见了吧？咱这身怎么样？还用问，就是今年的事儿！（看看 502 门，看看牌子，按电铃；按三遍，没动静，轻轻敲门。）

[503 的作家陈力开门探头。]

陈力 您是编辑部的？

女青年 不是。

陈力 出版社的？

女青年 不是！

陈力 我当是……找我的稿来的哩！’

女青年 不是！

陈力 咦呀……这位……啊啊啊啊，咱们见过见过见过见过

女青年 见过又怎么样？

陈力 （出门，极热情）哎呀，一回生，二回熟，三回见面是朋友嘛！

女青年 甭跟我套磁。怎么着，又要我帮您推销那本严肃文学吗？叫什么名儿？怎么个严肃来着？

陈力 叫《印着吻痕的草帽》，书名还是太雅了，一般的市民读者还是弄不懂什么叫“吻痕”……所以，所以……其实我现在已经并不拘泥于弄严肃文学，通俗文学也很好嘛！最近我就完成了一本，叫《别割下我的大腿》。（比画）

女青年 妈呀，谁要割您的大腿啦？

陈力 倒也还没那么惨……不过，你说这是怎么一回事儿？通过主渠道征订，印数还是上不了一万……出版社说，这号小说要只印六七千，七八千，意思就不大了……

女青年 印多少万我都觉得没意思！（复又轻敲502门。）

陈力 你找他？

女青年 是呀，我是他秘书！

陈力 你是他秘书？您是他秘书？

女青年 我——

陈力 哎呀，这真是“踏破铁鞋无觅处，得来全不费工夫”，如今谁能找见他龙三儿呀！他先练摊，后租店，如今是连锁成一片，早买了大房子小轿子……虽说他有个怪脾气，隔三岔五他还要回这个窝居来睡个午觉可就连我这么个近邻，也好几个月没见着他那张金面了……这下好这下好这下好，原来您就是他的秘书，自然是新秘书，我就知道他至少已经换了五任女秘书……

女青年 龙三现在在里头睡午觉吗？

陈力 龙经理就这一条雷打不动——天天午睡一小时！

女青年 电铃不响，一定取下了电池……这门，什么时候能开开呢？

陈力 等一会儿，龙经理睡够了，自然会出来——楼底下那辆奥迪不还停着吗？

女青年 那就等等吧……

陈力 等等，等等，等等……我说，有的事，也实在等不得，比如说我那本《别割下我的大腿》，人家就说了，要能先拍成个电视连续剧，造成个轰动，再印小说，那就都抢着买了……

女青年 那倒是……

陈力 可拍电视连续剧，说白了，得有人赞助才行啊……

女青年 那你找龙三赞助不结了么？

陈力 是呀是呀是呀……可我也是老遇不上他，所以所以所以……您既是秘书，我就先在您这儿递个话儿，挂个号……

女青年 那行那行那行……得赞助多少，才能割下那条腿来？

陈力 （激动）咱们能粗制滥造吗？能瞎编瞎演吗？能不请名导演名摄像大明星吗？还得配两首主题歌请名作词名作曲名歌星名乐队通力合作——

女青年 究竟要多少？我一上任，就摸龙经理的底，探他的口气……

陈力 你还没有上任啦？

女青年 废话，上任了，我还能顺顺当当拿回扣吗？

陈力 （大失所望）你这人——

[王东老师上。]

女青年 （迎上去）王老师！

王东 哟，是你！

女青年 王老师，授课回来啦！

王东 可不。如今退了休，倒比在中学里教毕业班的时候还忙乎。

女青年 您门上这牌子，上头一行也该改成“休息时间”了吧？

王东 不改，你看龙三门上写着“休息”不是照样有人来找？

陈力 （插进去）再说，王老师您不是除了在外头开大班，还在家里接受比“托佛儿”高一档的 GRE 的个别辅导吗？

王东 哟，大作家，难得遇上，难得……

陈力　哪里哪里，我如今不像您那么奔忙，您挣那么一大笔学费也真不容易，一天里头得多少个课时？我现在可是分外寂寞，我们文学家从事的事业，那可是个寂寞的事业啊！要耐得寂寞啊……

王东　可不，您一贯耐得寂寞，记得头些年咱俩同时开门出来，脸对脸儿，您都寂寞得跟没瞅见我似的……

陈力　那我是沉浸在了自己的文思中，那是严肃、深沉的构思过程……

女青年　如今人家大作家不那么死心眼儿严肃，不那么一个劲儿玩深沉啦，人家如今要割大腿哩！

王东　别价呀！

女青年　王老师，我真得谢谢您啦，要没您的辅导，我“托佛”哪考得了六百零三分呀！

陈力　（旁白）啊呀！如今“托佛儿”分数炒得这么高了呀！比股票炒得还邪乎！

王东　遗憾的是你还是没能出去呀！

女青年　怪我没门子搞到全额奖学金，秀水东街那领事馆的大鼻子，他们就愣不给我签证！

王东　他们那么一卡，我这儿来上辅导课的就少了不是！

女青年　可我得求您帮个忙啦！

王东　我还能帮什么忙呀？

女青年　您见着龙经理给推荐推荐，就说我这外语水平到完全外资的公司当白领都绰绰有余，到他这儿那不是给他锦上添花吗？

王东　好说好说，龙三对我倒一贯的尊重。

[龙三上，西服革履，仪态万方。]

陈力　龙——（差点儿喊出“三”来中间转化成）经理！

女青年　龙总经理！（递上名片）

龙三 王老师！陈作家（接过女青年名片，不屑地）你这“富丽华学会会长”是个啥头衔呀？

女青年 嗨，跟你那“大宇宙开发公司统筹委员会主任”不是一样好听吗？

龙三 我那公司因为还没注好册，所以先那么凑合叫着。

女青年 实跟你说，我那学会的会长、秘书长、会员、归里包堆就我一个人儿！

龙三 （感兴趣）嘿，有你的！

女青年 所以我投奔你来了，要给你当业务公关秘书呀！

龙三 我这台戏还正缺这么个角儿哩！“富丽华”，来得正好！

女青年 怎么着，我这就准备上任啦？

[龙三望着她文化衫上的头像，皱眉。]

女青年 这是黎明——成，您不喜欢，咱们就不要黎明，当然更不要黄昏，明天我一上任就穿个画着“大宇宙”的！

龙三 没得说！你明儿个到公司来吧！

女青年 可咱们还没透明度啦！

龙三 透明透明！咱们当众透明，我一月给你六棵！

女青年 才六棵？六棵我来这儿？

龙三 头一个月嘛！试用期嘛！我要满意，第二个月就给你一吨！

女青年 就老一吨啦？

龙三 你这人，能那么一眨巴眼就富丽华啦？

女青年 第三个月一吨半，第四个月我要还愿意干，两吨！到两吨先稍一稍那还行……

龙三 你放心，我“大宇宙”真一开发，大出大进地红火起来，光红包就给你一方！

女青年 那也还得看我对公司满不满意，咱们可是双向选择！

龙三 （对王东）王老师，我问您，您那个外语……

王东 （自豪）不敢说水平不水平的，反正人家给我个绰号，叫“托佛儿增分大王”，简称“托增分”；又叫“GRE一导准灵”，简称“G导灵”……

龙三 我还当是搽脸的增白粉蜜跟治鸡眼的药水哩！……您甭老跟我说那个英文，如今我这“大宇宙”是要先往俄罗斯开发，您俄语怎么样？

王东 俄语嘛……刚解放那几年学过一阵，也还拾得起来……

龙三 那就好！我聘您当我们公司业务员的俄语教师，一个星期上两节课，一节课50分钟，每节课先开您两棵，怎么样？

王东 两棵少点……不过为了开发嘛，咱们又比邻而居……好说好说……

龙三 陈作家！

陈力 （正感失落，受宠若惊）在！

龙三 您会不会写诗啊？

陈力 诗嘛……年轻的时候倒是也写过，不过后来就写小说，因为小说出的名，所以称小说家嘛，最后又开始写散文，散文是步入老年的文体嘛……

龙三 散文也行，得，加点散文，反正不要那小说——你给我写点广告词儿怎么样？

陈力 这——

女青年 这还不好？天上要掉馅饼了！

王东 大作家，龙经理这儿什么都讲究一棵起价，您还死抱着那千字三十元稿费标准的营生干什么啊！

龙三 像陈作家这样的大手笔给我写广告词儿，得按一吨起价！

陈力 哎呀……只怕我难孚人望哩……

龙三 您谦逊什么呀！写几句诗，纂几句散文，写美一点儿，味浓一点儿——我最近要往俄罗斯销一大批大裤衩儿，您先构思构思……

女青年 （对陈力）这您就不用再割大腿啦！

王东 （对陈力）这下您就别再寂寞啦！

龙三 好呀，全是自己人了，来来来，都进来吧，先在我这儿喝点法国洋酒就合点夏威夷大果仁，坐下来合计合计……（开门，请三位进去，三位兴高采烈地进到 502 去，龙三最后进，临关门以前，伸头对观众）歇菜吧您哪！

剧终

1992 年 6 月

老舍之死［歌剧剧本］

说明：此剧首先考虑以歌剧形式演出。作曲家可以将人物所说的话全部谱曲，也可以将有些作为话剧式对白，有些谱成曲演唱。在没有谱曲的情况下，也可以用话剧形式演出。

如有拟将此剧搬上舞台者，请通过《香港文学》杂志与作者联系。未经作者允许，不得以任何形式使用此剧本。

剧中时间：1966年8月24日

剧中地点：太空·中国·北京·百花深处·太平湖

剧中人物（以出场为序）：

骆驼祥子——老舍小说《骆驼祥子》中的人物。男，约三十岁。人力车夫。男中音。

月牙儿——老舍小说《月牙儿》中的人物。女，约二十岁。妓女。女高音。

萨满神婆——既能在太空也能在人间游走的善良巫女。女中音。

老舍——作家。男，68岁。男高音。

黑脚印——自称代表历史的巨人。男低音。

大字报—— 一头怪兽。男低音。可由扮演黑脚印的同一演员兼饰。

老舍之母——灵魂。呈现为青年少妇的面貌。女高音。

第一幕

从太空到地面·百花深处　天光大亮

骆驼祥子：［拉着人力车上］心中感到不祥。大地上发生了什么事情？

［月牙儿从舞台另一侧上］

月牙儿：为什么一股刺鼻的气味蹿进了我的鼻孔？

［两人相见］

骆驼祥子、月牙儿：［面面相觑，同语］好生面熟。原来我们本是同根生。同一位作家创造出了我们。我们因此获得了永恒的生命，得以在太空中遨游。

［骆驼祥子请月牙儿上车，拉着她转悠，暂忘烦忧，十分快活］

［大地上传来不祥之声］

［萨满神婆上。她腰系一圈铜铃铛。手举一面长柄扁圆的拍鼓，紧张地拍击。］

萨满神婆：［回答骆驼祥子和月牙儿的询问］大地上，在中国，在北京，一些手臂上戴着红袖章的青年人正在毁灭古迹文物，焚烧书籍。写你们的书全被搜出烧毁。而你们的创造者，作家老舍，他昨天被凌辱、拷打，现在，他已快要丧失继续活下去的力量，正朝城北走去。

骆驼祥子、月牙儿：求求您，救救他！

萨满神婆：我不是神，我没有控制生命诞生与陨灭的能力。

骆驼祥子、月牙儿：可是您能通神，您替我们求求神吧！

［萨满神婆作法，竭力通神。骆驼祥子、月牙儿紧张地围着她舞蹈，希望能有神力显现。］

萨满神婆：［停下喘息，然后沮丧地宣布］神，死了！

骆驼祥子：怎么会？

月牙儿：我的心也碎了！

萨满神婆：我们必须振作。我们还要尽其所能。我腰上的这一圈铃铛，它们非同一般。

[骆驼祥子、月牙儿询问]

萨满神婆: 这些铃铛里，有大约一半具有法力，能满足踢响它的人心中的愿望——死的愿望除外。注意，必须是把铃铛搁放到地下，而人在无意中踢响了它，才起作用。而我自己是不能解下铃铛搁放到地下的，必须由你们这样的，升入太空的艺术形象，从我腰上解下来，搁到地上，才能奏效。

骆驼祥子: 啊，那太好了！我马上从您腰上摘一个铃铛，放在创造我们的作家老舍经过的路上——我想他一定会踢响它，而他摆脱痛苦的愿望，就会马上实现，那有多好啊！

萨满神婆: 你不要轻举妄动！注意，为一个人，顶多只能摘三个铃铛。我已经说过，这些铃铛是很不一样的。有的铃铛具有法力，有的却不具备。

骆驼祥子: 啊，神仙保佑，让我抓住具有法力的铃铛吧！

月牙儿: 且慢！你这样一个鲁莽的人，如何能保证成功？而且萨满女士已经告诉过我们，神，已经死了！现在全得靠我们自己，靠我们的智慧……

骆驼祥子: 还有运气！也许你比我有智慧，可是我坚信我比你有运气！让我来摘第一只铃铛吧！

萨满神婆: 不要争执！望大地上看吧，老舍，他已经走到北京北城的百花深处了！

月牙儿: 多么优美的地名！那里有许多鲜花在怒放吗？

骆驼祥子: 我在那一带拉车的时候，那条小胡同就已经是光秃秃的了。

萨满神婆: 那是老舍母亲生下他的地方。我们快降落到他面前吧！

[萨满神婆、骆驼祥子、月牙儿暂隐]

[老舍踉跄上]

老舍: 我是谁？是什么？是牛鬼蛇神？妖魔鬼怪？敌人？狗屎堆？……

我在什么地方？我怎么逃到这里来的？啊，好熟悉……呀，让我想想……

这里有百花的香气，土茉莉、指甲花、玻璃翠、玉簪棒……你们单个儿都没什么气味，合起来可有多香啊……啊，还有蒸窝窝头的香味，有春饼卷鲜豆芽菜的气息，有月盛斋酱牛肉的清香……有嵩子灯那线香的甜味儿，有刚沏的香片茶的热腾气窜鼻……

[传来粗暴的口号声]

啊，我究竟在哪里？我眼睛里全是血红的颜色，耳朵里全是狂暴的噪音，鼻子里没了日常生活的熟悉气息，全是没曾闻见过的腥气，我的舌头好像给挽了死结儿，我身上的伤痕阵阵刺痛……太阳明晃晃照着，我心里却黑黢黢……

[粗暴的声音更加强烈，如焦雷轰顶]

这里也不行，不能待……我还得逃、逃、逃……

人啊，我这人啊，一个可怜人啊，为什么活过了那么多日子，忽然赶上了这一劫？

心里乱麻堵，我有一肚子问题要问，问天，问地，问神，问人……

[萨满神婆、骆驼祥子、月牙儿从太空降下]

骆驼祥子、月牙儿：[迎向老舍] 老舍先生！我们是您创造的……您是我们的父亲，也是我们的母亲呀！

萨满神婆：他看不见你们，也听不见你们。除非他踢响了从我腰上摘下的铃铛，而他的愿望恰恰是想见到你们时，你们才能交流……

[骆驼祥子、月牙儿争着要从萨满神婆腰上摘铃铛；萨满神婆躲避，警告他们不要摘到没有法力的铃铛。骆驼祥子和月牙儿又害怕起来，互相推让；三个角色的这场戏成为一段舞蹈]

[骆驼祥子终于从萨满女神腰上摘下一只铃铛，搁放在地下；他们都紧张地观察，看老舍是否会踢响那只铃铛；老舍踉跄前行，并没有踢到那只铃铛，三位来自太空的角色都很着急；最后骆驼祥子手握铃铛，匍匐地上，迎着老舍的脚步挨上去；老舍踢响了铃铛]

老舍：啊，我要问，要问，要问——

[铃铛猛地膨胀起来，最后成为一个黑衣巨人——黑脚印]

黑脚印：我是黑脚印。我代表历史。我是权威解释者。你这渺小的生命，你想问什么？

老舍：为什么把好人当成坏人？把善良视为罪恶？把顺从当成反叛？把弱小看成狰狞？又为什么把歌颂说成是诅咒？把赞成认作是反对？把虔诚当作是虚伪？把颤抖看成是反抗？

难道为了除掉那真正的敌人，就一定得把我这样的明明是朋友的人绕在里头，受这莫大的冤屈吗？难道我追随了那么多年，到今天就一钱不值，可以忽略不计，甚至成为负数了吗？我真的是愿意随着历史的脚步前进的呀，为什么非要把我放到脚跟里碾死？……

[太空里来的三位认真倾听，不时穿插进他们的反应]

黑脚印：历史威严地前进，扩展着地球的文明，但历史不断地留下黑色的脚印……

这二十世纪刚刚过去一半，你们还没看清楚吗？我留下的那些大大小小的黑脚印……

[炮声，枪声]

以民族利益的名义，开战！

以革命的名义，枪毙！

[黑衣袍里抖出许多的纳粹符号]

以清洁种族的名义，消灭犹太人！

[黑衣后升起蘑菇云]

以胜利者的名义，爆炸原子弹！

[镣铐声声]

以纯洁社会的名义，建立古拉格群岛！

[黑衣袍里飘落许多的红袖章]

现在是以神圣而伟大的名义，扫荡一切牛鬼蛇神！

[狂笑]

在以后的岁月，你们还将经历更多的这一类事情！

为了消灭敌人，不可避免会伤及另外一些生命存在！朋友？为了取胜，交朋友只是手段，而为了神圣而伟大的目的，牺牲些朋友真算不得什么大事！个体生命太渺小！宏伟目标价值无限！

记住：如果你被历史的脚后跟碾死，成为黑脚印的一个组成部分，那是活该！

这是铁的规律：事实沉默在时间里，历史的脚步没有感情，为了目的没必要挑剔手段，个体生命只是历史巨脚下的蚂蚁！

老舍：啊！多么恐怖的回答！

在这巨大的黑脚印面前，难道我们弱者只能任其踩过去，难道我们善良人只能被忽略不计？

生命啊，悲苦！

弱者啊，悲惨！

善者啊，仰望苍天，苍天竟无言！

抛心泣血问，却只有这黑脚印来如此回答！

啊，还不如不问！ [晕倒在地]

[黑脚印隐去；萨满神婆、骆驼祥子、月牙儿在老舍身边悲哀地舞蹈，为他招魂]

第二幕

北京·通往太平湖的小路上　夕阳西下

[骆驼祥子、月牙儿上]

骆驼祥子： 我们一定要让老舍先生能看得见我们、听得见我们！

月牙儿： 是呀！我们要一起安慰他。我们要告诉他，黑脚印的那些话绝不是真理。

骆驼祥子： 是的。宇宙里，没有比弱小的个体生命更值得尊重的东西了。伟大的事业只有在尊重每一个个体生命的前提下才是真正的伟大。

月牙儿： 老舍先生所创造出的我们，为什么能升入太空成为永恒？不是因为我们伟大而虚妄，正是因为我们渺小而真实！

骆驼祥子： 他所创造的弱小而善良、平凡而朴实的小人物，还有许多许多。

月牙儿： 特别是在那个茶馆里面……

骆驼祥子： 要是我们能把他引到茶馆里，跟他创造的所有小人物欢聚一堂，他该多么高兴啊！

月牙儿： 那他一定会鼓起勇气活下去的！

[萨满神婆上]

萨满神婆： 人世的悲哀令我几乎站立不住了……

骆驼祥子： 您不能休息，我们还要从您腰上摘下铃铛。您能指点我们该摘哪一只铃铛吗？

月牙儿： 他现在心里一定想跟我们见面。这是他活下去的唯一理由了。您千万要让我们摘到有法力的铃铛。

萨满神婆： 哎呀呀，我的想法跟你们一样，但这腰上的铃铛我却不能预先看出它们究竟是有法力还是没法力。悲哀啊，宇宙中就总是这样——你甚至并不能对身上的事物作出准确的判断。来来来，你们谁来摘？

[三位起舞；骆驼祥子、月牙儿都欲摘而罢、欲罢不能；这段舞蹈节奏比较快]

[老舍上]

老舍： 这世界还有什么值得我眷顾？啊，想起了我的笔，和从笔下走出的那些人物……如果我能跟他们会合到一起，那该有多么好啊！就是只跟他们再聚一次，然后就永远永远地结束，沉入黑暗、灰飞烟灭，我也心甘情愿！

静下来，静下来，泣血的心啊，你要静下来……

算一算，尽管人世上有那么多喊着打我的声音，至少，从我笔下诞生的那些脚色，包括那些我把他们当成有大毛病的人，甚至当成坏蛋的脚色，他们总不会抛弃我吧？我要跟他们在一起，永远在一起！在那个特殊的世界里，没有黑脚印，有的只是最朴素的道理，属于弱者的，善者的，小人物的，胆小者的，谨谨慎慎过平凡日子的，我们的，一认到底的理儿啊！

啊，你们，你们在哪里？

骆驼祥子： 啊，他有跟我们会面的愿望！让我们快些摘下有法力的铃铛吧！[但他犹豫起来]月牙儿，以你的智慧，去摘取吧！

月牙儿： [搓着手]我的心在剧烈颤抖，我一定要摘下有法力的铃铛！

[萨满神婆扭动腰肢，让月牙儿摘铃铛，两位都很紧张，生怕摘到没有法力的；构成一段慢节奏的双人舞；月牙儿终于摘下一个铃铛，放到地上]

老舍： [踢到了铃铛]啊，我看见了什么？是我所想念的吗？[看见了，惊喜]呀，骆驼祥子！呀，月牙儿！可想煞我啰！

骆驼祥子、月牙儿： 老舍先生！父亲！母亲！杰出的创造者！[三人拉手起舞]

老舍： 我流血的心不再那么疼痛，我身上鼓胀的伤痕不再那么刺烫，因为你们出现在了我的眼前！我知道你们是不会死去的生命，跟你们在一起我就有了希望！啊，尽管天色已经迷茫，我心里却忽然亮堂，仿佛有盏长明灯在我心头燃亮！

骆驼祥子：老舍先生，给您介绍一位新朋友！

月牙儿：她对您存有无限的善意与关怀！

老舍：谁？谁？在哪儿？除了你们二位我再看不到别的人呀！

萨满女神：[对骆驼祥子、月牙儿] 这铃铛的法力只能让他看见他笔下所写出的人物，还有铃铛引出的脚色，他是看不见我也听不见我的！你们尽情欢聚吧！[暂隐]

骆驼祥子：[对老舍] 您应该看到更多的，由您创造出来的，获得了永恒的生命！

月牙儿：让铃铛显示法力，把我们带到您创造的茶馆里吧！在那里我们会有一个盛大的聚会！

老舍：啊，茶馆！有多少日子，我连想都不敢想它了！你们的话让我破裂的心跳得更加猛烈，啊，别担心，它是在高兴，每一跳动都仿佛使它的伤口在迅速愈合……啊，我的血把阵阵甜蜜传遍了我的全身，我身上的伤痕似乎也在迅速地平复……

骆驼祥子、月牙儿：[俯身对铃铛] 老舍先生想去茶馆，你快显灵吧！

[舞台上出现一只像房屋那么大的中国茶壶，茶壶肚子上有扇双开门，门上写着“茶馆”字样]

骆驼祥子、月牙儿：[欢呼] 多么神奇！多么美妙！

老舍：多么熟悉！多么亲切！

啊，弱者可以用生命体验创造出比生命更坚实的东西，

啊，善者能够让虚构的脚色成为更加真实的生命！

一瞬间，我忘记了昨天到今天的那些狰狞场景、痛苦遭遇……

驻足张望，我激动得迈不开脚步，

骆驼祥子，月牙儿，你们先我一步迈进那高高的门槛，且莫惊动好久不见的王掌柜……

[茶馆门内传出奇怪的喧哗声]

骆驼祥子: 谁在里头打架？这是什么关口？打什么架呀？

月牙儿: [对里面喊] 别闹啦！你们瞧瞧谁来啦！

[茶馆门被粗暴地踹开]

骆驼祥子: 让我先进去看看！[进去，很快慌张地跑出来] 了不得啦！

月牙儿: [扶住老舍] 怎么啦？怎么啦？

骆驼祥子: 里头给砸得稀巴烂，所有老舍先生写出来的人物都被批判斗争，凌辱得不像人的模样啦！

[从茶馆大门冲出一只怪兽，狰狞地怪舞]

骆驼祥子、月牙儿: [扶持、保护着老舍] 您别怕，有我们啦！

大字报: 我的大名叫大字报！别光从字面上理解我！我可厉害啦！从语言暴力到文字暴力到肢体暴力到心灵暴力，我的强暴谁可阻挡？我能把芝麻变成西瓜甚至大象，能鸡蛋里挑出骨头，能颠倒黑白、无中生有、指鹿为马、强词夺理、蛮不讲理、胡搅蛮缠……我能充分地调动仇恨！充分地调动嫉妒！充分地调动虐待的狂热与被虐的狂热！充分地调动人性中一切的邪恶而压抑人性中的所有善意与宽容！……哈哈哈……告诉你们吧，所有聚集在茶馆里那些脚色，全都被打翻在地，踩在了脚下！你们……啊，认出来了，你们也不能逃过那样的命运！

骆驼祥子: 告诉你，你要动老舍先生一根汗毛，我就跟你拼命！

月牙儿: 我们拼死也要保护老舍先生！

大字报: 老舍？他早被我猛咬过几口了！他的血好甜，肉好香啊！我的胃口还没有得到充分的满足，我还要吃他的肉、喝他的血！

老舍: 怎么回事？怎么回事？怎么到头来还是逃不过去？怎么这样的恶魔无处不在、无孔不入？

大字报: [扑向老舍] 哈哈哈……

骆驼祥子：[冲上前，以身体护卫老舍与月牙儿] 你敢！

大字报：不是我敢不敢的问题，是你帮不帮我忙的问题！

骆驼祥子：我帮你？你做梦呢？我不把你灭了绝不甘休！

大字报：哈哈哈……你这样的脚色我见多了！你可知道我的厉害？我往什么人胸口喷一口烟雾，那人就会迷住心窍，不管他原来是怎么个立场、态度、情感、心理，一定会马上变成我的工具，去帮助我斗争我指定的对象……最后，我便能轻轻松松地把那斗争对象连皮带骨咔嚓咔嚓嚼碎了吞下……[说着朝骆驼祥子胸口喷出一股烟雾]

骆驼祥子：[先僵住，然后逐渐面目大变，最后转身逼近老舍，凶神恶煞地吼] 老舍！你这个老混蛋！你为什么写下我来？我的阶级属性是劳动人民，你这样写我，是严重歪曲了劳动人民形象！你写的《骆驼祥子》是一株大毒草！你知罪吗？！

老舍：[惊诧莫名] 呀！我心上仿佛又被猛扎了一刀！

月牙儿：[扶持着老舍] 骆驼祥子，你怎么了？你犯什么糊涂呢？[上前欲与大字报拼命] 都是你使的坏！你这丧尽天理天良的家伙！[大字报朝她胸口喷出一股烟雾，她先僵住，然后也逐渐改变面貌，成为一副泼妇无赖的面目，转身逼近老舍] 老舍！你这老流氓！你写下我是想干什么？社会上那么多优秀的革命妇女你不去写，写我这么个妓女什么用心？还拿我当主角！你纯粹是故意毒害读者、腐蚀青年！你罪大恶极！死有余辜！[与骆驼祥子一起批斗老舍，逼老舍跪下]

老舍：你们，你们……啊啊啊……我两眼又全漆黑，我的心灯彻底灭掉……

大字报：哈哈哈……多么动人的景象！我就喜欢看这个：亲人斗亲人，朋友斗朋友，受恩的斗施恩的，被创造的斗创造者……斗呀，斗呀，再猛烈些！火烧！油炸！清蒸！……

老舍：[震惊莫名，痛心疾首] 啊，我最后的眷顾，终于轰毁！我的尊严与价值，被彻底践踏为零！甚至还绝对在零以下！这是怎样的世界！怎样的人生！

一个生命，即使在最悲惨的情况下，也总不愿含冤陨灭……急流的旋涡里，哪怕一根细细的稻草，也仿佛救命的神梯……我连最后一根稻草，刚到手也便折断——还变成一根粗棒，狠命地把我往旋涡深处打击——

天！如果你真的有眼，你为什么不睁开？你的眼为什么闭得那么紧？

我只求快快结束！

弱者毅然结束生存，也许比强者就更强！

善者果断了结尘缘，至少可以令恶魔因为失去了玩物而扫兴！

我要找到了结自己的最恰当的地方……

[大字报纵情狂笑，并翻滚狂舞]

[萨满神婆上]

萨满神婆：怎么回事？怎么会成了这样局面？啊，快快把那铃铛拣起，挂回我的腰上！

[萨满神婆挂回铃铛后，大字报跳进茶馆大门，大门关闭，同时巨大的茶壶消失；骆驼祥子与月牙儿先僵住，逐渐恢复到原来面貌，他们面面相觑，恍然大悟，后悔不迭]

骆驼祥子、月牙儿：天哪！我们做了什么事？[一起过去想扶起跪着的老舍]老舍先生！父亲！母亲！恩人！我们的创造者！您千万原谅我们！我们刚才被夺去了灵魂，迷失了本性……

萨满神婆：铃铛已经回到我的腰上，他现在看不见你们，也听不见你们了！

骆驼祥子、月牙儿：悲痛啊！

这世界上居然有种东西可以迷惑人的善良本性！

这人类居然会想出如此手段互相残害！

我们做出了多么可怕的事情！

我们的心也裂了，迸出殷红的血浆！

谁能告诉我们，这样的人间悲剧何时结束？

一旦结束，又如何能够避免重演？

老舍：[缓缓起步]我去往那僻静的地方，那里湖水在粼粼闪光……

士可杀不可辱！我必须结束这随时还会遭遇凌辱的局面！但我绝不接受黑脚印的逻辑，绝不向大字报那样的怪兽屈服！

弱者的尊严高过九重天，

善者的情怀通往永恒的境界，

没有天堂，没有地狱，但一定有容纳弱善谦卑生命的地方……

[老舍踽踽向太平湖边走去]

第三幕

太空——北京·太平湖畔　夜幕初垂

[老舍之母在太空中出现：清朝满族妇女的旗袍装束、梳两把头]

老舍之母：我是不朽的灵魂。不仅是因为我生下了一个杰出的作家，最主要的，是我一生善良。但今天我很不安。我腹中隐隐作痛。只有做过母亲的妇人才会有那样一种神秘的感觉。我隐隐约约感觉到，是我的儿子老舍在大地上呼唤我。我的儿啊，难道那真是你的声音么？为什么仿佛非常凄惨？[俯看大地]那边是我生下老舍的地方——百花深处。那里曾经有过美丽的鲜花，温馨的小家，和普通人的细琐悲欢……这边是太平湖。它离百花深处不远。太平湖啊太平湖，为什么你周围的地面，总有那么多不太平的事情发生？

[老舍上，缓慢地前行]

老舍：士可杀不可辱。我不接受强权的逻辑。我不能任由大字报那样的怪兽凌辱折磨。但是我是一个善良的弱者，我只能从黑脚印与兽牙的威胁下逃亡。我逃向何方？如果离开这个世界，哪里是我的归宿？我不怕黑暗，不怕寂寞，不怕没有任何声音，不怕孤独地自处……但是我不能懵懵懂懂地灭绝！……啊，我想起来了，我曾走过的那条胡同，它叫百花深处，是母亲生下我的地方……在不知不觉中，我选择了最好的方向……那就是走向母亲！啊，眼前是哪里？我看见了什么？什么在我眼前粼粼闪光？是一片水，有片可以把我整个包裹起来的，温暖的，甜蜜的水啊！这水，这水，为什么那样熟悉？那是六十八年前，我曾被包裹在它当中……

母亲啊，母亲，你的儿子在绝望中把你呼唤……

母亲，在你黑暗的子宫里，我曾拼足力气积蓄光明……

温暖的子宫羊水啊，你滋润着我的生命……

生命的诞生、发育绝不是为了遭受凌辱亵渎；生命随尊严而临盆，尊严随生命而增长……

为了神圣的生命尊严，母亲啊，您再一次孕育我吧！

老舍之母：谁的脚步声？那样熟悉？谁的呼吸，那样亲切？我的腹部又在隐隐作痛……我仿佛又触摸到了一颗小小的、纯洁的心脏，在跳，在跳……

[萨满神婆上]

萨满神婆：啊，他们母子互相想念，却互相不能看见！骆驼祥子！月牙儿！你们还有一次摘铃铛的机会，你们快来促成他们的相见啊！

[骆驼祥子、月牙儿上]

骆驼祥子：我再不作摘铃铛的事！

月牙儿：上一回的教训还不惨痛吗？本以为是桩喜事，结果多么可怕、多么悲惨！

老舍之母：[仍在空中] 啊，我有种感觉，我的儿，他来找我了！可是，我为什么看不见他？他在哪儿？哪儿？

老舍：啊，我有种感觉，我的母亲，她迎着我来了……母亲！母亲！您听见儿子的呼唤了吗？您在哪儿？哪儿？

[老舍之母降到地面，就在老舍面前，但是他们两人就是谁也看不见谁；两人形成一段贴近而不接触的双人舞]

萨满神婆：[对骆驼祥子、月牙儿] 你们怎么还不来摘铃？你们就忍心看着他们母子两人这样咫尺天涯吗？

月牙儿：我怕再跳出会喷毒气的怪兽，使那母亲也迷失了本性！

骆驼祥子：呀，我再也不忍心袖手旁观——豁出去了，我来摘第三只铃铛！

萨满神婆：这就对了！要相信，人类中最难攻破的，是母亲的爱子之心！母爱是所有爱的情感里最伟大最神圣的！

[骆驼祥子摘下一只铃铛；月牙儿主动接过，弯腰放到老舍脚下；老舍之母与老舍仍在互相摸索，一时没有踢到那只铃铛；骆驼祥子拦腰举起月牙儿，月牙儿欠身再把铃铛搁到老舍脚尖前，老舍终于踢响了铃铛；骆驼祥子、月牙儿退到一侧跟萨满神婆站到一处，紧张地望着母子二人]

老舍之母：哪里有铃铛在响？

老舍：我又一次踢到了铃铛，可是这一回为什么我的愿望没有显现？

[母子二人仍然不能互相看见、听到]

萨满神婆：不幸啊！这回摘下的铃铛，是个没有法力的！

骆驼祥子：[顿脚捶胸] 我是怎么回事儿？为什么摘下只没有法力的铃铛？

月牙儿：[双手交叉抱肩，后悔不迭] 我为什么不主动去摘？我一定能摘到具有法力的啊！

萨满神婆：从人间到宇宙，无可奈何的事情总要频繁出现！

老舍：母亲啊，我感觉到您了！

母亲啊，我抚摩着自己，也就抚摩到了您……

母亲啊，您在无言中告诉我，生命的尊严，犹如九重高天，什么利刃也不能将其真正彻底地戳破！

老舍之母：我的儿啊，你为什么不在我面前出现？［悲哀地缓缓升起，回太空］我不知道我的儿子现在究竟如何，但是，我要借这清风明月告诉他，我永远相信他是善良的，我随时准备迎接他，我们母子相聚时，一定是人间善良在向邪恶显示它的力量……［升高，隐去］

老舍：［面对太平湖］啊，我明白了，这是母亲的子宫，这闪烁着粼光的是母腹中的羊水……啊，这是我可以去，应该去的地方——回到生命的初始状态，回到母腹，回到母亲那黑暗而温暖、寂静而安全的子宫里去……黑脚印巨人啊，你以为已经踩死我了吗？大字报怪兽啊，你以为已经把我的尊严与价值化为了零，甚至化为了负数吗？哈哈哈……我逃亡了！不是逃往了虚无，不是逃往了无法再生的地方，我逃往了最能蔑视你们的所在——那就是孕育新生命的地方！

我将结束，我将再生！

我要从沉重的绝望中孕育出新的，鲜活的希望！

希望，希望，尊严伴你诞生、发育、临盆、生长、成熟！

我去了，义无反顾！

我来了，人间有灭不掉的百花深处、关不住斩不断的春光！［张开双臂，投向湖中］

骆驼祥子、月牙儿：老舍先生！老舍先生！［互相埋怨］你怎么没赶过去拉住他？［各自怨艾］怎么就没想到会是这样的结果？

［天空忽然降下细雨］

骆驼祥子、月牙儿：天哭了！

让我们的心也流出滚热的眼泪吧！

一个好人走了，

他还会再回来；

一时间世界黑沉沉，

光亮的好日子还会再来！

谁说必得是用黑脚印迈步子？

只是我们再不能让那些恶魔扭曲了我们善良诚实的本性！

天啊，你流泪，也就是睁开了睡眼，

有一天你明亮的眼睛里再不让揉进砂粒，

明媚的祥和之光，普照人间！

萨满女神：最悲惨的事也就是最壮丽的事。人间最黑暗的时刻里也就孕育着最灿烂的明天。老舍先生没有死。他从母腹中来，又回到母腹中去，等待着再一次诞生。个体生命，以及伴随着生命发展的尊严，是永远不会灭绝的！

[萨满神婆带领骆驼祥子、月牙儿以庄严祈祷的舞姿下场]

全剧终

2001年8月24日，完成于老舍先生辞世三十五周年忌日，于北京东郊温榆斋

诗 歌

日常（诗五首）

纱巾

在街上把纱巾丢了
妻说　眼里有朵湿云
那纱巾对我们有无尽的意义
满街市的他人　谁会拾取
我说人生本由得失二字写成
那淡墨手绘的纱巾
失去的只是缥缈的形体
永浸在我们心中的
是风雨人生携手同行的墨痕

台历

许久没翻台历
吹灰　手指僵住了
忙乱中怎么没看
自己写下的备忘

那声问候只该在那一天
电话那头　或许并未期待
翻过许多的日子
自己感觉充实
但是　没去充实别人
今天　该怎样地补救

花伞

朋友进门立即解释
忽然雨大
商场里只剩这样的花伞
我把他收拢的伞再撑开
谁说白发只该配黑伞
花伞在我们胸间旋转
甩下雨滴犹如断线珠串
朋友笑声比我更似当年
青春花朵　还在心田

拖鞋

玄关里摆满拖鞋
镜面般的地板不可亵渎
我的袜底则必须沦丧
那漂亮的拖鞋嘻着唇
它已吻过多少客人的袜底
客人的袜底依次交流私密

富裕带来　传染性文明

你问我怎么好久没去

恐惧　那些公用拖鞋

真的很落伍

还是外面找个地方吧

让拖鞋只亲近　自己

电梯

把自己装进盒子

楼上楼下　人生几何

独自　无面

生人　冷面

熟人　假面

短暂　而又悠长

找人是问号　猜疑

办事是叹号　不易

回家是逗号　稍息

最易滋生一念之差

最难觉得心旷神怡

谁有恋盒癖

只要时间允许

来来来　走楼梯

一个微笑（外二首）

只要，只要，只要一个微笑
初春，硬土中一针绿草
雨停，云隙里一缕斜照

礼貌用语不熟也罢
当我走近柜台，别让心儿猛跳
我给你，你给我，一个微笑

千言万话说不清
一个词儿足够了——同胞
我们共同织着一张网
微笑，请微笑

寂寞

默默成粒
任风吹过
看云儿时聚时离

拾穗人的筐里

风风光光热热闹闹

麦芒儿互比长短粗细

落进犁开的黑土地

在视线不到的地方

既痛苦又欢乐——绽开自己

走出·开门

折叠起夜色

星星，不是芝麻

长长、长长，长长的

小巷

走出，看流水，看龙

剪裁出情绪

月亮，并非镰刀

深深、深深、深深的

院落

开门，迎市声，迎绿

题许以祺所摄天葬台照

我
等待
你的翅
褐云降落
你那弯尖喙
来回挑逗撩拨
多么神圣的宴飨
每一块肉依然柔软
每一根筋腱仍富弹性
每一段骨孔还嵌满鲜髓
仍有多少细胞储存着记忆
还有那么多神经元期待刺激
啊快快降临你快降临别再徘徊　我
人生本来面目便是鲜血淋漓　就来
人生极乐便是碎裂再碎裂　风正劲
此时的我方是一派真率　我翅在拍
你的爪将我稳稳钩定　我爪钩发痒
你的尖喙将我亲吻　我尖喙在流涎
穿喉而过多快活　你将化解我胃中
你的胃是宇宙　酸甜苦辣咸涩焦麻
无限化解我　人生百味你哪股最酽
我也无限　我也曾吞过你所爱所仇
离法轮　所有魂魄熔为我一腔浓血
顿成　到头来爱恨骄妒怨恚皆湮灭
佛　啊我盘旋我滑翔我降落我抓定
你我在大欢喜中共舞共吟唱
你的肉中有往日多少故事
你的骨髓藏了几多隐私
你的血里还涌动激情
你的筋腱为何颤栗
你说要超越轮回
其实留恋难舍
苦海涵百妙
无法顿悟
你就还
变回
人

1996 年岁初 绿叶居中

题萧宽裸身工作照

以生命雕铸　雕铸生命
阳刚之气　回荡
　　　　　喷发
为什么都化为谐谑?
给我力之美
天桥是力的展示场
泼辣出世代不衰的阳刚
肌肉筋腱　铰链般律动
胸大肌鼓起千年傲气
肱二头　肱三头　三角肌
　　　　　活泼地吟诗
句句是　　力
　　　　　　　力
　　　　　　　　　力
五色墨书　乱针绣像
草籽为诗　雕石为戏
点化不锈钢　熔铸青铜
宽仔　你将生命力精炼
力是美
　　　是爱
　　　　　是幽默
更是——
　　　　　禅悟
抹掉日历所有
你我对视
　　　　　噤声

2004年5月21日作于温榆斋

刘心武文存 36

足球评论

第17届韩日主办的世界杯评论

别让“尽力”成了“学说”

“世界杯就是这样残酷”，这句话在时下的传媒中出现的频率奇高。对法国队，对阿根廷队，对乌拉圭队，这样说非常恰当。“世界杯赛场上什么事情都可能发生”，这句话也很流行，对塞内加尔队掀落法国王冠，对美国队开场即胜出葡萄牙3球，对日本队1比0攻下俄罗斯队，这句话也挺对榫。但是，对于中国队，这两句话全用不上。“我们尽力了。”“他们尽力了。”似乎是关于中国队的最贴切的评语。

世界杯大赛给了中国队巨大而宽阔的用武空间，从开赴韩国前的热身赛开始，到在韩国的三场正式比赛，机会多次出现，但中国队除了跟泰国青年队热身时进过球，就始终不能哪怕是进一个球。我本来是最心软的，直到6月13日下午跟土耳其对阵的下半场，还在企盼中国队进球，甚至到了最后伤停补时的两分钟里，还在默祷祝愿——可怜天下球迷心，请给国人进一个球！

深深的失望。不止我一个人，心碎了。心碎了还可以缝补上。心冷了，那可怎么办？

我要冷下心来，硬下心来，问一个究竟：为什么居然就进不了一个球？运气不好？是的，有肇俊哲和杨晨先后射到门柱上的险球，另外也还有一两次吓人一跳哎吆一声的奉献，我曾说过“不能给个惊喜给个惊险也行”的话，这话不想收回，几次险象我都录了下来，以备回味，但是，我现在再听不得“我们尽力了”的套话空话，既然出现了如此令国人，特别是令广大球迷痛心疾首的结果，应该认真地做出有深度的检讨。

尽没尽力，人眼是秤。实际上世界杯赛场上哪支队伍不尽力呢？大家都尽力，没有尽力与不尽力的分别，所以说这个话意思不大，或者说根本就没有什么意义。头两场赛完，我也说国足尽了力，现在许多人也这么说，体现出一种友善，一派呵护，但是，我真怕最后形成为一套“尽力学说”，比如，可以归纳为这样的逻辑：足球比赛，重在参与；世界杯赛，重在尽力；尽力第一，进球第二；既然尽力，就该表扬；在乎进球，心胸狭隘；虽未进球，尽力光荣；一球未进，何必苛责？尽力得0，虽败犹荣；养兵千日，只求尽力；我已尽力，你还何求？今后标准，就是尽力；非要进球，毋乃矫情？……

我不知道世界上有哪支球队，在仅仅是世界杯大赛能入围的情况下，教练与整支球队就被塑了像的，而且不是胸像，不是浮雕，是跟真人大小一般的全身雕像，并且教练的雕像镏了金，球员的像镀了银，这个群雕除了永久陈列在沈阳绿岛大酒店供人瞻仰的正本，还有副本，并且在6月7日被运到了北京中华世纪坛展示。这件事是怎么形成的？哪些因素在其中起了作用？这里面是不是有病态的心理？如此夸张，如此过头，没听说教练、球队拒绝合作，没听说有关部门出面干预，也没听说有冷静的传媒和球迷去告诉他们为时尚早。这也是一种尽力，但力气用到什么地方去了？现在国足铩羽而归，颗粒无收，他们和我们面对着这样的金银雕像，何以为情？会不会又出现逆向的夸张、过头行为呢？

必须破掉“既尽力，则无悔无愧”的荒唐逻辑。足球界应该认认真真找出问题的症结，切切实实地来一番变革。球迷乃至更多的国人，也该从盲目雕金塑银的误区里尽快走出来。世界杯大赛还没完，让我们边看边想。

阿 Q 韩国归来

告诉你吧，我们先前比他们阔多啦！我们是亚洲区十强赛率先出线的！我们有跟真人一样大小的金银像，永久放在绿岛大酒店里供人瞻仰，哼，他们有吗？！

法国队也一球未进嘛！抽香烟剩下的那最后一小截，又叫烟屁股，又叫烟头，对不对？头跟屁股一回事嘛，开赛前排名第一的跟排名最后的，现在完全一样，你对这样的结果有什么不能接受的？

别老问我为什么技不如人，为什么斗志不旺，为什么心理摆荡……我是虫豸，还不放过么？

人家一共踢进了我们几个球？哼，算那个干什么！儿子踢进老子的球门，有什么了不起的？现在的世界真不像话，儿子打老子。

有个刘老头，说什么“给不了惊喜给个惊险也行啊”，现在不是给足了好几个险象嘛，别老问究竟为什么进不了球，都跟刘老头学学温柔敦厚！什么？你说我头上有癞头疮，所以怕问，哼，你还不配有哩……

是的，开了眼，城里人将长凳称为条凳，煎鱼用葱丝，女人走路也扭得不很好——什么了不起的！赛完了还时兴跑到场子边跟球迷挥手致意，多此一举，其实大不如咱们未庄的风俗。

阿 Q 很能作——这表扬很中听，是不是？尽力了嘛，尽了力你还挑剔什么？足球比赛，尽力第一，进球嘛……何必那么在乎进球？重在尽力！

你说我拿的钱比国外一般俱乐部的球员还多，比这回漂亮射门得分的某些球员还多，那怎么着？贝克汉姆、罗纳尔多拿的比我还多呢！和尚动得，我动不得？

“忘却”这一种祖传的宝贝也发生了效力，我已经完全不记得今天以前的那些事了。傻瓜才回头细观，我可是永远朝前看！

“我手执钢鞭将你打”——这是我哼熟的戏文，至于碰到小 D，哼，哪来的钢鞭，我的能力，至多也就是跟他扭在一起，在粉墙上映出一个蓝色的虹影……当然啦，那是以前的回忆，这次遇到的是大A、阿B、黑C，最后让人家给剃了光头，可是我梦里还能“手执钢鞭把你打，记着吧，妈妈的……”

德国队把沙特灌得多惨啊！沙特净输12球呀！你们看过杀头么？咳，好看！杀头呀，啊，好看，好看……

我使尽了平生的力气画圆圈，结果还是只画成瓜子模样。

过二十年又是一条好汉！——我伸长脖子狂吼。什么，我吼的是“过四年又是一条好汉”？你们不就等着听我这声吼么？你们在笑？在皱眉？在叹气？在恼怒？为什么？担心我吼而不作？

塞内加尔一位球员要用他一个人的收入，养活50口人，这是真的吗？哥斯达黎加跟我们在光州对阵，下榻的是10美元一个床位的无星旅馆，这也是真的吗？他们想的，只是怎么把球踢进对方大门，你问我想的是什么？当然也想进球啦，不过，咳，就是怎么也还想有架秀才娘子的宁式床……

瞎编！航班旅客名单上，哪有我阿Q名字？查无此人嘛！都是没有的事儿！说谁啦？什么，你说谁头上有癞疮就说的是谁？开什么玩笑呢！

哀其不幸，怒其不争——你们对我，真是这种心情么？

打破闷葫芦

上半场太沉闷。让我联想起小时候父母带我到戏园里听戏，台上只有素扮的老旦，抱着肚子在那里唱，让我急得不行，能不能快点上演《大闹天宫》啊！中国队的速度没有发挥到最佳状态，哥斯达黎加队更让人觉得莫名其妙，到了中国队门前，攻门的紧忙乎，另几位居然一边优哉游哉，上半场还没结束，我就断定哥队并没有攻破中国队球门的绝对优势。

下半场尽管哥队攻入我方两球，我还是不能恭维他们。他们只是幸运而已。我不理解转播解说为什么频频赞扬哥队，什么他们“确实具有拉美足球的风格”

啦，“配合很好”啦，等等（也许是为了礼貌？），其实，他们并没有体现出多么高超的个人技术，像万乔普、梅德福德，在这场比赛中无光彩可言，所进的两个球,也并非配合“织网”“织”进去的,第一个球在万乔普来说也无所谓妙传,他本是打算自己起脚射门的，被破坏后，才把机会让给了队友，是我们后防不幸出了漏洞，被趁乱捅入罢了。第二个球是角球，他们反应快，加上运气极佳，进了，但也未见多么溢彩流光。

中、哥开赛前，人们对这出“戏文”究竟是瘟是火，是鲜爽麻辣还是索然寡味，是满台虹霓还是寻常风景，尤其是谁输谁赢，说实在的，是期盼一致而心中无数,整个儿是个闷葫芦。现在闷葫芦终于打破。我一贯主张把“拉网”、“织网”、“以网捞鱼（进球)”视为足球的基本“牌理”，前几天比赛中绝大多数的球队都明白无误地体现出了“网意识”，甚至连被德国队攻入8粒球的沙特队，也看得出是在努力地“织网”。现在从打破的闷葫芦里，我发现哥队和中国队一样，“网意识”都较淡薄，都不太在乎“牌理”，上半场都主要靠长传冲吊与快速反击去夺分,下半场双方虽然都有了点“网”意,也难说谁织的“网”更好,因此这场比赛就基本上是“运气赛”。如果抛开“网意识”不谈，那么，在这场比赛里，中国队尽管暴露出若干老毛病，但应该说大体上还中规中矩，没有输掉尊严；哥斯达黎加队呢？前些天传媒上介绍得非常细致，什么曾有过比中国队光荣的入围历史呀，万乔普等球星的星光如何璀璨呀，其风格凸现着“拉美足球特色”呀，等等。现在我终于看完他们演出的整出戏文，我要说，他们赢得勉强，其水平不过尔尔，我们万万不能只是因为国足输了他们赢了，就抱住这打破的葫芦“妒富愧贫”。

我以为，现在对国足的最好的激励，就是防止对哥队的过头恭维。如果说中国队水平实在还需要大大提高，那么，哥队就更应该从侥幸而来的欢快中清醒过来。

雕金塑银太超前

在中、巴对阵的三十个小时以前，跟真人一般大的米卢金像以及中国国家队的银雕群像从沈阳运抵北京中华世纪坛，这似乎意味着他们被崇敬的地位已经从一般的大众共享空间，提升到了祭坛的位置，他们不仅已经是民族英雄，更成为了必须“永久拜祀”的神人。

我们一直期待着这场世界足坛排名第二与排名第五十的球队的第一次交锋。这会是一场“大屠杀”，还会是一次“大爆冷”？尘埃落定后，结果两“大”都不是。不知别人怎么样，我感到很大的满足。确实度过了一个快乐的足球之夜。国脚们表现得很好。在中、哥交手的那场比赛里，国脚们没给我们惊喜倒也罢了，仔细回想，竟连一次惊险也没给予我们，实在扫兴！我在心理上，自那以后就并不指望中国队平一、进一，更不奢望赢一，我只期盼他们能给我留下哪怕仅是一次的“险象回忆”。这次跟巴西这样的强中强对抗，中国队起码两次险些攻城奏效，一次是肇俊哲一脚劲射把球击中门框，一次是邵佳一的直接任意球，如非对方门将敏捷推出，那就“很难说”；光这两个镜头，就够我回味一阵的。我还是赞成“快乐足球”的理念。不能把快乐只建立在赢球、强势、顺当、幸运之上。即使输了，我们支持、喜爱的球队、球员只要有闪光点，比如这次中国年轻球员在巴西球门前形成的“险象”，仍能令我们在屏气惊叫后产生快乐。而且，作为球迷，除了不可避免也不需要掩饰的民族国家情绪，使我们首先为自己国家的球队倾注感情和期盼外，对任何一支球队的精彩表现，即使那是出现在与我们国家队的对抗之中，也仍能产生足球审美的愉悦感。这回巴西队就令我很愉快。和某些人的预想相反，他们丝毫没有轻敌表现，如果说他们跟土耳其比赛时还令人感到阵法粗疏，跟中国队比赛时却相当注重“织网”，进攻相当有耐心，回防也很严谨。

米卢把中国队带进了世界杯 32 强的赛场，这批国家队队员为中国足球事业作出了难得的贡献，特别是在跟巴西比赛的后半场，竟比前半场更见阵法的得当、用人的正确与团队精神的昂扬，甚至连赛前最受人诟病的体能问题，也并没怎么显露，对这一切都应该表扬，但是，雕金塑银地给他们树碑建祠，确实太超前了一点。当然，金米卢与银国脚，实际上是铜胎子，那雕像的原作永久放置处是沈阳绿岛大酒店，拿到北京中华世纪坛的只是副本，而且只是参加一次展览，虽然如此，我还是不禁要问，在为国争光方面远比国足贡献大的中国女排、中国体操、中国乒乓球、中国跳水……他们的教练、队员，有塑成真人大小的金银雕像的吗？就单说米卢吧，此前被他带进世界杯决赛圈的国家球队已有四支，都被他带进了16强，墨西哥更进入过8强，人家当然也非常感谢他，但也还没听说给他塑成金身永久保留。由此，我觉得中国足球运动的健康发展，不仅在于国足自身的提高，在我们民族的集体无意识里，有些东西也应该逐步加以调整。

放逐概念求真趣

这些天看世界杯转播，眼睛不累耳朵累，现场解说和赛后评议里，不断地重复着一箩筐还装不下的概念，当然解说和评议者都是好意，这也是他们的专业强势所在，球迷们从中也确能得到些足球常识的熏陶。但是，现在我真的是烦了！我要放逐概念，回到最本真的观赏状态，那就是更信任自己的直觉判断，而不让那些七七八八的概念来拴住自己鼻子。

我原本也很热衷于那些概念。什么“前腰”“后腰”，352或442阵式，似乎不以专业眼光把球场上的局面“理性化”个底儿透，只把那情景当作海笔在绿纸上运毫般地“傻看”，就该惭愧似的。又是什么球队平均身高所形成的“制空权”，开始我也总念念不忘，及至不止一次看到身高不及1米80的球员弹跳起来抢到头球，也就对所谓“平均身高等于制空权”的概念产生了怀疑。还有那种对于“体能”的绝对化崇拜，也渐渐为赛场上的某些局面化解为了“相对而言”的“软概念”。又如一说到南美足球就必喻为“桑巴”，一说到“德国战车”那样的球队就必概括为“硬朗”，风格标签满天飞，也不能说这些概念没有道理，但赛场上呈现出的景象其实并不与这些标签一一对榫，不如抛开这些标签，自己独立判断加以品评更到位也更有乐子。说到中国队，则概念也很多，其中最主要的一个概念是“技不如人”，这是一个粗鄙浅陋的概念，好比一位考生高考落榜，你说他“分不如人”，那能解决他什么问题呢？这概念几近于废话。

当概念不但不能为我们提供审美乐趣，反而令我们困惑甚至厌烦时，那就应该爽性放逐概念，以我们每个人自身的眼光、尺度、悟性来观赏世界杯，自求其解，自得其乐。我岳母一点不懂足球规则，只偶尔看两眼转播，当她看到6月6日沙特与喀麦隆那场“告别赛”里，沙特门将代亚耶亚为了护门，一跃吊在球门框上，好几秒钟才回到地面的镜头以后，笑了好久，第二天想起来还忍俊不住，不管我们怎么跟她灌输概念：此门将是在与德国一役里失掉8球的“败将”，沙特已经“没戏”……但都消除不了她对代亚耶亚的由衷欣赏，甚至于，整个世界杯结束以后，她所能回忆起来的唯一“精彩镜头”，就定格于此：“那个小伙子真棒，真逗啊……”这就是她的“快乐足球”，谁能说她那保持久远的愉悦感不是一种审美收获呢？

让概念在筐里发霉吧。从今以后，谁也别左右我，我以我心感应足球，一个人偷着乐。

给我一个险象

法国、乌拉圭的比赛刚转播完，电话铃响，是球迷朋友打来的，我以为他是要跟我评议这场比赛，没想到他头一句便是：“你不觉得你那文章是醋熘白菜吗？”接着，没容我开口，又是一连串的严厉抨击。原来，他是对6日我那篇《举起鱼叉扎巴西》深为不满。我那文章结尾处有一句“现在且暂莫对国足可爱的小伙子们出更多的主意”，他抗议说：“抛开主意不说，你凭什么还恭维他们是‘可爱的小伙子’？！”我说：“总不能因为他们头场比赛0比2告负，原来被视为‘最可爱的人’，现在就成了‘最可恨的人’吧？”他说：“他们想重新获得球迷的热爱，在下面的比赛里，至少应该……”我正想他把那“应该”说出来，没想到他却忽然又转换话题，问我对刚转播完的比赛的观感。我就告诉他：“虽然这是开赛以来的头一个 0 比 0，可是我觉得相当精彩，可谓险象环生……”他立即跟我回忆起种种险象：法国队上场没多久，前锋亨利便被红牌罚下，但以少战多的法国球员居然仍能压着对方打，频频冲击对方球门，有多次射门都让人把心脏提到了嗓子眼儿；乌拉圭也是绝不吃素，“中国男孩”雷科巴的几次攻门也足以让人擂胸吐舌；法国队这回实在背晦，首场落败，这场又差点儿被乌拉圭卷起他们的铺盖，下面的处境更可谓悬挂在剃刀边缘，但不管怎么说，他们总还是给球迷留下了许多的“险象回忆”。

所谓“快乐足球”，当然不能都是赢球夺冠的快乐。32 强赛不是 32 种口味的冰激凌。这是一席百味俱备的宴飨，其中包含有酸苦麻辣甚至奇滋怪味。自己心爱的球队败落，心仪的球星陨落，心妒的球队却偏偏取胜，心嫌的球员却偏偏蹿红，这类现象出现往往比“心想事成”的概率要高。但到头来，我们作为球迷卷入，依然能从足球运动中获得快乐，比如对自己拥护的球队与爱慕的球员在结局失败的比赛里的某些闪光点的回忆，其中就有“险象回忆”，比如法国球迷就可以回忆首场跟塞内加尔队比赛时，法国球星两次把球射到对方门框上的险象，以及跟乌拉圭一役中的“险象环生”，那滋味尽管苦涩，总算是一道菜肴。“可是，中国队的首场比赛里，你笔下的那些‘可爱的小伙子们’，竟不能给我们带来任何‘险象回忆’，他们说‘尽了力了’，你尽了力没进球也罢，可怎么能连一个闪光点也没有呢？”朋友在电话那边终于把他对中国队在下两场里“应该如何”的心理底线告诉了我：“别再侈谈什么进一、平一、胜一，还有你那什么‘举起鱼叉扎巴西’之类的‘抱佛脚’‘狂想曲’式的‘美好祝愿’了，我，也不止是我，现在退到了最后一步：国足应该在下两场比赛里，至少给我一个险象——过多少年后，还总有点闪亮的回忆：那次，真悬呀，差一点呀……光是‘尽了力了’，连这点都奉献不了国人，那就请他们扪心自问：算个什么样的小伙子？”是呀，不能给个惊喜，至少给个惊险吧，现在，我也是这么个心情。

诡谲是真谛

世界杯赛的局面越来越诡谲了，全球无数的球迷陷入了内容不同甚至取向逆反的大焦虑。13日中国与土耳其一役，土耳其国人因为还企盼他们的国足能在捞到足够的净胜球后，因哥斯达黎加队败于巴西队而出线，也一定会悬着心屏住气来观看这场比赛。中国球迷们就一定不重视这场比赛了吗？答案是否定的。能不能至少踢进一个球？这焦虑依然普遍横梗在心中。甚至不是球迷的国人，如我的老友纪君，就来电话嘱咐我，如果那天中国队进球了，要马上打电话通知他，他那时才会打开电视机，不仅欣赏那慢镜头回放，还会录下来，以供以后细细品评。但谁能给我一个保证，那天我能给他打去那样一个电话呢？13日国足的命运在是否能进球这一点上非常之诡谲，而我们的焦虑不到那场比赛落幕，也就难说最后会是怎么个情况，是终于破涕为笑，抑或是更其焦虑？

诡谲与焦虑，这难道就是世界杯应有的赐予？快乐足球的理念，是否虚妄而荒唐？“人生着甚苦奔忙？盛席华宴终散场。”“春梦随云散，飞花逐水流，寄言众儿女，何必觅闲愁？”这是曹雪芹在《红楼梦》里给我们的警示。但是曹雪芹又通过贾宝玉这个艺术形象，表达出一种在短促而诡谲的人生里，努力享受青春、爱情、诗意、和谐的奋争精神。我想，真正的快乐，应该是建立在感悟之上的。世事如球局。世界杯赛的游戏规则越来越有趣，它使得现在若干球队命悬一线却又有起死回生的可能，若干球队望见曙光却又有沉入黑夜的危险；一些球星与准球星在熠熠发光、冉冉升起，犹如鲜花着锦、烈火烹油；另一些球星与准球星却在急剧陨落、暗淡无望，正是转眼狗熊人皆谤；观球间隙，以此咀嚼人间，敬畏机遇，弄懂人生，思量自己，如能憬悟出诡谲是真谛，那便是心灵的桑拿浴，岂止快乐，应该说是被渡到了福境。

世界杯开赛到现在，裁判的误判屡屡发生。有人对此议论道，现在科技如此发达，为什么还坚持用活人裁判？肉人在对事物的观察判断上不仅比机器人迟慢笨拙，必有差错，而且，由于人性的诡谲，这里面还一定会掺杂进诸种恶的因素，如因种族、地域或仅仅是个人内心的好恶而形成的非技术原因的故意性错判,更何况还不能排除幕后的“猫腻”,因贿赂或变相贿赂所形成的“黑哨”。所以不少球迷希望今后能以电子裁判来取代活人裁判。我却觉得活人裁判不必取消。即使是错判，也还是只能尽量地接受——这样的游戏通则很好。当然对裁判的素质要求与选择程序以及监督机制都还需要加大力度，但既有着人性善也有着人性恶的裁判的执法，作出许多明净无误的裁决，却又有混沌甚至错误的裁决出现，这不但对各个球队是一种刺激，也是对所有球迷的一种提示：你所面对的人性就是这样！而当那明显的错判令你所支持的球队受益时，你的欢欣鼓舞，也便证明着你自己的人性。

从观球中痛误出社会、人生、人性之诡谲无可逭逃，是绝顶的快乐！

红心咸鸭蛋

6月4日中国队首战鸣锣后，我跑到一家啤酒屋去喝啤酒，参与那里的球迷们的神侃。有两位球迷为一件事争吵起来，围在他们身边的球迷大体分成两派，插嘴助阵。

争吵中嗓音嘶哑的那位，先是指摘某报世界杯专版上的记者报导，那报导里说国足这次出征，携带了16个巨大的金属箱，装满了“粮草”，其中“甚至还有来自江苏的红心咸鸭蛋”。该球迷说，咸鸭蛋根本就没有什么营养，何必巴巴地当宝贝空运到韩国去？再，你们想想“鸭蛋”在中国话里又是个什么意思？你记者报导它干什么？这多不吉利？中国队首场不进球，“都是这号记者方的”！跟他争辩的那位，声音尖细，音量不高，却锥人耳蜗，此位说的是：不要把迷信心理带进世界杯的欢乐节日里来！现在都说国足应该摆正心态，“态度决定一切”，赢不起还要输得起嘛；其实，咱们球迷也应该摆正心态，中国队能进球自然欣喜若狂，若是三场下来竟一球不进，也不能怨天尤人，甚至追究到“红心咸鸭蛋”上去！帮那甲方的就插嘴说，必要的忌讳还是应该有的啊，渔民就忌讳你说“翻身”什么的，要表达那意思也该换个说法嘛，从没听说哪个人反迷信反到渔民的这个讲究上去！帮那乙方的也插嘴说，现在对中国球迷来说，最紧迫的事情就是一定要调整好心态，以平常心来继续观看中国队下两场的比赛，倘若让这些个杂七杂八的怪念头杂草似的疯长心头，那不仅自己个人不能从世界杯赛里得到快乐，还很可能在冲动中说傻话做傻事！……

在一旁呷啤酒的我，觉得这些球迷都很可爱。我正沉吟着，忽然啤酒屋的胖老板举着一只大盘子给那争辩者围坐的桌上送去，我凑过去伸头细看，盘中满摆着切成月牙状的红心咸鸭蛋，他呵呵地甩着粗嗓门笑说：“免费的！”又拍拍球迷甲的肩膀，对他和大家说：“伙计，瞧瞧，鸭蛋没有整个儿像0那么生吞的，全得破了0，像花瓣儿似的，才吃进嘴呢！我反正，对中国队至少进一个球，还是充满信心！”球迷乙带头鼓掌，啤酒屋里顿时叫好声、欢呼声、碰杯声响成一片……

健耳能容百鸟喧

从《足球》报上看到薛涌文章，很感亲切，他曾是我的芳邻，负笈耶鲁后一直同我保持联系，在他的文字间，我可以感受到他更多的心音。改天我会静下心来，就他引出的话题痛抒一己之见。现在我想说的是：为了促进中国足球运动的发展，百鸟喧鸣实在是一桩好事。

中国队在韩国参赛期间，鸟声最为喧哗，用百鸟比喻恐怕都不够，起码得比作是千鸟振林吧。但是有的责任人士，喜欢“花影不离身左右”，却难以容忍“鸟声只在耳东西”，指斥媒体声杂难听，认为一些“鸟音”搅乱了“军心”，是一种不应有的干扰，为此耿耿于怀，甚至于把球队失利，也部分归咎于媒体的“乱鸣”。

媒体如百鸟。具体到媒体的某一版面，某一报导或某一文章，其个性化的表达，那就与同一媒体的另一部分，也不必是同种鸟声，也就是说一份媒体往往也就是一林百鸟，其声也喧，其鸣也杂。这样的局面，究竟是好，还是不好？我以为很好。任何一种行业，任何一个人，都无可避免地要遭逢干扰，要求社会先给自己一个绝对的保证，舆论一律，众口一词，只能效喜鹊之音，不容有乌鸦之声，稍有异见批评，立刻火冒三丈，自己没把事情做好，不先从自己身上找出原因，不想引咎自负，只想推诿塞责，这样下去，恐怕是成就不了任何业绩的。

健耳能容百鸟喧。耳健是心健的标志。埋怨媒体上的文字干扰了球员情绪，使得他们猜忌、烦躁、沮丧，从而希望媒体要么把他们当成凤凰来个“百鸟朝凤”，要么就息喙噤声，这只能说明我们的当事人心理素质实在太差。心理素质高，主要就是指抗干扰的能力高，特别是抗喧哗、杂音、怪声的能力高，正如球场有吉音高扬的主场与噢声轰然的客场一样，中国足球界面对的媒体，或同一媒体上的不同文章，其实多半也无非是这样的区别，有的听来可能觉得悦耳，有的就可能不仅刺耳而且刺心，惟一的好办法，就是什么声音都扛得住，听百灵的鸣啭不足陶醉，闻猫头鹰的嗥叫绝不乱心。土耳其媒体对其球队的苛责贬斥之声浪，一直喧嚣到他们进入16强；巴西队进入8强，其国若干媒体大发讥讽之声，指出完全是靠两个R而非整体水平所致；土、巴球队的当事人不可能情绪不受影响，但到头来解决问题的办法，只能是他们继续提升自身心理承受力，而不是让有关的媒体要么改口要么闭嘴。终于引领韩国队闯入8强的希丁克，去年也曾在业绩未显时遭到韩国媒体恶评苛责，他当时何尝气急败坏，如今难道秋后算账？

当然，凡事都有个临界的问题。乌鸦声恶，但能食虫；猫头鹰嗥声不雅，但能捕鼠；绝大多数鸟儿无论声色如何，都各有其有用的一面；但如果确是传播谣言之鸟，伤及人格之鸟，越界犯规嚎叫，那难道也要容忍么？不容忍，只能是依靠法律解决问题，但在法律裁定之前，你再深恶痛绝，也只能是先接其声，强健自我耳力，坚韧自我心理的承受力，咬牙去把自己的事情做好。说实在的，即使法律裁定那“鸟声”失实且造成了对你的名誉损害，“鸟儿”对你公开道歉赔偿，如果你仍不能具有一双健耳，仍不能容纳百鸟喧哗，那么，到头来你也还是成就不了什么大业。中国足球事业的进步，其条件之一，就是能容纳比如说薛涌这样的锐声急鸣及其引出的众鸟喧哗，我期待《足球》报能进一步成为百鸟鸣啭的大林，而有关人士则能健耳承受，从中汲取营养，提升心智，坚韧神经。

锦鲤虽美意难平

韩国为举办这届世界杯投入了大量的人力物力，值得称道之处多多。特别是在开幕前发现了口蹄疫，不仅绝不隐瞒，而且立即公开，并紧急采取了有效措施，力保开幕后提供的饮食不出问题；又虽然有部分出租车司机和医务人员在开幕前的骨节眼上罢工，组委会还是保证使开幕后的各方面人士绝无打“的”之虞与看病之忧，这都是很难得的优点。但好处说好，不足之处直率指出，应是东道主的期待，也应是为客之道。

我这回虽然没有赴韩观球，但对传媒对韩国方面的有关报导，可以说是巨细无疑，像中国队下榻的西归浦凯悦大酒店，无论是电视屏幕上的画面，还是报纸上的文字描述及所配图片，都看得很仔细，可谓神游甚畅。凯悦这个字号原很熟悉，几次去香港都进去消费过。韩国西归蒲的凯悦应是其连锁店之一。从画面上看，此店规模不算甚大，建筑设计上也无甚出奇，但既是新造，又称五星级，倒也确实堂皇富丽，尤其是大堂里布置的水池，放养着大尾的锦鲤，摇头摆尾地游弋，美丽而气派。

但是据报导，这座专赶着为举办世界杯而建造的酒店，直到5月25日晚中国队一行44人到达时，竟还没有开通长途电话，房间里也还不能使用电脑，用作会议室的房间里也没有视听设备。这座凯悦酒店是早就由有关方面指定为世界杯期间中国队住地的，事到临头，却还有诸多不周之处，不管是酒店管理方，还是施工方的责任，实在不能不令人皱眉；而组委会方面的督促不力，也是难辞其咎的。以上的缺失，想来赶快加以补救，也不甚难。如果仅仅是这样一些不足，我这篇文章不写也罢。但该酒店已称，在整个世界杯赛期间，他们的健身房都不能完工，中国队现在只能到临时由大些的客房凑合布置的健身房里去做体能锻炼，一次容不下所有队员，起码要分两批才能轮着健身；我们都知道世界杯比赛非同小可，健身房的器械锻炼对任何一支队伍都是不可或缺的重要环节，这样的锻炼如果必须分为两批进行，一是每批的锻炼时间必然减半，二是总起来算浪费了全队时间，那开赛期间的时间可是寸阴寸金啊！再，该酒店的桑拿房也未完工，中国队球员只能是乘坐大巴到另一家酒店的桑拿房去消除疲劳，尽管凯悦酒店说那费用由他们来付，但大家想想，在自己住的酒店不能桑拿，要到别的酒店去桑拿，而别的酒店自然要让其住店的客人优先，中国队的健儿们桑拿完了并不能马上休息，还要再乘车奔波一番，那究竟还能从桑拿中得到多少放松多少乐趣？所谓五星级酒店，重要的硬件居然不全，怎么说得通？他们收取中国队的房费高达20万美元，怎么好意思？酒店大堂的锦鲤虽美，想到国脚们受了委屈，到底意难平！

看破放下随缘自在

塞内加尔的首场取胜，被称为“大爆冷门”，其实那是西方人的习惯说法，按我的见解，应该用东方哲理的“风水流转”来形容才更恰切。法国队在此次世界杯前，已攀登到巅峰，是世界杯、欧洲杯、联合会杯的三料冠军，说这支球队“拥有众多球星”甚至已经是欠准确的说法——它的每一个球员全都成星成精了。许多人看好法国队已经到了不大动脑筋的地步。著名的威廉·希尔博彩公司，对此次世界杯谁能夺冠的押赌赔率，法国先被设定为1赔4.33，后来传出齐达内因伤不能参与首战的消息，赔率却不但没有升高，反更降低为4，塞内加尔则一直被锁定为1赔151，相差达到37倍以上。现在法国要想再次夺冠，包袱在背，荆棘在前，应有“蜀道难”之叹。

设定赔率的人士现在是否满地找眼镜，我们不能得知。但我们却可以立即想到东方哲理。不知韩国、日本都有哪些哲语。但我们中国这方面的智慧结晶实在太多，随手拈来，就有“月满则亏”、“登高必跌重”、“三十年河东，三十年河西”、“你方唱罢我登场”、“人间正道是沧桑”等等，等等。有的人士过多地把法国队的这场失利归结为齐达内的因伤缺席，我却以为即使他上场，亦未见得就一定不是这样的一个结局。那么，把法国队的失利归结为运气不好，我同意不同意呢？我比较同意。运气是流转的，哪能总守在一家？这也是东方哲理的一个要点。

法国的汉学家很多。他们对中国古典文化的研究，广泛而精深。像中国专门讲“命运换位”的《易经》，老早就有法文译本，而且不止一种。法国队到此次世界杯开赛前，实际上已经是《易经》上乾卦的卦象，也就是圆满到顶了，此卦虽然吉祥，但卦辞里就有“君子终日乾乾，夕惕若，厉无咎”的卦辞，大意是提醒在顶峰状态白日要整天战战兢兢不松懈，晚上也要一样地警惕，因为事态已经到了略有疏忽便与群背离、造成过错、面临灾难的地步。

法国队应该紧急从巴黎大学聘请汉学家到队，担任临时顾问。赛事在东方进行，也不一定非是汉学家，广义的东方学家都可以延请。这叫“临时抱佛脚”吗？正是。韩国、日本和中国都有佛教流行，佛教里的禅宗讲究顿悟。完全不用语言的顿悟太难，真的学《易经》或念佛经也确实来不及，但佛脚还是最好抱一抱，这里奉送法国队一句佛语：“看破放下随缘自在。”能有这样的悟性，下面的比赛就很可能“柳暗花明又一村”。这句话也不独送给法国队，过两天就要跟哥斯达黎加过招的中国队诸君，得空时默诵深思，是否也能顿悟？

恳请触球发力

从荧屏上看到国脚们在西归浦积极备战的镜头，很是亲切。虽然我说他们缺乏“网意识”，甚至指出他们尚在“足球牌理”的常识门槛之外，实在也是因为爱之深，所以求之苛。其实米卢已经提出了“网式足球”的理念，只是我觉得他还没有把这一理念浓墨重彩地绘制到球员们的头脑之中。所谓球场上的阵式，无论442或352，依我看来，无非是织“网”方式的变化，倘若那442或352指的只是局部意义上的配合，则意思都很肤浅，只有依那阵式拉起“网”来，不仅有小配合更有大配合，才对对方构成威胁。有球迷哥儿们找我神侃，问我：你拉“网”，对方也拉“网”，是把破坏对方的“网”放在第一位，还是把织自己的“网”放在第一位？我毫不犹豫地回答：织自身的“网”是第一位的，只有在对方撕破了自己的“网”,去织他们的“网”时,才应拼力去撕对方的“网”,而一但将对方“网”撕破,则立刻织自己的“网”,把“网”向对方禁区推进,直到逼近其球门,抓住那转瞬即逝的机运,以“网”捞鱼——破门得分。

平心而论,国脚们在几场热身赛里,也曾有些织“网”的轨迹,偶尔也真把那“网”织到了十分有利的位置,但却不能临门发威,一脚“捞鱼”。定位球和角球是国脚们最好的进球机会,往往也是临门一脚不灵,准确性是个问题,更大的问题,则是不能触球发力,我们可以从荧屏上看到,球到了脚前,凸现三个毛病:一、定球;似乎不先把球定住就不能以脚发力;但就在定球的一瞬,人家就把那球抢走了;二、倒脚;似乎不倒一下脚,脚上的力就调整不好;但就在你倒脚的一瞬,人家就把你的机会破坏掉了;三,游移,不知所措,双脚绊蒜,明显地反映出心理上的弱点,仿佛羞涩内向的靓仔,天天向往自己爱恋的姑娘扑向自己怀抱,可是姑娘真的扑过来,却忽然晕菜了!5月25日与葡萄牙一役的前半场,就有这样的瞬间。

中国古典小说,形容时间短暂,常用“说时迟,那时快”的套语,像一眨眼、一弹指、一瞬间、一刹那……也都常用,球场上的千变万化,尤其是禁区内大门前的紧张攻守,这些词语还都不足以切割出那决定性的玄机所在。国脚们练兵千日,用在一瞬,我实在是切盼众勇将不要再在韩国的三场比赛中犯上述三病,恳请他们在攻门关头不定球不倒脚别有丝毫游移,触球发力,争取进球。

球迷哥儿们笑对我说,人家都到西归浦了,你这就算金玉良言,难道人家还看得到?我笑说,《足球》报是上网的,焉知他们看不到?再说,即使背靠背地议论一番,老夫聊发少年狂,不也是一大乐子吗?光知傻看个输赢,不懂得享受神侃的妙趣,那算个什么球迷啊!

脸儿熟·大玩偶

开幕式后的法国队与塞内加尔队的赛事,本来所有球迷都憋着要一睹天皇级球星齐达内的风采,没曾想他在热身赛中左大腿股四头肌撕裂,不能首场亮相了。这份扫兴劲儿，那就别提了！

开幕前意大利队的“罗马王子”托蒂忽然出现在日本仙台市闹市区，他本是跟队友一起逛街，结果马上被球迷认出，拥上前去紧靠挽臂，又求签名又抢着拍照，真有点恨不能将其生吞活剥的架势。像苏格兰的贝克汉姆，巴西的罗纳尔多，阿根廷的巴蒂斯图塔等等大牌球星，也是万人迷。罗纳尔多的门牙颇似兔齿，绝非美事，他不去矫形倒也罢了，世界上却有若干青少年球迷跑去找牙医，非要把自己本来很正常美观的门牙“矫歪”为“罗氏门牙”。

这说明了什么？这说明这些球星成为了公众大玩偶。举凡面对大量受众的通俗文化门类中的出类拔萃者，歌星，影星，球星，都会把他们的技艺，连同他们的形象，化为了公众共享的快乐资源。一个民族，在某个领域，比如在足球运动中，能向全世界提供广大群众耳熟能详的明星，成为全球性的大玩偶，既是那明星个人的幸运，也成为民族的一个骄傲。中国队即将逐一交手的三个国家的球队，不仅巴西队有耀眼的大牌球星，像哥斯达黎加的万乔普、土耳其的苏克，也都是蜚声国际的亮星。但到目前为止，我们的国脚里，还没有能跟上述球星平肩的，能令任何国家的球迷尖叫着追逐亲近、崇拜痴迷的国际性大玩偶出现。

我们国家连续多年的电视春节联欢会，培植出了一批全国性的公众大玩偶，他们当中有人这样总结自己成为明星的秘诀：好歹先混个脸儿熟！世界杯赛可以比作国际性的大联欢，我们的国脚在这个壮阔的舞台上也应该展示出自己全身解数，不仅在现场的直接目击者面前，更在全世界观看电视转播的人们心目中，先混个脸儿熟。人眼是筛，人心是秤，即使总起来算是踢输了，但只要有局部的，甚至瞬间的精彩辉煌，人们就会记住那造成精彩辉煌的脸庞与身姿，就会记住他的名字，就会夸赞甚至崇拜，就有可能促成国际性的中国足球明星的生成。当然，那时真的成了国际大玩偶，另类的烦恼也便会随之而至，那就再去应付吧。现在我们还是且祝福国脚们朝脸儿熟、大玩偶迈进！

你喜欢这三个小家伙吗?

原以为既然是韩国与日本合办世界杯赛事，两国各出一个吉祥物比较得宜。依一般的思路，吉祥物应该从举办国的动物里挑选最具代表性，也适宜卡通化的来设计，韩国的报晓鸡，日本的招财猫，不都挺有资格吗?

但是人家偏出奇招。这回的吉祥物是一大两小共三个。不是韩、日两国固有的代表性动物，也跟这两国的传统文化无关。这三个小家伙据解释是来自太虚乌有的“阿特魔尊”,那是浩渺宇宙中的一个星系王国。那个大点的名叫阿托，是“阿特魔尊”的足球精灵，是那个地方的足球界领袖，兼当教练。小点的一个叫尼克，一个叫卡兹，都是神射手，卡兹还特别擅长头球攻门。根据我的调查，一般中国球迷对它们的兴趣都不大，除了对所有吉祥物均抱有收集癖好的人士，想购买它们的实在不多。

中国人的审美情趣，一般来说，是喜欢把非具象的东西比喻成现实当中实有的东西，比如游览一处自然风景区，听导游说这座山崖像个美女背筐，那块巨石像只大龟饮水，立刻兴味盎然。这其实也是包括韩、日等东方国家的民众的审美习俗。但这回韩、日的吉祥物设计者大胆地摒弃了习俗，从西方文化中撷取精华，以无拘无束的开放性思路，插翅想象，无中生有，把“阿特魔尊”的三位精灵呈现在了我们眼前，我们虽然有权不喜欢，却也无妨扭一扭我们那未免褊狭的审美习惯，给我们的想象力插上个翅膀，畅快地飞一飞，从中也乐一乐。

女性球迷更疯狂

她们的尖叫声，有几个男子比得了?

一位奔赴赛事现场的少妇跟我这样告别:“不错，我随第三者去了。可是世界杯赛这个插足者，谁又能忍心谴责他呢?”

一位决定在家里看电视转播的主妇这样向我宣布:“这回我一定不会砸电视

机了，我已经在空阳台上准备了足够的旧瓷器！”

一位未雨绸缪，先期试妆的啦啦队小姐着实把我吓了一大跳——这里无法仔细形容，我只能说，那真是“武装到了牙齿”，把她内心对国脚的炽烈期盼与对足球运动的痴迷淋漓尽致地外化了！

更有一位教授级的女球迷跟我说：“你们男人爱足球，都有点同性恋的味道，哪有我们女球迷爱得如此正大光明！”这当然是“学术性疯话”，不必跟她叫真。但白领女性球迷公然在咖啡厅一类地方手持报纸，指着那上面的照片，议论哪个球星比哪个球星更性感，绝非是什么罕见的现象。

一位女权主义者则用手指击打着报纸，大声抗议：“都印得不对！怎么能含混地说是‘世界杯’、‘足球赛’？应该印清楚：这只是‘男足世界杯比赛’！”但是我知道，世界上有些地方，比如率先与中国过招的哥斯达黎加，那里举行球赛时，男人需要购票入场，女性则只要需随着男性入场，就一律免票。这样对待女球迷，究竟是尊重还是歧视？让女权主义者去作阐释吧！我的感想是：如果世界杯比赛的看台上没有足够的女性球迷，那就仿佛是饺子里没有了馅儿！

世界杯终于开幕。电视转播把重点放在绿茵场上的拼搏，看台上球迷的镜头，无论群像还是近景以及特写，都不会很多，但那些往往只是一闪即逝的镜头，也可能令看转播的我们久久难忘。女性球迷的脸谱与服装，花样翻新，匪夷所思，往往比男性球迷的更奇突也更精致。请特别注意她们的眼神，蕴涵着多么充沛的激情！啊，女性球迷的疯狂，犹如喷薄的霞光，把人类这欢乐的节日，映照得更加瑰丽辉煌！

抛开鱼网拿鱼叉

中、哥之战闹了半天是场“运气战”。尽管中国队输了，我觉得并不惨烈。尽管哥斯达黎加队赢了，我还是要对他们撇嘴。闹了半天，哥队也并没有强烈的“网意识”，上半场你瞧他们踢的那副酸相，全靠 记长传，前锋抢到后独自盘球突进,只要中国队后卫积极破坏,那就一点辙没有。下半场他们有点“网”意，但总体上说也没多少新招，两粒进球基本上属于运气好所致。

我是一贯坚持“网式足球”理念的，而且把“网意识”和球员在绿茵场上的“织网”、“收网”、“以网捞鱼”（进球）奉为“足球牌理”。我认为，不懂“织网”的球队遇上能“织网”的球队,输的可能极大。当然另外一些因素也很要紧。比如所谓德国“大屠杀”沙特队一役,我特别注意到,他们双方都在努力“织网”,沙特的“挨宰”，不是因为“未谙牌理”，而是体力、速度方面与“德意志战车”实在不成比例。

那天看巴西与土尔其之役,有个发现,就是土尔其队“网意识”颇强,而且靠“织网”推进频频威胁到巴西城下,哈桑的进球,就让我觉得那并非运气的赐予,而是“收网捞鱼”的功效，非常精彩，可入经典。而巴西呢，仔细一看，呀，原来他们的“网意识”并不怎么浓酽，或者说他们所“织”的“网”“网眼”很粗，他们主要是靠无与伦比的体力、速度、个人技术以及欢快情绪和瞬间灵感来夺取胜券的。那天土耳其有未必输定之势,巴西则给我这样的感觉:不是所向无敌而是所向一定有敌,他们肯定可以继续突进，但以目前的状态而论，很可能走不了太远。

“网意识”不可能在短时间形成，更不可能在实践中一蹴而就，考虑到中国队的具体情况,我倒觉得,在下面的两场比赛里,干脆抛开鱼网,拿起鱼叉算了。此话怎讲？具体而言，就是把进球的希望，反而更锁定在与巴西一役中。巴西与土耳其比赛,大大咧咧,不怎么着意“织网”,与中国队过招时,肯定更不在意,那中国队也就不必临阵去“试着织网”，甚至也不必严防死守，就努力地去争取定位球和角球，这两个场合的攻略，就好比举起鱼叉扎鱼，好歹就是那么一下子，如果运气好，趁乱扎上一条鱼的可能性是不小的。

跟土耳其的一役，因为对方“织网”成了习惯，我们“织”不过对方，那也就无妨“抛开鱼网拿鱼叉”，但是据我推想，这一役进球的可能，反比对巴西那一役可能性要小。

当然，如果既会“织网”，又擅运叉，就像日本队跟比利时对抗那样，把足球运动的高速强对抗的魅力纷呈出来，那就更好了。现在且暂莫对国足可爱的小伙子们出更多的主意，在心态彻底松弛以后，在下两场比赛里彻底释放自己的能量，陶醉一时，对他们和我们，都将是宝贵的人生体验。

撇开高深回到常识

踢足球，要进球，这是常识。一场不进，三场不进，也罢，经验不足？发挥不好？运气不好？勉强可以解释，但中国队从开赴韩国前的 5 场热身赛开始，就总进不了球——唯一一场例外，是跟泰国队的比赛，进了 3 个球，但是，别忘了，那场比赛首先进球领先的，还是人家泰国队。踢足球，免不了输球，但从与泰国队比赛后连续 6 场，输球都不是比分落后，而是一球不进，这问题非同小可！

中国队总不能进球，原因何在？不少专业人士，作出了许多相当高深而又细腻的分析，往往引入许多的专业术语，达到深奥精微的程度。但我往往听了看了这些评论还是一头雾水。

依拙见，不如暂且撇开高深，回到常识。什么是常识？我已经说过几次，现在还要重复——因为我觉得自己的看法应该得到重视，在未感到受重视时，少不得要来回来去地重复——足球是一种“群嬉”式竞技运动，球队在球场上要“拉网”，这“拉网”不是指的球员间的小配合，如二过一，或长传到位什么的，指的是自始至终要拉一张“网”，目的是朝对方球门移动，“网”破了要及时修补，“网”松了要趋紧，“网”紧而不当时要适当放松，最后则抓机会“收网”，以妙传配合攻门得分。看这回世界杯的赛事，绝大多数球队，都是在这个常识范围内踢球，虽然风格不同，阵式各异，“织网”有疏有密，有紧有慢，却没有完全不“织网”的。法国队的王冠落地，我们中国队或许自知没有对其奚落的资格，沙特的净吞 12 球，我们就可以一旁嗤笑嘲讽吗？仔细回放录像就不难看出，沙特队在场上可也是中规中矩地在“拉网”，他们的失败，是常识之内的失败，而非门外汉的撞运不济。看杯赛现场直播，有时候，我们觉得那贴近或冲入禁区又未越位球员竟不拼力一射，真是浪费时机，但细一琢磨，人家那非要把“网”织到火候上才经妙传而起脚射门的做法,实在是有其道理。毕竟，无论是射在门框范围内或击中门柱而未进球的险象如何地惊心动魄，终究不是进球，不能得分，再精彩再可回味，也是镜花水月，在不得已的情况下，弃“织网”而抡一脚，未尝不是一搏，但把握最大的，还是上面所说的“以网捞鱼”。日本、韩国这回的跃进，我以为关键就在于入了“织网”的常识门，又很用功，实践里才“一网不捞鱼,二网不捞鱼,三网捞个大尾巴鱼”。以这样的“网意识”来衡量我们的球队、球员，则或者意识趋于淡薄，或想织“网”竟不能成型，如无角球、定位球机会，就多半是个人盘球过人带球疯跑一脚试运，或者是靠一记长传前锋以头或脚拼力一搏，这样的情景粗看似也颇有威胁力，其实形同蒙混，其状态还在足球的常识界外。

究竟我们怎么个“技不如人”，怎么个“配合不好”，又为什么总“传球不到位”？与其深奥玄妙地高谈阔论，莫若还是老老实实地回到常识——踢足球要有“网意识”，请以“网”捞球!

情感核电站

世界杯赛越来越激烈，局面越来越诡谲，全球球迷大都陷于焦虑中。因为球队都不是以俱乐部而是以国家队名义参赛，因此企盼与焦虑的就不仅仅是球迷，绿茵之上，国歌奏后，一声哨响，那就简直是民族国家之间的荣誉争夺战，涉及的国家，全民族的情感都会澎湃激荡到席卷云天的程度。

足球运动是最刺激情感的体育运动，每 4 年一次的世界杯赛都仿佛是新建成了一座人类共享的情感核电站。这座核电站所产生的能量几乎可以辐射到人类生活的各个方面，从政治到经济，从文化到习俗，渗透到无数家庭，使无数个体生命的情感颤栗到极致，它的基本功能是燃起生命的活力，释放潜在的欲望，张扬个性，激励突破，弘扬创新，讴歌青春，犹如电能在瞬间传送，环绕全球的狂欢灯盏顿时熠熠闪光。

一方面，核能是最好的能源，用体积很小的放射性物质，使其核裂变，便可以产生出惊人的电能。世界杯这座情感核电站也是一样，只要建造一些绿茵场，组织不同的球队在里面竞技，就可以使没有外交关系的国家通过球队的交流取得民间亲近的效果，也可以使有历史过节和现在关系紧张的国家通过球赛，把民间潜意识里的战争性对抗意识，化解为模拟性的假战争，而这场绿茵上的对抗却是有其通用规则的，在通用规则限制下的对抗不管最后是怎样的结果，毕竟能起到这样的喻示作用：无论你怎么觉得自己有理有力，都绝不能疯狂无忌，到头来人类还得在相互忍让和协商而定的规则下共处。当然，本来就很友好的国家间，球赛就如同一根纽带，能在亲和力的紧束中刺激出各自更上一层楼的激情。各国的啦啦队在世界杯这个舞台上充分地展示出人类文化的多元缤纷景象，显示出我们这个星球有着多么璀璨的文明。

但是另一方面，核电站如果不能严密其安全措施，一旦产生切尔诺贝利核泄漏那样的情况，惨剧就会发生。世界杯赛这座情感核电站也是这样。因为自己心仪的球队失利，个人自杀的例子屡见不鲜，这还是比较小的“局部核泄漏”；1994 年世界杯赛上，哥伦比亚足球队后卫埃斯科瓦尔因为慌乱中将球射入了自家球门，回国后被一位球迷刺死，这就是较大的“核泄漏”；6 月 9 日俄罗斯队以 0 比 1 败给了日本队，莫斯科发生大骚乱，至少已有 1 人死亡，数百人受伤，许多汽车被焚毁，至少一家日本餐馆被捣毁，这就是大型的“核泄漏”了！要避免这样的惨剧发生，对世界杯这座情感核电站可能会发生的核泄漏，社会性的防范措施是必要的；就个人而言，在世界杯期间既然成为了一座情感核电站后，那么自我安全控制就变得非常重要，因大败兴而自我爆炸是愚蠢的，倘若那“核泄漏”还波及他人，殃及鱼池，甚至引发出“感染性狂暴”，形成社会骚乱，那就更不应该了。

好好守住足球运动这座情感核电站的安全阀门吧！“快乐足球”排斥“乐极生悲”，如果不能永葆欢乐，那至少应该学会“破涕为笑”！

全被曹雪芹说中了？

曹雪芹怎么在二百多年前，就把这回世界杯赛的种种怪象都预测出来了？不信你看引出来的这些个词句，是不是都恰可好能或用来形容一个球队，或一个球星，或一位教练，或一场比赛，或一个进球，或一个险象，或一批球迷，或一个景观，或一种态度，或一种处境，或某些传媒的表现？现在大赛尚未结束，你已经可以在这些词句后面的括弧里一一填入你心目中的“不幸而被言中”者了，到大赛结束后，你还可以再一次调整你选中的对象。下面且看：

月满则亏，水满则溢；登高必跌重。（　　）

金满箱，银满箱，展眼乞丐人皆谤。（　　）

昨怜破袄寒，今嫌紫蟒长。（　　）

蛛丝儿结满雕梁，绿纱今又糊在蓬窗上。（　　）

到头来都是为他人作嫁衣裳。（　　）

身后有余忘缩手。（　　）

眼前无路想回头。（　　）

未卜三生愿，频添一段愁。（　　）

玉在椟中求善价，钗于奁内待时飞。（　　）

黄柏木作磬槌子，外头体面里面苦。（　　）

风急江天过雁哀，却是一只折足雁。（　　）

时若不早为后虑，临期只恐后悔无益了。（　　）

因何镇日乱纷纷？（　　）

振林千树鸟，啼谷一声猿。（　　）

……

实际上，世界杯大赛是我们每个人所遭逢的，具有最多方面也能量最大的代偿性事物。你看电视转播的女主持人，也公开在镜头前当着起码是几千万的观众谈论男足明星的性感，这是她在主持别的节目时能说出口来的吗？填填我从曹雪芹笔下摘录的句子后面的括弧吧，你一定能获得许多的代偿性乐趣！

人不动情怎用事？

李明与张玉宁的临阵落选，令这些天传媒的某些版面颇似泪浸的手帕。这让我们再一次体味到世界杯这桌大餐的丰富滋味，真可谓社会、人生的缩影，且从中可以窥视人性的底蕴。又仿佛一出歌剧尚未开幕，序曲已经演奏出命运诡谲的旋律。明星出局，悲情广布，芸芸众生或许从中可以得到些启示，以他们的辉煌，尚且有落霞时光，自己这平凡庸常的存在，少些高跌低坠的惊险失落，倒是福分之所在吧。我听见有中年球迷朋友哼唱“月子弯弯照九州，几家欢乐几家愁”，又有少年球迷哼唱什么“去看流星雨落在这地球上，让你眼泪落在我肩膀”，世界杯真是动情杯，它将上演悲喜正闹的大剧。

近几天传媒在报导李、张二将出局后获得亲情、友情、舆情的慰安时，也广泛报导了操球员人选生杀大权的米卢的“不能感情用事”说。有的记者或文章作者，还很看重这个说法。就事论事，米卢的淘汰李、张，当然是无情之举，所谓决定最后名单必须理智，以球队出战的最高利益为原则。由此，米卢似乎又成了“理智战胜感情”的“原则至上”者，头上光环更大了一圈亮了几度。

依我的看法，人在世界上做事，理智当然绝对不能没有，在一般情况下，让理智高于感情，或者说给感情套上个理智的缰绳，把感情这匹特爱撒欢的马驾驭好，是必要的。但是，强调原则，强调理智，如果到了绝对化的地步，甚至把无论什么感情都当作坏东西，当作多余物，那就不对头了。“不要感情用事”这句俗话，细掰其意，是说“不要让脱缰冲动的感情乱了做事的章法造成恶果”，并不是以灭绝感情为美事，不是标榜“无情真豪杰”。米卢选将，理智为上，自有他一番道理，此理可以暂不喻人，赛事未开，实践也尚未检验出其究竟有理还是无理，故不讨论；但从报导得知，他的通知方式竟是三言两语，未见有感谢以前合作之词，亦未有最起码的礼貌性慰安，这就只能说他这人性格偏于阴冷。人孰无情？米卢绝不例外。天天听他在电视上用怪腔怪调的中国话说“喝金六福，运气，就是，那么好”，可见他起码对金六福酒，以及对那广告，还是蛮有感情的。人不动情怎做事？人对自己的感情，淡薄时要做加法，泛滥时要做减法，此方面收敛了，彼方面则可能狂放起来。米卢对自己的感情，则加减乘除有他自己的公式。

世界杯赛，是人类诸般事情中最令人动情之事之一。如果从教练到球员，从有关组织者到服务者，特别是广大球迷，个个都“绝不感情用事”，一律理智得惊人，那样的局面是可喜还是可悲？日本静冈县藤枝市负责接待世界杯事宜的冈村修，前两天在家里自杀，留下遗书说是觉得太累。人如果带着感情做一件事，再累也不至于寻死，这位52岁的官员显然是理智挤走了全部的感情，没了感情只觉得无趣，生命也就没有了存留的必要，因此吊死在自家杂物间里，且理智地说明了缘由，绝不给他人添麻烦。这桩开赛前的惨事仿佛在昭示我们：对世界杯的感情该有多么重要！让我们大家都动情地投入！

如水之美

东方美韵如水，西方风采如山。水流山耸，各有情致。看5月31日汉城世界杯开幕式和首场比赛，觉得不仅东方美韵流光溢彩，而且东方哲理也凸现昭显。

开幕式大型表演的最成功之处，是自始至终充满动感。是水之波动。水性柔，但水滴石穿，水流由小汇大，溪湖秀美，江河壮阔，奔流到海，汪洋恣肆，则包涵无限，不可阻挡，无法切割。以东方文化的精髓阐释人类那和谐相处的必要、必然，真叫人怦然心动。在编排上，不仅视觉上有水流之美，在大鼓、小鼓、巨鼓形成的听觉感受上，也有从雨滴入海、飞瀑狂泻、咆哮奔流，到訇然入海、浪涛入云的气势。

首场比赛是两支有亲缘关系的球队，即使看台上的法国球迷，也很难绝对地拥此拒彼，球队的风格相近，都是山耸般地以刚制刚。但比赛的进展情况，特别是最后塞内加尔那无可争议的一球取胜，则非常地具有东方哲理的启示性。法国队在此次世界杯前，已攀登到巅峰，是世界杯、欧洲杯、联合会杯的三料冠军。权威性的威廉·希尔博彩公司，对此次世界杯谁能夺冠的押赌赔率，法国先被设定为 4，塞内加尔则为 1 赔 151，相差达到 37 倍以上。但是，现在法国要想再次夺冠，则荆棘之路已赫然在前。设定赔率的人士是否满地找眼镜，我们尚难知道。但我们却可以立即想到东方哲理。不知韩国、日本都有哪些哲语。但我们中国这方面的智慧结晶实在太多，随手拈来，就有“月满则亏”、“登高必跌重”、“三十年河东，三十年河西”、“你方唱罢我登场”、“人间正道是沧桑”等等,等等。有的人士过多地把法国队的这场失利归结为齐达内的因伤缺席，我却以为即使他上场，亦未见得就一定不是这样的一个结局。那么，把法国队的失利归结为运气不好，我同意不同意呢？我比较同意。运气是流转的，哪能总守在一家？这也是东方哲理的一个要点。

塞内加尔队的首场取胜，按西方“山文化”的习惯说法，是大爆冷门。按东方“水文化”的说法,则是“风水流转”。法国队也不是不可挽回颓势。东方“水文化”有言:“看破放下随缘自在”，能有这样的心境，下面的比赛就很可能“柳暗花明又一村”。

庭院深深深几许？

跟几位球迷朋友把酒小聚，议论起世界杯赛的裁判问题，好比蹚入侯门，层层探究，顿觉深邃似海。

在电子技术已经如此发达的时代，何以还要坚持用肉人裁判？人的生理能力，无论眼力，还是对瞬变事物的神经传导的准确度与速度，都明显地存在缺陷。

现在有了数码摄像与电子大屏，肉人裁判的误判昭然若揭，游戏规则却还坚持不以电子眼而以肉眼所见所感为凭，而且一旦哨响即为不可更改的最终裁定，这毋乃太荒谬？在我与好几位朋友都对此频频喟叹时，H君却郑重其事地说：肉人裁判绝不可用电子裁判替代，如果那替代成立，那么，球员是否也可以电子化？即使不用完全的机器人，在球员身体中植入晶片，尤其是给球门员体内嵌入灵敏度奇高的感应器，那么，场边的教练还何用手舞足蹈地大喊大叫，而扑救险球对球门员来说岂不是轻而易举？H君认为，正是因为现在的足球比赛还保留着人性的全部——首先是人本身的缺陷，在这基础上的比赛，才这样地激动人心。一般人都是手巧过脚，而足球运动员除门将外均限制手的参与，以他们那非电子操纵的灵腿妙脚令观者惊叹沉醉，这个足球审美的基点绝不能动摇。肉身裁判的随赛奔跑，眼观心衡，吹哨举牌，令赛者与观者对他们是准还是不准，公还是不公，清白还是黑哨……存一份焦虑，多一份争议，添一些诉讼，留一段佳话或公案，这也是足球赛悬念的一个方面，是这种游戏的人性化的重要组成部分。H君甚至认为现在赛场内的电子大屏只应用来显示时间、比分、换人等内容，根本不应播放绿茵上的画面，进场观众应该集中精神看真景，放映画面的电子大屏只适于场外观众来欣赏。

但肉人裁判的误判错判漏判，难道都是因为生理原因所致吗？有没有心理因素在内？更进一步问：有没有感情因素、认知因素，包括潜在的政治、经济、文化、种族、宗教、地域等方面的偏向或偏见？尽管在世界杯比赛的裁判安排上，组委会已经采取了防范性措施，一般都是请出与参赛双方了无干系的人士来执法，有的误判错判漏判也可以用其业务水平低下来解释，但像韩国与意大利一役，那位厄瓜多尔裁判无表情面孔后面，究竟有没有多多少少地藏着些玄机？A君说，即使有，也把握在你无法捅破窗户纸的极限度之内，而韩国队本身的不屈不挠顽强拼搏，可以是充分地利用了裁判提供的可施展机会，你意大利队后来自己打退缩防守，战略错误，又怎能都赖裁判捣鬼？W君却说，唔，你们是只知其一，不知其二，才进到侯门的二进院落，便以为一览无余了，其实，往里还深得很哩!

W君说，现在无论多深的院落，在最深处操纵一切的，还是跨国资本。国际足联本身就是跨国资本，更与世界上诸多更大的跨国资本建立了“一荣俱荣”的唇齿关系，你们看这回杯赛滤出的8强，西欧3个，跨欧亚的土耳其1个，北美南美各1个，非洲1个，而亚洲恰是东道主1个，分布如此“匀称”，难道是偶然的吗？特别是历届的所谓“东道主必晋级”，除了选择东道主时要顾及其水平，以及东道主球队必会努力外，执法该场的裁判在大家无法捅破窗户纸的极限度内，或属默契，或竟有深帷内的秘授，在场上为东道一方获胜提供方便，恐怕是国际足联的深院守则吧？如果东道主一方竟不能进入复赛，或到第2、3轮时竟全剩的一洲球队，那么，全球的足球市场如何维系、开拓？赞助商、广告商岂不扭头而去？而全球球市的繁荣，又以足球带动了全球一体化，球星也成了超民族超地域的公众玩偶，要说“从娃娃抓起”，那跨国资本通过全球一体化，比如肯德基炸鸡店送卡通球星，抓得才厉害呢！就连我们整天地看转播、侃足球，看似免费，侈言快乐，其实也无非是在帮助深院的商家扩大收视率，以收广告之效！悟及此，对裁判的种种怪相，也就不必胡疑乱怨了！

如此深蹚未免败兴，我举杯对朋友们说，管它庭院深深深几许，我们在这暑天里把酒侃球，进到这层院落已很知足，正是：身后有余忙缩手，眼前无路早回头!

头顶瓦盆怎看天

世界杯赛前的热身赛，热的不仅是各国参赛队，亦是广大的球迷。未雨绸缪，鸡鸣早看天。中国队的热身赛已经进行了四场，一胜一平二负的结果没多少嚼头，值得议论的，我以为还是场上的“网”。

早在1997年6月，我就写了一篇《何时能有网意识》，自发地投稿给《足球》报，《足球》报很快将其刊登在第一版，记得还加了编者附言，很予肯定。

那篇文章是看了世界青年足球锦标赛的电视转播——中国健力宝青年队和美国青年队的比赛失利以后，马上写成的。我在文章中说："论起一对一的拼抢和两三个人的小配合，中国队员非但不逊于对手，而且略胜一筹。但足球是一种'群嬉'，必须上场的十一个人都能整体扯动，形成一种网状推进，每个球员只是一个'网结'，而并非一颗'弹丸'（哪怕是珍珠般的'弹丸'），这样才能最终网住胜利。"中国队（无论青年队、国奥队还是国家队），那时似乎都不懂得"拉网"，传球的时候，传者往往不是把球传到随"网"而动的队友即将到达的"网址"，而是传往当时一瞥所见的队友的站位；接传球者呢，则往往不是积极"拉网"接球，而是待在某位置等球来到脚下。那样传球，不是丢球，便是无功。那时中国队最常见的攻势，无非两招，或者靠个人得球后疯跑推进一脚射门，或者靠长传冲吊，以求破门，虽偶有奏效，总的趋势却是越战越勇，越勇越败。世界上的强队且不去说了，就是许多的弱队，你看那基本的阵势，也是在努力地去拉动一张"网"。固然我们可以"鱼撕网破"地乱拼，"网"弱的可能果然不能捞球进门，"网"强的呢，人家是随破随补，结果就"一网不捞鱼，二网不捞鱼，三网捞个大尾巴鱼"，终于还是操到胜券。

《足球》报刊出并肯定我那篇关于"网意识"的文章时，米卢还远没有到中国任职。现在米卢明确提出了"网式足球"和"快乐足球"的理念，传媒也多有报导，但我总感觉包括许多足球界人士在内，"网意识"还不够浓酽，而球迷中也还有许多人"快乐意识"不足，"忧患意识"过剩。

5 月 19 日国足与荷兰埃因霍温队在上海的热身赛，我的观感是客方并没使出浑身解数，国足虽相当努力却也并不力竭，但埃因霍温队的"拉网"是很明显的，国足的"网动"也颇醒目。一般人多认为，中国队的热身，选择的几个球队各有地区风格，是一次熟悉各类足球风格的演练，这样理解当然并不错，但我总觉得，现在更重要的，还是进一步把握足球运动的基本品格，不管什么风格，如果毫无"网意识"，而居然能屡赛屡胜，那是绝不可能的。

俗话说"头顶瓦盆怎看天"，形容有的人羡慕人家戴着帽子，自己没有，便拿个瓦盆顶在头上当宝贝，他就根本没弄明白帽子的本质。我以为，不管什么地方哪个级别的足球队，都应该取下沉重的“瓦盆”，直面足球本质的泱泱蓝天，“织网”、“撒网”、“拉网”、“收网”，最后直捣“网窝”，才能修成正果！

请林妹妹助阵

有的世界游泳冠军，是根本不能下水的“旱鸭子”教练培养出来的。所以我们把《红楼梦》里弱不禁风的林妹妹拉来给首次出征世界杯大赛的国脚们临场指导，你大可不必惊讶。林妹妹在《红楼梦》里没有指导小厮踢球的记录，可是她教香菱作诗的过程却被写得很细。踢球其实也就是用脚在绿茵场上写诗。林妹妹关于写诗的那些指导，挪用到绿茵场上几乎完全适用。写诗、踢球，基本功当然要紧，林妹妹也嘱咐香菱要把经典中最精粹的东西，烂熟于心。但真到了上场的时候，那就绝不能把经典横梗在心上。林妹妹对香菱说：“什么难事，也值得去学！”体现出战略上充分地藐视敌人。她接下来把作诗的一般规矩罗列了一通。许多读者都能看出来，林妹妹把作古体诗的一个规则说错了，本来应该是“虚的对虚的，实的对实的”，她却顺嘴说成“虚的对实的，实的对虚的”。有的研究者认为，这或许是曹雪芹的笔误，要么就是在辗转传抄的过程里，被抄手抄错了。但曹雪芹的至亲、合作者脂砚斋多次整理他的原稿，改正了不少地方，这两句却始终保留；历代抄手，包括后来搞活字印刷的人士，改动了许多地方，也都没有擅动这两句。可见曹雪芹就是要这么样写林妹妹的口气。诗无定法。不是说完全不要遵守“定则”，但临场潇洒发挥，“若是真有了奇句，连平仄虚实不对都使得的”，那才是“诗魂”所在。

国脚6月4日下午就要在光州体育场掀开中国足球诗集的新一页了。赛事前夕，有资格跟米卢“零距离”共同指导国脚的，应该是大观园的这位林妹妹，请牢记她的至理名言：“词句究竟还是末事，第一立意要紧，若意趣真了，连词句不用修饰，自是好的，这叫做‘不以词害意’。”真的把脚踏在光州体育场绿茵之上了，一声哨响之后，国脚们就应该完全、彻底地让自己浸润、化解在足球运动的诗意当中，林妹妹的话其实是米卢一贯所强调的“态度决定一切”、“享受足球快乐”的另一种表述。

说来说去，踢球与作诗都要靠灵感，积累千日，爆发一瞬。香菱后来精血城聚，梦中得句，终于写出一首“不但好，而且新巧有意趣”的吟月诗来。现在林妹妹抛开香菱，跨越时空，倾力来给国脚们助阵，6月4日下午，国脚们能否灵感大喷涌，在巨大的绿茵“纸卷”上，写出奇句好诗，给国人带来大惊喜、大感动呢?

2006年第18届德国主办的世界杯评论

“足球寡妇”语录

按说“活寡”是世界上最悲苦的妇女。四年一度的世界杯又来临了，这世界又该出现多么大的一个“足寡群”！

一位德国朋友是开旅行社的，来电邮告诉我最近生意奇好，因为那里的“足球寡妇”们纷纷自愿结伴，参团旅游，选择来中国的很多，因为那些“西施”（这是我们许久以来就使用的私密幽默语汇，指西方妇女）觉得，中国对她们来说是一个最能消解“被遗弃感”的地方，因为她们有的已经来过中国，有的虽没来过但早已耳闻，就是在中国除了能看到独特的风景，还一定会遇到很多热情的中国人，“他们会像接待亲友那样地给你意外的温暖”。我那精通中文的朋友说，他们旅行社这回的宣传口号就是“他看足球，你看中国，比比谁更快乐！”

“足球寡妇”是一种很特殊的“弃妇”，但她们并非“哀怨一族”，从与德国朋友互通电邮，根据他提供的信息及我自己在中国的耳闻，可以开列出许多可供一阅的“足球寡妇”语录，如：

——他的行为使我放心，因为“足球”确实不是另一个人的代号。

——如果他世界杯赛期间居然并不遗弃我，那一定是他为了掩饰出轨而刻意跟我敷衍。

——他看世界杯，我看还原为孩子的他；他忘了我，我却觉得格外幸福；这期间我哪儿也不去！他面对电视荧屏大呼小叫，我在侧面欣赏他并递给他新的罐装啤酒。

——他常说他是“电话粥鳏夫”，确实，我跟女友煲起电话粥来常常忘记了他的存在；现在好了，作为“足球寡妇”，我能更放松地煲电话粥了；这叫一比一平！

——什么？恨他？不，绝不！我恨的是那个叫做“世界杯组委会”的机构！

——说实在的，我也曾努力地让自己去喜爱足球运动，但到头来我还是不理解为什么不许那些小伙子们用手碰球！

——也许只有失去他以后，我才会忽然关注起世界杯来，因为那里面有太多的他！

——久别胜新婚！世界杯使我们离别，重新聚合时我们互为新人；感谢世界杯！

——不必跟足球争宠，就像不必嫉妒每天与他长时间无比亲密的袜子一样！

……

足球运动的普世化，四年一届的世界杯越来越成为牵动世上无数男女的一桩盛事，正浸润到我们社会生活的细胞浆液之中。除了看球，我们还能从中获得许多的启迪。

“美国人不喜欢足球”是 X 论

4 月底在美国休斯敦，特意去姚明餐馆撮了一顿。那是我对当地朋友的一个答谢宴。当时点了盘“姚明餐馆招牌虾”，价格不菲，吃来挺香，像我这样的游客，喜欢说“美国的中餐总不免要带点西餐的味道”，其实，起码那天那盘虾就还算地道的上海本帮菜风味，看看餐厅里那些金发碧眼的美国食客，个个吃得津津有味。

前两天休斯敦的朋友来电话，为一部书稿的事，说完主题，我顺便说，这些天忙着看德国世界杯比赛，“喜累交集”，估计他们那边的人，没多少热衷的。他却说，哪里，世界杯赛在我们这边也是生活中一大节目，不但在家里看电视，公司的办公室里，高悬的荧屏也播放赛事，老板想开了，与其让员工偷偷用电脑看比赛，不如干脆开放电视，让员工面前的电脑都还能持续用于正经业务。朋友说，足球固然不在美国人喜欢的球类比赛的前三种（篮球、橄榄球和棒球）之中，但是近年来有增温之势，踢足球的少年人时常可见。

“美国人不喜欢足球”之论，确实值得再加推敲。从世界杯历史上看，1930年第一届比赛，美国队就进入过半决赛，获得第三名；1994年美国还举办过世界杯赛，进入16强；2002年的世界杯赛，美国进入8强；这次世界杯赛美国又入围，18日跟意大利对阵，踢得酣畅淋漓、险象环生，逼平悍旅；美国有职业足球联赛，也有自己的球星，像门将霍华德就在欧洲劲旅曼联队效力，中锋雷纳则在曼城队踢球……这回到德国为自己国家球队呐喊助威的美国球迷也很不少，布什总统在每场比赛前都打电话为球队鼓劲。当然，美国的传媒在报导世界杯赛上可能篇幅比我们这边少些，但那是否就是“美国人不喜欢足球”的证据？

每个民族在体育项目上都会有自己的最爱，球类比赛中，也难说欧洲人就最爱足球，像网球，其招人喜欢的程度，跟足球在伯仲之间。而且，在历史流程中，一个民族对体育项目的兴奋点，会不断转移，像中国人对球类比赛的热爱，先是乒乓球持续了几十年，后来女子排球又成宠儿，男足比赛现在算最喜欢的项目吗？其实随着中国男子足球职业化的失败，这种喜欢也变得挺怪异的。

强调“美国人不喜欢足球”，究竟是在表述一个现象，还是从这种表述里获得了某种“代偿性满足”？即使人家真不喜欢足球，我们因为喜欢就占了便宜吗？这就跟我们总是关心美国（以及其他西方国家）又有什么新的文学潮流出现，而从不关心比如说缅甸、布隆迪的文学历史与现状一样，这究竟是正常还是病态的心理？

于是，请从文末最后排列出的字眼里，选取一个（或另想一个）取代题目中的那个×。

定；高；妙；趣；怪；谬；妄；酸……

《红楼梦》里也踢球

《红楼梦》里会写到踢球吗？阿鹏不相信，我就告诉他，确实有那样的细节。

一处在第二十八回，宝玉在贾母屋里活动，冯紫英请他去赴宴，赴宴要换出门的礼服，他的随身小厮焙茗就找人去大观园里，给宝玉取出门穿的衣服，焙茗从贾母院落东边二门出来，“可巧门上小厮在甬路底下踢球”，于是就让那踢球的小厮去取来了衣服。可见在曹雪芹笔下那个时代，少年人玩耍的方式之一，就是找片空地踢球。

另一处是在第四十一回，刘姥姥带着外孙子板儿，在大观园里逛，板儿从探春住的秋爽斋，讨来个佛手，拿在手里玩，后来在园子里，遇到了凤姐女儿大姐儿，那大姐儿手里抱着个大柚子，见了板儿手里的佛手，就又想要佛手，于是人们就把板儿手里的佛手和大姐儿手里的柚子对调，这一对调，两下里都很满意，那板儿“忽见这柚子又香又圆，更觉好玩，且当球踢着玩去”。

阿鹏不由惊叹：你读《红楼梦》可读得真细呀！

我告诉他，我的“秦学”研究，方法之一，就是“文本细读”。吃东西细嚼慢咽，才能品出滋味，也才有利于消化营养。比如第四十一回那个细节，很容易忽略过去，以为曹雪芹不过那么随便一写，多半只不过是为了活跃一下气氛，但是，通过再细读古本《石头记》这段文字旁的脂砚斋批语，就会懂得，这实际是非常重要的一个伏笔，是曹雪芹在使用“草蛇灰线，伏延千里”的写作技巧。第四十二回，就写到刘姥姥给凤姐那大姐儿取了个名字巧姐，说是“日后大了……遇难成祥，逢凶化吉，却从这‘巧’字上来”，那么，根据探佚可以知道，在曹雪芹已经写成后又迷失的八十回以后的故事里，就写到贾府遭难后，刘姥姥将巧姐救出，最后与板儿结为夫妻，刘氏板儿一家正如伸出了“佛手”，使巧姐和板儿终于“圆满”。

于是我接着跟阿鹏说，现在世界杯由16强晋8强的比赛，大家都认为“秩序过分井然”，骠马难失蹄，黑马难称黑，预测雷同，悬念不大，看球的兴味，竟难以提升了；那么，我打算怎么接着来赏球呢？我的办法，就是“文本细读”，比如昨晚德国队淘汰瑞典队一场，德升瑞汰，本在意料之中，但“细读”德队“章法”，先声夺人，妙传劲射，开场不久，波多尔斯基就以两球定鼎，气势若虹，真有冠军瑞相，赛后回味，余香满颊。

但是正如真本《红楼梦》八十回后失传，其后事究竟如何，终归还是一大疑案那样，到目前为止，德国世界杯最后究竟鹿死谁手，也还难说。且听赛事的“下回分解”吧！

把绿茵场竖起来

其实，不竖起来也能当镜子照。

真是世界大人生，球场小人生。浓缩得惊心动魄。

人生有许多可确定因素，比如体能，比如技术；人生也有若干不确定因素，比如机遇，比如运气。

性格即命运。你看球星性格各不相同，而命运也随之起伏波动。爱恼怒的因不值得的发作被罚下场，喜谐谑的耍花脚没涮了别人倒酿成了自己的大失误，沉稳的终于走出了被急性子球迷奚落的窘境，没棱角的总不起眼但成为不可或缺的绿叶……性格可以调理，却不可改造。人，挟其全部性格因素走过一生，驾驭自己性格，让其闪光面多多展现，体谅他人性格，多多包容其令己不快的细节。人际关系，往往就是性格关系，尤其是处于同一社会层次的人际，多发生性格冲突，相互的性格包容，有时候比相互的理性共识，更珍贵，更利于合作。

个体生命的团队属性、民族属性、国家属性,在绿茵场上凸显。大家合力“织网捞鱼”,你不是你自己,而是“渔网”上的一个“网结”;你又是你自己,可以以你的个人能力、勇气、智慧,发挥为直接将“鱼”网住的那一“捞”,于是会有热烈的拥抱,看台上抱不住你的同胞和拥戴者,会以无数的飞吻令你灵魂生香。这类镜像,可以增强我们每一个观球者的集体归属感。人毕竟不能独自存活,这是人生的悲苦处,但也是人生的乐趣所在,我们的爱恨情仇,生死歌哭,全源于此。观球有悟,是乐子,是福气。

这样拿绿茵场当镜子照,是不是太正经,因而也就太沉重了?

其实,那也是面哈哈镜。主裁那一脸凛然,仿佛自己真成了天皇老子,哈哈!教练场边弯腰舞臂大叫,仿佛自己真能扭转乾坤,哈哈!罚牌已举,上前理论,甚至怒目恶语,你以为你是谁?“我不承认这个现实”,而现实并不需要你的承认,哈哈!

德国世界杯,一路看下来,无黑马,缺冷门,时差弄得我们格外疲惫,剩下的赛事虽可再看,却可不再侃。仿佛西方影片的惯例,故事结束,却还要演半天的演职员表,音乐好听,却已无画面好赏,不耐烦的观众早已离座而去,仍留在座位上静待那啰啰唆唆的字幕终于告罄的,其实也多半兴味阑珊。

繁华落尽,归程何处?狂欢给我们生命充了电,使我们可以更持久地去经受平凡庸常的生活。一场杯赛一场梦,好在梦醒之后,我们仍有原路可走。

把绿茵场竖起来,抖落上面已然变得陈旧的故事,晾干上面的汗水与泪水,甚至还有斑斑血迹,体育场巨盆静悄悄,只有风儿在吟唱:人类爱球之心,永不会衰竭……

猜一猜,谁去吃晚餐?

世界杯赛事好比早、中餐,包括下午茶,都已一一吃过,只剩“最后的晚餐”,尚待进行。

现在传来一个确凿的消息，就是有一位中国人，受邀去观看决赛，他不是政要，不是体育官员，不是足球界人士，他是一位和尚，他就是中国嵩山少林寺的方丈释永信。他接到布拉特亲笔签署的以国际足联发出的正式邀请，去吃那顿“最后的晚餐”，目前已启程经北京飞赴柏林。

这次德国世界杯盛会，中国自己派出的考察人员、各路记者和自费观球、旅游的人士不算，直接与杯赛有关的人员，竟一个全无，连一个边裁都未被录用。阿鹏有一天跟我一起看直播，指点着说，美国队的替补里有华人，叫程拜仁，可惜那镜头一晃而过，我未能一睹其黑发黄肤的芳容，再说，那位先生一定是美国公民身份，我们跟他套瓷也大可不必。阿鹏还告诉我，说是沙特队入场时，护旗手是中国娃，是中国娃当然好，但那又能为中国增几厘光彩呢？只有中国队至少进入 32 强，能在世界杯头轮比赛里亮相，才能算得“咱们中国人有份儿”，但如果像韩日世界杯赛那样，扛一筐红心鸭蛋回来，去了也“丢份儿”。

不管怎么说，这回“最后的晚餐”里，德国世界杯赛主席台贵宾席上，会有一位特邀的中国贵宾与宴。不知直播闭幕式时，我们能否在镜头里看到释永信的法相？CCTV-5 虽然获得了在中国直播赛事的独有权，但是，播出的画面却是由供给方挑选编辑的，自己并不能想表现什么就表现什么，因此，永信法师的镜头能否在直播时出现，也还没有 100% 的保证。

国际足联向中国少林寺方丈发出专门邀请，以使大力神杯的颁发现场更具世界性，更饱含“包容与民族理解”的人文意蕴，这是一脚“妙传”，我觉得我们中国传媒不要错过，一定要把这粒球射进“网窝”，前方记者应该就此采访布拉特和永信法师，电视直播以外的专题节目里，应该请永信法师出镜。就在前几天，几百名来自美国的少林功夫迷专程到少林寺拜谒永信法师，集体行礼。这说明外国人对中国功夫非常敬畏、崇拜。虽然现代足球跟少林功夫形态上差别很大，但内在的精神是相通的。中国足球要想获得长足的进步，从自己民族的少林功夫里汲取些境界、定力、智慧，大有必要。别弄得人家葡萄牙队都靠《孙子兵法》进了4强，国际足联都请少林寺方丈大助其威了，我们的足球官员俱乐部老板，特别是球队教练、球员们，还背不出一句《孙子兵法》，不知少林功夫的精髓何在。

崇强与“盼爆”

“最狠莫若妇人心”当然是最难让现世公认的一句古话。

“最狠莫若球迷心”呢?

球友阿鹏又来感叹：呀，这几天的比赛，全在意料之中！怎么就没一个强队翻船？怎么就没一个弱队爆冷？他本是最崇拜强队的，对强队中的强手，尤其是大牌明星，更是视为“球神”，比如前些天我刚说了半句“小罗纳尔多那副尊容……”他还不知道我的落点其实还是夸赞，就气急败坏，截住我话头不让我说完，满脸紫涨地宣布：“那个女士，一点不疯！”能听明白吧？杯赛开幕前，小罗他们练球，一女球迷逮机会猛然进场将他扑倒在地，一时轰动全球，阿鹏崇星崇到爱屋及乌的地步，连那扑星女士，也不容我有丝毫非议！

但是，同一个阿鹏，却又急切地盼望爆冷，也就是弱队将强队翻船，赫赫球星让无名之辈开涮。12号澳大利亚VS日本，开赛前他一再跟我强调：澳大利亚队可比日本队强啊，以后澳大利亚算亚洲片的了，肯定横着走路云云；但是开赛不久，日本队就在混乱中进一球，阿鹏那个高兴劲儿啊，马上从他家打来电话，尖声怪叫：“进啦！没想到吧？”中场休息，他来电话跟我讨论，其实哪里是讨论，他根本不给我答茬机会，兴奋得像一串长长的小鞭，噼里啪啦地倾泻日本队爆冷给他的快感。他说看来只要下半场日本队注意防守，这1：0的战果必定能保持到终场。

日本队进的那个球，其实是干扰对方球门员的犯规所得，“偷来的锣儿敲不得”，你看进球后日方球员并无狂喜般的肢体语言呈现。但他们居然将那“窃锣”优势保持到下半场最后阶段。但就在阿鹏到卫生间小行方便的时候，澳大利亚追平了，最后几分钟里，又连进两球。阿鹏打来电话表述他的心情，用了个词叫“百感交集”，我说什么“百感”，其实你就是“爱恨交加”！

崇强与“盼爆”的心态，其实我一样有，只不过没阿鹏那么强烈就是了。这是正常的人性。世界杯仿佛一面镜子，照出了我们人性深处的明暗凸凹。

“最狠莫若球迷心”，狠就狠在总想得到意料之中与情理之外交织出的强刺激！

从掌缝中观赛

老伴破例跟我一起熬夜看球，她看球，更无倾向性，而且，她对德、阿两队的历史、现状、教练、球员等完全无知，指着荧屏告诉她谁是巴拉克，谁是阿亚拉，场面转换一阵，她就张冠李戴、指鹿为马，但不管怎么说，她倒也看得津津有味，这就说明，中立观球，无倾向欣赏，确实也不失为一种消闲乐趣。看到点球大战，她竟用手掌蒙住眼睛，紧张地问：“这回谁射？”我告诉她哪国的谁，喊：“要射啦！”她微微张开掌缝，又想看又不忍看，我说：“你提什么心吊什么胆啊！”她说：“我是不忍心再看那些小伙子的表情。”她在那时候是两边的小伙子都心疼，任是无关也肝颤，成败去留只瞬间！相信也还会有跟她类似的，数目不一定很少的，算不上“专业球迷”的，偶一观之的人士，也都能从观赛中获得麻辣烫般的刺激，各自产生出一些思绪，获得代偿性满足，这于身心实在大有裨益。

这回黄健翔对德、阿大战的解说，保持了中立站位，我比较满意。但是，对这次世界杯赛的解说，不是针对他，也不是针对几位解说者，我有这样的意见：作为球赛的现场描述，很不到位。这恐怕是台里对他们的任务定位不够明确有关。我年轻的时候，听惯了宋世雄的现场解说。那时候电视还不发达，人们主要还是凭借广播了解球赛进展情况，宋世雄的解说特点是：话语基本上不断线，以话绘图，随时告诉你球到了什么位置在谁脚下，紧接着发生了什么，场上的声响意味着什么；他也会有一点专业性评论，有一点“啊呀好险”“球进啦进啦”等情感的抒发，但他的定位很明确，就是让接收者“以耳代眼”，获得逼真的现场感，他后来担任电视直播的解说，也基本保持了那样一种“话语珍珠不断线成个大项链”的风格。

现在电视普及率极高，但是，应该想到，也还有很不少从收音机里听电视解说的人，也还有一些盲人球迷，甚至于比如我这样的人，有时开着电视，却并不一定死守电视机前，还要到别的屋子里去处理一点事情，开大电视机音量只为能不看画面也知赛况，但是，这次的几位世界杯赛的解说员，大体都有两个特点，一是长停顿，有时候停顿甚至会达到一分钟；还有大量的解说只是报出球员的名字，至于这球员在什么位置，在做什么，似乎解说员觉得“反正您盯着电视就用不着我啰唆了”。当然，我并不是说一定非得还像宋世雄那样解说，毕竟球赛解说也须与时俱进，但是，把盲人球迷、处于某种特定状态只能听声音的球迷们的需求考虑进去，在下面还有的几场比赛的解说里，适当改进一下，这个意见，还是可以采纳的吧？

记得年轻时听宋世雄解说，听到紧张处，也曾从掌缝里听赛，当然，那时候掩住的是耳朵。

越看越不忍看，越不忍看越要看，越到世界杯赛后头几场，我们受刺激就越深，而我们的乐趣，也就越浓酽。

盖尔森基兴的幸运

盖尔森基兴，这是德国西部的一座小城，原来是个煤矿区，有“火城”之称，近年来采煤成了夕阳工业，这里开始经济转型，在这里专为本届世界杯赛盖了座能容纳 5 万多看客的奥夫沙尔克球场，在这回启用的 12 座绿茵场里，它是唯一有全覆盖屋顶的。虽说盖城寄希望于在这里的五场比赛能带动消费，给地区经济来个强刺激，但是，也有不少这个地区的居民很担心，你想想，本来安安静静的一座小城，忽然涌来大量球迷，特别是7月1日那场，赶上英格兰对葡萄牙，据说英国这次到德国看球的人有35万，盖城城圈里的德国人包括老人病人妇孺一共才28万，听到这样的数字对比，不吓晕几个盖城人才怪！好在那35万英国人那天没全来，据说来的是7万，7万也让人晕菜，球场才5万多坐席，何况还有葡萄牙和别的国家与地区的看客要进场，那么，最保守的估计，那天滞留盖城广场、街头、酒吧、咖啡馆的英国球迷，总还有4万人左右，简直成了英国一块飞地！

哪国的球迷是省油的灯？而英国“足球流氓”更臭名昭著。盖城的人真捏一把冷汗。英格兰队赢了，球迷会必定要狂欢到乐极生悲，输了，那可能就是盖城的一场人为地震。

英格兰队输给葡萄牙队，惨遭淘汰了。散场时，最紧张的恐怕是盖城的警察了。根据所掌握的资料，一些“足球流氓”根本就没来成德国，还有一些混进了德国，却及时被发现，被预防性拘留，但只有105 位，其余那些英国球迷，即使并非职业的“足球流氓”，但他们眼睁睁看到伴随无情的哨音出现终结性的比分，那么其中的一部分，谁能担保他们不会“立地成氓”呢？

但是，盖尔森基兴非常幸运。酒吧的啤酒和佐酒食品一扫而空，许多的零售店都创下营业额新高，运输业，包括加油站、停车场……全都赚了个满盆满罐，确实，有些个喧嚣，有些汹涌的人流和车流，但是，比来的时候要利落多了，警察并没有遇到什么大麻烦，市民们发现，很快地，声音渐渐远去，人流车流泄向远方，一觉醒来，城市竟恢复了往日的宁静，唯有清洁工啧有烦言。

英格兰队输了，而英国赢了，更准确地说，英国球迷赢了。

现在倒是考验德国球迷的时候了，包括盖城的球迷，他们的国家队本是势在必得，但是却“一失足成千古恨”，人逢糗事精神恍，会不会因此引发某些德国球迷的闹事呢？尤其是那些“光头党”坏小子，岂不令警察们的神经更加紧绷？

没有扫兴的消息传来。看来，大家都幸运，大家都赢了。

给悲痛以地位

这次世界杯的会徽，跟吉祥物格里奥六世一样，体现出德国人的审美趣味，过分理性，缺乏幽默感。格里奥六世雄狮，为什么非得那么写实？会徽由四个圆形图案组成，底下圆框里画了个大力神杯，上面是三张笑脸，这会徽的名称叫“为足球欢庆的面庞”，设计上直奔主题，看去缺乏回味的余地。

足球比赛确实给人带来欢乐，但无庸讳言，也一定随之会给一部分人带来悲痛。比赛有输赢，落败被淘汰，几家欢乐几家愁，喜兮悲所伏，悲兮喜所倚，没有场上的惊心动魄，缺了看球时的提心吊胆，又哪里来的足球比赛的魅力？

现在德国世界杯进入花落水流红的无情阶段，小组赛的出局球队和他们的球迷，脸上很难呈现出会徽上那种嘴角上翘的笑颜。

古希腊剧场有那样的石雕，就是两张并列的人脸，一张眉尖嘴角上翘呈现着欢喜，一张眉尖嘴角下弯表示在悲痛。那时的人类就懂得，人生多变，结局不同，所以反映人生的戏剧要分为喜剧和悲剧，后来那古希腊石雕，演化为戏剧的图腾，就是一喜一悲两张脸。

就个人而言，欢乐固然应该成为生活的主流，但是，悲痛也并非都是多余的情绪。只知欢乐没有悲痛的人生，未必是灿烂的人生。能够悲痛，并将悲痛控制在适当的程度，在悲情的宣泄中，达到心理的平衡，痛定思痛，化悲痛为力量，从而感悟出能够避免失败的良策，重新踏上人生的旅途，则是睿智、有福之人。

世界大人生，世界杯赛是浓缩的小人生。人生有悲喜，表情有差异，其实在这次会徽的设计上，三张人脸图案里把一张画成悲痛的面容，更能体现出世界杯赛里所蕴含的人生意义。

据报导，原来组委会从来自世界各地的应征设计里，选定的是一个叫做“从平凡到辉煌”的方案，但事到临头，却又将其抛弃，最后尘埃落定，是现在我们看到的这个样子。可惜现在无法看到“从平凡到辉煌”的模样，但从命名来说，我以为“从平凡到辉煌”远比“为足球欢庆的面庞”好。

可以把辉煌设定为终极目标，但一定要给平凡以价值。球星辉煌，但满世界平凡的足球爱好者，特别是找片空地就用书包垒个球门，活泼泼地踢起足球的孩子们，更应该得到我们的赞美。

应该感谢足球给我们带来的欢乐，但是，我们也应该能在观看世界杯赛的过程里享受悲痛，该大笑就大笑，该痛哭就痛哭，才是完美的人生。

弘一法师（李叔同）圆寂时留下四个字：悲欣交集。那是最高精神境界。我们几时修得到此？

更隔蓬山一万重

看着1/4对决的预告，直发愣。六支欧洲队，两支拉美队。亚非知何去？剩有游人处。只有乌克兰队稍有新鲜感。倘若德胜阿、法胜巴，意胜不胜乌不去管它，则半决赛和决赛，欧洲杯乎？世界杯乎？

这种过分的不均衡，是怎么形成的？自然而然？微妙难言？

都说这回没中国的事儿，真没事儿吗？德国朋友打来国际长途，他是个汉学家，告诉我说，中国球队虽然没去德国，但中国其实无处不在，比如所有进场人士所挂胸牌的吊带，许多大大小小的赛事旅游纪念品，钥匙链什么的，也都是中国制造，有的不完全是中国造的，但中国提供了不可或缺的辅料，更何况中国买下了直播转播权，派出了浩浩荡荡的记者队伍，他本人在法兰克福街头就被三家不同的中国媒体客气地拦住，受到英语询问，他以中国话作答，令对方既吃惊也欣喜。他说，国际足联这回之所以不那么照顾中国，比如连裁判都不给一席，他“门儿清”，那就是现在中国人不管你怎么对待，都会狂热地“投入世界”，他说依他估计，一般德国人对世界杯的狂热，大概还不一定比得了中国大城市的球迷，像法兰克福的酒吧，很少有为这回世界杯赛改换增添新电视机的，但他从关于中国的报导里发现，中国大城市里不但是酒吧，就是一般饭馆，这回也纷纷装备上了最先进的宽屏大彩电，生意兴隆，盛况空前。他说，中国这回因为世界杯拉动了内需，而国际足联也因此无须自己特别努力，就坐看中国成为了世界第一足球消费国，以后从中国捞取油水，“拿瓢往外舀就是了”！

德国朋友的话仅供参考，不足为训。

反正我越看 1/4 对决的预告，越觉得憋屈。21 年前我写了篇《5·19 长镜头》，到现在还常被人提起，按说一个人写下的文字总有人记得，对写作者是巴不得的好事，但我真实的心情，却是期盼这篇文章被人淡忘。有的人到现在还在议论那篇文章，实在是因为中国足球这么多年还冲不出去，何时中国队能在世界杯上进入 16 强，乃至也列在 1/4 对决的预告表上？真是“刘郎已恨蓬山远，更隔蓬山一万重！”

1/4 决赛的执法裁判已经选定，奇怪的是让西班牙籍裁判麦迪纳担任法国与巴西对决的主裁，西班牙队前两天不是刚让法国队给淘汰了吗？这究竟是怎么回事？再找不到合适的人选？为什么事先不多录用点未入围国家的好裁判呢？中国去参选的裁判，据说考核成绩优秀，落选的原因，据说是人家要诸多因素综合考虑，什么因素让中国裁判落选？无非是足球水平整体不佳，但新加坡的马丁不也入选了吗？新加坡的足球水平高吗？这位马丁前些天在执法波兰和哥斯达黎加比赛时，一连罚出 10 张黄牌，有那个必要吗？其执法能力，未见高明。有的事情，真看不明白想不通。

但蓬山虽远，心仍向往。往下的赛事，还要一看到底。看人家热闹，总还想着自家的足球，这份心情，不独我有吧！

霍金与足球

我对这类的命题不感冒：“多些霍金迷，少些‘超女’迷。”

不要对自己看不惯的事物，用这类的方式加以抨击。

尤其是，自己也并非真的迷霍金，只是对“超女”深恶痛绝，就搬出霍金来说事儿，对这号人，我摇头。

宇宙是一个丰富的存在。许多事物并存着。事物与事物之间的关系非常复杂。不要简单化。尤其是普通人的乐趣这个事儿，是的，多半是喜欢俗趣的多，喜欢雅趣的少。雅之所以成为雅，正因为在事物总量里占据的比例较少。真喜欢霍金及其宇宙起源理论的，再加上只不过是附庸风雅做出喜欢状的，全加起来，那人数也比真喜欢“超女”的要少很多，这本是再正常不过的事情。

更何况，只喜欢霍金不喜欢“超女”的人固然有，既喜欢霍金也喜欢“超女”的更大有人在。事物可以雅俗共赏，俗人多敬雅，雅人何必那么鄙俗？

正当众多中国人沉醉在世界杯赛事时，霍金再次访华，在人民大会堂演讲，深入浅出地介绍宇宙起源的理论。听讲的多数是大学生，他们听得津津有味。这些大学生，我敢说，其中为数不少，也是“超女”迷和足球迷。

球友阿鹏，今天又来找我，手里拿着一张报纸，我以为那又是世界杯专版，敢情不是，是一张《中华读书报》，用一整版刊登了霍金《宇宙的起源》的演说译文。阿鹏非常兴奋，问我看没看，说要跟我讨论讨论。他一再重复霍金的那两个著名的问题：我们为何在此？我们从何而来？

我觉得阿鹏的生命状态真好。不愧是宇宙中的一个生灵。这些天看球，我们互相嘱咐：注意安全！报纸上也有不少文字，提醒球迷们，不要让身体和精神过分透支，饮食上特别是饮酒要有所克制，不要一味跟人抬杠，悲喜情绪要能放能收……都是好主意。

其实，不仅是看球，做任何事情，最好都能像阿鹏那样，把形而下和形而上穿插起来，使自己的精神世界富有弹性，这样也就必能全面激活生理机能，是身心健康的一大法门。

《红楼梦》里有个角色叫林红玉，简称小红，她一方面很实际，想方设法攀高枝儿，讨府里当家人王熙凤的喜欢，图的是出入上下，眉眼高低，大小的事情都能见识见识，她有不少形而下的想法，有相当俗气的一面，但是，也正是她，却能在某些时候，某些情境下，进行形而上的思考，比如她就说出来“千里搭长棚，没有个不散的筵席”那样把人生看透的话，显得相当睿智。因此，这个女子就活得比较潇洒。根据曹雪芹的设计，在80回以后，独她能躲过浩劫，并在王熙凤和贾宝玉落难入狱后，设计去进行营救。这小红如果是现在的球迷，她看世界杯一定是既过瘾又安全的。

宇宙里没有霍金当然遗憾，没有足球则更可怕。

开锣看“织网”

世界杯好戏已经开锣，我在电视机前，一手握罐啤，一手摇扇子，盯着荧屏，且看交阵双方织网忙！

早在几年前，我就发表过一篇专门谈“网意识”的侃球文章，唉，没有像揭秘《红楼梦》那么样引出爆响，哇呀呀，人生往往是：有心栽花花不发，无心插柳柳成行！强调足球场上的“网意识”，是我有心栽花，这花为什么不发？

何谓“网意识”？你看9号晚上德国和哥斯达黎加的比赛，无论是强方还是弱方，都在往进攻方向“织网”，具体而言，就是开球以后，绝不是得球便撂大脚丫子，往对面半场狠命一踢，然后那边的前锋就疯跑，接到了球，就管自往禁区盘带，实在受阻无奈了，才传给别人，或者在接近人家球门的时候，再来点小配合，然后，在人家的防堵下，慌忙一脚射门，呀，不是抛高了，就是打在门柱上，让人家虚惊、自己虚喜一场——我这反着说，说谁哪？说的是中国足球队的常态表现，那就是没有“网意识”，不会织网！现在正面说，你看德队与哥队，人家怎么踢的？就是往进攻方向“织网”，球员之间的传球、接球，都大体上衡量好了一个距离差和时间差，尽量躲避对方来“撕网”，努力把球控制在自己一方，将一张“网”耐心地推进到对方禁区，然后“捞鱼”，就是射门。这过程里，当然会遇到对方的破坏，一旦球到了人家脚下，人家“织网”，那就迎上去“撕网”。

明明这回没中国足球队的戏，我还得说他们几句：怎么你们老是有那样的“表演”，甲将球大脚丫踢到前场，离那接应者老远，那哥儿们乙一阵疯追，真显示出超人的体能和惊人的速度，但是，哇，球还是没追上，滚出界外了！唉，传球的怎么就不能估量好距离差和时间差呢？另一种情况是，甲把球传给乙，不是往乙即将跑动到的一处空当传，而是往乙此刻站位那里传，乙哥儿们呢，就居然站在那里不动，等传来的球滚至脚下，那还不被对方觑破抢走！……这还是从反面说——这就叫没有“网意识”，没进入足球运动的 ABC！

咱们的足球这回与世界杯无缘，连个裁判都没选上，我怎么还在这里唠叨他们？唉，责之切，爱之深啊！

好，且抛开民族情绪，从全人类的角度侃球，那么，踢球有不同流派，看球也有不同流派，我是“观网派”，就是特别喜欢欣赏那两张互相置换、冲突的无形之“网”，一网不捞鱼，二网不捞鱼，三网、四网……捞个大尾巴（读作“乙巴”）鱼！进球啦！我会往沙发背上开怀一靠，猛啜一口啤酒。

看足还是看球？

阿鹏是个超级球迷，跑来问我：“你怎么看世界杯？你着眼点是足还是球？”问得我一愣。

跟阿鹏一细聊，茅塞顿开。足和球，是足球运动的两大要素。葫芦提地看球，关心的只是攻守输赢，观完记忆里只剩些“宏大叙事”，细节么，会“定格”几个“精彩瞬间”，阿鹏说那样地观球，还属于“粗线条”一类，按他的说法，只有还能更细腻地观看，把对足的欣赏和对球的观察既能分开又能综合，那才算是地道的球迷。

在电视机前观赛，最大的好处是能从不同角度欣赏，镜头还会有全景、中景、近景、特写、摇拍、追拍、反拍、鸟瞰等丰富的变化，重要的瞬间会有回放、慢放、定格，还会穿插进观众席上和场边教练与候补队员的动态，阿鹏说，这其实为我们提供了把看足与看球分拆开的最优条件。

把看足和看球分拆来看？见我大惊，阿鹏解释说，那当然不是机械地剥离，实际在如此激烈的，令人眼花缭乱的运动流程里，足与球固然是难舍难分的，但在有的时段，有的流程里，自觉地把着眼点偏重于足或者球，还是必要的、可能的，而且，更是乐趣无穷的。他呢，更多的是把关注点放在众球星的足上。

见我还不解，阿鹏就拿出一张纸来，纸上已经写下了不少“足法”，如接、带、定、搓、揉、挑、颠、旋、退、让、夹、藏……当然，还有射，而射后面又分支为：脚尖射、脚背射、右脚射、左脚射、脚右面射、脚左面射、脚跟射、脚踝射、停球射、接球射、凌空射、反身射、倒钩射、花式射、假射……他让我至少再补充进10种“足法”，我叹口气说，光是你写出的，有的我自己就想不起来，若要我补充，只好填上头球，他说头球属于欣赏世界杯的另一分支，现在只论“足法”，其实，可补充的“足之花”岂止10种，还多了去！他就举一个著名的“帽子戏法”的案例，说那次就出现了一种“脚脖窝射”，我抬杠：脚脖窝就已经不是足了，还有用小腿把球推进门的呢，阿鹏并不生气，只是嘻嘻地笑。

不管怎么说，阿鹏看世界杯，注重看足的门道，还是值得众球迷参考的。

莫把杠搬断

“别总‘老太太吃铁蚕豆——独闷啦’！”球友阿鹏跑来，把我从家里拉到楼外。先到附近绿地，那里已经有些球迷在议论世界杯，阿鹏和我先是旁听，后来阿鹏忍不住就参加了进去。

七嘴八舌，总是抬杠。抬杠也可以说成搬杠。我取搬杠的说法，因为“抬”还有点合作的意味，“搬”那就完全是较劲儿了。他们一会儿争，瑞士进韩国的第二球，究竟是不是误判？一会儿吵，法国赢下多哥晋级16强，里头是不是有猫腻？……结果阿鹏竟急红了脸，气哼哼拉着我走人，一走，就走到了一里外的一家餐馆，嘿，正好有熟人已经在那里喝上了扎啤，他们招手，我们乐意，于是凑到一桌，边喝边侃。几句话过去，又搬上了杠。跟喝酒划拳一样，两两拴对子。我也卷了进去，跟一位爷们搬上了杠，我说罗纳尔多"终于回到状态"，毕竟还是可爱，他却宣布"肥罗绝对是沉沦之星"，不足为训……

搬杠乐，乐开花。事后冷静下来，我发现，搬杠的人，包括我自己，之所以要跟对方话赶话，话顶话，话不投机，赤眉涨脸，闹个不欢而散，多半是基于下面几种心理：

一是真的坚持某种观点，绝不轻易放弃。

一是并不真的为了捍卫某种观点，只是总想把对方的"气焰"压下去，争占对话的"上峰"。

一是仅仅因为对方看上去不顺眼听话音不顺耳，那么即使对方的观点与自己并无实质性差别，也要"鸡蛋里挑骨头"，给对方迎头"一大哄"。

一是无端宣泄，享受搬杠所带来的话语快感与心理怡悦。

我发现，一般来说，搬杠能让自我得到多方面的代偿性满足。越是平时缺失多的群体和个人，在偶尔的"话语角力"当中，就越喜欢搬硬杠。

世界杯赛给我们这些芸芸众生，提供了一个开阔、丰富、安全、有趣的搬杠空间。当然，爱搬杠的，还是爷们居多。但世界杯也让女性得到便宜，一些女球迷借这茬儿就敢在包括她老公或男友的面，公开表达对球星的"性趣"，有的女作者更在传媒发表文章，淋漓尽致地倾诉对比如小罗等球星身体的"赏析"，那条女球迷扑到小罗身上狂吻的消息，各传媒都是当作正面花絮发布的，没人谴责那是性骚扰。球迷爷们的爱搬杠，也许跟集体失去了身边娘儿们青睐，娘儿们全奔"共享情人"的球星而去，于大苦闷中寻心理突围之路，有一定关系吧？

但是，搬杠不能搬过头。我们去的那家餐馆，离大背投电视最近的那桌，不知怎么的，忽然就有两个人站了起来，似乎是要化嘴皮为拳头，旁边的人马上站起来拉的拉劝的劝……

搬杠太甚防肠断。我环视四周，像我这么大岁数的，以及小青年和孩子，比较少，多是一些四十岁上下的爷们。攘攘人世，哀乐中年，我的同胞兄弟们啊，在这溽热的夜晚，搬杠吧，只是适可而止，莫把杠搬断！

内心深处的呼唤？

齐达内是我最心仪的偶像。记得 2000 年在巴黎正碰上那一届欧洲杯决赛，我在巴黎市政厅广场的超大屏幕前，跟不停跳跃欢呼的巴黎市民一起，痛赏了一番法国队特别是齐达内的魅力风采。后来又听法国朋友跟我细说齐达内的端详，感到他不仅是个耀眼的球星，也是个道德楷模。上届世界杯法国队和齐达内都很窝囊。人生多舛，英雄难当，那时各个媒体竞相公布齐达内倒地啃草的狼狈相，我不忍多看。

这届杯赛前，一再听到已经 34 岁的齐达内决定挂靴，我觉得真乃明智之士。廉颇会老，赵子龙会衰，而且，生理上的变老以外，还有个心理上的老化问题，心理趋于成熟是件好事，但以过分成熟的心理，参与最适宜青春心态嬉戏的足球比赛，那即便生理上还刚健，恐怕也非恰切的选择。

没想到那天在电视上看到，齐达内对记者说，他还是要出阵这届的杯赛，记者问他为什么。他说，那是出于他内心深处的呼唤。

内心深处的呼唤？乍听，是诗一样的语言，歌一般地动听。但内心深处，也就是灵魂深处，那个旮旯，我们人人皆有，其实是最暧昧，最不可靠的地方。那地方有恶。当然，像齐达内那样的好人，他是时时会以善将恶压抑住的。我绝没有他听从了内心深处的恶的呼唤而做出参赛决定的意思。但是，内心深处除了可以明确加以判断的人性因素，还有极多说不清道不明的，非理性的因素。在纯粹的私人生活领域里，听命非理性的召唤，是无可厚非的。但是，像参与世界杯赛这样的事情，应该听命的不应该是内心深处的呼唤，而应该充分地付诸理性，理性并不处于内心的深处，内心深处的呼唤是讲不出道理的，但理性的呼唤却可以清晰地表达为由逻辑链组接的道理。

齐达内做出了一个错误的人生抉择。他不应该仍然到世界杯赛披挂上阵。13日法国队和瑞士队的比赛，齐达内的表现中规中矩，甚至可以说依然如风似舞，那些比他资历浅的队员也努力地尊重他的引领，努力地配合，但赛事却一闷到底，颗粒无收。

在当下的中国，各行各业也都还有某些“老将”，“听从内心的呼唤”，不愿“挂靴”，于是就有那样的景象——主席台当中，已经由新一届头面人物占据了，两翼也大都刷新，但偏有年龄早已过线的某公，即使让他坐在主席台最边上，也依然绝不愿坐到台下去；更有只要有人跟他谦让一下，就努力往中间坐的主儿；有的“前辈”，他自认为“依然有颗火热的心”，他“还不能放心”，他还要“帮一帮，带一带”。在有的研讨会上，资深某公在座时，与会者发言是一种状态，他去上趟洗手间，发言者的即兴火花连续四溅，他如果因为难以坚持早退休息，则会场上立即群鸟争鸣，新论迭出。资深某公未必有压制谁的意思，甚至他那扶掖后进的一片赤诚皇天可鉴，但他在，某种气场就在，这是人间很无奈的事。

内心深处的呼唤？注意我加的问号。这个问号其实应该画得更粗更大。

能耐

黄健翔上演的“莎士比亚”（沙嘶劈哑）令人厌恶。他不是球迷，他是工作人员，是CCTV-5派往德国的杯赛直播解说员，当意大利和澳大利亚纠缠到了下半场将尽时，意大利队获得了一个点球，他疯狂地喊叫起来，甚至连呼“意大利万岁！”真为他捏一把汗，从这场比赛来看，难说意大利队有王者之相，托蒂罚中的点球也只是使意大利队进入了8强而已，下面还有硬仗要打，哪里就“万岁”了？黄健翔作为个人痴迷意大利队，当然可以，作为解说员，所面对的肯定有看好别的队的人士，不应用这种“沙嘶劈哑”伤害别人的感情，以公器泄私情而偏离客观公允，他的能耐，实在欠缺。

能耐，在中国话里，跟能力、水平是同义词，真有能耐，就是真有水平的意思。我觉得“耐”字特别好。能耐，把它拆解开，也可以当作“能够忍耐”的意思。能不能“耐”，是这几天16进8比赛里，各队遇到的同一问题。

英格兰队跟厄瓜多尔队的比赛，转播的镜头里，不知大家注意到了没有，上半场好几次映出鲁尼气哼哼的表情，他就缺乏耐力，因此沉闷局面的打破，就靠不上他，最后还是小贝弯弓射月，一球定鼎。从镜头里看，小贝的面部表情，就始终正常，甚至平和，有耐性，逮着机会，能耐也就发挥到了极致。

荷兰和葡萄牙的比赛之所以踢成闹剧、丑剧，就是因为双方都输不起，输不起又耐不住，从急躁发展到焦躁到焦虑到失态，留下不雅的记录。

平心而论，意大利跟澳大利亚的对决，双方踢得都很耐心，往前“织网”总能逼到前沿，防止对方“网”来总能严密封堵，这种拼耐性的比赛，往往会呈现出一再攻门一再不破的局面，倒是考验着观众的耐性。从整场比赛来看，澳大利亚队不畏强悍，表现得相当不错，大概黄健翔解说时，心里头一直害怕意大利队一不留神让澳大利亚队捅进一个，因此直到那个点球出现前，越来越失语，后来的情形，从镜头里看，意大利队球员虽然高兴，似乎也还没有达到黄健翔那样癫狂的地步，就忍耐力而言，黄健翔真应该跟人家学学。

瑞士“青年军”和乌克兰队最后以点球大战决出胜负，瑞士队竟以此前一球未失的战绩而败出。其实两支队也都具有值得称许的耐性，只是瑞士队在罚点球的过程中运气不好——我坚持这一看法，而并不认为是瑞士小将丧失了耐心。

比赛，比的当然是方方面面，在其他方面都旗鼓相当、相互制约有效的情况下，拼的就是耐力了。咬得菜根，百事可成。具备耐心，才显能耐。

你看斯图加特吗？

阿鹏跑来这样问。

看斯图加特的什么？记得二十七年前，改革、开放初期，那时候德国还东、西分治，忽然听说西德斯图加特芭蕾舞团来华演出，剧目是《叶甫根尼·奥涅金》，那不是俄罗斯古典诗人普希金的长诗吗？如果是苏联（那时尚未解体）的芭蕾舞团演出，很正常，怎么会西德人跳这个？那时候真是一票难求啊，好不容易找到一张票，兴冲冲跑去看，真有得风气之先的自豪感。斯图加特芭蕾舞团的演出保持了古典芭蕾舞的章法，却又大量糅进了现代舞的因素，真让我们那一辈人眼界大开。

开放久了，见怪不怪，他怪，我这边比他还怪，前两年斯图加特芭蕾舞团又来华献演，我没去看，看了的朋友跟我说，有些个失望，“都后现代当道了，他们还是仅仅往古典里糅进些个现代舞因素而已。”现在的中国城市雅皮一族（即所谓“布尔乔亚”+“波希米亚”的“布波族”），眼光之高，似乎已超西方社会的一般俗众，拿看世界杯赛来说，咱们只会看热闹，人家据说看的是一种高深得无法言传只能神会的东西。

当然，阿鹏来，不是为的斯图加特的芭蕾舞，而是指那场在那个城市体育场举行的，德、葡两国决出三、四名的比赛。

我告诉他不看。不仅是因为时间不合适，而是因为，我觉得国际足联根本没必要非安排争三、四名的比赛。其实，谁第三谁第四，完全可以根据这两支球队前面的战绩来排定，积分一样可以比净胜球，净胜球一样可以比总进球数，或者干脆先猜正反面再扔钢镚儿……

阿鹏说：“亏你想得出！”我告诉他，有什么稀奇，其实以前的足球比赛到了规定时间还是平局，就用裁判扔钢镚儿的方式来决名次。我们现在认为是天经地义的点球大战，是从1970年才采用的规则，发明者是德国人瓦尔德，他现在已经90高龄了。

比赛要分胜负，场上要争当胜利者，球队承载着民族、国家的名誉与尊严，球迷因此可以狂放地发泄爱民族、爱国家的情愫，这本来都很好，但是，非要拼到底，90分钟平局还要加时30分钟，再平局则进行点球对决，说实话，场上的球员身体和心理往往濒于崩溃，球迷们的神经也接近于绷断，究竟有无此种“不共戴天、决一雌雄”的必要？

阿鹏说：“反对！最好看的最过瘾的，莫过于点球大战！”又说，“人家争三、四名也有很高的出场费，再说，多一场比赛多一层利润，你放弃，人家能放弃吗？”我说：“那么，你凌晨看斯图加特吧！”阿鹏笑说：“我刚吃了番茄葡国鸡，喝了德国贝克啤酒，它们在我胃里搅成一团，过瘾！球嘛，就不熬夜看啦！”这个坏小子！

球门的牙刷

半个多世纪前，我还是个小学生，第一次看足球赛，是在北京先农坛体育场。那是一次职工友谊赛，记忆里两队前锋一大群，攻过去是“一窝蜂”，攻不进则“鸟兽散”。赛完的比分完全不记得了，却记得领我们去看的体育老师一再地摇头：“没按规矩踢呀！”

前些时偶然从传媒上看到一条报导，说国外一家权威机构，给世界上一批顶尖级科学技术界人士，包括还活着的获得过诺贝尔科学奖项的科学家们，发去一张问卷，让他们排列出他们心目当中人类最伟大的发明，问卷回收后一统计，赫然排列在第一位的，你猜是什么？电脑？手机？原子能技术？基因检测？航天器？电灯？仿生技术？……告诉你吧，全都不是，而是——牙刷！

不是危言耸听，不是故弄玄虚，确确实实：大体而言，牙齿状态是一个人文明教养程度的标志，而厕所状态则是一处地方文明开化程度的标志。注意我已经注明是“大体而言”，当然会有特例，但特殊的例外（比如因疾病或衰老败坏甚至完全缺失了牙齿，比如战场的厕所，等等）应该不影响上面总结出的规律。

那么，倘若问你：足球比赛中的哪条规则，相当于牙刷？你会怎么回答呢？

我的回答是：关于越位的规则。

国际上承认，最早发明足球比赛的是中国，当时叫做鞠蹴，但是比赛的规则，没有非常明确地记载流传下来。欧洲人玩足球，到十九世纪才一步步完善比赛规则，最早只是踢进球门就算赢，两队排出的阵式不是1217就是1226，常常造成球门前的大混乱，缺乏观赏性，于是在1874年，有了越位这条规则的出现，越位的规定仿佛是为球门设置了一把牙刷，增加了比赛的难度，使阵法随之革新，不但进攻有更精彩的镜头，防守也能令人赏心悦目，并且大大减少了禁区内球门前的粗野行为，足球比赛的整体文明程度，有了很大提升。

越位规则这把牙刷，洁净着赛场。但是，早期的越位规则很简单，并不能适应比赛中千奇百怪的变数，因此，到1925年，就厘定了更精确的越位规则，1930年第一届世界杯开赛后，这规则一直延续到了今天，越位的规则具有了双向的意义，攻方的反越位与守方的造越位，使比赛更具有戏剧性。但是，人工裁判毕竟不可能精确无误地对越位做出及时而公允的裁决，于是，为了减少“越位官司”，1990年国际足联又一次修订了关于越位的规定，这就像牙刷发明以后，不但牙刷的制造在不断地从材料、形态上翻新，如何更科学地刷牙，也有了越来越细腻的指导一样。

但是，越位的规则直到目前仍需改革。现任国际足联主席布拉特就提出来，不如把越位定义在原有前提下改为“沾球为越位，不沾球不算越位”，但到目前为止还是“曲高和寡”，有的人士担心这样一来，“造越位”的战术就无所施计，越位规则这把“牙刷”也就未必能保证球门前的美观了。不知众球迷朋友，对越位规则的进一步革新，有何高见？

热锅上的教练蚁

看电视转播球赛，好处之一就是能看到一些教练席的近景和特写。你可以发现，绝大多数教练根本是离席不坐，始终站在场边督战，有时还会把双掌围在嘴边拼命地喊，也不知场上那些急速跑位的球员究竟能不能听清他在喊些什么。

绝大多数教练，是西方人，他们的肢体语言十分丰富、强烈，被慢镜头回放，往往会觉得简直是在跳舞，而脸上的表情，也往往极度夸张，尽管张嘴说的喊的叨唠的骂的是什么话听不见，但我们如果对口型配音，那猜想出来的“台词”一定会非常接近其原意。

球场边上的裁判席分明是个热锅，不管是水平多高名声多大平时派头多足的教练，临到那九十多分钟，他在场边也只是个受煎熬的蚂蚁。

教练是个很不错的职业。当教练的一定热爱这项运动，能在自己所爱的事业中谋生，是人生大福。他的人生或者在一次次教练席上的亢奋里越来越辉煌，却也可能在一次次的煎熬里沉沦。

教练肩膀上压的责任箩筐里，全是大块的石头。球迷们的石头块垒到脚下，能让他登到峰顶，一览众山小。业界的石头，他成功了会是纪功碑，失败了则是耻辱柱。最沉重的石头叫做国家荣誉，又叫做民族尊严，其实往往教练是外聘的，并非球队国的国民，但是你既然接受了聘书，那就必须肩负人家托付给你的这天大使命，你干得好，人家会封你为荣誉公民；你干砸了，虽说表面上让你全须全尾地卷铺盖走人，还给你来个饯行宴什么的，但你吃进肚里的，恐怕全是“家藏白果”。

我们看球赛，看场上球员，也看场边的教练，输了，绝放不过教练，万里以外的吐沫星子，溅过去也能把他名字变臭；赢了，却又往往会忘记他的存在，只管津津乐道球员的妙传神射、拼抢封堵……当然，懂行的球迷，兴许会赞赏到教练布阵的苦心、换将的得宜，但他又并不能听到。

每场赛完，必有对教练的采访，电视转播里也尽量编入，于是我们会从特写镜头上，看到得意与痛苦，潇洒与尴尬，踌躇满志与强颜欢笑，偶尔还会看到克制不住的怨愤与惨不忍睹的神情恍惚……我们透过看球，观人生，悟人性。

教练难当。年年难当年年当，处处无家处处家。

上海一家报纸派出的记者，在开赛前跑到德国一个叫比布利斯的小镇，采访了一个叫施拉普纳的矮胖老头，写了一版的报导，附有一篇标题叫《遗忘》的“采访手记”。这个老头十几年前曾经是中国国家队请来的第一个外国教练，那时候中国足球还没有职业化商业化，他算是开放的中国足球界吃下的“第一只螃蟹”。他无功身退。后来的几任“螃蟹”也一样“不好吃”。球迷阿鹏上初中的儿子听我们议论他，好生奇怪，问：“谁是施大爷？”

热锅上的教练蚁必须通过一番熬煎，使球队建立起足以令一方球迷自豪的丰功伟绩，他的名字才能摆脱被遗忘的命运。

赏刁

“分明是一刁妇！”记得小时候父亲带我和姐姐看京剧《玉堂春》，里面有这么一句词儿，回家我就问：“什么叫做刁妇？”姐姐就奚落我：“连刁的意思都不懂！刁就是坏，还坏得特别滑头！”从那以后我就记住了：“刁”是个贬义词。后来看“样板戏”《沙家浜》，里头有个刁德一，还有个刁小三，从姓氏上就知道绝对都是滑头的坏蛋。确实，直到当前，在社会生活里，一个人如果其行为让人觉得刁，那他起码是道德上有问题，“嘿，你可别犯刁啊！”成为人们对某些不怎么样的家伙的警戒语。

但是，在球类比赛里，刁，却是个香饽饽。乒乓赛的擦边球，网球羽毛球赛的刁发球，篮球赛的刁角度投篮，足球赛的刁传刁射……都不但是正面行为，还是优秀表现，甚至是明星风采，在关于球类比赛的报导中，如果出现“刁球”字样，那么“刁”一定是个褒义词。

在足球比赛里,对某些未能入网的射球,我们会评论说:“太正啦,不够刁!”如果有一粒刁球入网,我们会兴奋不已,事后津津乐道,看电视里的多角度慢动作回放更是一大乐趣,我的球友阿鹏喜欢把那类镜头翻录下来连在一起,还给那种集锦取了个名字《刁球欣赏》,啊呀,他居然赏刁!

刁球确实值得赏啊!开赛那天德国队新星拉姆的一记远射,角度刁,高度刁,旋转刁,养眼润心!再看那天英格兰VS巴拉圭,说实在的,对整场比赛难以恭维,特别到了下半场,双方阵脚都比较慌乱,大不如德国VS哥斯达黎加精彩,但开场不久英格兰贝克汉姆的那粒进球,实在是怎一个刁字了得!你说那是巴拉圭的乌龙球吧,仔细推敲一下,即使巴拉圭球员头不触球,那球的力度也足以砸进网窝;你说那球角度比较正吧,它的高度又比较难以对付,而且那一瞬门前大乱,小贝却能轻松犯刁、一刁定鼎,不能不佩服,赞他一句“分明是一刁男”不算过分吧?

人类约定俗成,在社会生活的常规领域里,视刁为恶,却又在球类比赛里,以刁为美,赏刁赞刁,这是否是人类对人性中复杂因素的一种分流排遣?其中的哲理内涵,值得一再体味!

射手榜里没有“眼镜蛇”

阿鹏问我是不是在写观德、意大战的感想,我说现在要写哥斯达黎加的万乔普。阿鹏说不是早已经被淘汰了吗?我说你不记得开幕那天,德、哥对阵,万乔普踢进一球,把比分扳平的那一刻,你蹦得有多高啦?他后来居然又射进一球,你怎么说来着:“这就叫大师级!你只要给一点点机会,他就一定能穿裆入网!”阿鹏拍拍额头说,是呀是呀,不过才二十来天,我就把他忘得一干二净了!

我们的人性就是如此,总还是以成败论英雄。我手头有五种报纸,半决赛前国际足联公布射手镑,这五家刊登的榜单上,竟都没有万乔普的名字,有两张报纸连射进一球的意大利、阿根廷球员的名字都刊登了，却对万乔普加以“省略”。

万乔普虽说也算球星，但搁到这个盛会的球星堆里，他就让那些顶尖级的亮星遮蔽住了，有什么办法呢？山外青山天外天，人比人，气死人，他虽然首场就独进两球，却因为后来自己国家的球队被率先淘汰，就非常迅速地成为“历史人物”，整个儿“事实沉默在时间里”了！

万乔普成为职业球员时间颇长，他马上就30岁了，在欧洲若干甲级队里效力，因为身高1米9却腰身灵活，能游蛇般穿越对方后卫，起脚射门杀伤力强，因此获得了“眼镜蛇”的绰号，这绰号当然没有“外星人”“核弹头”之类堂皇，却也颇显威风。他还曾到卡塔尔踢球。还有他将作为外援，来中超一显身手的说法。

万乔普个人能力很强，但他自己国家的球队尽管打进世界杯，总体而言，还是“逊风骚，输文采”，敌不过那些称霸的强队。

这让我想起了世界文学的格局。最近我得到一本《阿富汗尼斯坦文学精品》，其中有小说、诗歌、戏剧，读完吃了一惊，有的作品对人性的揭橥，绝不比美国福克纳写的差，甚至还要更有力度，但是，因为使用的是普图什文那样的小语种来写，在西方强势语言和强势文化的遮蔽下，就几乎不被人所知，我读到的这本书的选译者闻迪先生，曾作为外交官在阿富汗工作过，熟悉那里的语言风俗历史传统，翻译出的汉语读来非常舒服，但这样的书却只能是他自费印刷分赠亲友，因为出版社不愿冒赔钱风险加以出版发行。改革开放以后，我国大量翻译出版了西方国家的读物，这当然是好事，但是，现在一说“世界文学”，仿佛就是西方强势语种的那些东西，一般中国文学爱好者对比如说缅甸作家用缅文写作的小说，完全忽略不计。幸好万乔普是“用脚著文”，可以驰骋在全球各处的绿茵场上，还不至于被遮蔽到缅甸作家那样，但是，他明明是这次最早射入两球的高明射手，只因为他那国家的球队率先出局，我们刊登射手榜就将他遗漏，这现象，难道不值得玩味吗？

失败不是一个选择

在电梯里遇见查君，我想问他是否也会熬夜看世界杯赛，他却先点着我胸脯问："你这恤衫上写的是什么啊？"

前一阵我到美国讲《红楼梦》，讲演任务完成后，去得克萨斯一游，得州的休斯敦有以美国第 36 届总统林登·约 t 翰逊命名的宇航中心，其中有供公众和游人参观的部分，我在那里观览了一番，在出售旅游纪念品的商店，买下了这件"文化衫"，其实那里的恤衫种类很多，有的图案非常提神，有的色彩非常艳丽，我买下的这件深蓝色的恤衫无论样式颜色都比较朴素，也没有什么图案，但当胸印有一句白心红边的格言："FAILUREISNOTANOPTION"，意思是"失败不是一个选择"，在宇航中心工作的朋友告诉我，这是他们那里所有人不但时时挂在嘴上，也刻在心里的座右铭。

穿着这件恤衫在电视机前看关于世界杯的节目，于是觉得这句话，搁到足球比赛上，也是很恰切的。

今年这届世界杯，中国足球没戏。中国足球究竟出了什么问题？怎么会一年不如一年？人们对此也已经议论、争论到了欲说无言的地步。我以为，从足球官员到足球教练，从俱乐部老板到众多的球员，无妨咀嚼一番"失败不是一个选择"的格言。这当然是西方人的一句"口头禅"，西方文化是竞争文化，我们中国传统文化是中庸文化，也就是调和文化，西方人忌言失败，中国人不以未胜为耻，这两种文化本无所谓孰优孰劣，都有其之所以发展起来的轨迹，也都会继续往前延伸，但如果不想使自己的文化僵化、老化，那么，汲取相异文化中的营养，促使自己的文化不断更新，则是必要的功课。

西方人做事何尝没有失败？美国宇航事业就屡遭失败，最惨的那次就是 1986 年挑战者航天飞机的失事，罹难的 7 名宇航员中还有一名原是女教师的克里斯特·麦考利夫。我在林登·约翰逊宇航中心乘观览车巡行时，车经一片绿地，速度逐渐减慢，最后停顿数分钟，原来右侧有七棵树，是为纪念那七名宇航员而栽种的，这时设置在树边的隐蔽音响里，飘送出庄严而并非悲哀的乐曲，导游就告诉大家，尽管遭受到了这样的失败，但失败不是美国人的一个选择，他们更坚定地去发展航天事业，现在，已经取得了更辉煌的成果，这七位勇士的在天之灵，一定为之欢欣鼓舞！

失败是任何一个人以及任何一个群体都难以完全避免的，但在失败之后，心理上能否仍然十分健康，则就因人而异了。因失败而产生久不能消的悲情，因嫉恨而不善从胜方那里汲取营养，以“我们就是这个水平”来抵挡促进反思的呼声，破罐破摔，胡愁乱恨……这些不良心理都在我们中国足坛出现，而且至今“阴云不散”，确实到了必须进行心理治疗的地步了！

这回的世界杯赛,中国足球成为了彻底的“界外”。连裁判都没有一个入选，可谓一败到底。但这也是将失败转化为今后取胜的一个契机。

好好观摩吧！不仅要观摩人家的球技，更要观摩人家的心理。失败一定会选择某些球队某些人，但哪些球队哪些人真正做到了“失败不是一个选择”，咱们要看在眼里，学进心中啊！

虽有空调仍摇扇

裁判不公的问题，是足球运动中屡屡发生的，历届世界杯赛，都酿成过很尖锐的公案，但国际足联却一直坚守这样的游戏规则：即使真的不公，裁判可以处罚，比赛结果却不能更改。

当今的足球赛场，你看看吧，除了人工裁判依然，其余各个方面，几乎都让高科技武装到了牙齿。于是呼吁废除人工裁判，改用高科技的电子裁判的呼声，也就日益高涨。

常有人跟我就此问题展开争论，往往我刚说两句，对方就给我扣来一顶“落伍保守”的帽子。这回也是一样，一位跟我极好的朋友，来电话跟我互通观看世界杯的心得，开头还有诸多的共鸣，包括对于这两天几位裁判的明显误判，我们的看法基本一致，但一说起要不要停用人工裁判改用电子裁判，我们就立刻龃龉起来，他说：哼，我还不知道你，安了空调还摇扇子的人，跟你这样的“恐龙”还有什么好说的！说完就挂断了电话。

这位朋友肯定还会主动来电话，跟我交流观球心得。跟他，我是一定要回避电子裁判这个敏感问题了。但在这篇文章里，我却想把我关于足球裁判的问题，跟读者诸君展开说明一下我的观点。

首先，我认为不能有个“高科技至上”的前提。人类活动的有些领域，高科技是不必介入，或者说是不必高度、全面介入的，比如昆曲演出，比如芭蕾舞，比如书法艺术，比如小说写作……足球运动，我认为也属于这一人类活动领域。足球裁判保持人工化，当然难以避免偏差，从无意的偏差到我们可以对之腹诽的偏差，都会出现，我也赞成在这项运动的发展过程中，通过各种手段，尽量减少和避免裁判员的偏差，但人工裁判，体现出这项运动的人性化，人性中确实有善有恶，善恶间更有宽阔的难以厘清的灰色区域，这些都可能在裁判员身上体现出来，但我们坚持使用人工裁判，也就体现出我们对人性终究还是光明面多的信心，我们不断提升裁判员的素质，也就能通过足球运动的这个侧面，促进人类的互信亲念，有利于最终达到世界大同。

不错，会有特别通过人工裁判造成的黑球，但是，高科技毕竟也还是由人控制的，就是真的使用了电子裁判，也未必就能避免黑幕黑球，说不定那样的黑幕黑球，比人工裁判造成的黑幕黑球更难觑破、侦破、破除！

我家安了空调，我也使用，但我仍手执扇子不时摇动，扇子确实能够给我近身的凉爽，而且，我以为扇子文化更赋予我一种情调，就像绝不放弃扇子一样，我对人工裁判永远保持尊重，永远把他们作为足球运动的一个重要方面加以欣赏！

听取嘘声一片

绿茵场像个大池塘，把看台上的鼓噪形容为“听取蛙声一片”，不算勉强。特别是我们看电视的，绝大多数情况下，直播方面都尽量压低看台上的声响，以突出解说员的声音，看台上的动静就感觉模糊，“蛙声一片”而已。

这次直播，也穿插一些看台上的镜头，球迷们或把自家国旗彩绘在脸上身上，或将自己“妖魔化”、“卡通化”，有敲鼓吹喇叭的，当然还有集体的高歌狂舞和阵阵人浪……但是，这次解说员多次告诉我们：“看台上发出一片嘘声……”

裁判不公，乃至对一个球员黄牌三现，昏聩离谱，嘘声四起，越嘘越厉，这是最好理解的。但是，这回有的嘘声，是“赠送”给自己拥护的球队的。比如英格兰跟厄瓜多尔对决，以及意大利跟澳大利亚对决那两场，双方久攻不进，尤其前一赛事，非常沉闷，几无亮点，这时不仅两国以外的“旁观者”大感乏味，就连英、意的不少球迷，也从昂奋地加油，转为怨责地发出嘘声。当然，英、厄那场，终因小贝一个出色的任意球，令人赏心悦目，观众们总算“长方脸变成圆方脸”，嘘声变成了彩声；但意、澳那一场，最后时刻的点球，虽然有人激动得喊“万岁”，却也有相当一部分观众发出了嘘声——他们怀疑意队的格罗索是假摔，而裁判是根据“必须让意大利出线”的“剧本规定”才判罚点球。就连巴西攻进加纳的第二球，有的观众看出是越位犯规，而裁判不吹，也正义地发出嘘声。

大片的观众不约而同发出响亮而持续的嘘声，是这次世界杯观众席上的亮点之一。这种“集体无意识”是球迷群体集体进步的表征。特别是当本国的球队表现疲软，使赛事沉闷，或本来最心仪的球星，在场上却糗得出奇，也就毫不客气地以嘘声示鄙、示警，这是对球队、球星、赛事的一种激励与约束，这种作为足球消费者集体维权的作为，是值得称道的。

有人指出，所谓假球，势在难免，杯赛实际是跨国大财团的一种经济运作，当然要设法保证其预期的收益，以不同形式不同程度加入其中的各种中、小经济实体，也都要谋求利益的最大化，谁都想得到一满钵的“佛跳墙”，因此，有的球队不能“早退”，有的球星不能“失色”，背后有手，弹性操作，只要不太过分，能容纳“失控”，照顾到足球消费者的基本利益，也就大家相安无事，“假作真时真亦假”，热闹一场，共享繁华。但是，你如果假得出了格，裁判公然妄裁，球队“敷衍成篇”，全场沉闷，失却亮点，乃至“露出麒麟皮下的马脚”，那看台上的观众“不在沉默中死亡，必在沉默中爆发”，嘘声一片，其实就是表达这样一种抗议：“你们就是造假也请造得再像真的一点，行不行？”

听取嘘声一片，可以醒脑，可以清心，切记：球迷的眼睛是雪亮的！球迷亦诚不可欺！

问星能有几多愁？

果不其然，世界杯剩下的赛事成了欧洲杯赛，而且是四个邻近国球队的角逐，囊括五大洲的宏大叙事，忽然就缩变为欧洲一小角的自娱自乐。

但是，我们应该感谢英、葡和法、巴四支球队的精彩表演。他们都尽了力。总体而言，除了稍有一点恶言白眼，球员们都很绅士，是相当干净清爽的赛事。

我原来最看不来英格兰队的活儿糙远射频，这次却以华尔兹般的节奏，“织网”推进，看去很是漂亮。葡萄牙不仅防守严密，固若金汤，反击时疾若脱兔，配合默契。虽然120多分钟里双方都未进球，但赛事绝不沉闷。后来点球定胜负，英格兰队因为贝克汉姆、鲁尼早已下场，再加上运气不佳，惜败绿茵，这也是无可奈何的事。

法国队也怪，它难胜弱队，却偏能赢巴西这样的强队，而且让你感觉赢得并不侥幸。法国队终于摆脱了困扰多时的瘟气，重抖威风，一唱雄鸡天下白，不但让郁闷已久的法国球迷欣喜若狂，也令我们这样远隔千山万水的中国球迷，感到赏心悦目。巴西啊巴西，五星级劲旅，以往的赛事所向披靡，这回却怎么也攻不进法国的铜墙铁壁，但球员们都很敬业，发起一次次冲击，让我们也饱享了一番眼福。

球员们都很不容易。球星个个都很卖力。当知绿茵星，颗颗皆辛苦!

直播过程里，有两个镜头令我心动。一个镜头是贝克汉姆被替换下场后，坐在那里，并不知镜头对准了他，而且播放了出去。他卸下了星面孔，还原为一个私处一隅的凡人，满脸疲惫，两眼泪垂，忽然双手掩面，身体微颤，十分痛苦……可见他为保持星光，不知身体上已有多少新伤叠旧伤。我们只知问星要光，拿关于他们的八卦新闻当下酒小菜，很少去想他们从肉体到心灵，留下了多少创伤!

再一个镜头，是法国队进一球后，巴西久攻不下，终于在接近终场时，有了个罚任意球的机会，是罗纳尔迪尼奥主罚，这时有他数秒钟的大特写，汗水淋漓如注，他以往的光辉，今后的星程，似乎纠结在了他人生的那几秒里，或者力挽狂澜大放光芒，或者一失足成今日恨与明日愁……唉，见那镜头，我就想，明星不好当啊，而我还来不及进一步深想，他已起脚射门，高了！几分钟后，巴西队命运已定，继阿根廷队之后，淘汰出局。虽说作为职业球员，这些败队之星多半还会在欧洲踢球，但谁不爱自己国家？谁不愿在国家队里以骄人战绩满足自己同胞？可是，英格兰队和巴西队的球星，在这次世界杯赛里，只能饮恨离去。

问星能有几多愁？不说恰似一江春水向东流吧，只想告诉他们，会有越来越多的球迷意识到，他们其实也是普通人，他们虽然得到了很多，但他们以嵌进了那么多创伤的青春奉献与我们，让我们快乐，我们会以发自内心的理解、宽容，来抚平他们身心的那些累累伤痕。

问星要光

明星是社会的需求。因为社会的主体是俗众。有人死也不能明白，这世界当然需要伟人、雅人，但是伟人需要凡人托，雅人需要俗人衬，如果所有的人全成了伟人、雅人，那也就无所谓伟人和雅人了。真正的伟人是一定看重凡人的，真正的雅人是一定不去理会俗人的。痛恨平凡的人不可能成为真伟人，一天到晚去鄙夷俗人的必定不是真正的雅人。明乎此，就应该对社会的主体——俗人，或称芸芸众生，心生尊重。俗人的审美需求之一，就是追星。俗人里的重利者造星供俗众欣赏，有其合理性。真正的伟人，他会认为俗众追星是在合理地释放生命力，于伟大的事业无碍，必要时他亦能从中转化出推动伟业的能源。而真正的雅人呢，他会管自一旁雅他的，不会去干预，更不会去招惹俗众。

俗众爱星、赏星、追星、崇星，他们有一个基本点，那就是问星要光。

既然成了星，那就自己应该明白，人家问你要光，你就得努力发光。

如果自己以为是发出了光，而俗众里有人发出怪声，而应和者又多，认为那不是光，或者不是美光，那么，明星就至少应该心平气和，内心里汹涌澎湃，表面上也应该努力地呈现为淡然对之。

明星从社会那里得到了太多的好处。所谓社会给的，不要糊涂到以为只是投资人给的，包装者给的，经纪人给的，传媒正面报导给的……或者沉浸在成功的快乐中时，只是忙不迭地感谢“另一半”，或者妈妈爸爸，或者儿子女儿，或者同行他星……应该透彻肺腑地懂得，所有的好处的根源，其实就是俗众，许许多多拼命想接近你，而你内心里往往躲都躲不及的那些男女老少。

俗众对明星的爱是真挚的，对明星的期盼却又是苛刻的。你并没有犯什么大错，只不过是让多数俗众觉得无趣了，无光了，无彩了，或者只不过是因为你老了，过气了，落伍了，离潮了，俗众就会从讥讽你，鄙夷你，发展到淡忘你，勾销你……真正的明星，应该懂得这一点：俗众问你要光，天然合理！你或者继续努力发光，或者承认自己已经无力发出强光，乃至确实已无法发光，那么，悄然引退，融进俗众，把以往储进记忆的蜜罐，把当下新星的崛起与俗众趣味的转移视为人间正道，才属明智。

这届德国世界杯赛开锣以后，世界足球明星接踵登场，人们问星要光之心，十分强烈、急切，甚至于在登场之前，人们已经议论纷纷，嫌有的星不够爱惜自己增肥无理，怪有的星举止傲慢出语不逊……当然，人们更看重的还是其场上的表现，明星的量级越高，人们对他的发光度的要求也就越高，于是，一幕幕活剧会陆续呈现在我们眼前：有的星懂得发光是自己的使命，而努力展现自己的技艺风采，果然不负众望，熠熠夺目；有的星心有余而力不足；有的星竟漫不经心；有的老星曲终奏雅，有的新星冉冉升起……

问星要光，应当！相信绝大多数球星会不负众望，即使努力后星光不亮，亦可问心无愧！

喜见球更圆

球友阿鹏眼里揉不得沙子。“错啦！错啦！”他指着荧屏大叫。这回他说的是广告里的那只足球。不仅是电视广告，网络和纸质传媒上，都还频繁地出现传统的足球图画——球面上显现出黑白相间的六边形。

记得四十多年前，报纸上有条报导，说在广州的外贸交易会上，中国的手缝球，因为用料精、做工细，质量上佳，国外定货很多，许多国际大赛上的用球，都是中国工人的劳动结晶。那时看了报导就很自豪。

传统足球，是由多少片皮子，缝合成一个圆球的呢？一共要用 32 块，其中 12 块是五边形，20 块是六边形，六边形比较显眼，跟足球大门上套的网子的网格相对应，所以图画、动漫上的球面一般都呈现为六边形。

这回德国世界杯赛，用的那球看上去很另类。看不清接缝，白底子上凸显着横竖垂直的大鞋印，CCTV−5 演播室台子上放的那只，鞋印整个儿是金色的，球场上使用的，似乎并非整体金色，而只是用金色配合黑色镶了个边。有的球迷乍看不太喜欢，觉得“那还像个球吗？”但阿鹏那样的球友却表示激赏：“这才有个新鲜劲儿啊！”喜新厌旧也是人性中的固有因素，拿文学艺术的进步来说，其实最强有力的推动力，就是喜新厌旧。当然，旧的如果被排斥得太厉害了，以至简直一度消亡，那么，新一代创作者忽然又把它变相地抬出来，那就又成了超级新玩意儿，这里且不多说。

这回世界杯的用球格外新颖，在杯赛史上占不到一页也该大书几行。

为一届的比赛设计特殊的球体图案，从 1970 年就开始了，还都取了响亮的名字，最近三届的名字就很有意思：1994 年叫“奎斯特拉”，1998 年叫“三色球”，2002 年叫“飞火流星”。今年的呢，叫“+ 团队之星”，请特别注意这名称最前头那个 + 号，是不可或缺的，强调的是团队精神。仅仅是图案和名称别致倒也罢了，阿鹏就一再提醒我：这回工艺上有重大的改进！不再是用 32 块皮子缝制，而只使用了 14 块皮子！拼接点从 60 个变为了 24 个，缝合的长度减少了 612 厘米！这样一来，球就变得更圆了！

阿鹏跟我兴奋地分析，这回的杯赛闷局减少，进球量呈上升趋势，跟这回使用“+ 团队之星”的新球绝对有关！他甚至认为这样的球更适宜于远距离劲射，会在一定程度上改变整个足球比赛的格局！同时他又很着急：如此惊心动魄的变化，我们不少的传媒竟然麻木不仁，还在用 32 块皮子缝合的旧足球当幌子！他呼吁各传媒赶紧弃旧扬新，把新式的 14 块皮缝制的足球形象在受众眼中心中树立起来！

喜见球更圆。但希望能看得更真切。这 14 块皮子究竟都裁成了什么几何形状？还是六边形和五边形吗？目前我接触的传媒几乎都没给个明白，过几天能有这方面的详细介绍吗？

爷爷留下的鱼网

本来我写下的题目是《爷爷留下的破鱼网》。

那时候英格兰与厄瓜多尔的上半场对决刚完，赛事沉闷到看台上的球迷嘘声一片。

从英格兰小组赛头场迎战巴拉圭我就纳闷，英国是现代足球运动的发祥地，现代足球比赛的成熟，体现在双方“织网”“撕网”的攻防中，怎么现在的英格兰队竟没有了“网意识”，主要的战法是大脚前撩，接到球的队员疯跑逼门，很少互相“拉网”扯动，不是被对方后卫堵截断球，就是慌忙中起脚远射，这样的踢法不仅很难“拉网捞鱼”，看上去也很不悦目。老一辈英国足球运动员留下的“鱼网”，作为一种遗产，他们为什么不珍惜？不发扬光大？

当然，最后英格兰还是赢了。靠的什么呢？一半靠贝克汉姆这样的球星的个人技术，一半靠侥幸。

于是想起上世纪三十年代中国电影《渔光曲》里插曲所唱：“爷爷留下的破鱼网，小心再靠它过一冬……”我懂得，踢球有各种不同的风格，有人把现在英格兰这种踢法美其名曰“大刀阔斧”，其实用北京话来说，就是“活儿糙”，我不觉得算一种什么风格，他们爷爷留下的“鱼网”，不应该任其破败。

看完英格兰和厄瓜多尔的下本场比赛，接着写这篇文章，我把题目里的“破”字取消了。这倒不是仅仅因为英格兰终于赢了，进了八强，比起阿根廷的晋级来，英格兰显得轻松许多，而是我在下半场比赛里，看到英格兰队似乎增强了“网意识”，有了继承爷爷那“鱼网”，将其抛放、收拢去耐心“捞鱼”的架势。虽然赢下的一球并非“以网捞鱼”的成果，还是依仗的贝克汉姆的刁钻任意球，但我有一个判断，即使英格兰没进这个任意球，继续坚持“织网”，也还有赢下的可能，而且，更重要的是，场上不再是闷局，球赛如戏，现场观众花钱进场怎么忍得了一个“闷”字？就是看不花钱的电视转播，也是在消耗生命与感情，你“闷撩”“闷顶”“闷射”，怎不令人气闷生厌？

说起来，中国足球的踢法，倒很像英格兰，不取其精华，倒学其糟粕，大脚丫前撩，自顾自前冲，起脚射出的球毫无威胁性，叫做“癞蛤蟆蹦脚面——不咬人，恶心”！这种踢法，被一些人美其名曰“长传冲吊”，总企图要么最后在一片混乱中侥幸将球捅进，要么引诱对方犯规得个任意球机会，据说中国队大练任意球功夫，这功夫当然该练，但是，如果不首先具备“网意识”，学会“织网”，那么，光练任意球功夫，恐怕就像平面几何没学好，就狂练微积分一样，究竟会有怎样的收益，真是天晓得。英国毕竟有贝克汉姆那样有硬功夫的球星，中国目前只能说有球星无硬功，提升球队水平，主练方向是什么，值得反思。

这次，从巴迪熊爱起

就在德国世界杯赛得热火朝天的时候，忽然从传媒上看到一条消息，说是中国的十二生肖的传统规定，正被酝酿打破，主要是有人觉得鼠、蛇、鸡、猪这四种动物不好，应该换成豹、鲸、鹤、象之类的“形象好，吉利旺”的动物，这令我很惊诧。你去查对一番著名政治家、科学家、发明家、能工巧匠、见义勇为人士、文学艺术家……的属相吧，恰是鼠、蛇、鸡、猪这四种的，从古到今可以排成长长的名单。

先民拟定的十二属相，体现出他们对人与其他生命存在之间的一种感悟，那就是任何生命都是值得尊重和珍惜的，人与整个自然界，特别是其中非人的生命形态，构成着一个复杂的，互相依存的生命链，这链环是不可以去破坏的。如果人类对非人的生命蔑视，使越来越多的物种灭绝，那么，其实也就等于人类实行自杀。

鼠被一些人视为最不可容忍，应该率先从十二属相里驱逐的一种动物，似乎有“颠扑不破”的道理——鼠窃粮，确实，直到今天，“耗子药”仍是一种必要的物品，人类扑杀妨碍自己生存或至少是影响自己生活质量的动物，应该只是在那种动物本身在数量上破坏了自然生态的生物链的时候，才符合天理。

而且，心理健康的人应该能够把功利因素撇在一边，而对抽象出来的动物，哪怕是鼠，也产生出一种欣赏与爱怜，我们可以对美国迪斯尼公司有诸多的不屑，但他们通过艺术家所创造的米老鼠形象，实在是对人类亲和动物界情愫的一大成功表达，而这种情愫通过中国古人所拟定的十二属相，早已更强烈地宣示了出来。

也有人主张用熊来取代十二属相里“不好”的四种动物之一。熊当然可爱，但是，我们有什么必要步德国人后尘呢？熊是德国人传统文化里最受宠的象征性动物。中国人把电影《红高粱》拿到柏林电影节去参加竞赛，结果捧回一只金熊，那已经是二十年前的事情了，许多中国人就是从那个时候知道德国人爱熊，柏林城徽就是一只站立的黑熊。

中国人不必改变传统的十二生肖，德国人不必胶柱鼓瑟地去分析熊的优缺点。当动物抽象为一个符码，我们要高扬众生皆可爱的情愫。这次，我们从巴迪熊爱起！

世界杯期间，柏林的倍倍尔广场，正在举行一个大型的巴迪熊展览。敢情世界上有143个国家都往那里送去了有自己民族特点的双臂上举构成V字形的巴迪熊，比如不丹送去的那只，穿着绘有布丹龙的肚兜；加拿大的造型非常写实，身上有爱斯基摩人珍爱的传统图案；而我们中国也送去了一只，身穿绘有双龙图案的唐装……巴迪熊意味着“宽容与民族理解”。

谁说世界杯大赛只是一次体育盛会？像巴迪熊大展这样的赛期活动，更明确地昭示我们：把争强好胜搁进绿茵，把宽容、理解、和平、互助洒遍人间！

中立的快乐

写这篇文章的时候，德国队与阿根廷队的比赛还没开锣，阿鹏跑来问：你希望谁赢？我答：中立眼光，无所预期。他高兴地拍一巴掌：呀！咱们一样！

大事要有是非倾向，中事难得糊涂，像看两支外国球队比赛这样的事，何必非有倾向？即使有倾向，又何必全身心倾入，弄得自己所期望的队赢了心脏往嗓子眼欢蹦，输了心脏往嗓子眼闷堵——何妨他那里紧锣密鼓、相激相荡，我这边闲庭信步、品头论足？

我们的社会文化，应该允许，甚至提倡中立，不必凡事都论个是非，有个倾向，应该懂得，除了是非分明的大事，还存在着很宽阔的“难断是非”的“中事”区域，至于小事，有人说有小是小非，我觉得小事多半无是非。像观看世界杯这档子事，对球迷来说，是对平时枯燥板结的生活流程的一种化解，观球如饮酒，微醺最妙，烂醉就乐极生悲，划不来了。看球虽然会在一段时间里，成为球迷生活里的一桩大事，但这桩事说它大，不是因为里面含有大是大非，恰恰相反，是对平日让大是大非弄得有些个疲劳的身心，得以在这接近无是无非的共享繁华里，得以舒张、惬意。看球说到底还是一桩小事，以小事怡情养性，好再去投入中事、大事。

中国人，应该学会享受中立的快乐。这次的世界杯赛，中国完全没份儿，连边裁都没一个，谁输谁赢，按说都不必那么在乎，但是，出现了什么情况呢？居然为一个队的侥幸获胜，全身心燃烧，又对某一队的落败，如丧考妣、痛不欲生。当然，人家有那么或狂喜或痛苦的权利，但我还是想劝两句：事不关自己民族荣誉、国计民生，何必那么剃头挑子一头热？你这里要死要活的，人家连知道都不知道，知道了也未必领情，“为他人作嫁衣裳”，也得那衣裳是人家预定的、喜欢的，否则，你就是“年年压金线”，那“嫁衣”也穿不到人家身上去。

中立，在严肃的事情上，意味着冷眼旁观，心里有看法，行为不介入；在娱乐一类的事情上，意味着欣赏第一，心里就是有偏向，情感也不狂倾猛泄。德国世界杯往下赛，观赏性越来越强，我和阿鹏形成共识：众球队娱我，我不为任何球队之奴，赢得漂亮，为其鼓呼；赢得牵强，皱皱眉头；赢得蹊跷，嗤之以鼻；输得冤枉，为其不平；输得窝囊，为其喟叹；输得应该，拍手称快。不是我们为各球队“作嫁衣裳”，而是各球队披“嫁衣裳”给我们串演“拉郎配”，我们中立观球，其乐融融。

足球烈士

16强还未完全产生，已经有球迷因为耽看比赛而猝死的报导，世界上不止一处有这种乐极生悲的现象，死者里有的就是我们的同胞。

有的人对这样的球迷这样的死法十分地鄙夷，甚至由此质疑世界杯这种搅动全球的“共享繁华”究竟有否积极意义，特别是我们的传媒，如此卖力地宣扬这种赛事，深夜还从遥远的德国那边直播，究竟是否得当？

其实，回答这样的问题，有点多余。因为世界杯的运作，并不依我们这些百姓书生穷究细辩的“道理”而进行，实际上这是跨国资本的恢弘手笔，也有点联合国的味道，说它有超越政治的性质，但我们都该心知肚明，那只是意味着它体现着国际政治的一个共同容纳的“公约数”而已。

但是，因看球而猝死的普通人，我以为不可鄙夷。他们是足球烈士。

人固有一死，或重于泰山，或轻于鸿毛。这条古训也兼新论，是至理名言。但是泰山般的死，也未必都呈轰轰烈烈的形态。像张思德的牺牲，其形态就跟方志敏很不一样；雷锋的牺牲，也大别于前几年抗洪救灾时，那几位舍己救人，被报导过，但知名度没有高起来的解放军战士。张思德和雷锋都因突发的安全事故而成为烈士。张思德和雷锋之所以令我们永远感念，并不在那突发事故的一刹那，而是他们平时做了许多有益于他人的好事。

一个普通人，他为社会工作，就是为他人做了好事。且不说工作任务之外，他可能还做了许多力所能及的，似乎是琐屑的，对他人有益的好事，比如为灾区的灾民捐款，无偿献血，乃至只不过是把别人丢在垃圾桶外的空易拉罐拾起投入桶中。

普通人有权享受生活，包括迷恋某种艺术，某项体育活动，对某种东西进行耐心的收藏。一个普通人，如果是个球迷，为了看球赛转播，忘记了保养身体，猝死在电视机前，我们可以叹息，却不可以鄙夷。他是死于事故。总其一生，他是于社会于他人做过好事的。他的死，依然可以评价为重于泰山。

我以为,建立起这样的观念,有益于构建和谐社会。对普通老百姓评价苛酷,对他们参与共享繁华持不屑态度,对他们的不幸死亡鄙夷讥讽,是不对的。

当然,我这里说烈士,只是一种人文情怀的表达。民政部门关于烈士有其专门的定义。

世界上每天(甚至是每分每秒)都有人死于车祸,人类因此要更强有力地呼吁行车安全,但不必禁止开车。足球烈士比起因车祸丧生的人来说,那数目不知道要小多少倍,我们一边呼吁"安全看球",一边照看不误吧!

尊重共享繁华

《金瓶梅》里有很热闹的灯节场面,灯如花,夜如昼,笙歌盈耳,笑语喧哗,富人与穷人在那个特定的时间段里,共享俗世的繁华。《金瓶梅》作者署名兰陵笑笑生,究竟是谁,其说不一。这位作者的文笔很怪,写人间的假、恶、丑细腻如发,冷静出奇,显得有些个没心没肺。整部小说的故事背景假借宋朝,其实写的就是明代的社会生活。那是一个沉沦的时代,他那么样地去写社会的腐臭与人性的阴暗,读来令人战栗。但他那文笔又真是生动活泼,灯节那共享繁华的章节,读来有如观看当下影视的艳丽镜头。

掀翻吃人的宴席,这是革命文学先驱鲁迅先生在沉沦时代的厉声呐喊,但同样是鲁迅,却又坚决反对在一家人切西瓜分食的时候,你去责备他们"列强正在瓜分中国,你们怎么还忍心如此享受?!"他不止一次表达这样的意思:革命不是为了让人死,而是为了让人活,而且,说到底,是为了让最一般的俗众能活得比现在好,拿切西瓜吃来说,原来吃不起的,可以有得吃,原来不能吃畅快的,可以更充分地享受瓜汁的甜美。大家都能惬意吃西瓜,这才是革命、改革、社会进步的目的。

世界杯赛,是全球性的共享繁华。你看这回入围参赛的 32 支以国家命名的球队,有富国的有穷国的,有的国与国之间政治上存在严重分歧,更不要说存在着种族、宗教信仰、文化、习俗等等方面的差别，为时一月的这场争夺大力神杯赛的足球盛宴，很像中国传统的灯节，贫与富，雅与俗，男与女，老与少，暂且将差别搁放一边，共享一番最本原的游戏之乐。

“现实中还存在着那么多有待解决的社会问题，你们怎么忍心沉溺在世界杯这样的事情当中？”不仅“愤青”，“怨老”也发出了这样的质问。谁都有愤怒和怨嗔的权利，不沾世界杯而时时投入救世的实践更令人敬佩，但是，我要说，请尊重人类共享繁华。

亏得在如今这样一个难以捉摸令人焦虑的世界上，还有奥林匹克运动，还有世界杯赛，多少提供了一点人类得以超越政治纷争社会矛盾的共享乐趣。

其实这不仅是一种共享繁华，这也是人类心灵沟通的最佳通道。在伊朗和墨西哥两队对阵前，伊朗门将米尔扎普尔给墨西哥门将桑切斯送上了一束鲜花，他知道桑切斯刚刚丧父，赠花表达慰问。这两个国家各方面的差别真是太大了，一束鲜花，却把两个人、两个队、两个国家，亲和在了一起。觉得世界杯球赛“无聊”的“愤青”“怨老”，不看那足球看这束鲜花，是不是能多少减弱些偏激呢？

当然，估计“愤青”“怨老”都并不会看我这文章，那么，喜欢世界杯的伙计们，咱们就更放松地投入到这人类共享繁华里吧！

有人打伞在等你

这本是我写的一篇建筑评论的题目，评论的是北京西直门交通枢纽，长长的站台，墙体上半部被设计成一个灰空间，一排立柱的形态仿佛撑开的伞盖，我觉得那是整个设计中的一个亮点，令旅客在匆促的空间转换中，享受到一份温馨的关爱。

不管我们怎么样地对为期一月的世界杯赛爱恨交加，毕竟，热爱和依恋是主要的情感。日月如梭，岁月蹉跎，人生短促，生命脆弱，且不去说社会底层的疾苦，就是中产阶级，每日里奔波颠簸，为了偿还房贷、凑齐车款、对付油价日涨、为孩子积攒教育经费……老板的眼色，同事的假笑，当年同窗的攀比性议论，居住小区里业主们与物业的连绵纠纷……怎一个愁字了得？没得抑郁症，已是福中福。什么“如果不是在星巴克喝咖啡，就是在去往星巴克的路上”，谁给做的广告？生活形态的概括，以这句形容最不准确！已经很少去电影院看片，进剧场更是一年里难得有那么一两次，惟有电视，还稍可给眼睛喂一点冰激凌，但难见风流高格调，多数的节目只觉得不是低俗就是乏味，遥控器上手指频动一番，呵欠中关闭电视，忙碌疲惫又一天……

于是，终于盼来了世界杯。看直播是免费的，还可以第二天补课，就是邀几个同好到比如说北京簋街那样的地方，找家中档的餐馆边吃麻辣烫边看大屏幕，花费也远低于看场电影更远低于到剧场观真人秀，哎，人生难得有此共享繁华，不是假期疑似假期，不是节日赛过节日，可以大呼，可以嚎叫，哭不跌份，笑可狂笑，释放浊气，得大自在，弥勒佛乎？济公乐乎？

天下没有个不散的筵席，决赛已完，杯已捧走，了便是好，好便是了，生活中需要这样的赏心乐事，但春梦总归随云散，飞花必定逐水流，于是我们回头是岸，“寡妇团”已经解散，却给家里采购来一大堆多余的东西，一个月看腻的报纸捆起提给收废品的，还有那么一大堆空瓶子空易拉罐，一个月的冤家终于又破镜重圆，真是久别胜新婚！虽说上班还得看那老板的怪模样，但天生我才必有用，我辈岂是蓬蒿人，需令老板懂得，一时纵然我们熬夜观赛，换来的是以快感为能源的充电之脑之躯，为他创造剩余价值没商量！

是的，大欢喜过后，是大平淡，但这世界还有人打伞在迎候我们，无论风雨，还是骄阳，一把伞温柔地遮蔽，使我们在天与地之间，感受到作为人，以及处在人际间，所谓甘苦，那甘甜总还是大于苦涩。何必说什么四年后再见，珍惜当下，多多保重！

把《欢乐颂》唱到底

德、韩大战，人们普遍担心的裁判离谱现象没有出现，尽管难说精彩，两队球员应该说都发挥出了自己水平，韩国球员的体能，德国球员的整体防守意识，特别是德国门将卡恩快速准确的扑救能力，都再次给人们留下了深刻印象。韩国队还有争世界第三的机会。说实在的，他们突进到这样的程度，也该知足，因为其缺点也暴露得相当充分了，这场所失的一球，就是他们自己传球失误所致；体能虽佳，斗志虽旺，个人脚法、集体章法实在还欠火候，更谈不到形成了独特风格，倘若就以这样的水平面貌捧上大力神杯，狂欢之余，不待别人评议，冷静下来自己想想，恐怕意思也不大。德国队的胜出，只是在屡屡得不到机会和频频错失机会后，抓住了惟一的一次大好机会罢了，就技术娴熟风格优美而言，其实在意大利、西班牙等球队之下。这次的世界杯赛，从1/8到1/4人们訾议颇多，这场虽然令许多球迷觉得平淡无奇，但总算是一场没有什么疑点，无需声讨“阴谋”的正常比赛。

这场比赛赛场的“红魔”依然是汪洋狂涛，不知有多少收看转播的球迷注意到了这样一个现象：韩国“红魔”在开场后一度齐声高唱《欢乐颂》，声浪一波高过一波。以《欢乐颂》为啦啦歌是“红魔”的既定套路之一，在前面的比赛过程里，他们在看台上总是把这首歌曲与“大韩民国统一天下”的口号轮番吼唱。但是似乎是啦啦队的指挥者忽然意识到，《欢乐颂》是席勒词、贝多芬曲，乃一首地道的德国歌曲，于是，唱过一次以后，就再也没有使用这一歌曲来啦啦，我们所能听到的就只有“大韩民国”一类的声浪了。这个微妙的现象很值得我们深思。啦啦队指挥者这样敏感地及时刹住《欢乐颂》的旋律，考虑到当时绿茵场上确实是德、韩之役，其心理状态我们应予理解，不必苛责。但《欢乐颂》所体现出的对人类大同的美好向往，实在是我们在任何情况下也不能舍弃的，我们应该把人类和谐相处共享文明成果当作超出种族、民族、国家、团体利益的最高目标与最大快乐。就足球运动而言，各民族各地区历史上都有以脚玩球的体育传统，但现在我们所举办的这种足球比赛是在英格兰成型，并且在欧洲首先得到普及，发展成为一种有高度欣赏价值的人类大型游戏项目的；一处的文明果实，成熟了，也就成为了人类共享的文明；就像中国功夫，通过李小龙的电影，推行到西方以至全球，如今也是一种人类共享文明。在共享这些文明的过程里，有时会有比赛，会排名次，但到头来我们应该认识到，超越名次的，是《欢乐颂》里所体现出来的那种人类互相拥抱的亲和精神。

《欢乐颂》的曲调实在非常适宜于用来营造球赛看台上的啦啦声浪。这是“红魔”的创举，而且有推广于全世界球迷的必要。相信韩国球迷会把《欢乐颂》继续高唱下去。更期盼世界足球运动能消除阴影、健康推进，把《欢乐颂》作为心灵号角，一路高歌到底。

不必学什么

在水吧里看球赛，至少有四五个小伙子剃了“莫希干头”，其中一位还请教我，为什么贝克汉姆、齐格、达瓦拉那样的发型都叫“莫希干头”？我记得十九世纪有个美国作家库珀写过一本小说《最后一个莫希干人》，还至少两次被拍成过电影，讲的是美国印第安土著的一个叫莫希干的部落人跟英国殖民者抗争的悲剧故事，1992 年我曾在瑞典斯德哥尔摩看过英国演员吉尔·梅布森主演的该片，仔细回想，似乎那些土著角色的发型就是这类模样。看完球出得水吧，在过街天桥上又看到一例，在西饼屋外透过落地玻璃窗又看到秋千座上有一例。若问我感想如何，我觉得有趣。

世界杯大赛带给我们的乐趣之一，就是能相当放肆地释放我们个性里的某些平时感到压抑的成分，获得代偿性的心理满足。比如球迷们的自我“妖魔化”，奇形怪状，憨态百出，你在场上踢，我在看台喊，相映成趣，回味无穷。坦率地说，无论是现在这种形式的足球比赛，还是“妖魔化”的啦啦队，以至“莫希干头”，都是我们从外国学来的。该学就学，不光有益的一定要学，就是那些无害的，学学也无妨。

这回我们中国队带着几个“鸭蛋”回来，对比于韩、日两国的球队，暴露出真实的差距，向韩、日学习的呼声，越来越高。由球队的争气，我们又推及到其他方面，比如人家在组织大赛上如何善于发挥民间力量，商家如何充分地开发足球经济的潜力，以及球迷组织的如海扬涛、席卷天宇，等等。应该学习什么的话题已经展开得相当充分，我觉得想想、说说不必学什么，似乎也并不多余。

日、韩两国的球员，时兴把头发染黄，大概一是表达“脱亚入欧”的审美取向，一是认为那颜色吉利。我们的球员就不必去学。黑头发、黑眼睛、黄皮肤，是我们的人种标志，自爱还来不及，怎么忍心让它改色？我以为这跟剃个“莫希干头”还不一样，“莫”头多少有些谐谑的意趣。当然，已经传来消息，齐格的祖母和达瓦拉的父亲，都已向传媒表示他们为自己孩子的球技骄傲，却不喜欢他们那种发型，而齐格现在已经剃了秃瓢，达瓦拉则表示回国见父亲前一定要改“莫”为“正”。韩国球员体能极佳，确实值得学习，但传媒称他们的体能很大程度是凭借每天喝狗肉汤获得的，那喝狗肉汤的习俗就不必学习。野生动物绝不能捕杀来吃，猫狗则即使是非野生的也不能拿来吃，这是人类绝大多数所形成的共识。当然韩国人的饮食习惯我们不能去干预，我国的少数民族里也存在着某些上述共识外的饮食习惯，也应对他们的习俗予以尊重,但真的不必去学。我已发现有一家饭馆在标榜“喝了狗肉汤，体能特别棒”，觉得很别扭。另外，像韩国那种动用国家力量来组织“红海洋”般的“红魔”啦啦队，从服装到口号到肢体语言都达到极端整齐划一的地步，我以为可以从旁尊重，却更不必学习。啦啦队还是以自愿为原则，在同一爱国旗帜下各具特色，既有整体行为更有局部乃至个人的独特表达方式为好。这些天世界舆论对裁判给予韩国队的露骨偏向抨击很多，但韩国媒体上几乎没有质疑批评的声音，一般韩国人也难以表达“逆众”的一己之见，这种状况里更没有什么需要学习的因素。总之，他山之石里，有可拾来攻玉的，也有不必拾取的。

出水才看两腿泥

如果是法国队与阿根廷争世界杯的季军，那至多会是一场精彩的表演赛，而且很可能是一场漫不经心的“鸡肋战”。但现在是韩国与土耳其争世界第三，这就注定了有看头。“曾经沧海难为水”固然是个规律，“未经沧海喜为水”更切合人的本性。韩、土两队都还要抓紧这最后机会向世人证明些什么。韩国队一定想要通过没有裁判助力的比赛，干净利落地显示他们那优等生的文凭上盖的绝非是“克莱登大学”的戳子，使“红魔”这个“家长”脸面上更加有光；土耳其队则一定要通过更加娴熟的脚法与更加有效的章法，告诉世界他们确实已经掌握了足球艺术的精髓，更何况他们也深深地知道，如果他们争得第三，就会给远在万里外的同胞们再增添一些快乐——被许多现实问题所困扰的土耳人，实在是太需要这瓶化解焦虑的清凉饮料了！

对于我们来说，观看这场季军争夺战时心情恐怕很难平静。我们的足球运动似乎样样都同国际接轨了。比如我们国脚的收入与消费习惯，还有派头。在6月初的电视报导里，我们可以看到国脚出现在赛场外时，手里握着最新款的数码摄像机在兴致勃勃地拍摄；我还记得一位国脚在接受记者采访时说，他在所有的方面都追求最好，比如他穿衣服就只穿登喜路、范思哲那样的顶尖级的大名牌，语气里丝毫没有价昂的顾虑；从这类细节上看，我们的国脚凭借足球市场化所达到的富裕程度甚至还超过了某些西方大牌球星，报上的一则花边新闻告诉我们，菲戈去韩国一家商店里想为妻子买一件首饰，看来看去没能下手买，最后忍不住问售货员：“你们这里的东西怎么这样贵啊？”由此又忽然想到以前从报上看到的一条消息，当朝鲜运动员只能按定量两人合喝一瓶矿泉水时，我们某国脚却不耐烦地一脚踢翻了一整箱矿泉水。不是说我们的国脚没有优点，而且每一位国脚的修养高低也有差别，不能一概而论，但现在必须老老实实地承认：我们虽然进入了世界杯大赛圈，我们足球运动的整体水平却并没有真正跟国际水平接上轨。这恐怕是在看韩、土争三的一役里，从足协官员、俱乐部老板、教练、球员到传媒、球迷，都应该一边看一边反思，一边从韩、土两队的突飞猛进的表现里获取教益的。

俗话说“出水才看两腿泥”，事物的价值应该以最后的结果为准，韩、土两队的争三之役的重大意义在此。足协官员、俱乐部老板、教练、球员们应该把他们的观摩心得公之于众。从传媒、球迷这方面来说，检讨自己是否对中国足球运动健康发展的舆论监督作用还不够有力，思考如何提升非意气用事的点穴到位灸到症结的尖锐批评的力度，也成为了当务之急！

吹起喇叭敲起鼓

朋友老王已经购妥世界杯的套票，过些天就要先赴韩国了。我打电话问他：此行你把什么放在头两位呀？是友谊第一、比赛第二，还是观赛第一、观光第二，或者是啦啦第一、购物第二？他笑声朗朗，告诉我：快乐第一！第二也是快乐！确实，对于球迷们来说，四年一度的世界杯是盛大的节日，是由眼入心的宴飨，是令人血脉贲张的刺激性游戏，是宣泄内心渴望与激情的体操，是在看台上或电视转播前的情绪蹦极跳……

老王问我在世界杯期间打算如何，我告诉他一是要尽量一场不落地看电视转播，一是每天要看报纸上的相关内容，除了希望能及时刊载出有自己特色的独家报导——尤其期盼有精彩的花絮外，还希望能看到有独到角度的带有写作者个性的，短小精悍的分析性文章。

老王和我，以及广大的球迷，当然都希望中国队在这次的比赛里能够进入16强，有的球迷，甚至已经为预测能否进入展开了激烈争论，但我和老王是铁杆看球图个快乐一派，对于中国队能否进入16强，绝对不陷自身于焦虑，我们对国脚们没别的要求，只要他们踢得让我们看去快乐，赢也罢输也罢，都可以比喻成一簇怒放的鲜花，我们怕的是那样的情景：临阵乱章法，低级错误接二连三，肢体语言句法不通，心理起伏外露。5月16日在沈阳五里河运动场，中国队与乌拉圭的热身赛，虽然中国队以0 ：2败北，但我和老王都觉得反而比5月11日中国队与泰国队最后以3 ：1取胜的那场比赛，给予我们的快乐更多。乌拉圭队是世界强队，历史上曾两次捧走世界杯，目前也有雷科巴那样的国际性大牌球星，整体水平仍属上乘，面对这样的强手，国脚们把自己的位置摆得比较对头，既有人强我弱的自知之明，没表露出侥幸心理，又能竭力拼搏，把自己最佳的状态显示出来，尽管几次有威胁性的进攻都没有奏效，但非常好看，大快我心。

当然，要说好看，足球比赛最好看的，还是把球踢进网窝的一瞬，球迷最陶醉，最觉津津有味的，就是这盘"大菜"。老王和我，都并不把快乐指标定为中国队进入16强，我们只希望中国队在拟定的三场比赛中，无论哪场，至少踢进一球，令我们当时惊喜，事后回味。倘若这个指标也达不到呢？我们不会沮丧，但快乐的程度，老实说，就会降低。听小青年们唱流行曲，有一首叫《你怎么舍得我难过》，把题目改一下：《你怎么舍得我不乐》，恰能体现出我们此刻的心情。

老王在电话那边说，他不能跟我再聊了，因为他们啦啦队的人来找他了，要商量带哪些道具的事情。我想其中一定有喇叭和大鼓。世界杯大赛马上就要来临，让我们吹起喇叭敲起鼓，迎接那接踵而来的大快乐！

珠走玉盘喜煞人

世界杯这场全球性的大游戏，牵动了人类社会生活的各个方面，为承办这届世界杯，韩、日两国都新建或扩建了不少赛场。从目前得到的赛事安排表上，可知一个月的比赛将巡回于20座赛场，其中韩国、日本各10座，韩国的 10 座全为新建，其中釜山体育场直到今年 5 月底才竣工；日本则大阪、茨城两座为扩建，其余也是新建。从建筑艺术上欣赏这些比赛场所，也是一大乐子。看电视转播时，我以为不仅要看场上的拼搏，像场边教练与替补队员的动向、看台上啦啦队的奇异装扮与狂热跃动、赛场的全景与鸟瞰镜头，也都值得欣赏品味。

随着足球运动的普及和足球比赛的观赏性不断增强，现在世界上兴建的没有跑道环绕的专用足球赛场越来越多，这样的赛场拉近了观众和绿茵的距离，在看台上可以把球员和拼搏情景看得更真切，比在综合性赛场观球过瘾多了。这回韩国为举办世界杯新建的 10 座赛场里，至少有两座是专用的足球比赛场，日本新建的崎玉体育场更把专用球场的特色体现得淋漓尽致，63060 个看台座位近拥绿茵，两个对称的三角形拱状顶棚把东、西日晒化为乌有，整个形态比一般综合性体育场玲珑秀美。

旧式的体育场，多为显豁的盆式，一般没什么顶棚，即使看台最上部有一点遮棚，也大都是从建筑结构的稳定性上考虑，而并非为看客着想。现在世界上新建的体育赛场，则都更趋向人性化，把人的需求，看客的舒适方便，提升到第一位，因此遮阳挡雨的顶棚也就越来越大。这回韩国新建的 10 座赛场，7 座的顶棚覆盖率都在 70% 以上，像仁川体育场和釜山体育场的顶棚覆盖率更高达 100%；日本的静冈、大分、札幌体育场的顶棚也是 100% 地覆盖座席，其中如大分体育场的顶棚是滑动式的，开合自如，技术上非常先进。

在所谓现代化的建筑格局与新型建筑材料的推广中，世界一体化的因素不可避免地渗透到各国体育场馆的设计中，但各国有志气的建筑师们还是努力地抗拒一体化对民族地域传统特色的轻视与消解，这回韩国新建的蔚山体育场把韩国传统民居合院的风情糅合了进去，仁川与西归浦体育场以风帆或海贝的线条来彰显临海的地域特色，都是值得称道的；日本札幌体育场的简洁造型也既有其传统工艺品的韵味，又契合于其北国风情。这些有益的尝试值得中国建筑师们借鉴。

与中国球队和球迷关系密切的赛场，目前是三座：6月4日中国队在光州体育场迎战哥斯达黎加队；6月8日则会在西归浦体育场与巴西队相遇；6月13日要在汉城体育场与土耳其队一决雌雄。此后中国队有没有机会到日本或韩国其他体育场一展风采呢？这里不作猜测。总之，看世界杯不仅是看中国队。世界32支劲旅在这些赛场的表演，正如珠走玉盘喜煞人，球迷们定能如醉如痴地大过一把瘾！

关爱公众大玩偶

习惯性地走进这些天常去的那个水吧，不习惯地环顾那些空落的座位，啊，世界杯停赛。老板走过来招呼我，在我对面坐下，服务员不待我开口就给我沏来一杯绿茶，这些天我不知道在那里究竟消费了多少杯绿茶。我呷了口茶，对老板说："你怕是最不乐意停赛的人了。"老板是条四十来岁的汉子，笑笑，掏心窝似的跟我说："得让他们歇歇，好好地歇歇！"他说的"他们"，是那些球员。我们俩聊起来，我说这回国际足联肯定赚了不少，日、韩两国，尤其韩国，不仅凭借足球经济弄了个钵满罐满，还挣足了面子，可是所有的这些进项，说到头，还不是场上的球员给踢出来的。老板点头，说尽管球员能得不老少出场费，赢球的还有奖金，有的更可通过这回的优异表现，在职业圈里提高身价，可是他们所付出的，绝不仅仅是他们的体能与技术，他们可以说是从头到脚，整个的躯体，全贡献出来让世人开心了。我说那是，尤其是大牌球星，他们成了公众的大玩偶，人们不仅公开赞叹他们的球技，还公开享受他们的形象，比如贝克汉姆出现时，女球迷当众朝他狂喊："跟我结婚！"就连我们中央电视台的女主持人沈冰，也多次坦然地讲到球星的性感，这些公众大玩偶在我们的"快乐足球"里，付的最昂贵的人生代价，就是任人作为感情的代偿物去恣意想象，对于他们，我们实在应该比球赛的组织者表达更多的感谢！

影星、歌星、球星，都属于俗世里最光艳夺目的公众大玩偶，但相比之下，球星的身体付出，实在是达到了接近极限的程度，比赛即使不加时，90 分钟里的剧烈运动，可以说是把生命的活力在拼命地透支，更何况这种近身拼抢碰撞的体育项目，几乎随时随地要遭遇伤痛，我们在赛事转播里看惯了眉骨破裂血流满面、腿脚伤筋动骨临时处理后又咬牙参战等等场景，渐渐地见怪不怪，甚至麻木不仁，但观赛之后仔细地回想一下那些细节，就该对球员们多一些感激，多几分怜惜。有时我们因为平时喜欢的球星临场发挥失却水平，或仅仅是没接准一次妙传、没能一脚入门，特别是罚点球时踢飘了或被门将扑出，便随意詈骂、讥讽，仿佛他们欠了自己一世的债，每一滴血都该准确无误地流到自己的欲壑里才算对头似的。

我们不能只是一味地玩赏，而失却对球员们的呵护关爱之心。当然，作为公众大玩偶，球星也应该自爱。这次世界杯赛，迄今为止还没出现什么太大的球星丑闻，对比于某些裁判的大失误、大可疑，甚至可以说是可厌、可恨，各国的球员整体而言真是可爱而又可敬！我和老板闲聊时，水吧里来了些熟客，有的就参与进来一起神侃。大家的共识是：球员们奉献青春活力给予我们极乐，我们至少要在心窝里给他们燃一炷关爱的甜香。

红黄蓝白黑

世界大球场，球场小世界。世界杯赛层层剥笋，从 32 剥出 16，再从 16 剥出 8，现在已剥至 4。球看多了，脑筋急转弯也多了，于是悟出，球场景观的背后，其实是起码有红黄蓝白黑五种因素在相互扯动，其给人的魅力与带来的疑惑，盖出于这扯动所演变出的花样与破绽。

“红”，喻热血，是世界杯赛，以及全球足球运动的群众基础，或者更直白地说——票房基础。球迷在人类总数里的比例，不知有没有人统计过，反正一定多过书迷、乐迷、影迷。而且，世界杯赛事一开，绿茵场上国歌一奏，哨声一响，捉对厮杀一起，球队所属国一定爱国情绪高扬，从元首到平民，从执政党到在野党，从富豪到乞丐，无论男女老少，也不论左中右派别，几乎全都能暂息嫌厌冲突，举国一致，同仇敌忾，好一派热血沸腾誓保国尊的恢弘景象！世界杯赛的快乐里，其实最稠酽部分是爱国爱族情绪的飞扬。自己的队伍胜出，极乐欲仙自不消说；失利了，则球迷中无论是“他们尽力了”的含泪维护，还是薛涌那样挺身而出痛陈积弊呼吁改革，都属于这个“红”的范畴内的心象凸现。

但是，操纵世界杯的主要力量，无妨比之为“黄金万两”的“黄”，即国际足联。6月21日晚德、美一役，赛前朋友问我看好哪方？我笑说咱们看好哪方意义都很有限，你等着瞧吧，裁判一定会偏向德国，尽量给足德国机会，除非德国实在蠢笨，结局一定是德国胜出。转播开始，我预言的局面果然出现，朋友非常惊讶。其实我何尝是料事如神？只不过这些天对裁判的怪象看得多了，悟出那不过都是“深院效应”罢了。你替国际足联想想，英格兰已败给巴西，西班牙很难说一定战胜韩国，如果不力保德国进入4强，今后西欧的足球票房如何保证？巴西人踢得再好，国际球市的重心是在西欧而不可能挪到南美，虽说包括巴西在内的世界上无论哪国的球星，大部分都在西欧俱乐部效力，但现在世界杯赛上最后的半决赛、决赛没有西欧球队参与，总归不大好。我不敢说“深院”里的布拉特等衮衮诸公就一定不能吃下没有西欧球队参与的半决赛的涩果，但他们是一定能不吃就不吃，所以他们挑选的裁判一定能心领神会地搞“擦边判罚”，这绝非“黑哨”，而是巧妙地落实“深院”里的“无字文件”精神。6月22日，在德国已出线西欧市场保住的情况下，又出现了裁判硬把西班牙攻入球门判为无效的怪剧，大有韩国不胜誓不罢休的架势，最后韩国不负照顾，果然胜出，这样东西方市场均成为利市、吉市，深院里的长方脸一定笑成了浑圆脸。难道是我这人患上了狐疑症？裁判沦为深院厚帷后隐手牵动的提线木偶这一想法，粘在我心上难以消除！这也就提醒我们，在“黄”这个范畴里讨论中国足球，不能离开市场利益去浪漫想象。薛涌主张低酬养脚，把培养农民“娃脚”与“希望工程”结合起来，其意也诚，其策也善，但这就不是利用球市赚钱而是慈善性的扶贫行为了，在“初期积累”阶段，哈默式富人的出现恐怕还要候以时日，而且无赏之下，何来勇夫？都说国脚挣得太多，其实那只是海面上的冰山一角；如果要冰山角缩小，那么海水下的“黄”范畴里，还有多少“匿冰”可以瓜分呢？郑也夫对薛涌思路的展拓我很赞成：让现在中国的足球俱乐部彻底地市场化，不要冰山要土山，土山没有海水遮挡，一目了然，拿出“愚公移山”的精神，不怕没有出头之日。

“蓝”，可喻球队、球员。在深蓝天宇上熠熠闪光，那就是明星。著名的球队，灿烂的球星，业绩突出的教练，是球市里不可或缺的奇货。我们国家的球队、球员水平有限，但我们电视台不仅对世界杯的转播热情高涨，平时对英超、德甲、意甲那样的比赛也是场场不落的，因此中国一般球迷对这些球队及其球员都如数家珍。俱乐部的长期坚持、发展，形成品牌，球星的成熟、升腾，魅力四射，以及“名教”的声誉远播，包括他们那“玉在椟中求善价，钗于奁内待时飞”的态势，不消说也是世界足球运动发展的重要动力。谁让人类喜欢“公众大玩偶”呢？他们的身价，不是他们自己虚拟出来的，而是人类集体“意淫”积极抢购自然形成的。

“白”，以喻足球经济。赞助商，广告商，与足球有关的长销商品，以及像世界杯赛推出的吉祥物等阶段性商品，包括为世界杯建造、以后还可使用的体育场，等等，谋取着“白日阳光下的利润”，也是足球运动的重要助力。特别是国际足联所决定的主办国，获得最大的商机，尤其是会形成旅游市场的暴旺，国际足联与主办国几几分成咱们搞不清楚，但其“一荣俱荣，一损俱损”的唇齿关系，则是无须怀疑的。对“东道主必晋级”，甚至“连升三级”，您现在还会大惊小怪吗？

“黑”，喻博彩一类的社会存在。当然许多地方的足彩是法律允许的。法外的丑恶行径，行贿受贿，黑哨，还有咱们点到为止的黑社会的隐蔽参与，对世界足球运动这么大的人类行为来说，到头来是无法完全避免剔除的。说到这儿我把右手食指且竖唇边。

就这样，通过一个月几乎天天要上的世界杯大课，我悟到了红黄蓝白黑五边形扯动制衡中既有优美也有狰狞的人间正道，觉得自己总算不是个劣等生。

善泪贵于金球

我原来不喜欢罗纳尔迪尼奥，人们把他称为小罗纳尔多，可是从面相上看，罗纳尔多憨态可掬，像个大孩子，现在剃了个中国“大阿福”式的刘海头，更招人疼爱；罗纳尔迪尼奥呢，怎么着看也绝非靓仔。当然，我承认他脚法娴熟，突破能力强，能经常给队友妙传，自己也是破门骁将，是巴西乃至整个足球界的耀眼新星。在巴、英对阵中，裁判将他红牌罚下场，世人多为他抱不平，我却并不以为遗憾，甚至觉得像他这样张狂的角色，触一点霉头也未尝不是一副清醒剂。对土耳其一役，红牌在身的他只能坐在场外呐喊，有人说倘若他上场，也许巴西的战果会扩大到 3 比 0，难道他真有那么优秀？终场哨响，电视上也有他的镜头，跳起来笑得像朵胀圆的黑牡丹，我不禁说了句：“瞧他笑的！”身旁的球友对我说：“他可是也哭过！”我问：“为什么哭？因为吃了红牌吗？”球友便把我忽略的一条报导说给我听：在与英格兰一役中，吃红牌之前，小罗纳尔多以一脚飘忽刁钻的任意球破门，英队久经沙场的门将西曼赛后流下悔恨的泪水，这个镜头在电视上被反复播放。后来《每日镜报》采访小罗纳尔多，问他攻入那世人惊叹的一球后有何感想？万没想到的是，小罗纳尔多说他现在心里很难过，因为西曼是他的前辈，他的偶像，从电视上看到西曼那么痛苦，而且一些球评把西曼奚落到那样地步，他真的真的于心不忍，说着他眼里闪动着泪光，他说希望人们一定要认识到，西曼是伟大的球员，而且在扑救时尽了最大努力，只是他那个球的角度实在太刁了，他现在最希望的就是西曼尽快从痛苦中摆脱出来，恢复到他最佳的状态。

听了关于小罗纳尔多的这条报导，我觉得心里头有冰块破裂的声音，而且迅速地感受到一股暖流在心灵里汩汩淌过。人不可貌相。看人要全方位地看。原来小罗纳尔多如此内秀。他不仅是个技术超群的球员，更是个具有美丽心灵的小伙子。他在绿茵上如游龙般去争取赢球，但出了绿茵他懂得有比输赢更重要的东西，那就是对他人的理解、同情与关爱。都说“同行是冤家”，他却既把同行看作对手更看作朋友，特别是，他已经“后浪推前浪”，但他却深深地意识到没有前浪也引不出后浪，对无可避免要逐渐耗尽锐气的前浪充满了尊重与敬意。他心灵中那些美好的情愫，可以概括为人性善，是人类最不能舍弃，而且应该努力加以提升的生命根基。

在与德国争夺冠军的决赛中，小罗纳尔多可以出场了。我将关注他的表现，欣赏他那以优美内心世界为驱动的绝妙球技。巴西队很可能夺冠。但现在无论谁夺冠对我来说都已经不重要了。我仿佛看到小罗纳尔多为西曼难过的泪光。善泪贵于金球，爱心超越输赢，什么是真正的大力神？从小罗纳尔多那里，我们可以获得深刻的启示。

余味无穷清座席

在超市里遇上正挑洗涤灵的老苗，他说世界杯马上要曲终奏雅，他们一家子这些天被球迷住，厨房水池里堆满用过没洗的碗盘，待冠军金杯捧定，他们要来个大扫除，把快乐留在心里，把垃圾清出门去！

自家地盘自家爱。要光说家庭室内装修，中国城市人家的讲究劲并不比发达国家的家庭差，有的在追求豪华效果上还更胜一筹，但是一到自家那个单元门外，有的公寓楼的楼道可就立刻破相，到了楼外，烟屁、痰迹更是随处可见，在大型公共场所，总会遇上乱啐乱扔的国人，他们的穿着可能相当地漂亮，可就是不懂得那样的举止丑陋丢人。据现场记者报导，中国球迷在韩国球场里看完比赛，座席上下抛满垃圾，更有面积相等的红色纸片夹杂其中，仔细一看上面还有五颗黄星，真令人瞠目痛心。而韩国球迷，以及许多来自世界各地的球迷，总是在离场时自觉地把垃圾完全带走。出了自己花钱装修的单元门就不算自家，这是怎样的一种观念？到了国外，确实非自家的地盘，就觉得更可以埋汰不拘，这是何等的陋习!

跟老苗一路谈论着这样的话题，一路喟叹。我说，与韩国队对比，责怪中国队不争气，给他们提出一些尖锐的批评，恐怕是世界杯大赛闭幕后舆论上的一个热点，中国足球界应该认真听取，有好处。但是，一个球队是在一种社会文化氛围里成长起来的，韩国队的争气，跟韩国球迷离开看台时自觉地带走所有垃圾，是配套的，相辅相成的，是社会总体文明程度达到一定水准的产物；所以，我们中国球迷，乃至所有同胞，是不是也该扪心自问：如果我们总改不了随地吐痰、乱抛垃圾的陋习，又怎么能单指望通过国脚来为我们在世界上争光呢？老苗说，你这是愤激之言，大赛即将落幕，正当高兴之时，何出此音!

是的，大赛尘埃落定后，我们反刍种种精彩镜头，余味无穷，其乐融融。但我建议化快乐为思考，其实那便是更深层的快乐。也就是说，在清理物质的座席时，也清理一番精神的座席。急功近利、管窥蠡测、盲目自大、妒富愧贫、阿Q逻辑、侥幸心理、怨天尤人、胡愁乱恨……这些精神垃圾，难道不应该加以清除吗？我坐在家里正这么思考时，老苗来了电话，他说他们那栋商品楼算是够价的，楼道每天有物业的清洁工清扫，平时也觉得还不错，可是今天他稍微仔细点观察，就发现好几个楼层过道上的夜灯指示座安装得有些歪斜，“设施可以说是跟国际接轨了，也不是偷工减料，可偏偏就没有非把那东西安装端正的意识，你说这种穷了凑合富了还凑合的陋习，是不是跟中国足球水平总突不上去也有关？”我听了开怀大笑。是呀，看球、侃球引出来这样的憬悟，真不负一个月的辛苦啊!

妖魔化的天使

十七年前，我发表了一篇纪实小说《5·19长镜头》，写的是1985年5月19日晚上，在北京工人体育场，因为中国队意外地败于香港队，痛失世界杯小组出线权，所引发出的球迷闹事事件，我通过对一位因闹事被拘捕的青年球迷的个案分析，分析了当时一般青年球迷的心理状态，指出不要简单化地从政治或外交关系角度来判定他们的动机与效果，应当把握在急剧变动中的城市青年的心理状态，对他们多些理解与谅解。这篇作品发表后，出乎我的意料，不仅当时轰动，而且从那时直到现在的十七年里，始终有人记得这篇作品，因为记得这篇作品，从而凡有大的国际间足球赛事，便会找到我，冀盼我能延续原有的思路，发表新的意见。这实在让我受宠若惊。如果是一个十七年前诞生的婴儿，到现在，该已成为一个高中生了。我不敢说自己的思路也成长得那么茁壮，但面对着越来越成熟的中国足球运动，我欣悦地看到，不仅我们已经打进了世界杯的 32 强，而且，新老球迷的状态也大有提升，这就激发着我新的思绪，关于足球，也就确实还有新的话可说。

把足球作为体育文化中最重要的部分来加以考察，我们就不难发现，绿茵场内的拼搏是人类竞赛美学的绝妙创作，而看台上球迷的狂热则是人类审美活动的特异激扬。我对足球的发言，往往是针对看台比针对绿茵的还多。从 1985 年到现在，我们国家的足球运动的变化是惊人的，不仅开创、发展了职业联赛，聘请了外籍教练和球员，进军了世界杯，而且，球迷的变化也很大，从简单地鼓掌呼喊助威，到使用喇叭大鼓等响器，到逐步形成了个人大幅度的肢体语言，以及群体的海浪式展示，并且出现了个体的准职业性铁杆球迷，与自发汇聚的球迷组织，球迷茶馆，球迷饭店，球迷俱乐部，等等；在中国队打进这次世界杯决赛圈后，各地分散的球迷在企业赞助下，又以此为契机有所整合，成立了中国啦啦队，制定了队服、队旗，拟定了统一口号和肢体语言的句式，并且创作助威性足球歌曲也成了热门的事项，许多音乐界人士也襄与其事，更有足球彩票的推出，真可谓姹紫嫣红，一派鲜花怒放的热闹景象。

中国球迷大概是首先从电视荧屏上，看到了外国球迷把自己妖魔化的奇异装扮的。妖魔化的手段，除了服装道具的怪异外，最骇人眼目的，是发型、脸谱、纹身的匪夷所思。1985 年北京工体的闹事球迷，还没有一个是使用了这种手段的。其实，观球是一种可以充分将自身内在激情狂热外泄的一种审美活动。如果不好率定为是人生快乐的极致，也应该算作心灵的一次大狂欢。激情的狂放发泄，初衷绝无恶意，但往往会在自我失控的状态下，产生球场内外的足球暴力，导致破坏性行为。因此，除了外在的约束防范，作为球迷本身，开赛前即通过将自己奇装异服、怪样打扮，先泄露出一部分狂热，也是起到自我情绪制衡的良策。

所谓将自身妖魔化，对于球迷来说，不管他是有明确用意，或者只是潜意识使然，或者竟只是从他人那里模仿而来，就效果而言，无非在三个方面，一是通过比如发型上、脸庞上、胸腹或服装上的国旗符码，体现出爱国情怀；二是通过这些部位上的球队或足球明星的符码，体现出他们对自己所拥戴的球队、球星的支持；三是通过一些强烈的色彩、怪异的图案、刺激性的词语，来吓退自己所拥戴的球队的对手以及相应的反方球迷。现在中国的诸多球迷常使用这种妖魔化的手段参与球赛，但似乎意识明确者不多，因为意识不明确，所以通过这手段自我宣泄以达到激情制衡的效果就不是很明显。我们都知道英国有臭名昭著的足球流氓，这些流氓除了多剃秃瓢以外，很少从外观上实行妖魔化，但他们闹起事来可真是给社会带来危害的妖魔，那些在球场内外以妖魔化姿态尽情狂热的普通球迷，倒很少会做出危及他人和社会的事情来。这是很值得我们思考的一个有趣的问题。

外在形态妖魔化，而内心保持天使般的圣洁，热爱足球，为之狂热，而又绝不乐极生悲，悲极滋事，不让自己心爱的足球运动被亵渎，被玷污，这应该是众多中国球迷参与现场观赛的共识。总而言之，做一个妖魔化的天使，而不要做一个伪装成天使的妖魔，更不能做妖魔化的妖魔。

所谓妖魔化，妖魔这个字眼，只是一种借用。球迷的种种彩扮手段，有的并不吓人，而是令人发噱。我这个关注足球运动的人，对足球明星的关注倒比较地有限，对从现场看到的，以及从传媒的镜头、照片中看到的，那些打扮得千奇百怪的球迷，往往倒能让我产生特殊的快乐。但是，以我目前所看到的而言，我们球迷的化装方式，似乎还是从外国球迷那里借鉴来的比较多，特别是涂抹面部的手段，缺乏我们中华民族的固有特色。其实，中国戏曲的面部化装，生、旦、净、末、丑各有路数，特别是净角的脸谱，已经积累了非常丰富的表达手段，色彩与图案中蕴涵着许多的意义，我建议我们中国球迷能从比如京剧的花脸脸谱里，提炼、变化出一些适宜到看台上展示的妖魔化花样，特别是这回中国球迷们集体去往韩国与日本观赛助阵，已经组织起来的中国啦啦队，无妨在这方面请些京剧界人士当参谋，使自己的化装更具备中国民族特色，体现出中国文化的源远流长、独到精深。不仅化装上可以充分展示出中华传统文化的特色，肢体语言上也可以从京剧表演里汲取素材，如男性球迷可以把京剧武生起霸拉云手的动作加以改编，女性球迷可以把京剧旦角的水袖功、帕子功加以活用，这样的一群中国球迷，在国际大赛的看台内外出现，一定会引出轰动，自己会沉浸在民族自豪感里，外国人则会刮目相看。从 1985 年“5·19”事件以来的中国球迷群体，确实已经成熟，他们应该是一群妖魔化的天使，有这样一群天使来振声威，添光彩，国脚们一定会大受鼓舞，我们中国足球运动的发展，一定会更上一层楼！

握着球童稚手前行

这些天全世界球迷纷纷给国际足联发伊妹儿，对接二连三的裁判失误提出疑问与抗议。继厄瓜多尔裁判莫雷诺将意大利恶罚出局以后，东道主韩国与西班牙一役里，边裁又两次将西班牙队的进球判为无效，尽管韩国队球员确实很棒，但在这种明显袒护下获得的胜利，让我们看来总有些别扭。裁判的误判、错判、漏判，有可能是生理上的局限，以及业务水平不高所致，但有的该轻却重，该重却轻甚至将其放过，以至把明明是合理的进球硬判为无效，很明显地是在想方设法地给一方胜出机会，蓄意要灭掉另一方，这就不能不让人画出一个大大的问号了。有人猜测，这是黑哨。但更可能的，不是那种受贿作弊的黑哨，而是秉承国际足联“无字文件”精神的“认真执法”。那“无字文件”上是什么精神？就是一定要保证全球足球市场利益的最大化。21 日中午，英格兰既然已被巴西战胜，那么，晚上德、美一战，就必须保证德国胜出，因为那时难以保证22日西班牙取胜；西欧是全球足球市场的“主棚”，不能让半决赛里没有西欧球队出现！21日德国在裁判一再地维护下，终于获胜，那么，到了22日的韩、西对阵，那么，对不起，你西班牙就变得可有可无了，而韩国的胜出，将成为亚洲足球崛起的标志，从此球市不仅在欧洲是利市，在亚洲也必定走旺！国际足联本身就是跨国财团，它与世界上许多其他大财团关系密切，世界杯赛那花团锦簇的表象后面，其实就是跨国资本的综合运作。啊，原来裁判身后，还有隐蔽的牵线！当我们恍然大悟以后，是皱眉切齿，还是哑然失笑？

当然，以上的分析，猜测成分多，过硬证据无。冷静下来一想，足球市场的国际一体化，也未必都是坏事。我们中国在购买足球赛事的转播权方面，是最舍得花钱的，这回世界杯赛，有的国家的球迷就因为该国没有电视台买转播权，无法同步观看比赛，有的国家的电视台虽然买下了转播权，球迷看转播还需另外付费，我们中国球迷乃至非球迷，打开电视机就能乐陶陶地观赛，广告商等于是帮我们付了费，而在这样的黄金档里亮相的商品，比如喜之郎果冻、睡宝等等，也就必会销量大增，这些厂家生意兴旺了，连带着就可以产生许多正面的社会效益，比如就业率的提升，这样一想，国际足联为了把足球经济往东亚推，在比赛里通过裁判的偏向，使韩国队风头出尽，似乎也就不那么令人齿冷了。

对国际足联大可质疑，更可抨击。不过他们毕竟给我们组织出了这样一场盛大的狂欢节。是从哪一届开始，国际足联兴出了球队出场时，队员要牵着球童稚手成对前行的花样？这个仪式细节的设置确实很好。在球队肃立，国歌高奏时，球童站在每一个队员身前，电视摄像机常常有意无意摇过他们面庞，那纯真的表情，无邪的眼光，令人心动。握着球童稚手前行，纯洁我们的球市，使我们的狂欢节尽可能地少些污浊，这即使并非国际足联的追求，也该成为世界亿万球迷的殷切企盼。

刘心武文存

36

译 述

佩尔森与公主

按：1992年我应瑞典文学院邀请访问了北欧瑞典、挪威、丹麦三国，与三国作家、学者及出版界人士进行了文学交流。这是我在斯德哥尔摩大学东亚文化系汉语讲师陈宁祖女士帮助下译述的一篇瑞典当代童话作品，译述自瑞典winbergs ForlagAB出版社1992年新出版的《他和她的故事》，系瑞典当代著名作家斯梯格·克劳森(Stig Claesson)的新作，这种文体是一种在当前西方文学创作中很受读者欢迎的“共享童话”，就是说，由于摒弃藻饰，尤其不搞故弄玄虚的“语言颠覆”，使用最简洁浅近的叙述语言，所以凡学会了拼音的孩子，都可以读，并感到有趣；但由于其故事中，尤其那叙述语调中，蕴含着人生沧桑感和对永恒境界的追寻，所以更被人认为是一种质朴的成人童话；这种各个年龄层次包括老年人亦可从中得到心灵慰藉的童话，中国读者也很需要，本书收入这个译述，意在引为借鉴。

我和外公住在一起，我们的小屋在森林边上，森林边上有个小山坡，小山坡上有个小红房子，小红房子旁边有一段小石墙，坡上夏天铺满鲜草，总有两头牛在低头吃草，那个小红房就是我们的家。

我的外公是个修鞋匠，他总是坐在小板凳上修鞋。我呢，我总坐在一把大椅子上，椅子很高，我爬上去很费劲，坐上以后很舒服，可是我的脚够不到地。

没关系，这样我可以把一双腿晃来晃去，就那么一直晃下去。

有一天外公停下手里的活，对我说：“嘿！你别总在那儿晃你的腿，你也该做点事才是！”我问：“做什么事呀？”外公说：“我刚修好这双鞋，这是奥尔迦老太婆的鞋，你看我修得多好！她一定等着穿呢，你跳下来，给她送去吧！”

我就从椅子上跳下来，外公把修好的鞋放在一只口袋里，又往口袋里装了一个甜饼和一瓶他自己酿的果汁，我就背着口袋上路了。

口袋好重呀！我背着它走下山坡，走在山坡下的湖边小路上，很累很累，可是我不能马上停下来歇着，因为奥尔迦老太婆住在森林那边好远的地方，我要是老歇着，我到她那儿天就黑了，我就没法子回外公家了。

我走到森林边的一条小路的路口，我知道沿着这条小路穿过森林就可以找到奥尔迦老太婆的小房子，我沿着林间小路走去，走呀走呀，忽然眼前很亮，原来是一大片林间草地，我肩膀好痛，我决定休息一下。

我把肩上的口袋放在草地上，坐在一个树桩上，我打开口袋，取出甜饼和果汁，还没吃没喝，我就觉得好香！

我正吃甜饼呢，忽然那边来了个老头儿，他长得又干又瘦，穿着一身皱皱巴巴的黑西装，戴着一顶破旧的黑礼帽，手里拄着一根旧得裂缝的拐杖，他就那么一直朝我走过来了。“你好呀！”我对他说。“你好，孩子！”老头儿在我面前停住了脚步，他满脸汗津津的，他好像心里为什么事很着急。他问我：“孩子，你看见奥尔迦公主了吗？”

我说：“什么？公主？这里从来没有什么公主，不过，倒是有个老太婆叫奥尔迦，喏，她的鞋在我的口袋里呢，我外公修好了她的鞋，让我给她送去呢！”

老头儿听了，掏出一块灰乎乎的手帕擦着脸上的汗，很高兴地说：“你认得奥尔迦公主的宫殿？这太好了！你带我去吧！”

我说：“我不认得什么公主的宫殿，我可以带你到奥尔迦老太婆家里去，可是我还得吃饱喝足啦！您要不要也吃点喝点呢？”

老头儿道了谢，在我旁边的一个树桩上坐了下来。

这时候，从我身后冒出来一只麋鹿，我一点也不吃惊，因为我们这边森林里有很多麋鹿，这只大麋鹿一定是闻见了甜饼和果汁的香味，才跑过来。

老头儿见了麋鹿，便揭下帽子，举起瘦胳膊挥舞着，欢呼起来，“啊！我英俊的白马来了。”

这好奇怪，麋鹿和白马，完全不一样呀！

老头儿说：“我不用吃也不用喝，你给白马吃点喝点吧！”

外公从小就教给我，见了森林的麋鹿，如果自己有吃的，一定要分给它们吃。我就掰了一角甜饼给大麋鹿，它吃得好香，我又往它嘴里倒了好些果汁。

大麋鹿吃了喝了，舔着嘴唇，趴在了草地上。

老头儿说：“啊！大白马，你该驮我们去奥尔迦公主那里了吧？”说着，他就把那装鞋的口袋拿起来，让我背在肩上，又把我抱起来搁到了大麋鹿的背上，然后他自己也骑在了我后面，老头儿说：“亲爱的大白马，走啊，去奥尔迦公主那里啊！”大麋鹿站了起来，驮着我们，跑出了那片林中绿地，跑往绿地那边的森林小路，耳边风飕飕地响，有时候树枝打在我们脸上，跑啊，跑了一阵，眼前又一亮，已经到了森林的另一边。

在森林的那一边，荒草里面，有一座歪歪斜斜的木板房，它那木板上面的漆，原来一定不是黑的，可是现在就像黑乎乎的鱼皮；房顶上的草长得跟房角下的草一般高。

我们还没到那房子跟前，就有一个老太婆走了出来，用一只手遮住眼睛上，朝我们张望，那正是我应该把修好的鞋送给她的奥尔迦老太婆。

麋鹿停了下来，趴下，我和老头儿都从麋鹿身上下来了。

我完全没有机会把鞋送上去，因为老头儿显然完全忘记了我，奥尔迦老太婆的两眼也只是盯着老头了。

“啊呀！这不是我心爱的公主奥尔迦吗？”我听见老头子大声地说，他激动得扬起了双臂。

我想他一定认错人了。

可是跟着我就听见奥尔迦老太婆尖声叫了起来："啊呀！这不是亲爱的骑士佩尔森吗？"她激动得身子都抖了起来，双手紧握，扣在胸前。

这真奇怪！

佩尔森老头儿和奥尔迦老太婆拥抱在一起，一个说："我一直要来找你！"一个说："我一直在等你来！"

我眨眨眼睛，真不敢相信：转眼之间，佩尔森老头变成了一个健壮的小伙子，他满面红光，腰板笔挺，他穿的西装也变得崭新，连他头上那顶破帽子也变成了仿佛刚从商店里买出来的新帽子，奥尔迦老太婆呢？她不再是个佝着腰的老太婆了，她脸上那些火鸡皮一样的皱纹完全消失，变得红扑扑的，她的眼睛变得又大又亮，蓝眼仁儿比森林边的湖水还碧蓝清澈，她的头发刚才还乱蓬蓬稀松松白得像雪，转眼间却变成了一头厚实的金发，每个鬈鬈都闪着金光，长长地披在她的肩膀上，她的那身破衣服也变成了美丽的新衣服，裙子下面，欠着脚尖的脚上，穿着一双闪闪发光的红皮靴——她有那么美丽的红皮靴，还需要我外公给她修补的鞋吗？

我不知道该怎么办，佩尔森骑士和奥尔迦公主完全忘记了我的存在，他们搂着腰、搭着肩，一起进了那个小房子。

我愣愣地站在那里，我眨眨眼，心里想，小房子会转眼变成宫殿和城堡吗？好一阵过去，小房子还是那么小，那么破，屋顶上的草，还是那么在风里摇摆，后来我看见小房子的屋顶上的烟囱里冒出了一缕青烟，从那关不紧的屋门里飘出了咖啡的味道，那可不是很香的咖啡，外公煮出来的咖啡要好闻得多。

我就把外公修好的那双鞋，放在小房子的门边，转身离开了。我想找麋鹿驮我回去，可是麋鹿不知道什么时候已经跑开了。

我走了很久了，才回到家里。

我把送鞋的经过，讲给外公听，外公一点也不吃惊。

外公问我："那个老头儿，他是叫佩尔森么？"

我说："奥尔迦老太婆一见他，就叫他：'啊！这不是我的骑士佩尔森吗？'为什么她一叫，佩尔森就变成一个小伙子呢！又为什么佩尔森一叫：'啊！这不是我的公主奥尔迦吗？'那么丑的一个老太婆，就真变成一个美丽的公主了呢？"

我们屋里的灶眼，红红的，闪着火苗，外公脸上也红红的，一闪一闪。外公坐在小凳上，我坐在又高又大的椅子上，把我吊着的腿，晃来晃去。

外公对我说："好久以前，在森林外面的村子里，有一个小姑娘叫奥尔迦，还有一个小男孩叫佩尔森，他们在一个小学里读书，有一天，他们和一群同学在村子外面的草地上玩，忽然，一头牛跑到奥尔迦面前，那是一头犄角很大很尖的牛，孩子们都吓坏了，有的尖叫，有的逃走，有的站住不能动，奥尔迦瞪圆了眼睛，吓得都忘记了哭……这时候佩尔森冲了过去，用双手紧紧握住牛的两只角，拼命地把牛头往一边扭，真没想到，他那么一个小男孩子，竟把牛给制服了。后来，因为家里穷，佩尔森就背上行李，到离我们森林很远的城里做工去了。奥尔迦呢，也是因为家里穷，就一直留在森林这边。就这样，很多年过去了……就这样……"

我把腿晃来晃去，听着，我还是不明白，我问："那为什么，明明是一只麋鹿，佩尔森老头非说是一匹白马呢？"

外公不再跟我解释，他只是说："你就自己想去吧，你就晃着腿想吧，一直想到有天你不再坐在椅子上晃腿。"我就晃腿，想。

附录一 刘心武文学活动大事记

1942 年

6 月 4 日生于四川省成都市育婴堂街。

后在重庆度过童年。

父母兄姊均热爱文学艺术，深受家庭熏陶。

1950 年

随父母迁居北京，从此定居北京。

在隆福寺小学上小学，在北京 21 中上初中。

1958 年

在北京 65 中上高中。

给若干报刊投稿，屡被退稿。

8 月，在《读书》杂志发表《谈〈第四十一〉》一文，是投稿第一次成功。

1959 年

在《北京晚报》“五色土”副刊陆续发表一些儿童诗、小小说。

为中央人民广播电台少儿部《小喇叭》(对学龄前儿童广播)编写若干节目；其中快板剧《咕咚》经编辑加工、录制后大受欢迎；“文革”中录音带被销毁；1991 年重新录制播出。

1961 年

毕业于北京师范专科学校，分配到北京 13 中任教。

至“文革”前，在《北京晚报》《中国青年报》《人民日报》《光明日报》《大公报》《北京日报》《体育报》《儿童时代》《大众电影》等报刊上发表了约 70 篇小小说、散文、杂文、评论等文章。

1966—1976 年

“文革”中，因 1964 年曾发表过一篇关于京剧的文章，以“反江青”罪名被冲击。

1974 年后再试写作，曾写一关于“教育革命”的长篇小说，由出版社联系获准脱产修改，但终未达到当时出版要求。

1976 年

写出一个大院里孩子们同坏蛋斗争的中篇小说《睁大你的眼睛》并得以出版（北京人民出版社）。

又按照当时政治要求写出一些短篇小说、散文，有的到次年才收入多人合集中出版。

调到北京人民出版社（后恢复“文革”前社名：北京出版社）文艺编辑室当编辑。

1977 年

11 月，在《人民文学》杂志发表短篇小说《班主任》，产生重大影响——被认为是“伤痕文学”的开山作，也是“新时期文学”的发端；从此成名。

从《班主任》后，写作冲破懵懂，沿着认定的方向跋涉，穿越风云，锲而不舍。

1978 年

参加《十月》杂志（开始以丛书名义出版）创刊工作，在创刊号上发表短篇小说《爱情的位置》，经转载和广播，影响巨大。

在《中国青年》杂志上发表短篇小说《醒来吧，弟弟》，反应亦极强烈。

《班主任》《爱情的位置》《醒来吧，弟弟》均被改编为广播剧，由中央人民广播电台多次广播，《醒来吧，弟弟》被搬上话剧舞台；此年发表的短篇小说《穿米黄色大衣的青年》亦由电台播出。

1979 年

在首届全国优秀短篇小说评奖中《班主任》获第一名。颁奖会上，从茅盾先生手中接过奖状。

参加中国作家协会第三次全国代表大会，被选为中国作家协会理事。

成为中华全国青年联合会常务委员，至 1993 年卸任。

9 月，参加中国作家代表团访问罗马尼亚，此系“文革”后第一个作家出访团。

在《人民文学》杂志发表短篇小说《我爱每一片绿叶》，写作技巧有长足进步。

1980 年

调至北京市文联当专业作家。

《我爱每一片绿叶》获 1979 年全国优秀短篇小说奖。

《看不见的朋友》获 1954—1979 年第二届全国少年儿童文学创作奖。

在《十月》杂志发表中篇小说《如意》，其弘扬人道主义的追求引起争议。

出版《刘心武短篇小说选》（北京出版社）。

1981 年

在《十月》杂志发表中篇小说《立体交叉桥》，引出更大争议，一些评论家认为“调子低沉”是步入了写作上的歧途，另有评论家则认为此作标志着刘心武的小说创作在反映现实、探索人性及艺术工力上均达到了新的水平。

5 月，应日本文艺春秋社邀请访问日本。

1982 年

应导演黄健中之请，改编《如意》；北京电影制片厂拍成彩色艺术片《如意》。

1983 年

11 月，参加中国电影代表团赴法国，在南特“三大洲电影节”上，《如意》

在开幕式上放映，获好评；后陆续在法国、西德电视台播出。

1984 年

冬，应邀访问西德，参加“中德大学生会见活动”，并在波恩大学、波鸿大学与威尔兹堡大学介绍中国当代文学。

年底，参加中国作家协会第四次全国代表大会，再次当选为理事。

在《当代》文学双月刊第 5、6 期连载长篇小说《钟鼓楼》。

1985 年

出版长篇小说《钟鼓楼》(人民文学出版社)，并获第二届茅盾文学奖。

因《钟鼓楼》获北京市政府嘉奖。

7 月，在《人民文学》杂志发表纪实小说《5·19 长镜头》，反响强烈。

11 月，又在《人民文学》杂志发表纪实小说《公共汽车咏叹调》，引起轰动。

1986 年

年初，应当代文艺出版社邀请访问香港。

6 月，调中国作家协会人民文学杂志社，任常务副主编。

在《收获》杂志设《私人照相簿》专栏，进行图文交融的文本尝试。

散文集《垂柳集》出版，冰心为之作序。

1987 年

1 月，被任命为《人民文学》杂志主编。

2 月，《人民文学》杂志 1、2 期合刊发表马建写的小说《亮出你的舌苔或空空荡荡》违反民族政策，承担责任，停职检查。

9 月，复职。

冬，应邀赴美国访问。参观美洲华侨日报；在哥伦比亚大学、三一学院、哈佛大学、麻省理工学院、康奈尔大学、芝加哥大学、旧金山大学、斯坦福大学、伯克利加州大学、洛杉矶加州大学、圣迭戈加州大学等处演讲，介绍中国当代文学，并参观耶鲁大学；参加爱荷华大学“作家写作中心”的纪念活动；游览华盛顿等地。

1988年

3月，应香港《大公报》邀请，赴香港参加五十周年报庆活动；在《大公报》安排的大型报告会上作关于改革开放与文学创作的报告。

5月，应法国文化部邀请，参加中国作家代表团访问法国，除在巴黎活动外，还访问了西部港口城市圣·拉扎尔。

《私人照相簿》在香港出版（南粤出版社）。

《我可不怕十三岁》获1980—1985年全国优秀儿童文学奖。

以上数年中，若干小说、散文还分别获得过《当代》《十月》《小说月报》《小说选刊》《中篇小说选刊》《儿童文学》《北方文学》等杂志，《人民日报》《文汇报》等报纸副刊的奖；拍成电视剧播出的有《没工夫叹息》《熄灭》（电视剧名《火苗》）《今夏流行明黄色》《到远处去发信》《非重点》《公共汽车咏叹调》和八集连续剧《钟鼓楼》；若干作品被英国、美国、西德、苏联、日本、瑞士、瑞典、法国、意大利等国翻译为英、德、俄、日、法、意、瑞典等文字出版；自1987年起被世界上有威望的英国欧罗巴出版社《世界名人录》收入词条。

1989年

春，应香港中文大学翻译中心邀请，与妻子吕晓歌赴香港访问。

1990年

3月，以任届期满，免去《人民文学》杂志主编职务。

香港中文大学翻译中心编译的英文小说集《黑墙与其他故事》出版。

秋，以“鱼山”笔名在《钟山》杂志发表中篇小说《曹叔》。

1991年

出版小说集《一窗灯火》。

除小说外，开始发表大量散文、随笔。

1992 年

长篇小说《风过耳》在内地（中国青年出版社）、香港（勤+缘出版社）分别出版，反响颇为强烈。

长篇小说《四牌楼》完稿，交上海文艺出版社出版。

《献给命运的紫罗兰——刘心武谈生存智慧》由上海人民出版社出版，受到读者欢迎。

在《收获》杂志发表中篇小说《小墩子》，后由中国电视剧制作中心改编拍摄为电视连续剧。

至该年，在海内外出版的个人专著按不同版本计已达43种。

在《红楼梦学刊》1992年第二辑上发表论文《秦可卿出身未必寒微》，在“红学”界和读者中均引起注意；另有若干《红楼梦》人物论和《红楼边角》专栏文章发表。

冬，应瑞典学院邀请（斯堪的纳维亚航空公司赞助）赴北欧访问；在挪威奥斯陆大学、瑞典斯德哥尔摩大学和隆德大学、丹麦哥本哈根大学和奥胡斯大学的东亚系汉学专业以《九十年代初的中国小说》为题作学术报告；12月7日，参加诺贝尔文学奖有关活动，听1992年得主德里克·沃尔科特发表受奖演说。

1993 年

华艺出版社出版《刘心武文集》（1—8卷）。

出版长篇小说《四牌楼》。

1994 年

1月，应台湾《中国时报》邀请赴台参加“两岸三地文学研讨会”。

《四牌楼》获上海优秀长篇小说大奖，到沪领奖。

1995 年

出版随笔集《人生非梦总难醒》（上海人民出版社）。

出版小说集《仙人承露盘》（华艺出版社）。

1996年

出版长篇小说《栖凤楼》(人民文学出版社)。至此,由《钟鼓楼》《四牌楼》《栖凤楼》构成的“三楼”长篇小说系列竣工。

应《南洋商报》邀请赴马来西亚访问并顺访新加坡。

1997年

应日本文化交流基金会邀请，与妻子吕晓歌访问日本。其长篇小说《钟鼓楼》、儿童文学作品《我是你的朋友》、短篇小说《王府井万花筒》等此前已相继译为日文在日本出版。

1998年

建筑评论集《我眼中的建筑与环境》由中国建筑工业出版社出版，在建筑界产生影响。

应美国科罗拉多大学邀请，赴美参加金庸作品国际研讨会，在会上提交关于《鹿鼎记》的论文《失父：一种生存困境》。

1999年

出版纪实性长篇小说《树与林同在》(山东画报出版社)。

出版《红楼三钗之谜》(华艺出版社)。

赴新加坡出席国际环境文学研讨会。

2000年

应邀访问法国,并应英中协会和伦敦大学邀请,从巴黎赴伦敦讲《红楼梦》。

至此年底在海内外出版的个人专著(不含文集)按不同版本计达101种。

2001年

出版包含建筑评论的随笔集《在忧郁中升华》(文汇出版社)。

在北京电视台录制播出《刘心武谈建筑》系列节目。

2002年

出版小说集《京漂女》(中国文联出版社)，自绘插图。

应澳大利亚雪梨华文写作协会邀请赴澳大利亚访问。

2003 年

以马来西亚《星洲日报》世界华人文学“花踪奖”评委身份赴吉隆坡参加相关活动。

台湾联经出版社出版小说集《人面鱼》。此前台湾已出版过刘心武多种作品，如皇冠出版社出版了《钟鼓楼》，幼狮文化事业公司出版了《四牌楼》《为他人默默许愿》(散文集)。

2004 年

赴法参加巴黎书展活动。书展上展出了译为法文的著作有小说《树与林同在》《护城河边的灰姑娘》《尘与汗》《人面鱼》《如意》与歌剧剧本《老舍之死》。

建筑评论集《材质之美》由中国建材工业出版社出版。

小说集《站冰》出版（人民文学出版社），自绘封面插图。

2005 年

出版集历年研红成果的《红楼望月》(书海出版社)。

应 CCTV-10（中央电视台科学教育频道）《百家讲坛》邀请，录制播出《刘心武揭秘〈红楼梦〉》系列节目 23 集，反响强烈，引出争议。

《刘心武揭秘〈红楼梦〉》第一、二部相继出版（东方出版社），畅销。

2006 年

应美国华美协会邀请，赴纽约在哥伦比亚大学讲《红楼梦》。

应邀参加香港书展。

出版《刘心武揭秘古本〈红楼梦〉》(人民出版社)。

2007 年

继续应邀到 CCTV-10《百家讲坛》录制节目,并出版《刘心武揭秘〈红楼梦〉》第三部、第四部（东方出版社）。

访问俄罗斯。

2008年

出版随笔集《健康携梦人》(中国海关出版社)。

自1986年出版《垂柳集》，至此所出版的散文随笔集已逾30种。

2009年

在《上海文学》杂志开《十二幅画》专栏,每期发表一篇写人物命运的大散文，并配发自己的画作。

4月，妻子吕晓歌病逝，著长文《那边多美呀！》悼念。

2010年

再应CCTV-10《百家讲坛》邀请,录制播出《〈红楼梦〉的真故事》系列节目。至此在《百家讲坛》录制播出关于《红楼梦》的个人系列讲座累计达61集。

出版《〈红楼梦〉的真故事》(凤凰联动·江苏人民出版社),在争议声中畅销。

4月，应台湾新地文学社邀请赴台参加“21世纪世界华文文学高峰会议”。

出版《命中相遇——刘心武话里有画》(上海文艺出版社)。

加快《刘心武续〈红楼梦〉》的写作，次年完成推出。

至本年底，在海内外出版的个人专著，文集不算在内，重印亦不算，按不同版本计达182种(按不同书名计则为141种)。

年底，筹备编辑《刘心武文存》。

附录二 刘心武著作书目

只包括在中国大陆、台湾、香港和海外出版的书（同一著作每种版本单列）；不包括散发于报刊尚未出书的篇目，亦不包括多人合集中的篇目。第一个数字表示不同版本的排序；[ ]中的数字表示剔除同一书名的版本后的排序；注意：文集8卷不参加排序。

1976年

1.[1]《睁大你的眼睛》[儿童文学·中篇小说]

北京人民出版社1976年1月第一版

1978年

2.[2]《母校留念》[儿童文学·小说集]

中国少年儿童出版社1978年7月第一版

1979年

3.[3]《小猴吃瓜果》[低幼读物·画册]

少年儿童出版社1979年4月第一版

1980年6月第二次印刷

4.[4]《班主任》[短篇小说集]

中国青年出版社1979年6月第一版

1980年

5.[5]《我是你的朋友》[儿童文学·中篇小说]

北京出版社1980年7月第一版

6.[6]《绿叶与黄金》[中短篇小说集]

广东人民出版社 1980 年 8 月第一版

7.[7]《刘心武短篇小说集》

北京出版社 1980 年 9 月第一版

1981 年

8.《这里有黄金》[中短篇小说集]

广东人民出版社 1981 年 4 月第二次印刷

有平装、软精装两种

9.[8]《大眼猫》[中短篇小说集]

浙江人民出版社 1981 年 8 月第一版

1982 年

10.[9]《如意》[中篇小说集]

北京出版社 1982 年 5 月第一版

1983 年

11.[10]《中国现代作家选(Ⅲ)刘心武〈我爱每一片绿叶〉〈深谷小溪默默流〉》

[日本]东方书店 1983 年第一版

12.[11]《同文学青年对话》

文化艺术出版社 1983 年 10 月第一版

1984 年

13.[12]《到远处去发信》[中短篇小说集]

四川人民出版社 1984 年 4 月第一版

有平装、软精装两种

14.[13]《如意》[电影文学剧本](与戴宗安联合署名)

中国电影出版社 1984 年 6 月第一版

1985 年

15.[14]《嘉陵江流进血管》[中篇小说集]

陕西人民出版社 1985 年 2 月第一版

16.[15]《日程紧迫》[中短篇小说集]

群众出版社 1985 年 5 月第一版

17.[16]《我可不怕十三岁》[儿童文学集]

新世纪出版社 1985 年 8 月第一版

18.[17]《钟鼓楼》[长篇小说]

人民文学出版社 1985 年 11 月第一版

有平装、软精装两种

1986 年 5 月第二次印刷

1986 年

19.[18]《公共汽车咏叹调》[纪实小说]

湖南文艺出版社 1986 年 1 月第一版

20.[19]《都会咏叹调》[小说集]

作家出版社 1986 年 3 月第一版

21.[20]《垂柳集》[散文集]

陕西人民出版社 1986 年 4 月第一版

22.[21]《立体交叉桥》[中短篇小说集]

人民文学出版社 1986 年 6 月第一版

有平装、软精装两种

23.[22]《巴黎郁金香》[访法散文集]

群众出版社 1986 年 11 月第一版

24.[23]《木变石戒指》[中短篇小说集]

青海人民出版社 1986 年 12 月第一版

1987 年

25. *Little Monkey Triesto Eat Fruit* [科学童话·英文]

海豚出版社 1987 年第一版

有平装、精装两种

26.[24]《斜坡文谈》[文学理论]

上海文艺出版社 1987 年 4 月第一版

27.[25]《王府井万花筒》[中篇小说集]

湖南文艺出版社 1987 年 9 月第一版

有平装、精装两种

28.[26]《5·19 长镜头》[小说自选集]

四川文艺出版社 1987 年 11 月第一版

29.げくけきの友たちだ[《我是你的朋友》日译本]

[日本]福武书店 1987 年 12 月第一版

1989 年 3 月第二版

1991 年 2 月第三版

1988 年

30.[27]《她有一头披肩发》[中短篇小说集]

台湾林白出版社 1988 年 4 月第一版

31.《钟鼓楼》[长篇小说]

香港天地图书有限公司 1988 年第一版

1993 年第二版

32.[28]《私人照相簿》[纪实文学]

香港南粤出版社 1988 年 11 月第一版

33.[29]《刘心武代表作》

黄河文艺出版社 1988 年 12 月第一版

1989 年

34.《小猴吃瓜果》[科学童话]

开明出版社、海豚出版社 1989 年 3 月第一版

35.《钟鼓楼》[长篇小说]

台湾皇冠出版社 1989 年 4 月第一版

36.[30]《一片绿叶对你说》[文艺随笔集]

河北教育出版社 1989 年 12 月第一版

1990 年

37.[31]*BLACK WALLS AND OTHER STORIES*[小说集·英译本]

香港中文大学翻译中心出版社 1990 年第一版

38.[32]《王府井万花镜》[小说集·日译本]

[日本]德间书店 1990 年 9 月第一版

1991 年

39.《母校留念》[小说]

[日本]骏河台出版社 1991 年 4 月第一版

40.[33]《一窗灯火》[中短篇小说集]

华艺出版社 1991 年 10 月第一版

1993 年第二次印刷

1992 年

41.[34]《列奥纳多·达·芬奇》[传记]

江苏教育出版社 1992 年 5 月第一版

42.[35]《有家可归》[散文随笔集]

广东旅游出版社 1992 年 5 月第一版

43.[36]《风过耳》[长篇小说]

中国青年出版社 1992 年 6 月第一版

1992 年 12 月第二次印刷

1993 年 3 月第三次印刷

1995 年 8 月第五次印刷

1996 年 3 月第六次印刷

44.《风过耳》[长篇小说]

香港勤 + 缘出版社 1992 年 6 月第一版

45.[37]《献给命运的紫罗兰——刘心武谈生存智慧》

上海人民出版社 1992 年 6 月第一版

1992 年 11 月第二次印刷

1995 年第三次印刷

1996 年 12 月第五次印刷

46.《刘心武代表作》

河南人民出版社 1992 年 6 月第二次印刷 · 精装本

47.[38]《蓝夜叉》[中篇小说集]

香港勤 + 缘出版社 1992 年 9 月第一版

1993 年

48.《北京下町物语》[长篇小说 ·《钟鼓楼》日译本]

[日本] 东京恒文社 1993 年 2 月第一版

1994 年第二版

49.[39]《为你自己高兴》[随笔集]

内蒙古人民出版社 1993 年 3 月第一版

50.[40]《杀星》[小说集]

香港勤 + 缘出版社 1993 年 6 月第一版

51.《我是你的朋友》[儿童文学 · 中篇小说 · 增订本]

希望出版社 1993 年 6 月第一版

52.[41]《四牌楼》[长篇小说]

上海文艺出版社 1993 年 6 月第一版

1994 年 4 月第二次印刷

1996 年 11 月第三次印刷

53.[42]《我是怎样的一个瓶子》[随笔集]

成都出版社 1993 年 9 月第一版

54.[43]《沉默交流》[随笔集]

中国华侨出版社 1993 年 11 月第一版

55.[44]《富心有术》[随笔集]

群众出版社 1993 年 12 月第一版

1995 年第二次印刷

56.[45]《中国当代名人随笔·刘心武卷》

陕西人民出版社 1993 年 12 月第一版

☆《刘心武文集》[1—8 卷]

华艺出版社 1993 年 12 月第一版

☆《刘心武文集·〈钟鼓楼〉〈风过耳〉》(简装本)

☆《刘心武文集·〈四牌楼〉〈无尽的长廊〉》(简装本)

华艺出版社 1997 年 5 月第一版

1994 年

57.[46]《仰望苍天》[随笔集]

知识出版社 1994 年 1 月第一版

1995 年第二次印刷

东方出版中心 1996 年 7 月第三次印刷

58.[47]《男扮女妆与女扮男妆》[随笔集]

中原农民出版社 1994 年 2 月第一版

59.[48]《相对一笑》[小小说集]

中共中央党校出版社 1994 年 2 月第一版

60.[49]《秦可卿之死》[专著]

华艺出版社 1994 年 5 月第一版

61.《四牌楼》[长篇小说]

台湾幼狮文化事业公司 1994 年 8 月第一版

62.[50]《为他人默默许愿》[散文集]

台湾幼狮文化事业公司 1994 年 10 月第一版

63.[51]《中国小说名家新作丛书·刘心武卷》

海峡文艺出版社 1994 年 11 月第一版

64.[52]《红楼梦(缩写本)》

接力出版社 1994 年 12 月第一版

1995 年第二次印刷

1997 年 9 月第三次印刷

1995 年

65.[53]《人生非梦总难醒》[名人日记·随笔集]

上海人民出版社 1995 年 1 月第一版

1995 年 3 月第二次印刷

66.[54]《仙人承露盘》[中短篇小说集]

华艺出版社 1995 年 3 月第一版

67.[55]《女性与城市》[杂文集]

中国城市出版社 1995 年 6 月第一版

68.《我是你的朋友》[增订版·"小学生成才书架"系列之一]

希望出版社 1995 年 10 月第一版

69.《在胡同里转悠》[随笔集]

陕西人民出版社 1995 年 11 月第二次印刷

70.[56]《刘心武海外游记》

华文出版社 1995 年 12 月第一版

1996 年

71.[57]《刘心武小说精选》

太白文艺出版社 1996 年 2 月第一版

72.[58]《开发心大陆》[随笔集]

吉林人民出版社 1996 年 3 月第一版

1997 年 3 月第二次印刷

73.[59]《你哼的什么歌》[散文集]

湖南文艺出版社 1996 年 6 月第一版

74.[60]《刘心武张颐武对话录——“后世纪”的文化了望》

漓江出版社 1996 年 7 月第一版

75.[61]《边缘有光》[随笔集]

汉语大辞典出版社 1996 年 8 月第一版

76.[62]《刘心武怪诞小说自选集》

漓江出版社 1996 年 8 月第一版

有平装、精装两种

77.[63]《我是刘心武》

团结出版社 1996 年 9 月第一版

78.[64]《刘心武》[中国当代作家选集丛书]

人民文学出版社 1996 年 10 月第一版

79.[65]《刘心武杂文自选集》

百花文艺出版社 1996 年 11 月第一版

80.《秦可卿之死》[修订本]

华艺出版社 1996 年 11 月第二版

81.[66]《栖凤楼》[长篇小说]

人民文学出版社 1996 年 12 月第一版

1998 年 3 月第二次印刷

1997 年

82.[67]《封神演义(缩写本)》

接力出版社 1997 年 1 月第一版

1997 年 9 月第二次印刷

83.[68]《胡同串子》[中短篇小说集]

北京燕山出版社 1997 年 8 月第一版

84.《私人照相簿》

上海远东出版社 1997 年 9 月第一版

1998 年 2 月第二次印刷

2000 年换封面版权页称 2000 年 6 月第二次印刷

85.[69]《中国儿童文学名家作品精选丛书·刘心武作品精选》

河北少年儿童出版社 1997 年 8 月第一版

86.[70]《把嘴张圆》[随笔集]

上海远东出版社 1997 年 12 月第一版

1998 年

87.[71]《我眼中的建筑与环境》[建筑评论随笔集]

中国建筑工业出版 1998 年 5 月第一版

1999 年 5 月第二次印刷

2000 年 6 月第三次印刷

2001 年 6 月第四次印刷

88.《钟鼓楼》[茅盾文学奖获奖书系]

人民文学出版社 1998 年 3 月第一次印刷

1998 年 7 月第二次印刷

1998 年 8 月第三次印刷

1999 年 3 月第四次印刷

2000 年 1 月第五次印刷

2001 年 1 月第六次印刷

2001 年 8 月第七次印刷

2002 年 8 月第八次印刷

2003 年 1 月第九次印刷

1999 年

89.[72]《树与林同在》[非虚构长篇小说]

山东画报出版社 1999 年 3 月第一版

2006 年 7 月第二次印刷

90.[73]《八十六颗星星》(*The Eighty-Six Stars*)[儿童文学小说·汉英对照]

希望出版社 1999 年 6 月第一版

91.[74]《红楼三钗之谜》[刘心武红学探佚精品]

华艺出版社 1999 年 9 月第一版

92.[75]《蓝玫瑰》[中短篇小说集]

中国华侨出版社 1999 年 10 月第一版

93.[76]《过隧道的心情》[随笔集]

华东师范大学出版社 1999 年 12 月第一版

2000 年

94.[77]《一切都还来得及》[随笔集]

中国青年出版社 2000 年 1 月第一版

95.[78]《善的教育》[儿童文学]

辽宁少年儿童出版社 2000 年 2 月第一版

96.[79] Le Talisman (version bilingue)[《如意》中、法文对照版]

Librarie You Feng 2000 年 4 月第一版

97.[80]《作家刘心武〈班主任〉手迹》

线装书局 2000 年 5 月第一版

98.[81]《楼前白玉兰》[小小说集]

中国广播电视出版社 2000 年 7 月第一版

99.[82]《刘心武侃北京》

上海文艺出版社 2000 年 10 月第一版

100.[83]《我爱吃苦瓜》[茅盾文学奖获奖作家散文精品]

广州出版社 2000 年 10 月第一版

2002 年 10 月第二次印刷

101.[84]《了解高行健》

香港开益出版社 2000 年 12 月第一版

2001 年

102.[85]《亲近苍莽》

中国旅游出版社 2001 年 1 月第一版

103.[86]《在忧郁中升华》

文汇出版社 2001 年 2 月第一版

《刘心武谈建筑——在忧郁中升华》2007 年 8 月第二次印刷

104.[87]《人在风中》

作家出版社 2001 年 8 月第一版

105.《风过耳》

时代文艺出版社 2001 年 10 月第一版

有平装、精装两种

2002 年

106.[88]《京漂女》(自绘插图)

中国文联出版社 2002 年 1 月第一版

107.[89]《深夜月当花》

中国工人出版社 2002 年 1 月第一版

108.[90]《春梦随云散》

人民文学出版社 2002 年 4 月第一版

109.[91]《藤萝花饼》

台湾二鱼文化事业有限公司 2002 年 4 月第一版

110.[92]《刘心武自述》

大象出版社 2002 年 10 月第一版

2003 年

111.[93] L'arbre et la forêt [《树与林同在》法译本]

Bleu de Chine 2003 年 1 月第一版

112.[94]《人面鱼》

台湾联经出版事业股份有限公司 2003 年 2 月初版

113.[94] La Cendrillon Du Canal [《护城河边的灰姑娘》法译本]

Bleu de Chine 2003 年 4 月第一版

114.[95]《画梁春尽落香尘》[“红学”专著]

中国广播电视出版社 2003 年 6 月第一版

2003 年 9 月第二次印刷

2004 年 1 月第三次印刷

2005 年 6 月第四次印刷

115.[96]《眼角眉梢》

新华出版社 2003 年 8 月第一版

116.[97]《钟鼓楼》[初中生语文新课标必读]

人民日报出版社 2003 年 9 月第一版

117.[98]《天梯之声》

中国青年出版社 2003 年 10 月第一版

2004 年

118.[99] Poussière et sueur [《尘与汗》法译本]

Bleu de Chine 2004 年 1 月第一版

119.[100] La mort de Lao SHe [《老舍之死》歌剧剧本法译本]

Bleu de Chine 2004 年 3 月第一版

120.[101] Poisson à face humaine [《人面鱼》法译本]

Bleu de Chine 2004 年 3 月第一版

121.《如意》[电影伴读中国文学文库·附电影光盘]

中国青年出版社 2004 年 1 月第一版

122.[102]《泼妇鸡丁》

台湾二鱼文化事业有限公司 2004 年 4 月第一版

123.[103]《在柳树臂弯里——刘心武随笔》

光明日报出版社 2004 年 5 月第一版

124.[104]《材质之美——刘心武城市文化酷评》

中国建材工业出版社 2004 年 5 月第一版

125.[105]《站冰——刘心武小说新作集》（自绘插图）

人民文学出版社 2004 年 6 月第一版

126.《四牌楼》

上海文艺出版社 2004 年 8 月第二版

127.[106]《大家文丛：刘心武》

古吴轩出版社 2004 年 8 月第一版

2005 年

128.《钟鼓楼》（中国文库·文学类）

人民文学出版社 2005 年 1 月第一版第一次印刷（平装）

2005 年 1 月第一版第一次印刷（精装）

129.《钟鼓楼》（茅盾文学奖获奖作品全集之一）

人民文学出版社 1985 年 11 月第一版、2005 年 1 月第一次印刷

2005 年 5 月第二次印刷

2005 年 7 月第三次印刷

2006 年 3 月第四次印刷

2008 年 4 月第七次印刷

2009 年 8 月第八次印刷

2010 年 1 月第九次印刷

2011 年 7 月第 15 次印刷

2011 年 9 月第 16 次印刷

2011 年 11 月第 17 次印刷

130.[107]《心灵体操》

时代文艺出版社 2005 年 1 月第一版

131.[108]《刘心武作文示范》

少年儿童出版社 2005 年 1 月第一版

132.[109] La Démone bleue（《蓝夜叉》法译本）

Bleu de Chine 2005年第一版

133.[110]《红楼望月》

书海出版社2005年4月第一版

2005年6月第二次印刷

2005年7月第三次印刷

2005年8月第四次印刷

2005年9月第五次印刷

2005年9月第六次印刷

134.[111]《刘心武揭秘〈红楼梦〉》

东方出版社2005年8月第一版

至2005年19月共十三次印刷

2005年11月第二版

至2005年12月已第十八次印刷

至2007年7月已第二十八次印刷

2007年12月第三十次印刷

2008年4月第三十二次印刷

135.《红楼解梦——画梁春尽落香尘》

中国广播电视出版社2005年9月第二版第五次印刷

136.《楼前白玉兰——刘心武最新小小说集》

中国广播电视出版社2005年9月第二版第二次印刷

137.[112]《刘心武揭秘〈红楼梦〉》[第二部]

东方出版社2005年12月第一版

至2007年7月已第十五次印刷

2007年12月第十七次印刷

2008年4月第十九次印刷

138.[113]《刘心武解读人世情》

时代文艺出版社2005年12月第一版

139.[114]《刘心武感悟平常心》

时代文艺出版社 2005 年 12 月第一版

2006 年

140.[115]《刘心武自选集》

云南人民出版社 2006 年 1 月第一版

141.[116]《刘心武点评〈红楼梦〉》

团结出版社 2006 年 1 月第一版

142,《刘心武精品集·第一卷·钟鼓楼》

东方出版社 2006 年 1 月第一版

143.《刘心武精品集·第二卷·四牌楼》

东方出版社 2006 年 1 月第一版

144.《刘心武精品集·第三卷·栖凤楼》

东方出版社 2006 年 1 月第一版

145.《刘心武精品集·第四卷·献给命运的紫罗兰》

东方出版社 2006 年 1 月第一版

146.[117]《戴敦邦绘刘心武评〈金瓶梅〉人物谱》

作家出版社 2006 年 4 月第一版

147.[118]《红楼拾珠》

云南人民出版社 2006 年 5 月第一版

148.[119]《藤萝花饼》

云南人民出版社 2006 年 5 月第一版

149.《刘心武揭秘〈红楼梦〉》[第一部]

台湾好读出版有限公司 2006 年 6 月初版

150.《刘心武揭秘〈红楼梦〉》[第二部]

台湾好读出版有限公司 2006 年 6 月初版

151.《我是刘心武》

天津人民出版社 2006 年 8 月第一版

152.[120]《刘心武揭秘古本〈红楼梦〉》

人民出版社 2006 年 12 月第一版

同月第二次印刷

2007 年

153.[121]《四棵树》

二十一世纪出版社 2007 年第一版

154.[122]《用心去游》

上海三联书店 2006 年 12 月第一版

2007 年 1 月第一次印刷

155.[123] Dés de poulet façon mégère [《泼妇鸡丁》法译本]

Bleu de Chine 2007 年 4 月第一版

156.《一切都还来得及》

中国青年出版社 2005 年 5 月第一版

157.[124]《刘心武揭秘〈红楼梦〉》[第三部·黛玉之谜及古本之秘]

东方出版社 2007 年 7 月第一版

至 2007 年 8 月已第四次印刷

2007 年 12 月第六次印刷

2008 年 3 月第七次印刷

158.[125]《刘心武说世道人心》

中国青年出版社 2007 年 7 月第一版

159.[126]《刘心武说寻美感悟》

中国青年出版社 2007 年 7 月第一版

160.[127]《刘心武说草根情怀》

中国青年出版社 2007 年 7 月第一版

161.[128]《长吻蜂》

上海人民出版社 2007 年 8 月第一版

162.《私人照相簿》

华龄出版社 2007 年 10 月第一版

163.《善的教育》

华龄出版社 2007 年 10 月第一版

164.[129]《刘心武揭秘〈红楼梦〉》[第四部・宝钗湘云之谜暨红楼心语]

东方出版社 2007 年 11 月第一版

2008 年 3 月第三次印刷

2008 年

165.[130]《健康携梦人》

中国海关出版社 2008 年 4 月第一版

166.[131]《刘心武小说》

吉林文史出版社 2008 年 5 月第一版

167.[132]《刘心武散文》

吉林文史出版社 2008 年 5 月第一版

2009 年

168.《钟鼓楼》(共和国作家文库)

作家出版社 2009 年 4 月第一版

169.《四牌楼》(共和国作家文库)

作家出版社 2009 年 4 月第一版

170.[133]《人在胡同第几槐》

中国文联出版社 2009 年 6 月第一版

171.《钟鼓楼》(新中国 60 年长篇小说典藏)

人民文学出版社 2009 年 7 月第一版

172.[134]《刘心武短篇小说》

现代教育出版社 2009 年 8 月第一版

173.[135]《刘心武中篇小说》

现代教育出版社 2009 年 8 月第一版

174.[136]《刘心武散文随笔》

现代教育出版社 2009 年 8 月第一版

175.《刘心武揭秘〈红楼梦〉》上卷 (共和国作家文库)

作家出版社 2009 年 8 月第一版

176.《刘心武揭秘〈红楼梦〉》下卷(共和国作家文库)

作家出版社 2009 年 8 月第一版

2010 年

177.[137]《人情似纸》

江苏文艺出版社 2010 年 1 月第一版

178.[138]《红楼梦八十回后真故事》

江苏人民出版社 2010 年 3 月第一版

179.[139]《刘心武小说精选集》

[台湾]新地文化艺术有限公司 2010 年 4 月第一版

180.《红楼望月》

江苏人民出版社 2010 年 6 月第一版

2010 年 9 月第二次印刷

181.[140]《命中相遇——刘心武话里有画》

上海文艺出版社 2010 年 7 月第一版

182.[141]《红楼眼神》

重庆出版社 2010 年 9 月第一版

2011 年

183.[142]《刘心武续红楼梦》

江苏人民出版社 2011 年 3 月第一版

江苏人民出版社 2011 年 4 月第 4 次印刷

184.[143]《红楼梦》(曹雪芹著刘心武续)

江苏人民出版社 2011 年 3 月第一版

185.《刘心武续红楼梦》[繁体字竖排本]

香港明报出版社有限公司 2011 年 3 月初版

186.《刘心武揭秘〈红楼梦〉》精华本(一)

江苏人民出版社 2011 年 4 月第一版

187.《刘心武揭秘〈红楼梦〉》精华本（二）

江苏人民出版社 2011 年 4 月第一版

188.《刘心武揭秘〈红楼梦〉》精华本（三）

江苏人民出版社 2011 年 4 月第一版

189.《刘心武揭秘〈红楼梦〉》精华本（四）

江苏人民出版社 2011 年 4 月第一版

190.《刘心武续红楼梦》[繁体字竖排本]

台湾城邦文化事业股份有限公司商周出版 2011 年 4 月第一版

191.《〈红楼梦〉的真故事》

台湾人类智库数位科技股份有限公司 2011 年 6 月第一版

192.[144]《听刘心武说房子的事儿》

中国商业出版社 2011 年 8 月第一版

193.[145]《刘心武心灵随感》

时代文艺出版社 2011 年 11 月第一版

2012 年

194.[146]《刘心武种四棵树》

漓江出版社 2012 年 1 月第一版

195.[147]《风雪夜归正逢时——我是刘心武》

漓江出版社 2012 年 1 月第一版

196.《献给命运的紫罗兰》

漓江出版社 2012 年 1 月第一版

197.[148]《人生有信》

江苏人民出版社 2012 年 3 月第一版

198.Poussière et sueur [《尘与汗》法译本 folio 袖珍版]

Gallimard 2012 年 8 月出版

199.La Cendrillon du canal [《护城河边的灰姑娘》法译本 folio 袖珍版]

Gallimard 2012 年 8 月出版